D1108027

Roland
JACOB

Jacques
LAURIN

MA GRAMMAIRE

Coordination (édition et production) : Hélène Hubert
Conception graphique et page de couverture : Violette Vaillancourt
Illustrations : Claudine Lafontaine
Recherche : Nathalie Boudreault
Mise en pages : Maryse Barreyat
Révision linguistique : François Morin
Correction d'épreuves : Diane Trudeau

DISTRIBUTEURS EXCLUSIFS:

- Pour le Canada et les États-Unis:
  MESSAGERIES ADP*
  955, rue Amherst,
  Montréal, Québec
  H2L 3K4
  Tél.: (514) 523-1182
  Télécopieur: (514) 939-0406
  * Filiale de Sogides ltée

- Pour la France et les autres pays:
  INTER FORUM
  Immeuble Paryseine, 3, Allée de la Seine
  94854 Ivry Cedex
  Tél.: 01 49 59 11 89/91
  Télécopieur: 01 49 59 11 96
  Commandes: Tél.: 02 38 32 71 00
  Télécopieur: 02 38 32 71 28

- Pour la Suisse:
  DIFFUSION: HAVAS SERVICES SUISSE
  Case postale 69 - 1701 Fribourg - Suisse
  Tél.: (41-26) 460-80-60
  Télécopieur: (41-26) 460-80-68
  Internet: www.havas.ch
  Email: office@havas.ch
  DISTRIBUTION: OLF SA
  Z.I. 3, Corminbœuf
  Case postale 1061
  CH-1701 FRIBOURG
  Commandes: Tél.: (41-26) 467-53-33
  Télécopieur: (41-26) 467-54-66

- Pour la Belgique et le Luxembourg:
  PRESSES DE BELGIQUE S.A.
  Boulevard de l'Europe 117
  B-1301 Wavre
  Tél.: (010) 42-03-20
  Télécopieur: (010) 41-20-24

Pour en savoir davantage sur nos publications,
visitez notre site: **www.edhomme.com**
Autres sites à visiter: www.edjour.com · www.edtypo.com
www.edvlb.com · www.edhexagone.com · www.edutilis.com

Dépôt légal, 1er trimestre 1998
Bibliothèque nationale du Québec
Bibliothèque nationale du Canada

ISBN : 2-7619-1296-9

On ne transmet pas une connaissance,
on transmet un désir.

Fernand Seguin

TABLE DES MATIÈRES

PRÉFACE

L'écriture est une habileté qui se développe par la lecture de beaux textes et par des pratiques d'écriture fréquentes et variées. Écrire exige également une certaine rigueur. L'utilisation d'une grammaire est essentielle pour acquérir, approfondir et maîtriser les mécanismes de la langue. Elle permet au scripteur de rédiger, dans une forme correcte, un message clair et articulé, conforme à son intention de communication et adapté à son interlocuteur.

Cependant, il importe de bien choisir sa grammaire. En effet, une grammaire ne doit pas rebuter. Au contraire, elle doit procurer un certain plaisir à ceux qui la consultent.

Ma Grammaire, *un plaisir à consulter grâce à :*

- *une approche moderne qui met l'accent sur le fonctionnement de la langue ;*
- *un concept original qui favorise l'initiation à la culture ;*
- *une démarche d'apprentissage graduée qui soutient l'acquisition de chaque notion ;*
- *une terminologie uniforme qui facilite l'appropriation du système de la langue ;*
- *un contenu enrichi qui complète les connaissances fondamentales ;*
- *des exemples signifiants qui renforcent les acquisitions ;*
- *de nombreux tableaux qui développent l'esprit de synthèse ;*
- *une structure méthodique qui simplifie les apprentissages ;*
- *de nombreux facilitateurs.*

Ma Grammaire *conjugue toutes ces caractéristiques, auxquelles s'ajoute la séduction de l'image et de la couleur.* Ma Grammaire, *outil indispensable à la réussite, vous convie à une plus grande maîtrise du français écrit, par* **le plaisir de la consultation**.

Roland Jacob

Jacques Laurin

INTRODUCTION

Une grammaire, en principe, présente le code de la langue, c'est-à-dire les règles qui la régissent. Cependant, une grammaire est aussi et avant tout un ouvrage qui analyse la langue et en fait comprendre les mécanismes. C'est ce que vise *Ma Grammaire* dont voici les principales caractéristiques.

UNE APPROCHE MODERNE DE LA GRAMMAIRE

Comme le préconise la linguistique d'aujourd'hui, *Ma Grammaire* propose une approche axée sur le fonctionnement de la langue. Le recours fréquent à la manipulation des éléments de la phrase par différents procédés, tels le déplacement, la suppression, la mise en évidence, etc., se révèle un moyen pratique et efficace pour comprendre le fonctionnement de la phrase.

Cette approche permet de corriger la tendance à percevoir la langue comme une liste d'exceptions et à négliger la connaissance de la règle. *Ma Grammaire* présente plutôt la langue comme un système logique dont les éléments s'articulent et se justifient.

De plus, pour rendre compte du caractère vivant de notre langue, *Ma Grammaire* accorde une place importante à la formation des mots : emprunts, néologismes, composition, féminisation, etc.

UN CONCEPT ORIGINAL

Ma Grammaire propose des thèmes qui évoquent des réalités historiques et culturelles d'ici et d'ailleurs. De courts textes accompagnés de photos ou d'illustrations éveillent la curiosité et incitent à lire davantage.

UNE DÉMARCHE D'APPRENTISSAGE GRADUÉE

Chaque notion est présentée dans une démarche en quatre étapes :

1re étape : Le texte déclencheur

Certains mots en couleur, dans un court texte, mettent en évidence la notion grammaticale à l'étude.

2e étape : **J'OBSERVE**

Les mots ainsi mis en évidence dans le texte déclencheur font l'objet d'une brève question dont la réponse permet de dégager un élément de la notion grammaticale à l'étude.

3e étape : JE REMARQUE

L'élément dégagé à la 2e étape sert d'amorce à l'explication de la notion grammaticale :

- L'explication suit un ordre croissant de difficulté, de la règle générale aux cas particuliers, du connu à l'inconnu.
- Chaque explication est réinvestie dans des exemples signifiants liés au texte déclencheur.
- De plus, à l'occasion, un tableau présente une synthèse de la notion.

4e étape : JE RETIENS

Cette dernière étape résume l'essentiel de la notion grammaticale.

UNE TERMINOLOGIE UNIFORME

La terminologie de *Ma Grammaire* est simple et uniforme. Les termes choisis désignent toujours de la même façon une même réalité linguistique et l'absence de jargon «savant» facilite la compréhension d'une matière parfois aride.

UN CONTENU ENRICHI

Ma Grammaire répond entièrement aux objectifs du programme officiel de français. Au contenu prescrit par ce programme s'ajoutent des éléments d'enrichissement qui aident à mieux communiquer. Cet enrichissement favorise l'expérience du plaisir gratuit associé à la découverte.

DES EXEMPLES SIGNIFIANTS

Des exemples signifiants, reliés au thème, permettent le réinvestissement de la notion. Le recours fréquent à la comparaison en facilite la compréhension.

DE NOMBREUX TABLEAUX

De multiples tableaux illustrent et complètent la présentation de certaines notions grammaticales. Ils en facilitent la compréhension et favorisent le développement de l'esprit de synthèse. De plus, ces tableaux sont un moyen efficace de trouver rapidement l'information.

UNE STRUCTURE MÉTHODIQUE

Ma Grammaire aborde de façon méthodique l'étude de tous les aspects de la langue. Elle expose d'abord le côté lexical des mots, puis elle passe à la phrase et aux fonctions. Viennent ensuite les diverses parties du discours. La ponctuation, l'accord grammatical et les homophones complètent l'ouvrage.

Le découpage d'un chapitre permet d'exploiter séparément chaque notion, ce qui rend la progression facile et l'apprentissage aisé.

DE NOMBREUX FACILITATEURS

De nombreuses caractéristiques facilitent la consultation de *Ma Grammaire* : une table des matières générale, une table des matières par chapitre, un index détaillé et un code de couleurs permettant le repérage rapide des chapitres.

Pour ajouter au plaisir de la consultation, *Ma Grammaire* présente des facilitateurs additionnels, regroupés dans un même chapitre: les abréviations, les symboles, les sigles et les acronymes les plus courants, des tableaux d'écriture des nombres et de conjugaison de plusieurs verbes.

EN BREF

Ma Grammaire a pour objet de donner le goût de la maîtrise de la langue, gage de réussite scolaire et professionnelle.

Maîtriser la langue c'est, sur le plan du développement personnel, une façon d'acquérir la confiance en soi.

LES ABRÉVIATIONS ET LES SIGNES UTILISÉS DANS MA GRAMMAIRE

adj. qual.	adjectif qualificatif
adj. num.	adjectif numéral
adv.	adverbe
ant.	antécédent
apostr.	apostrophe
appos.	apposition
attr.	attribut
aux.	auxiliaire
compar.	comparatif
CC	complément circonstanciel
COD	complément d'objet direct
COI	complément d'objet indirect
compl.	complément
— du compar.	— du comparatif
— du superl.	— du superlatif
cond. prés.	conditionnel présent
conj.	conjonction
— de coord.	— de coordination
— de sub.	— de subordination
dét.	déterminant
— art. déf.	— article défini
— art. ind.	— article indéfini
— dém.	— démonstratif
— excl.	— exclamatif
— ind.	— indéfini
— int.	— interrogatif
— num.	— numéral
— poss.	— possessif
épith.	épithète
fém.	féminin
forme	forme
— aff.	— affirmative
— impers.	— impersonnelle
— nég.	— négative
— pers.	— personnelle
gr. nom.	groupe nominal
gr. verb.	groupe verbal
imp. prés.	impératif présent
ind.	indicatif
— fut. ant.	— futur antérieur
— fut. s.	— futur simple
— imp.	— imparfait
— p.-q.-p.	— plus-que-parfait
— passé ant.	— passé antérieur
— passé comp.	— passé composé
— passé s.	— passé simple
— prés.	— présent
inf.	infinitif
interj.	interjection
inv.	invariable

loc.	locution
— adv.	— adverbiale
— conj.	— conjonctive
— prép.	— prépositive
masc.	masculin
part. prés.	participe présent
pers. gramm.	personne grammaticale
pers. plur.	personne du pluriel
pers. sing.	personne du singulier
phrase	phrase
— décl.	— déclarative
— excl.	— exclamative
— gramm.	— grammaticale
— imp.	— impérative
— int.	— interrogative
plur.	pluriel
préf.	préfixe
prép.	préposition
pron.	pronom
— dém.	— démonstratif
— ind.	— indéfini
— int.	— interrogatif
— num.	— numéral
— pers.	— personnel
— poss.	— possessif
— rel.	— relatif
prop.	proposition
— ind.	— indépendante
— princ.	— principale
— sub.	— subordonnée
— circ.	— circonstancielle
— complét.	— complétive
— conj.	— conjonctive
— inf.	— infinitive
— part.	— participiale
— rel.	— relative
sing.	singulier
subj.	subjonctif
— imp.	— imparfait
— p.-q.-p.	— plus-que-parfait
— prés.	— présent
suff.	suffixe
superl.	superlatif
v.	verbe
— impers.	— impersonnel
— intrans.	— intransitif
— pers.	— personnel
— pron.	— pronominal
— trans.	— transitif
var.	variable

*	devant un mot ou une expression, désigne une forme fautive
/	entre les lettres d'un mot, désigne une coupure de mot correcte
/ /	entre deux mots, désigne qu'il n'y a pas de liaison à l'oral
« »	encadrent le sens d'un mot ou d'une expression
[ ]	encadrent la transcription phonétique

LA FORMATION DES MOTS

1. LES LETTRES

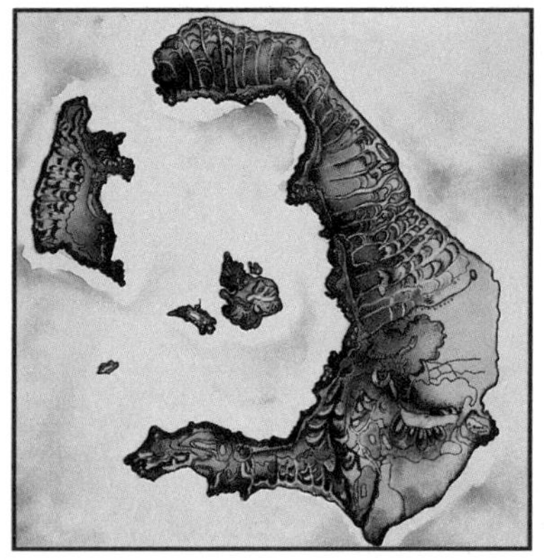

Le Santorin

Un volcan dans la mer Égée

Au XVe siècle avant Jésus-Christ, la mer Égée, qui sépare la Grèce et la Turquie d'aujourd'hui, a connu le cataclysme naturel le plus violent de l'histoire du monde. Le Santorin entra en éruption, puis, du haut de ses mille cinq cents mètres, s'écrasa dans la mer. Seuls subsistèrent quelques morceaux d'îles formant un nouvel archipel couvert de tonnes de cendres volcaniques. De plus en plus de scientifiques voient dans cet événement l'explication probable de la disparition mystérieuse de la légendaire Atlantide. Cette énigme de l'histoire, qu'on espéra longtemps résoudre, serait-elle enfin dénouée ou nous réserve-t-elle de nouvelles hypothèses ?

J'OBSERVE

Les mots en couleur sont-ils formés des mêmes lettres ?

Oui. Les mots *sépare* et *espéra* sont tous deux formés des lettres *a e e p r s*.

JE REMARQUE

1 Si l'on observe le texte, on peut faire les constatations suivantes :

a) Les quelque cinq cents **lettres** du texte ont servi à former une centaine de **mots** :
Les lettres *a e e p r s*, placées dans un certain ordre, donnent les mots *sépare* et *espéra*.

b) Cette centaine de mots a formé cinq **phrases** :
Les mots *éruption, Santorin, le, entra, en,* placés dans un certain ordre, donnent la phrase : *Le Santorin entra en éruption.*

c) Les cinq phrases du texte ont formé un **paragraphe**, qui constitue le **texte** en entier.

2 Pour communiquer, les êtres humains utilisent plusieurs moyens, dont des dessins simplifiés, appelés **pictogrammes**. Ces dessins expriment un message clair, qui n'a pas besoin d'explication. Voici une série de pictogrammes familiers aux automobilistes et à ceux qui fréquentent les établissements publics :

LE LANGAGE DES PICTOGRAMMES			
Pas de demi-tour	Pas d'alcool au volant	Défense de fumer	Défense d'allumer un feu
Téléphone public	Réservé aux personnes handicapées	Vers l'aéroport	Station-service

3 La **langue** est l'un des principaux moyens de communication entre les personnes. Il existe de nombreuses langues dans le monde. Ces langues sont **parlées** ou **écrites**. Une même langue peut être commune à plusieurs peuples de pays différents :

La **langue française** se parle dans plusieurs pays : en France, en Belgique, en Suisse, au Sénégal... et chez nous.

La **langue anglaise** se parle dans plusieurs pays : en Angleterre, aux États-Unis, en Irlande, en Australie, au Nigeria... et chez nous.

La **langue espagnole** se parle dans plusieurs pays : en Espagne, au Mexique, à Cuba, en Argentine, au Pérou...

4 Une langue écrite comme le français utilise des signes graphiques appelés **lettres**. La langue française emploie **vingt-six lettres**. C'est ce qu'on appelle l'**alphabet**. Toutes les lettres de l'alphabet sont du genre masculin. Voici les lettres de l'alphabet telles qu'elles apparaissent sur un clavier d'ordinateur ou de machine à écrire :

Lettres majuscules : QWERTYUIOPASDFGHJKLZXCVBNM
Lettres minuscules : qwertyuiopasdfghjklzxcvbnm

5 Si les lettres sont placées dans l'ordre traditionnel, on dit qu'elles sont dans l'**ordre alphabétique** :

Lettres majuscules : ABCDEFGHIJKLMNOPQRSTUVWXYZ
Lettres minuscules : abcdefghijklmnopqrstuvwxyz

6 L'**ordre alphabétique** s'emploie dans les dictionnaires, les lexiques, les index, les encyclopédies, l'annuaire téléphonique... C'est un moyen pratique de **classer les mots**. Pour trouver rapidement un mot, on doit connaître par cœur l'ordre alphabétique :

Dans le dictionnaire, on trouve les mots *volcan*, *archipel* et *éruption* dans l'ordre alphabétique, c'est-à-dire comme suit : *archipel*, *éruption*, *volcan*.

Dans l'annuaire téléphonique, on trouve les noms de famille *Archambault*, *Arbour*, *Arseneault* et *Arcand* dans l'ordre alphabétique, c'est-à-dire comme suit : *Arbour*, *Arcand*, *Archambault*, *Arseneault*.

7 Les **lettres** placées dans un certain ordre forment des **mots**. Ainsi, les lettres *E I N O P R T U*, selon l'ordre dans lequel on les place, peuvent servir à former plusieurs mots : *éruption*, *pointeur*, *pointure* :

Les six lettres *A E G N R T*, selon la façon de les placer, forment au moins huit mots différents : *argent*, *ganter* («mettre des gants»), *garent* (du verbe *garer*), *gérant*, *gréant* (du verbe *gréer*), *grenat*, *ragent* (du verbe *rager*) et *régnât* (du verbe *régner*).

8 Plusieurs **phrases** forment un **paragraphe**, plusieurs paragraphes peuvent composer un **texte narratif**, un **texte argumentatif**, un **texte expressif**, un **poème**, un **article**, une **chanson**, un **roman**...

9 La forme d'écriture employée en **français** est une **écriture alphabétique**, car elle utilise un alphabet, c'est-à-dire des lettres. Notre alphabet, hérité du latin, n'est pas le seul qui existe actuellement dans le monde. Le tableau suivant illustre diverses façons de lire et d'écrire *bonjour*, selon la langue et l'écriture utilisées.

DIVERSES FAÇONS DE LIRE ET D'ÉCRIRE *BONJOUR* EN QUELQUES LANGUES À ÉCRITURE ALPHABÉTIQUE			
Langue	**Alphabet**	**Salutation**	**Sens de l'écriture**
Français	Latin	Bonjour	Se lit et s'écrit de gauche à droite
Italien	Latin	Buon giorno	
Espagnol	Latin	Buenos días	
Anglais	Latin	Good morning	
Allemand	Latin	Guten morgen	
Grec	Grec	καλη μερα	
Russe	Cyrillique	дóбрый день	
Arabe	Arabe	صباح الخير	Se lit et s'écrit de droite à gauche
Hébreu	Hébreu	בֹּקֶר טוֹב!	

10 Certaines langues ne s'écrivent que par des espèces de dessins, appelés **idéogrammes.** C'est le cas notamment de la langue de l'Égypte ancienne, qui s'écrivait au moyen de **hiéroglyphes**, et de la plupart des langues asiatiques :

a) Les hiéroglyphes de l'**Égypte ancienne** sont des **idéogrammes**. Chaque dessin représenté dans l'exemple ci-dessous correspond à un son du nom de Cléopâtre, reine d'Égypte :

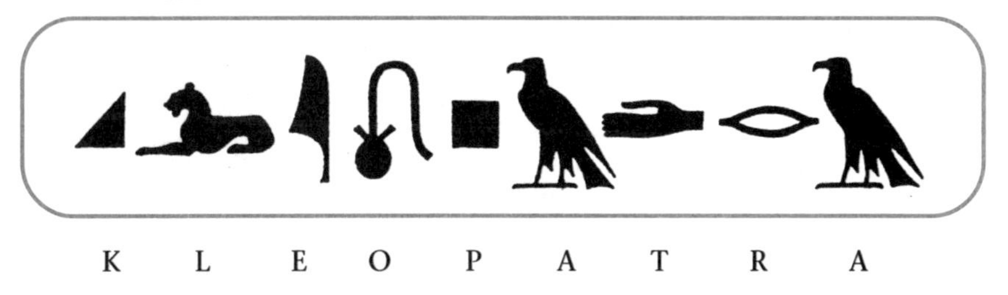

K L E O P A T R A

b) Le tableau suivant illustre les idéogrammes correspondant au mot français *bonjour* en écriture **chinoise** et en écriture **japonaise** :

ÉCRITURE DU MOT *BONJOUR* EN IDÉOGRAMMES	
Écriture chinoise	你好！
Écriture japonaise	こんにち は

1. LES LETTRES

11 Des situations diverses ont favorisé la création de langages ou de modes de communication particuliers qui ont recours aux **signes**. Les personnes sourdes ont un langage visuel qui leur est propre, la **langue des signes**, créée au XVIIIe siècle par l'abbé Charles Michel de l'Épée. Aujourd'hui, il existe plusieurs langues des signes pour les personnes sourdes selon les pays. Ainsi, la plupart des personnes sourdes francophones au Québec utilisent la **langue des signes québécoise**, appelée communément la **LSQ.** La langue des signes québécoise a son vocabulaire et sa syntaxe propres. En LSQ, le mot *bonjour* s'épelle comme suit :

12 Comme les personnes sourdes, les personnes non voyantes disposent d'un système d'écriture commun à toutes les langues du monde. Inventée par Louis Braille au XIXe siècle, l'**écriture braille** est un code de points en relief correspondant aux lettres de l'alphabet. On lit en effleurant les signes avec les index. En alphabet braille, le mot *bonjour* s'écrit comme suit :

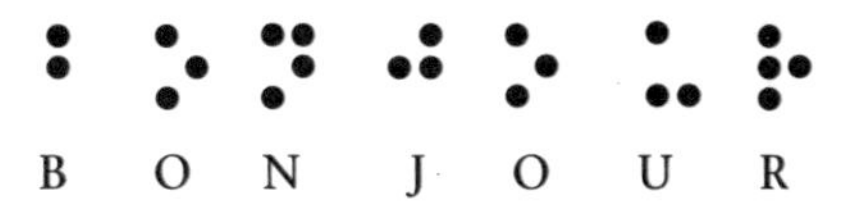

13 Deux autres codes de signaux sont utilisés partout dans le monde, tout particulièrement dans la marine. Ce sont le **code morse** et le **sémaphore** :

a) Le **code morse**, du nom de son inventeur Samuel Morse, peut être visuel ou sonore. À chaque lettre de l'alphabet correspond un ensemble de signaux courts (le point) et de signaux longs (le trait). En alphabet morse, le mot *bonjour* s'écrit comme suit :

b) Le **sémaphore** est un système de signaux composés au moyen de deux drapeaux. Placés dans diverses positions par rapport au corps du signaleur, les drapeaux représentent les lettres de l'alphabet et permettent d'épeler le message. En sémaphore, le mot *bonjour* s'épelle comme suit :

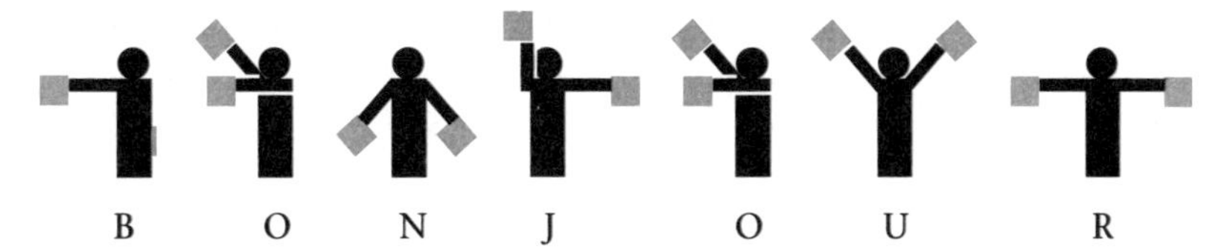

JE RETIENS

La communication entre les personnes repose sur un code commun. Il existe plusieurs types de codes. Chaque langue est en soi un code.
La langue française est donc un code. La langue française écrite compte vingt-six lettres. Avec ces lettres, on forme des mots. Avec ces mots, on forme des phrases.

2. LES TRENTE-SIX SONS DU FRANÇAIS

Le lac Cratère

Le lac Cratère au Nouveau-Québec

Au nord du Nouveau-Québec, dans la région de l'Ungava, un phénomène naturel excite la curiosité des scientifiques. Ce phénomène se nomme le lac Cratère. Malgré son nom, le lac n'a rien à voir avec les volcans. En effet, le lac Cratère aurait été formé, il y a des milliers et des milliers d'années, par la chute d'une météorite. On peut imaginer le volume du bolide si l'on ajoute que le lac mesure plus de trois kilomètres de diamètre. La masse et la vitesse du corps céleste étaient telles que, sous l'impact, il a creusé un trou de deux cent soixante-cinq mètres de profondeur. Selon les scientifiques, ce petit lac serait l'un des plus profonds du monde, mais il ne livre pas ses secrets.

J'OBSERVE

La lettre *s* se prononce-t-elle de la même façon dans les mots en couleur?

Non. Dans le mot *curiosité*, la lettre *s* se prononce comme si c'était un *z*. Dans le cas de *scientifiques* et de *son*, la lettre *s* se prononce [s]. Dans le mot *années*, la lettre *s* ne se prononce pas.

JE REMARQUE

1 À l'**écrit**, la langue française utilise **vingt-six lettres** réparties comme suit:

a) Les **voyelles**, au nombre de **six**:
a, e, i, o, u, y.

b) Les **consonnes**, au nombre de **vingt**:
b, c, d, f, g, h, j, k, l, m, n, p, q, r, s, t, v, w, x, z.

2 Pour transcrire la **prononciation**, on emploie l'**alphabet phonétique international** (API), où le même signe représente toujours le même son. Ce qui est entre crochets ([ ]) désigne la prononciation, comme dans certains dictionnaires:
Le mot *oiseau* se prononce [wazo].

3 À l'**oral**, la langue française utilise **trente-six sons**, appelés **phonèmes**. Le nombre de sons est donc plus grand que le nombre de lettres. Voilà pourquoi, en français, la prononciation et l'orthographe sont parfois si différentes. Les sons du français se répartissent en **voyelles**, en **consonnes** et en **semi-voyelles**.

4 Les **sons voyelles** sont au nombre de **seize**. Voici chacune des voyelles, présentée entre crochets ([ ]) et illustrée dans un mot écrit:

LES SEIZE SONS VOYELLES							
Son	Exemple	Son	Exemple	Son	Exemple	Son	Exemple
[i]	***dit***	[ɑ]	***pâte***	[y]	***du***	[ɛ̃]	***pin***
[e]	***dé***	[ɔ]	***porte***	[ø]	***peu***	[ɑ̃]	***dans***
[ɛ]	***lait***	[o]	***do***	[œ]	***peur***	[ɔ̃]	***don***
[a]	***patte***	[u]	***doux***	[ə]	***le***	[œ̃]	***un***

2. LES TRENTE-SIX SONS DU FRANÇAIS

5 Les **sons consonnes** sont au nombre de **dix-sept**. Voici chacune des consonnes, présentée entre crochets ([ ]) et illustrée dans un mot écrit :

LES DIX-SEPT SONS CONSONNES							
Son	Exemple	Son	Exemple	Son	Exemple	Son	Exemple
[p]	***p**ont*	[g]	***g**ong*	[v]	***v**ont*	[r]	***r**ond*
[t]	***t**on*	[f]	***f**ond*	[z]	*bi**s**on*	[m]	***m**on*
[k]	***c**amion*	[s]	***s**on*	[ʒ]	***j**onc*	[n]	***n**on*
[b]	***b**on*	[ʃ]	*man**ch**on*	[l]	***l**ong*	[ɲ]	*oi**gn**on*
[d]	***d**on*						

6 Les **semi-voyelles**, appelées aussi **semi-consonnes**, sont au nombre de **trois**. Voici chacune des semi-voyelles, présentée entre crochets ([ ]) et illustrée dans un mot écrit :

LES TROIS SEMI-VOYELLES					
Son	Exemple	Son	Exemple	Son	Exemple
[j]	*p**i**ed*	[w]	*j**ou**et*	[ɥ]	*h**u**it*

JE RETIENS

Les sons du français comptent seize voyelles, dix-sept consonnes et trois semi-voyelles.

L'usage fait la grammaire en se faisant par la grammaire.
Jean-Marie Laurence

3. LES SONS VOYELLES

Des volcanologues à l'œuvre

Le volcan qui tue

Au Japon, le mont Unzen a fait violemment éruption en juin 1991. Le volcan était endormi depuis deux siècles. Il s'est réveillé en même temps que le Pinatubo des Philippines. Deux éminents volcanologues français, Katia et Maurice Krafft, y ont trouvé la mort, emportés par un nuage de feu appelé «nuée ardente», qui les a surpris en plein travail d'observation scientifique. Ce couple de savants avait visité les profondeurs de la plupart des volcans actifs du monde. Leurs explorations comportaient toujours une grande part de risques. Ils auront été victimes de leur passion, les volcans. Leurs œuvres survivront: des films et des livres extraordinaires.

J'OBSERVE

Qu'ont en commun les groupes de lettres en couleur ?

Ces groupes de lettres représentent trois graphies différentes qui correspondent au son [ɑ̃]: *an*, *en* et *em*.

JE REMARQUE

1 Le **son voyelle** est **autonome**. Il se produit librement, sans l'aide d'un autre son. Il fait toujours vibrer les cordes vocales:

Si on met la main sur la gorge en émettant le son voyelle [i] ou le son voyelle [a], on sent vibrer les cordes vocales.

2 Selon la façon d'articuler, il existe plusieurs catégories de **sons voyelles**. On ne retiendra ici qu'une seule distinction, celle des **voyelles orales** et des **voyelles nasales**, selon la façon dont l'air s'échappe vers l'extérieur:

a) Les **voyelles orales** laissent sortir l'air par la bouche seulement:
Les voyelles orales sont: [i], [e], [ɛ], [a], [y], [ø], [ə], [œ], [u], [o], [ɔ] et [ɑ].

b) Les **voyelles nasales** laissent sortir l'air par la bouche et les fosses nasales situées derrière le nez. En se bouchant les oreilles ou le nez, on entend la différence:
Les voyelles nasales sont: [ɛ̃], [œ̃], [ɔ̃] et [ɑ̃].

c) Les **voyelles nasales** sont désignées par les mêmes signes que les voyelles orales correspondantes parce qu'il s'agit du même son. La voyelle nasale est surmontée du signe ~, appelé tilde, pour indiquer la nasalisation:

Voyelle orale	**Voyelle nasale**
[ɛ] *paix*	[ɛ̃] *pin*
[œ] *peur*	[œ̃] *un*
[ɔ] *port*	[ɔ̃] *pont*
[ɑ] *pâte*	[ɑ̃] *pente*

3 Le tableau qui suit illustre plusieurs graphies possibles pour chacun des sons voyelles du français:

3. LES SONS VOYELLES

LES VOYELLES ORALES ET LES VOYELLES NASALES			
Voyelle orale	**Graphie**	**Voyelle orale**	**Graphie**
[i]	*dit, ni, Guy, île, mosaïque*	[o]	*do, beau, chevaux, nôtre*
[e]	*dé, dîner, nez, pied, je dînai*	[u]	*doux, août, où, coup*
[ɛ]	*lait, père, cruelle, je dînais*	[y]	*du, sûr, elle eut, elle fut*
[a]	*patte, mal, femme, moi*	[ø]	*peu, voeux, deux*
[ɑ]	*pâte, gras*	[œ]	*veuf, oeil*
[ɔ]	*robe, Paul*	[ə]	*le, gredin, monsieur*
Voyelle nasale	**Graphie**	**Voyelle nasale**	**Graphie**
[ɛ̃]	*pin, main, plein, chien*	[ɔ̃]	*don, blond, sombre*
[ɑ̃]	*dans, dent, temps, paon*	[œ̃]	*un, parfum, à jeun, lundi*

JE RETIENS

La langue française compte trente-six sons dont seize voyelles.
On distingue, entre autres, les voyelles orales et les voyelles nasales.

Les mots sont aussi beaux les uns que les autres. Un u est-il plus joli qu'un i, un i moins bien tourné qu'un e ? Un mot, pour moi, c'est comme une fleur: c'est composé de pétales ; c'est comme un arbre : c'est fait de branches.

Réjean Ducharme

4. LES SONS CONSONNES ET LES SEMI-VOYELLES

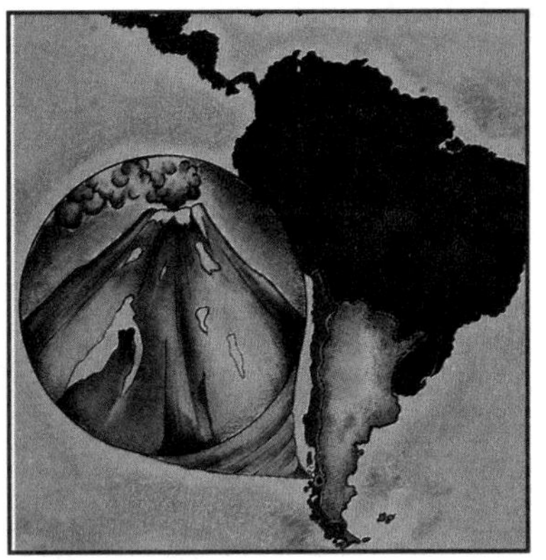
Le mont Hudson

Le mont Hudson, au Chili

L'Amérique du Sud compte plusieurs volcans actifs. Le mont Hudson est de ceux-là. Il a fait éruption en 1971, puis a recommencé en août 1991. Situé au sud du Chili, il a provoqué un important désastre écologique dans le pays voisin, l'Argentine. Les vastes plaines de la Patagonie, région sud du pays où l'élevage de troupeaux est prospère, sont couvertes de cendres. Les éleveurs ont perdu des milliers de moutons et toutes leurs récoltes. Sur des centaines de kilomètres carrés, la couche de poussière volcanique varie entre dix et quatre-vingt-dix centimètres d'épaisseur. C'est la catastrophe ! Ces gens retrouveront-ils un jour leur mode de vie d'hier ?

J'OBSERVE

Y a-t-il quelque chose de commun aux lettres en couleur dans le texte ?
Oui. Ce sont des consonnes qui se prononcent toutes [s].

JE REMARQUE

1 La langue française compte **dix-sept sons consonnes** et **trois semi-voyelles** :
Le [p] de ***p**ot* et le [f] de ***f**aux*, entre autres, sont des consonnes.
Les semi-voyelles sont le [j] de *p**i**ed,* le [w] de ***ou**i* et le [ɥ] de *l**u**i.*

2 Le **son consonne** n'est **pas autonome**. On ne peut pas l'émettre sans l'aide d'une voyelle. En s'échappant de la bouche, l'air ne sort pas librement :
Pour émettre le son [k], on doit l'accompagner d'un son voyelle, comme dans *qui, quand* : [ki], [kɑ̃].

3 Le tableau qui suit illustre plusieurs graphies possibles pour chacun des sons consonnes du français :

LES DIX-SEPT CONSONNES			
Consonne	Graphie	Consonne	Graphie
[p]	*pin, apporter*	[v]	*vent, wagon,*
[t]	*ton, athée, attaque*	[z]	*zèle, rose, deuxième*
[k]	*car, qui, ski, occasion*	[ʒ]	*je, nager, nageons*
[b]	*bon, abbé*	[l]	*long, aller*
[d]	*don, addition*	[r]	*roi, rhume, terre*
[g]	*gant, seconde, vague*	[m]	*mon, grammaire*
[f]	*fond, graphie, affable*	[n]	*non, damner, année*
[s]	*son, façon, ration, assez*	[ɲ]	*baigner*
[ʃ]	*chasse, schéma, shilling*		

4. LES SONS CONSONNES ET LES SEMI-VOYELLES

4 Les **semi-voyelles** sont des consonnes qui s'articulent comme une voyelle :

LES TROIS SEMI-VOYELLES	
Semi-voyelle	**Graphie**
[j]	*p**i**ed, fami**ll**e, ba**il***
[w]	***jou**et, **o**iseau, é**qu**ateur*
[ɥ]	*rel**u**it*

JE RETIENS

La langue française compte trente-six sons, dont dix-sept consonnes et trois semi-voyelles.

Ce qui n'est pas clair n'est pas français.
Rivarol

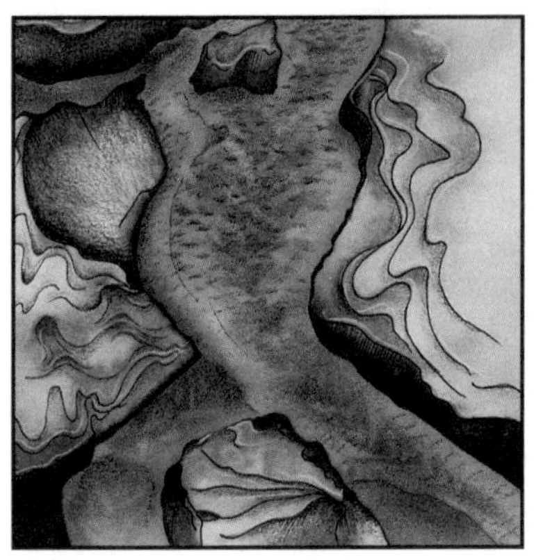
Un fleuve de lave

L'Etna, en Sicile

L'Etna se trouve en Sicile, au large de l'Italie. Il est imposant avec ses trois mille trois cents mètres d'altitude. Les volcanologues ont compté plus de cent trente-cinq éruptions importantes de l'Etna depuis sa naissance, il y a plusieurs milliers d'années. Contrairement à la plupart des volcans, l'Etna possède plusieurs ouvertures, des cratères, par où s'échappent les cendres et la lave. Le cratère principal s'est ouvert en 1788. Un autre est apparu en 1911. Le plus jeune est né en 1968. Il a été baptisé Bocca Nuova (la nouvelle bouche). L'éruption la plus récente a eu lieu en mai 1992. Il a fallu évacuer un village entier, situé sur les flancs de l'Etna et menacé par un fleuve de lave.

J'OBSERVE

Y a-t-il des ressemblances entre les deux expressions en couleur ?

Oui. Les mots *Bocca* et *bouche*, de même que les mots *Nuova* et *nouvelle*, ont des lettres en commun et une prononciation voisine.

JE REMARQUE

1 Le français est une **langue vivante**. Cette langue est née à un moment donné de l'histoire, elle évolue depuis ce temps et elle peut disparaître un jour, s'il n'y a plus personne pour la parler. Ainsi, de nos jours, le latin est une langue morte, car aucun peuple ne parle le latin.

2 Quand le Romain Jules César s'est emparé de la Gaule (ancien nom d'une partie de la France actuelle), il y a laissé un certain nombre de soldats. Par la suite, son armée a conquis une grande partie du monde connu à cette époque. Les soldats romains, peu instruits, parlaient le **latin populaire**. Ils ont imposé leur langue à travers l'Empire. Les albums d'Astérix racontent cette conquête de la Gaule avec beaucoup d'humour.

3 Le mélange du latin populaire des soldats avec les langues locales a donné, au cours des siècles, des langues différentes selon les pays. En contact avec la langue de s Gaulois, le latin a évolué très lentement pour donner le **français d'aujourd'hui**. Ailleurs, les transformations ont conduit à d'autres langues : l'**italien**, l'**espagnol**, le **roumain** et le **portugais**.

4 Au cours des siècles, la langue française a subi de nombreuses **transformations** qui se poursuivent encore de nos jours. Tous les aspects de la langue ont été touchés par ces changements : la **prononciation**, le **vocabulaire**, la **syntaxe**, l'**orthographe**, la **morphologie** :

a) Transformation de la **prononciation**. Tous les mots latins qui ont été conservés se prononcent différemment aujourd'hui :

Le mot *bucca*, en latin, où toutes les lettres se prononcent, est devenu *bocca* en italien et *bouche* en français.

b) Transformation du **vocabulaire**. Un grand nombre de mots sont disparus de la langue courante et beaucoup d'autres ont été créés au cours des siècles:

Le vocabulaire de la chevalerie ne s'emploie que très rarement de nos jours. Ainsi, les noms anciens *tassette* et *soleret* ne sont employés aujourd'hui que pour parler de l'armure du chevalier, dont ces noms désignent des pièces.
Le vocabulaire de l'informatique, par contre, est très nouveau: les mots *logiciel* et *micro-ordinateur* sont des créations récentes.

c) Transformation de la **syntaxe**. L'ordre des mots a changé, au cours des siècles, entre le latin et le français d'aujourd'hui:

COMPARER :
Acta est fabula. (Ordre des mots en latin : part. passé, aux., sujet.)
La pièce est terminée. (Ordre des mots en français: sujet, aux., part. passé.)

d) Transformation de la **morphologie**. La conjugaison des verbes et les règles de formation du genre et du nombre n'ont pas toujours été celles d'aujourd'hui. Ces transformations expliquent de nombreuses irrégularités:

Au temps de Molière, les terminaisons de l'imparfait de l'indicatif étaient: *-ois, -ois, -oit..., -oient.*

*Molière écriv**oit** des comédies et employ**oit** ces formes de la conjugaison.*

Mais aujourd'hui, on dirait et on écrirait:

*Molière écriv**ait** des comédies et employ**ait** ces formes de la conjugaison.*

5 La **langue française** n'est pas uniforme et figée:

a) La langue française **varie selon les pays.** La prononciation — on dit souvent l'accent — et le vocabulaire comportent des différences:

Il existe un accent québécois, parisien, haïtien, africain, belge...
Des mots décrivant la neige (*poudrerie, banc de neige...*) s'emploient ici mais non ailleurs.

b) La langue française **varie d'une région à l'autre** dans un même pays. La prononciation, le vocabulaire, les expressions présentent souvent des différences:

Au Canada, l'accent acadien diffère de l'accent québécois. Au Québec, l'accent du Saguenay-Lac-Saint-Jean diffère de celui de Montréal.

c) La langue française **varie d'une génération à l'autre**. Les jeunes emploient des expressions qui surprennent parfois leurs parents:

COMPARER :
«Ce film sur les volcans est formidable, extraordinaire, fantastique... !»
«Ce film sur les volcans est écoeurant, capoté, débile... !»

6 On appelle **français international** une forme de français courant compréhensible dans tous les pays francophones. C'est la langue habituellement utilisée par les personnes qui présentent les bulletins de nouvelles à la radio et à la télévision.

JE RETIENS

La langue française vient du latin. Au cours des siècles, elle s'est transformée et elle continue à évoluer. La langue française n'est pas la même partout. Elle varie selon les pays et les régions.

Une caldeira

Le Katmai, en Alaska

L'explosion du Katmai, le 6 juin 1912, est l'exemple type d'un phénomène volcanique particulier, la formation d'une caldeira. Une caldeira désigne un cratère de plus d'un kilomètre de diamètre. Il se forme lorsque, à la suite d'une importante éruption, le sommet d'un volcan s'effondre vers l'intérieur. Le cratère actuel du Katmai mesure quatre kilomètres de diamètre. Cette éruption a transformé une vallée verdoyante, où vivait une faune abondante, en un paysage lunaire de cendres volcaniques. Pendant plusieurs années, on l'a appelée la Vallée des dix mille fumées, à cause des fumerolles qui s'échappaient de milliers de fissures comme d'autant de cheminées.

J'OBSERVE

À la lecture, le mot en couleur ne semble pas français. Figure-t-il quand même dans le dictionnaire?

Oui. Il s'agit d'un mot d'origine portugaise qui est devenu français.

JE REMARQUE

1 Certains dictionnaires donnent l'**origine** d'un mot, entre parenthèses, avant la définition. Cette origine s'appelle l'**étymologie**. Ainsi, au mot ***caldeira***, *Le Petit Larousse illustré 1994* donne les renseignements suivants, dont l'étymologie entre parenthèses:

«**CALDEIRA** [kaldɛra] n.f. (mot port., *chaudière*). Vaste dépression, de forme grossièrement circulaire, formée par l'effondrement de la partie centrale d'un appareil volcanique.»

2 Si on se donne la peine de vérifier, on constate que presque tous les mots du texte viennent du **latin** et quelques-uns, d'autres langues:

a) Les mots *phénomène* et *kilomètre* sont des mots savants formés à partir de mots **grecs**, comme tous les mots français qui commencent par *kilo-* «mille» et ceux dans lesquels le son [f] s'écrit *ph*:

__kilo__gramme, __kilo__mètre, __ph__armacie, géogra__ph__ie, orthogra__ph__e...

b) Deux des mots du texte ont été empruntés par les volcanologues à des **langues modernes**. Le mot portugais *caldeira*, signifiant «chaudière», désigne un immense cratère. Le mot *fumerolle* est une adaptation du mot italien *fumaruolo*, signifiant «trou de cheminée»:

L'adjectif qualificatif *important*, comme dans *une importante éruption*, serait aussi d'origine italienne.

c) Plus de soixante pour cent des mots français sont d'**origine latine**. La prononciation et l'orthographe de tous ces mots latins se sont transformées au cours des siècles:

Les noms latins *legem* et *regem* se sont transformés et ont donné les noms français *loi* et *roi*.

Les noms latins *femina* et *tabula* ont donné les noms français *femme* et *table*.

3 Tout au long de son histoire, la langue française a emprunté des mots à plusieurs langues. La plupart du temps, ces **emprunts** coïncident avec les relations politiques ou commerciales du moment, la mode du jour ou un besoin particulier :

a) En ce qui concerne les relations politiques, on constate que la guerre a été l'occasion de nombreux emprunts à des langues étrangères. Ainsi, jusqu'au VIIe siècle, la Gaule a été envahie par les «barbares» d'origine germanique, les Francs, les Goths et les Vandales qui ont introduit des termes militaires et agricoles :
   Termes militaires d'origine germanique : *frapper, guerre, guetter, maréchal...*
   Termes d'agriculture d'origine germanique : *haie, hêtre, jardin, saule...*

b) Au Moyen Âge, la grande influence culturelle des Arabes a entraîné l'emprunt de beaucoup de mots arabes :
   Alcool, algèbre, amiral, assassin, azur, café, jupe, sucre, toubib...

c) Au XVIe siècle, la guerre contre l'Italie puis l'admiration pour les artistes et les banquiers italiens ont enrichi le français de plusieurs centaines de mots italiens empruntés à cette époque :
   Termes militaires : *arsenal, canon, cavalier, escalade, saccager, solde...*
   Termes financiers : *banque, banqueroute, bilan, douane...*
   Termes culturels : *bémol, duo, mandoline, piano, vedette, violon...*
   Termes de la vie quotidienne : *bambin, piédestal, poltron, vermicelle...*

4 Des besoins divers, pour le développement des sciences, des techniques et des sports, ont favorisé de nombreux emprunts à des langues étrangères :
   À l'**anglais d'Angleterre** : *bifteck, boxe, chèque, curling, football, gigue, golf, importer, magazine, paquebot, pouding, redingote, standard...*
   À l'**anglais américain** : *base-ball, basket-ball, disquette, hockey, microprocesseur, terminal, volley-ball...*
   Au **japonais** : *judo, karaté, kimono, saké...*
   Au **russe** : *cosaque, mammouth, spoutnik, steppe, vodka...*
   À l'**espagnol** : *bandoulière, bizarre, camarade, castagnette, cigare, fanfaron...*
   À l'**allemand moderne** : *accordéon, aspirine, bretelle, chenapan, choucroute, édredon...*
   Aux **langues scandinaves** : *crabe, drakkar, ski, slalom, cingler, marsouin...*
   Au **néerlandais**, langue des Pays-Bas : *aiglefin, bière, boulevard, corvette, hublot...*

5 Les mots venus d'une langue étrangère sont, le plus souvent, adoptés avec une prononciation et une orthographe françaises. Parfois, on ne reconnaît même plus le mot d'origine :
   Le mot français *redingote*, venu de l'anglais *riding coat*, ne ressemble plus au mot original.
   De même pour le mot français *paquebot*, venu de l'anglais *packet boat*.

JE RETIENS

Le vocabulaire français est formé en majorité de mots latins dont la prononciation et l'orthographe se sont transformées. Au cours des siècles, plusieurs mots ont été empruntés à d'autres langues.

7. LA CRÉATION DES MOTS

Le Krakatoa

Le Krakatoa, en Indonésie

Les îles de Krakatoa font partie d'une énorme caldeira. Elles sont les sommets visibles d'un supervolcan englouti dans la mer depuis plus de trois mille ans. En 1883, l'ancien volcan se réveille et des éruptions puissantes crachent leurs cendres à une hauteur parfois surprenante. Le 27 août, à l'aube, c'est la catastrophe : une explosion d'une puissance inouïe projette des cendres à près de cinquante kilomètres de hauteur. Le bruit de l'explosion a été entendu à plus de trois mille kilomètres à la ronde. Les nuages de cendres ont caché les rayons du soleil pendant vingt-deux heures dans un rayon de quatre cents kilomètres. Le volcan s'est effondré, perdant plus de trois cents mètres de sa hauteur.

J'OBSERVE

Chaque mot en couleur contient un autre mot français. Quel est ce mot dans chaque cas ?

Le mot *projette* contient, entre autres, le mot *jette* ; le mot *kilomètres* contient le mot *mètres* ; le mot *hauteur* contient le mot *haut*.

JE REMARQUE

1 Quand les usagers d'une langue ont besoin d'un mot nouveau, ils peuvent avoir recours à plusieurs procédés. Les plus fréquents sont les suivants : l'**emprunt**, la **création**, l'**extension de sens**, la **dérivation**, la **composition** ou la formation d'un **acronyme**.

2 L'**emprunt** consiste à prendre un mot tel quel dans une autre langue et à en faire un mot français, pour désigner une réalité nouvelle. Souvent, on emprunte le mot en même temps que ce qu'il désigne :

On sait que le mot *caldeira* vient du portugais et signifie «chaudière». Il désigne en français un vaste cratère de volcan d'un kilomètre et plus de diamètre.

Les Français ont emprunté à l'Angleterre le vocabulaire de la boxe en même temps que le sport lui-même. Ainsi, les mots *match, ring, round, knock-out* et plusieurs autres sont employés en français.

3 La **création** consiste à inventer un nouveau mot. On appelle alors ce mot un **néologisme** :

Clément Ader a créé le mot *avion* pour désigner son invention. Il a formé ce nom à partir du mot latin *avis*, signifiant «oiseau», à cause de sa forme.

L'avènement de l'informatique a entraîné la création de plusieurs mots nouveaux. Les noms *imprimante, logiciel* et *ordinateur* sont de ceux-là.

4 L'**extension de sens** consiste à donner un sens nouveau à un mot déjà existant :

L'adjectif qualificatif *baladeur*, signifiant «qui peut se déplacer», est devenu un nom pour désigner le lecteur de cassettes portatif, à la place de l'anglicisme **walkman*.

L'adjectif qualificatif *formidable*, qui signifie d'abord «qui fait peur», a pris un sens voisin de «extraordinaire».

5 La **dérivation** consiste à créer un mot en ajoutant un **suffixe** ou un **préfixe**, ou les deux à la fois, à un mot déjà existant:

a) Un **suffixe** est un élément qui s'ajoute **à la fin** d'un mot déjà existant pour former un mot nouveau:

En ajoutant le suffixe ***-ique*** au nom *volcan*, on a formé l'adjectif *volcan**ique***.
En l'ajoutant au nom *robot*, on a obtenu le nom *robot**ique***.
Le suffixe ***-eur*** ajouté à l'adjectif qualificatif *haut* a donné le nom *haut**eur***.

b) Un **préfixe** est un élément qui s'ajoute **au début** d'un mot déjà existant pour en former un nouveau:

Le verbe ***pro**jeter* vient du verbe *jeter* auquel s'ajoute le préfixe ***pro-***, qui veut dire «en avant».
En changeant le préfixe, on obtient ***re**jeter* ou ***dé**jeter*.

c) On peut former un nouveau mot en ajoutant à la fois un **suffixe** et un **préfixe** à un même mot déjà existant:

Le suffixe ***-ment*** ajouté au radical de l'adjectif qualificatif *honnête* a donné l'adverbe *honnête**ment***; en ajoutant à cet adverbe le préfixe ***mal-***, on obtient l'adverbe de sens contraire, ***mal**honnête**ment***.
L'adjectif qualificatif *ordinaire* a donné, de cette façon, l'adverbe ***extra**ordinaire**ment***.

6 La **composition** consiste à créer un mot en combinant des mots existants ou des parties de mots:

Le nom ***pomme de terre*** désigne quelque chose de différent du nom ***pomme*** et du nom ***terre*** pris isolément.

7 La formation d'un **acronyme** est la création d'un mot à partir d'une abréviation prononcée comme un mot en soi:

L'acronyme *ovni* est l'abréviation de l'expression ***o**bjet **v**olant **n**on **i**dentifié*.
L'acronyme québécois *cégep* est l'abréviation de ***c**ollège d'**e**nseignement **g**énéral **e**t **p**rofessionnel*.

8 On forme un nouveau mot en coupant une partie d'un mot existant. Il y a **aphérèse** si l'on coupe le début du mot. Il y a **apocope** si l'on coupe la fin du mot:

Aphérèse: *bus* pour *autobus*, *car* pour *autocar*.
Apocope: *ado* pour *adolescent*, *moto* pour *motocyclette*.

JE RETIENS

Pour créer des mots, la langue peut avoir recours à de nombreux procédés, parmi lesquels on trouve l'emprunt, la création, l'extension de sens, la dérivation, la composition et la formation d'un acronyme.

8. L'EMPRUNT AUJOURD'HUI

Une féerie de couleurs

Le Stromboli, au nord de la Sicile

Le Stromboli domine la petite île volcanique du même nom. Depuis plusieurs milliers d'années, ce volcan fait éruption constamment. Ses explosions se suivent à intervalles de quelques minutes seulement. Son cratère principal se situe à environ deux cents mètres du sommet. Aussi attire-t-il en grand nombre les visiteurs. Ceux-ci peuvent, sans risque, prétendent certains, admirer le phénomène des explosions. Souhaitons que jamais le volcan n'aura de sursaut d'humeur qui lui ferait projeter ses lapilli, ces petites pierres volcaniques, plus loin et plus haut qu'à l'accoutumée. Combien de victimes aurait-on alors à déplorer parmi les curieux ?

J'OBSERVE

Le mot en couleur ressemble-t-il à un mot français ?

Non. Le mot *lapilli* vient de l'italien.

JE REMARQUE

1 L'**emprunt** est le **procédé de création de mots** par lequel une langue prend un mot d'une langue étrangère et l'emploie tel quel :

Le mot *lapilli* est un mot italien emprunté par les volcanologues pour désigner les petites pierres en fusion lancées par le volcan.

2 L'emprunt n'est pas mauvais en soi. Il enrichit une langue. Cependant, il ne doit pas se faire n'importe comment. L'emprunt est justifié quand le mot emprunté n'a pas d'équivalent en français :

a) Parfois, on emprunte un mot et ce qu'il désigne. Ainsi, l'adoption de certains sports aux pays de langue anglaise a été suivie de l'emprunt des mots qui les nommaient :

Les mots *base-ball, basket-ball, hockey, tennis, volley-ball* sont aujourd'hui aussi français que les mots *natation*, *parachutisme* ou *patinage*.

b) Parfois, on emprunte le mot sans adopter ce qu'il désigne. Les emprunts ne servent alors qu'à nommer des **réalités étrangères**. C'est le cas pour les mots désignant la monnaie d'un pays ou des coutumes qui lui sont propres :

Le *mark* allemand, le *peso* mexicain, la *peseta* espagnole, la *livre sterling* anglaise et le *yen* japonais sont autant de mots bien français.

Les mots arabes *harem* et *sultan*, les mots espagnols *toréador* et *corrida* sont des mots bien français qui désignent des réalités du pays d'origine.

c) La langue française emprunte aussi des mots aux français régionaux pour désigner des **réalités régionales** :

Les mots *banc de neige*, *débarbouillette*, *poudrerie*, *érablière*, *orignal* et *tuque* figurent dans plusieurs dictionnaires et y sont désignés comme des mots utilisés uniquement chez nous.

Le mot *avalanche* est un mot savoyard et suisse, alors que le mot *aubette,* signifiant «abribus», est un mot belge.

3 Le mot emprunté, une fois intégré à la langue française, évolue comme tout autre mot. Avec le temps, il peut prendre des sens tout à fait différents de ceux qu'il avait dans la langue d'origine :

> Le nom *robe*, qui désigne aujourd'hui un vêtement féminin, le vêtement d'un magistrat, la couleur d'un vin, le pelage de certains animaux ou l'enveloppe de certains fruits ou légumes, a été emprunté au XIIe siècle à l'allemand ancien. Il désignait alors le butin résultant d'un vol.
>
> Au cours des siècles, le nom *robe* a perdu complètement son sens originel, que l'on retrouve cependant aujourd'hui dans le verbe *dérober*[1].

4 Un phénomène intéressant est le retour de l'emprunt. Une langue emprunte un mot au français et en adapte l'orthographe et la prononciation. Quelques siècles plus tard, le français emprunte ce mot à son tour :

> Par exemple, l'anglais a emprunté au français les mots *bougette* («petit sac») et *tonel* («tuyau»), disparus en français. En anglais, ces mots sont devenus *budget* et *tunnel*. Le français les a empruntés à son tour de l'anglais[2].

5 Parfois l'emprunt passe successivement par plusieurs langues avant d'être adopté par le français :

> Le nom *échec* serait un emprunt à l'ancienne langue persane par l'intermédiaire de l'arabe.
>
> Le nom *poivre* viendrait de la langue persane, en passant par l'arabe, le grec et le portugais.

JE RETIENS

Le français emprunte des mots pour désigner des réalités nouvelles qui n'ont pas de nom en français.

1. Alain Rey et *al.*, *Dictionnaire historique de la langue française*, t. 2, Paris, Éd. Dictionnaires Le Robert, 1992, p. 1816.

2. *Ibid.*, t. 1, p. 685.

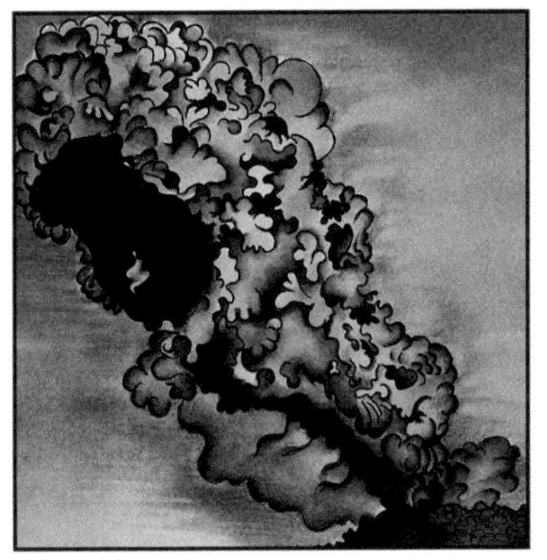

Un nuage de cendres

Le Pinatubo, aux Philippines

En juin 1991, en même temps que le Unzen du Japon, le Pinatubo, aux îles Philippines, se réveille après six cent onze ans de silence. Il se met à cracher des tonnes et des tonnes de boue brûlante, de roches en fusion et de cendres bouillantes. On doit évacuer définitivement plus de trois cent mille personnes, dont plusieurs milliers d'aborigènes qui cultivent, depuis des générations, leur lopin de terre sur les pentes du volcan. Plusieurs mois plus tard, le Pinatubo continue à semer la désolation. Les terres fertiles sont ensevelies sous une poussière mortelle. Des scientifiques disent même que le Pinatubo serait en partie la cause des perturbations que connaît aujourd'hui l'atmosphère terrestre.

J'OBSERVE

Le mot en couleur signifie-t-il «une fois pour toutes» ou «certainement» ?

L'adverbe *définitivement* signifie «une fois pour toutes», puisque les aborigènes ne pourront pas revenir sur leur terre.

JE REMARQUE

1 Chaque langue a ses particularités qui peuvent toucher aussi bien le mot, le sens, la syntaxe et l'orthographe que la ponctuation :

COMPARER :

Le spectacle commence à 20 h tous les soirs. (En français.)
*Le spectacle commence à *8 h P.M. tous les soirs.* (En anglais.)

2 Au cours des siècles, l'anglais a emprunté plusieurs mots français. Ce qui explique la grande ressemblance entre certains mots des deux langues. Toutefois, les mots n'ont pas nécessairement évolué de la même façon en français et en anglais. D'où le danger de confusion de sens ou d'orthographe :

Pour un anglophone, les mots *menu* (de restaurant), *rendezvous* (sans trait d'union) et *fiancé* sont des mots anglais. Un anglophone les prononce à l'anglaise :

En français	En anglais
Danse	*Dance*
Bagage	*Baggage*
Mariage	*Marriage*
Trafic	*Traffic*

3 On appelle **anglicisme** l'emploi abusif en français d'un mot, d'une expression ou d'une construction **propres à la langue anglaise**. C'est un emprunt injustifié parce qu'il existe un équivalent français. L'anglicisme peut toucher à peu près tous les aspects de la langue :

a) Un **anglicisme de vocabulaire** est l'emploi en français d'un mot anglais, même si on lui donne une forme française :

Les mots **speaker*, au sens de «haut-parleur», **ploguer*, au sens de «faire la promotion», sont des anglicismes de vocabulaire.

b) Un **anglicisme de sens**, appelé aussi **faux ami**, est l'emploi d'un mot français dans un sens qu'il n'a pas, mais qu'un mot de forme voisine a en anglais:

En français, l'adverbe *définitivement* signifie «une fois pour toutes», «irrémédiablement», «d'une façon définitive».

En anglais, l'adverbe *definitively* signifie «sans aucun doute», «certainement». Employer l'adverbe *définitivement* dans ce dernier sens est un anglicisme ou faux ami.

Le nom *pamphlet* a un seul sens en français, celui de «court ouvrage écrit sur un ton violent et qui attaque un adversaire».

En anglais, le nom *pamphlet* a plusieurs autres sens, dont ceux de «brochure», «dépliant». L'expression **pamphlet publicitaire* dans le sens de «dépliant publicitaire» est un anglicisme de sens ou faux ami.

c) Un **anglicisme de prononciation** est la prononciation à l'anglaise de mots français:

Isabelle a signé un ***chèque***. (La prononciation avec la consonne [t] au début du mot est un anglicisme de prononciation.)

Mon professeur de ***maths***... (La prononciation du [s] à la fin du mot est un anglicisme de prononciation.)

Trente-cinq ***cents***. (La prononciation du [s] à la fin du mot est un anglicisme de prononciation.)

d) Un **anglicisme d'orthographe** est l'emploi de l'orthographe anglaise dans un mot français:

Le mot *adresse* avec un ***d*** est **français**; le mot *address* avec deux *d* est **anglais**.

Écrire *une mauvaise *a**dd**resse*, c'est faire un anglicisme d'orthographe.

DES MOTS FRANÇAIS ET DES MOTS ANGLAIS D'ORTHOGRAPHE VOISINE			
Français	**Anglais**	**Français**	**Anglais**
ab**r**icot	a**p**ricot	dis**qu**ette	dis**k**ette
a**d**resse	a**dd**ress	envelo**ppe**	envelo**pe**
a**g**ressif	a**gg**ressive	ex**e**mple	ex**a**mple
a**pp**artement	a**p**artment	lang**a**ge	lang**ua**ge
ba**g**age	ba**gg**age	li**tt**érature	li**t**erature
b**o**uton	b**u**tton	ma**r**iage	ma**rr**iage
correspond**a**nce	correspond**e**nce	marm**e**lade	marm**a**lade
co**t**on	co**tt**on	offen**s**e	offen**c**e
cou**rr**ier	cou**r**ier	pass**e**port	pas**s**port
dévelo**pp**ement	develo**p**ment	tra**f**ic	tra**ff**ic

e) Un **anglicisme de syntaxe** est l'emploi en français d'une construction propre à la langue anglaise:

En français: *Je siège* ***au*** *comité*. (*Je siège *sur le comité* est un anglicisme de syntaxe.)

En français: ***Ces cinq derniers mois***, *le volcan a craché ses cendres*. (**Ces derniers cinq mois* est un anglicisme de syntaxe.)

f) Un **anglicisme de ponctuation** est l'emploi en français d'un signe de ponctuation à la façon de la langue anglaise :

En français	**En anglais**
Les guillemets : « »	Les guillemets : " "
La virgule décimale : **7,52**	Le point décimal : **7.52**
Le symbole $: **2,58 $**	Le symbole $: **$2.58**

4 Il y a une forme subtile d'**anglicisme** appelée c**alque**. Le calque a toutes les apparences du français. Un **calque de l'anglais** est la traduction littérale ou mot pour mot d'une expression anglaise, alors qu'il existe en français une ou plusieurs expressions équivalentes :

L'expression **bénéfices marginaux* est un calque de l'anglais *fringe benefits*. En français, on parle des *avantages sociaux*.

L'expression **moi pour un* est un calque de l'anglais *I for one*. En français, on dit : *quant à moi, pour ma part, en ce qui me concerne.*

5 Un mot d'origine anglaise qui a été adopté par l'ensemble de la francophonie n'est plus un anglicisme. Avec le temps et l'usage, il est devenu un **mot français** :

a) Certains mots français d'**origine anglaise** ont perdu leur apparence anglaise. Souvent même, leur origine a été oubliée :

Seuls les spécialistes savent que les noms *bateau, bouledogue, chemin de fer, paquebot, redingote, sport* et *wagon* sont d'origine anglaise.

b) D'autres mots français ont conservé une apparence anglaise, soit dans l'orthographe, soit dans la prononciation. Malgré cette apparence, ces mots ne sont pas des anglicismes. Ce sont des **mots français** :

Les mots *bacon, badminton, barman, base-ball, camping, cow-boy, football, interview, revolver, shampooing, terminus* et *volley-ball* sont bien français. Les employer en français, ce n'est pas commettre des anglicismes.

JE RETIENS

Un anglicisme est l'emploi abusif en français d'un mot, d'une expression, d'une prononciation, d'une signification propres à la langue anglaise.

10. LA DÉRIVATION : LE SUFFIXE

Le Paricutin, au Mexique

Nous sommes en 1943, plus précisément le 20 février, vers 16 heures. Un paysan mexicain, Dionisio Pulido, travaille paisiblement dans son champ, comme il le fait depuis plusieurs années. Soudain, il sent la terre gronder et le sol bouger sous ses pieds. Une fumée à forte odeur de soufre s'échappe d'une fissure, bientôt suivie de flammes. Dionisio est terrifié. Il court avertir les gens du village. Le lendemain, le nouveau volcan est haut de plus de cinquante mètres. Une semaine plus tard, il s'élève à près de cent cinquante mètres. Pendant neuf ans, les éruptions du Paricutin ont privé des milliers de paysans de leur seul gagne-pain, leur terre cultivée.

La naissance d'un volcan

J'OBSERVE

Quelle est la signification particulière des lettres en couleur qui terminent les mots ?

Les mots qui se terminent par *-ment* désignent des adverbes, alors que ceux qui se terminent par *-er* et *-ir* désignent l'infinitif d'un verbe.

JE REMARQUE

1 Pour former des mots nouveaux, on peut avoir recours à la dérivation. La **dérivation** consiste à ajouter un **suffixe** ou un **préfixe** à un mot existant. Les mots ainsi créés s'appellent des **dérivés du premier**. On dit aussi **mots de la même famille** :

Le suffixe ***-ment*** ajouté à l'adjectif qualificatif *paisible* a donné l'adverbe *paisi**blement***.

Le préfixe ***re-*** ajouté au verbe *venir* a donné un nouveau verbe : ***re**venir*.

2 Le **suffixe** est un ensemble de lettres qui ont parfois un sens et que l'on place **à la fin** du mot. Le suffixe s'ajoute à la fin d'un mot déjà existant ou à son radical pour former un autre mot. Ce procédé s'appelle **suffixation** :

Le suffixe ***-ment*** ajouté à la fin de l'adjectif qualificatif *habile* a donné l'adverbe *habile**ment***.

Le suffixe ***-ement*** ajouté au radical *grond-*, du verbe *gronder*, a donné le nom *grond**ement***.

3 À l'aide d'un suffixe, on peut former des **noms** :

a) À partir d'un **verbe** :

*Gronder : grond**ement**, gronde**rie** ; élever : élev**eur**, élev**age** ; virer : vir**ement**, vir**age**...*

b) À partir d'un **adjectif qualificatif** :

*Fourbe : fourb**erie** ; large : larg**eur**, larg**esse** ; propre : propr**eté** ; pur : pur**isme**, pur**iste**...*

c) À partir d'un **nom** :

*École : écol**ier** ; paysan : paysann**erie** ; savon : savonn**ier**, savonn**ette**...*

4 À l'aide d'un suffixe, on peut former des **verbes** :

a) À partir d'un **verbe** :
*Couper : coup**ailler** ; vivre : viv**oter**...*

b) À partir d'un **nom** :
*Fissure : fissur**er** ; projet : projet**er**...*

c) À partir d'un **adjectif qualificatif** :
*Calme : calm**er** ; rouge : roug**ir**, roug**eoyer**...*

5 À l'aide d'un suffixe, on peut former des **adjectifs qualificatifs** :

a) À partir d'un **verbe** :
*Aimer : aim**able** ; trancher : tranch**ant**...*

b) À partir d'un **nom** :
*Région : région**al** ; volcan : volcan**ique**...*

c) À partir d'un **adjectif qualificatif** :
*Blanche : blanch**âtre** ; riche : rich**ard**...*

6 À l'aide d'un suffixe, on peut former des **adverbes**. Le plus fréquent est le suffixe ***-ment***, qui s'ajoute à l'adjectif qualificatif correspondant :
*Vrai : vrai**ment** ; soudaine : soudaine**ment**...*

7 Le suffixe a souvent **un** ou **plusieurs sens**. Parfois, plusieurs suffixes ont le **même sens** :

a) Le suffixe ***-ite*** sert surtout à former des noms de **maladies** :
*Amygdal**ite**, appendic**ite**, arthr**ite**, bronch**ite**, entér**ite**, gastr**ite**, hépat**ite**, laryng**ite**, méning**ite**, ot**ite**, sinus**ite**...*
Sur ce modèle, on a créé, à la blague, le mot *réunionite*, pour désigner la «manie des réunions».

b) Le suffixe ***-ier*** ou ***-ière*** sert à former des noms désignant soit des **arbres**, soit des **métiers**, soit des **contenants** :
Noms d'arbres : *abricot**ier**, amand**ier**, banan**ier**, café**ier**, cocot**ier**, figu**ier**, poir**ier**, pomm**ier**...*
Noms de métiers : *bijout**ier**, charcut**ier**, charpent**ier**, épic**ier**, lait**ier**, pomp**ier**, post**ier**, quincaill**ier**...*
Noms de contenants : *bénit**ier**, cafet**ière**, cendr**ier**, chéqu**ier**, glac**ière**, herb**ier**, soup**ière**, thé**ière**...*

c) Plusieurs suffixes peuvent avoir le même sens. Les suffixes ***-age***, ***-aison***, ***-ement***, ***-erie*** et ***-ure*** ont en commun le sens de **l'action** exprimée par le **verbe** :
Suffixe *-age* : *bross**age**, dos**age**, dress**age**, lav**age**, vir**age**...*
Suffixe *-aison* : *compar**aison**, conjug**aison**, li**aison**, pend**aison**...*
Suffixe *-ement* : *abaiss**ement**, achèv**ement**, isol**ement**, rebondiss**ement**...*
Suffixe *-erie* : *agac**erie**, brod**erie**, caus**erie**, dup**erie**, trich**erie**...*
Suffixe *-ure* : *brûl**ure**, capt**ure**, coup**ure**, écorch**ure**, procéd**ure**...*

10. LA DÉRIVATION : LE SUFFIXE

LE SENS DE QUELQUES SUFFIXES			
Suffixe	**Sens**	**Mot**	**Exemple**
-able ou *-ible*	qui peut être...	adjectifs	*agré**able**, conven**able**, coup**able**, pens**able**, pli**able**, raisonn**able**...* *compat**ible**, créd**ible**, dispon**ible**, nuis**ible**, irrésist**ible**, vis**ible**...*
-age	action de...	noms	*bross**age**, découp**age**, graiss**age**, lav**age**, part**age**, pomp**age**, recycl**age**...*
	collection		*branch**age**, feuill**age**, plum**age**...*
	péjoratif		*chant**age**, colport**age**, marchand**age**, papot**age**, radot**age**...*
-asser	péjoratif	verbes	*bav**asser**, bard**asser**, fin**asser**, pot**asser**...*
	diminutif		*brum**asser**, pleuv**asser**...*
-ement	action de...	noms	*batt**ement**, dévou**ement**, recrut**ement**, remerci**ement**, siffl**ement**...*
-ment	de manière...	adverbes	*drôle**ment**, habile**ment**, nette**ment**, sournoise**ment**, vive**ment**...*
-iste	spécialiste de...	noms	*art**iste**, biolog**iste**, chim**iste**, dent**iste**, journal**iste**, pomp**iste**, violon**iste**...*
	adepte de...	adjectifs	*capital**iste**, commun**iste**, écolog**iste**, grév**iste**, idéal**iste**, pacif**iste**...*
-erie	qualité de...	noms	*brusqu**erie**, camarad**erie**, coquett**erie**, effront**erie**, fourb**erie**, galant**erie**...*
	action de...		*badin**erie**, cachott**erie**, caus**erie**, flatt**erie**, gât**erie**, ment**erie**, rêv**erie**...*
	résultat de...		*bouffonn**erie**, brod**erie**, moqu**erie**, plaisant**erie**, sing**erie**, tapiss**erie**...*
	collection		*artill**erie**, caval**erie**, machin**erie**, tuyaut**erie**, verr**erie**...*
	activité		*ébénist**erie**, hôtell**erie**, imprim**erie**, menuis**erie**, plomb**erie**, pot**erie**...*
	lieu		*bijout**erie**, biscuit**erie**, épic**erie**, pâtiss**erie**, raffin**erie**, sci**erie**...*

JE RETIENS

Un suffixe est une ou plusieurs syllabes que l'on ajoute à la fin d'un mot déjà existant ou à son radical pour former des mots nouveaux.

11. LA DÉRIVATION : LE PRÉFIXE

Le mont St Helens

Trente mille bombes

En 1980, pendant plusieurs mois, les explosions du mont St Helens, situé au nord-ouest des États-Unis, ont projeté des cendres volcaniques à plus de vingt kilomètres de hauteur. Les vents violents les transportaient tout autour du globe terrestre. On a vu un nuage de feu de trois cents degrés Celsius filer à huit cents kilomètres à l'heure et raser une forêt de pins jusqu'à une distance de plus de trente kilomètres. L'énergie dégagée par l'une des explosions de ce volcan se comparerait à celle d'une série de trente mille bombes nucléaires. Et dire que, à l'heure présente, il est presque impossible de prévenir ces phénomènes !

J'OBSERVE

Qu'arrive-t-il si on enlève les syllabes en couleur ?

Il reste un autre mot, plus court et de sens différent : on a ainsi les mots *jeté, portaient, parerait, possible* et *venir.*

JE REMARQUE

1 Pour former un mot nouveau à partir d'un mot déjà existant, on peut ajouter un **préfixe** à celui-ci. Ce procédé s'appelle **préfixation**. Le mot nouveau est un mot dérivé du premier. Tous les mots dérivés d'un même mot sont d'une **même famille** :

Le préfixe ***pro-*** ajouté au début du verbe *jeter* a donné le verbe ***pro****jeter.*

Le préfixe ***ir-*** ajouté au début de l'adjectif qualificatif *réel* a donné l'adjectif ***ir****réel.*

Le préfixe ***anti-*** ajouté au début du nom *corps* a donné le nom ***anti****corps.*

2 Le **préfixe** est un ensemble de lettres qui ont un sens et que l'on place **devant** un mot déjà existant pour former un nouveau mot ayant un autre sens :

Par l'ajout de différents préfixes, le verbe *jeter* a donné plusieurs verbes : ***dé****jeter,* ***inter****jeter* ***pro****jeter,* ***re****jeter,* ***sur****jeter.* Ces verbes sont de la famille du verbe *jeter* et ont tous des sens différents.

3 À l'aide d'un **préfixe**, on peut former des **mots nouveaux** :

a) À partir d'un **nom**, on forme d'autres noms :

Le nom *citoyen* donne le nom ***con****citoyen.* Le nom *tour* donne les noms ***con****tour,* ***dé****tour,* ***pour****tour.*

b) À partir d'un **adjectif qualificatif**, on forme d'autres adjectifs qualificatifs :

L'adjectif *possible* donne l'adjectif ***im****possible.* L'adjectif *content* donne l'adjectif ***mé****content.*

c) À partir d'un **verbe**, on forme d'autres verbes :

Le verbe *mettre* donne les verbes ***dé****mettre,* ***per****mettre,* ***pro****mettre,* ***re****mettre.* Le verbe *porter* donne les verbes ***dé****porter,* ***ex****porter,* ***im****porter,* ***re****porter,* ***sup****porter,* ***trans****porter.*

4 Il arrive qu'on crée un mot nouveau en ajoutant à la fois un **préfixe** et un **suffixe** à un mot existant :

Le préfixe ***com-*** ajouté au verbe *parer* a donné le verbe ***com****parer*. Le suffixe ***-able*** ajouté au radical du verbe *comparer* a donné l'adjectif *compar****able***.

Le suffixe ***-er*** ajouté au nom *clou* a donné le verbe *clou****er***. Les préfixes ***re-*** et ***dé-*** ajoutés au verbe *clouer* ont donné les nouveaux verbes ***re****clouer* et ***dé****clouer*.

5 Le préfixe peut avoir **un** ou **plusieurs sens**. Plusieurs préfixes peuvent avoir le **même sens** ou un sens voisin :

a) Le préfixe ***bi(s)-*** signifie «deux fois» :

Bi*centenaire*, ***bi****céphale*, ***bi****colore*, ***bi****corne*, ***bi****culturel*, ***bi****cyclette*, ***bi****énergie*, ***bi****face*, ***bi****furcation*, ***bi****game*, ***bis****annuel*, ***bis****sectrice*, ***bis****sextile*...

b) Le préfixe ***in-*** peut signifier «à l'intérieur» ou marquer le sens de «contraire» :

Sens de «à l'intérieur» : ***in****carner*, ***in****formation*, ***in****jecter*...
Sens de «contraire» : ***in****capable*, ***in****direct*, ***in****oubliable*...

c) Plusieurs préfixes peuvent avoir le même sens. Les préfixes ***dé-***, ***in-***, ***mal-***, ***mé(s)-*** ont en commun le sens de «contraire» :

Préfixe *dé-* : ***dé****boiser*, ***dé****clouer*, ***dé****fait*, ***dé****mesure*...
Préfixe *in-* : ***in****capable*, ***in****égal*, ***in****justice*, ***in****odore*...
Préfixe *mal-* : ***mal****entendant*, ***mal****honnête*, ***mal****mener*, ***mal****traiter*...
Préfixe *mé(s)-* : ***mé****content*, ***més****entente*, ***més****aventure*, ***més****estimer*...

6 Les préfixes les plus anciens viennent du **latin**. Ils se sont souvent transformés de plusieurs façons. Certains ont servi à former des mots savants :

Le préfixe latin ***ad-*** signifie «vers». La consonne ***d*** disparaît parfois ou est remplacée par une autre consonne : ***ac****cumuler*, ***ad****option*, ***af****filer*, ***ag****graver*, ***al****lécher*, ***an****noté*, ***ap****proche*, ***ar****river*, ***as****siéger*, ***at****teindre*...

Le préfixe ***ex-*** signifie «en dehors de» et continue à former des mots nouveaux aujourd'hui : ***ex****aspérer*, ***ex****aucer*, ***ex****céder*, ***ex****clamer*, ***ex****portation*... et ***ex****-conjoint*, ***ex****-enseignante*...

LE SENS DE QUELQUES PRÉFIXES D'ORIGINE LATINE		
Préfixe	**Sens**	**Exemple**
ad- et les variantes	vers	***ad****joindre*, ***ad****mettre*, ***ad****venir*...
a-		***a****baisser*, ***a****mener*, ***a****percevoir*...
ac-		***ac****céder*, ***ac****clamer*, ***ac****croître*...
af-		***af****faiblir*, ***af****faire*, ***af****franchir*...
ag-		***ag****graver*...
al-		***al****lécher*, ***al****lier*, ***al****louer*...
an-		***an****noter*...
ap-		***ap****paraître*, ***ap****prendre*, ***ap****porter*...
ar-		***ar****ranger*, ***ar****raisonner*, ***ar****rimer*...
as-		***as****saut*, ***as****sécher*, ***as****servir*...
at-		***at****tarder*, ***at****tenter*, ***at****tiédir*...

LE SENS DE QUELQUES PRÉFIXES D'ORIGINE LATINE (SUITE)		
Préfixe	**Sens**	**Exemple**
re- et les variantes *r-* *ra-* *ré-* *res-*	répétition	***re**bond, **re**chercher, **re**chute, **re**voir...* ***r**acheter, **r**adoucir, **r**amener, **r**appel...* ***ra**conter, **ra**fraîchir, **ra**patrier...* ***ré**action, **ré**animer, **ré**apprendre, **ré**unir...* ***res**saisir, **res**serrer, **res**servir...*
com- et les variantes *co-* *col-* *con-* *cor-*	avec	***com**battre, **com**patriote, **com**prendre...* ***co**auteur, **co**exister, **co**propriétaire...* ***col**latéral...* ***con**centrer, **con**citoyen, **con**former...* ***cor**rélation, **cor**roder, **cor**rompre...*
in- et les variantes *im-* *ir-* *em-* *en-*	dans	***in**corporation, **in**filtration, **in**former...* ***im**migrer, **im**porter, **im**poser...* ***ir**radiation...* ***em**barrer, **em**murer, **em**porter...* ***en**fermer, **en**foncer, **en**lacer...*
in- et les variantes *im-* *il-* *ir-*	contraire	***in**complet, **in**oubliable, **in**sensible...* ***im**buvable, **im**mobile, **im**patient, **im**poli...* ***il**légal, **il**lettré, **il**lisible, **il**logique...* ***ir**réel, **ir**régulier, **ir**réparable...*
ex- et les variantes *ef-* *es-* *é-*	en dehors de	***ex**clamer, **ex**purger, **ex**terminer...* ***ef**feuiller, **ef**filer, **ef**forcer...* ***es**croquer, **es**soucher, **es**souffler...* ***é**crémer, **é**changer, **é**migrer...*

7 D'autres préfixes sont d'origine **grecque** et ont servi surtout à former des mots dits «savants», parce qu'ils supposent la connaissance de la langue grecque :

Le préfixe ***arch(i)-*** a donné: ***arch**evêque*, ***archi**duc*, ***archi**tecte* et, plus récemment, des superlatifs comme ***archi**riche*, ***archi**faux*, ***archi**brillant*...

LE SENS DE QUELQUES PRÉFIXES D'ORIGINE GRECQUE		
Préfixe	**Sens**	**Exemple**
anti-	contre	***anti**aérien, **anti**allergique, **anti**corps, **anti**tabac...*
arch- *archi-*	haut degré	***arch**evêque, **archi**faux, **archi**pressé...*
épi-	sur	***épi**centre, **épi**derme, **épi**graphe...*

11. LA DÉRIVATION : LE PRÉFIXE

LE SENS DE QUELQUES PRÉFIXES D'ORIGINE GRECQUE (SUITE)		
Préfixe	**Sens**	**Exemple**
para-	à côté	***para****militaire*, ***para****normal*, ***para****public...*
péri-	autour	***péri****mètre*, ***péri****natal*, ***péri****phrase...*
syn- et les variantes *sy-* *syl-* *sym-* *sys-*	avec	***syn****archie*, ***syn****chronisme*, ***syn****onyme*, ***syn****thèse...* ***sy****métrie*, ***sy****métrique...* ***syl****labe*, ***syl****logisme...* ***sym****bole*, ***sym****pathie*, ***sym****phonie...* ***sys****tématique*, ***sys****tème...*
télé-	loin	***télé****commander*, ***télé****copieur*, ***télé****phone...*

JE RETIENS

Un préfixe est une ou plusieurs syllabes que l'on ajoute au début d'un mot déjà existant pour former des mots nouveaux.

La langue est un théâtre dont les mots sont les acteurs.
Ferdinand Brunetière

12. LA COMPOSITION

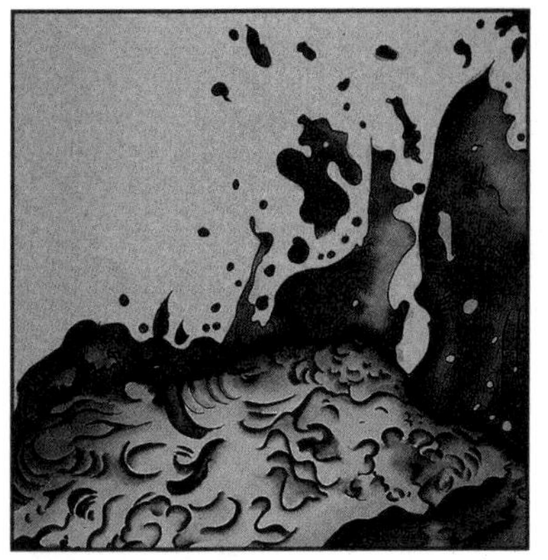

Le piton de la Fournaise

Un volcan dans l'océan

La Réunion est une petite île tropicale au sud-est de l'Afrique. Célèbre auprès des touristes et des volcanologues, elle est née d'un volcan formé au fond de l'océan, il y a plus de quatre millions d'années. Ce volcan se nomme le piton des Neiges. Un jour, surprise ! Un volcan nouveau-né surgit, accroché à son flanc. Le rejeton devient vite plus grand et plus puissant que celui qui lui a donné naissance. C'est le piton de la Fournaise. Âgé de trois cent mille ans, le piton de la Fournaise compte aujourd'hui plusieurs cratères. C'est l'un des volcans les plus actifs. On y a compté plus de quatre-vingts éruptions importantes au XXe siècle.

J'OBSERVE

Qu'ont de particulier les mots en couleur ?

Ils sont tous formés de plusieurs mots, sauf le mot *volcanologues*.

JE REMARQUE

1 Pour créer un mot nouveau, on peut mettre côte à côte deux mots déjà existants. Ce procédé s'appelle la **composition**. Les mots ainsi formés sont des **mots composés**. Parfois, les éléments sont unis par un trait d'union :

Les mots *sud-est* et *nouveau-né* sont des mots composés, dont les éléments sont unis par un trait d'union.

Les mots *pomme de terre* et *commis voyageur* sont des mots composés dont les éléments ne sont pas unis par un trait d'union.

2 La composition permet d'associer de différentes façons des mots français déjà existants. Le mot nouveau est parfois un **mot composé**, parfois un **mot simple**. Les éléments du mot composé ne sont pas toujours unis par un trait d'union. Ces mots peuvent être formés :

a) De deux **noms** :

Noms composés : *un **portrait-robot**, un **chou-fleur**, une **pomme de terre**...*

Nom simple : *une **motoneige**...*

b) De deux **adjectifs qualificatifs** :

Adjectif qualificatif composé : *une sauce **aigre-douce**...*

Adjectif qualificatif simple : *une forêt **clairsemée**...*

c) D'un **nom** et d'un **verbe** :

Noms composés : *une **salle à manger**, un **métier à tisser**...*

d) D'un **verbe** et d'un **nom** (souvent son complément) :

Noms composés : *un **porte-clés**, un **abat-jour**...*

Nom simple : *un **portemanteau**...*

e) D'un **nom** et d'un **adjectif qualificatif** :
Noms composés : *la **grand-mère**, le **cerf-volant**, une **clé anglaise**...*
Nom simple : *le **vinaigre**...* (Le nom *vin* et l'adjectif *aigre* ont formé le mot *vinaigre*.)

f) D'un **verbe** et d'un **pronom personnel** :
Nom composé : *un **rendez-vous**...*

g) D'un **mot invariable** et d'un **nom**, d'un **mot invariable** et d'un **adjectif qualificatif** ou d'un **mot invariable** et d'un **verbe** :
Noms composés : *un **après-midi**, un **sous-marin**, une **arrière-pensée**, un **non-violent**...*
Noms simples : *un **contretemps**, un **souterrain**...*
Adjectif qualificatif simple : *une allure **nonchalante**...*
Adjectif qualificatif composé : *une manifestation **non violente**...*
Verbes composés : ***sous-titrer**, **contre-indiquer**...*
Verbe simple : ***entrouvrir**...* (La préposition *entre* et le verbe *ouvrir* ont formé le verbe *entrouvrir*.)

h) De deux **verbes** :
Noms composés : *le **laisser-aller**, le **savoir-faire**, un **laissez-passer**...*

3 Certains mots composés sont appelés **locutions** :

a) Les locutions verbales sont formées d'un verbe suivi d'un autre mot :
Le nom *pied* sert à former plusieurs locutions verbales : *mettre à pied, mettre sur pied, perdre pied, lâcher pied...*
L'adjectif qualificatif *chaud* sert à former plusieurs locutions verbales : *avoir chaud, faire chaud, tenir chaud...*

b) Certaines locutions sont formées de plusieurs mots invariables :
Locutions adverbiales : *en vain, pas du tout, tout à coup...*
Locutions conjonctives : *alors que, parce que, pendant que...*
Locutions prépositives : *afin de, avant de, à travers...*

4 Pour s'assurer qu'il s'agit bien d'un mot composé, on peut recourir à divers procédés de manipulation :

a) Le mot composé se remplace par un mot simple :
COMPARER :
J'ai acheté des pommes de terre.
J'ai acheté des fruits.

b) On ne peut pas ajouter une épithète ou un adverbe se rapportant à un seul élément du mot composé :
*Cette **bande dessinée** montre le volcan en éruption.* (On ne peut dire *cette bande *très dessinée...*)

JE RETIENS

La composition permet de former des mots nouveaux en unissant plusieurs éléments déjà existants.

L'Islande et ses volcans

Au pays des volcans

L'Islande est une immense île volcanique, située dans l'océan Atlantique, au sud du Groenland. C'est le lieu d'observation idéal pour les volcanologues, que les Islandais accueillent toujours avec beaucoup d'égards. Les volcans y sont nombreux, plus de deux cents, répartis sur une superficie plutôt réduite. Ils font partie de la vie quotidienne. Au cours des neuf derniers siècles, on a dénombré une trentaine de volcans redevenus actifs et plus de cent vingt éruptions importantes. À la fin du XVIIIe siècle, plus précisément en 1783, le volcan Laki a fait dix mille victimes, soit le quart du peuple islandais.

J'OBSERVE

Le mot en couleur est-il de la même nature dans les deux cas ?

Non. Dans le premier cas, le mot *Islandais* est un nom propre et commence par une majuscule ; dans le deuxième cas, le mot *islandais* est un adjectif qualificatif et s'accorde avec le nom *peuple*.

JE REMARQUE

1 Au lieu d'inventer un mot, les usagers de la langue utilisent parfois des mots existants et leur font jouer des **rôles nouveaux**. Ainsi, un nom est utilisé comme **adjectif qualificatif**, un adjectif qualificatif comme **nom**, un verbe comme **nom**, un nom commun comme **nom propre** ou l'inverse :

COMPARER :

Jean dessine deux carrés. (Nom commun.)
L'Islande mesure environ cent mille kilomètres carrés. (Adjectif qualificatif.)
Ce volcanologue est pauvre. (Adjectif qualificatif.)
Nathalie a secouru un pauvre. (Nom commun.)
Les policiers ont laissé passer les volcanologues. (Verbes.)
Mélissa avait son laissez-passer. (Nom commun.)

2 Souvent, un **nom propre** est employé comme **nom commun** pour diverses raisons. Après plusieurs années, on s'en sert sans en connaître l'origine :

a) Par allusion au caractère du personnage connu de la littérature :

L'*avare* s'appelle un *séraphin*, au Québec, d'après le personnage de Séraphin Poudrier, créé par le romancier Claude-Henri Grignon.

En Europe, on parle surtout d'un *harpagon*, d'après le personnage principal de la comédie *L'Avare*, de Molière.

b) Le nom de l'inventeur désigne son invention :

Le nom du physicien André-Marie Ampère a été donné à l'*ampère*, unité de mesure en électricité.

M. Eugène Poubelle, fonctionnaire français, est moins connu que la *poubelle*, dont il imposa l'usage en 1884.

c) Le nom du lieu d'origine désigne le produit :
L'*oka* est un fromage fabriqué à la trappe d'Oka, au Québec.
Le *cognac* et le *champagne* sont fabriqués, en France, dans la ville de Cognac et dans la région de la Champagne.
Le *camembert* est un fromage dont la recette vient du village de Camembert, en France.

d) Parfois, on forme un mot en ajoutant un suffixe à un nom propre :
La *baïonnette* était fabriquée à Bayonne, en France.

3 À l'inverse, un **nom commun** peut devenir un **nom propre**. Les noms de famille viennent souvent d'un nom commun. On peut en trouver beaucoup dans l'annuaire téléphonique :

a) Des noms de famille désignant un métier actuel ou ancien :
Boucher, Boulanger, Maréchal, Tavernier...

b) Des noms de famille désignant un oiseau :
Létourneau, Pigeon, Pinson, Rossignol...

c) Des noms de famille désignant un arbre :
Desnoyers, Duchesne, Dufresne, Poirier...

d) Des noms de famille désignant un animal :
Beaudet, Leboeuf, Mouton, Poulain...

e) Des noms de famille désignant un outil :
Desmarteaux, Lapointe, Maillet, Pilon...

f) Des noms de famille désignant une qualité :
Ladouceur, Ledoux, L'Heureux, Vaillant...

g) Des noms de famille désignant l'emplacement de l'habitation :
Dumoulin, Dupré, Lamarre, Lamontagne...

JE RETIENS

Au lieu de créer un mot, on fait parfois jouer à un mot existant un rôle nouveau : le nom devient un adjectif qualificatif, l'adjectif qualificatif devient un nom, le nom propre devient un nom commun et le nom commun devient un nom propre.

14. LE MOT À PLUSIEURS SENS

Le Fuji-Yama

La montagne sacrée

Le Japon, avec ses chaînes de volcans, connaît probablement l'activité volcanique la plus intense du monde. En effet, on y compte cinquante-cinq volcans actifs. Il ne faut pourtant pas oublier le Fuji-Yama qui, même s'il dort depuis 1708, n'en est pas moins devenu le symbole du pays, comme la tour Eiffel pour la ville de Paris. Haut de trois mille sept cents mètres, le Fuji-Yama est vénéré par les Japonais, pour qui ce volcan est une montagne sacrée. Son sommet est un lieu de pèlerinage visité par des centaines de milliers de touristes chaque année. Est-il besoin de rappeler que le Japon représente aussi une zone de violents tremblements de terre ?

J'OBSERVE

Les mots en couleur sont-ils employés au sens propre ou au sens figuré ?

Le nom *sommet* est employé au sens propre. Le verbe *dort* est employé au sens figuré.

JE REMARQUE

1 Le sens d'un mot, c'est ce qu'il signifie. Pour comprendre un message, il faut connaître la **signification** des mots. De même, pour se faire comprendre, on doit respecter le **sens** des mots.

2 Certains mots n'ont qu'**un seul sens**. Ce sont habituellement des mots nouveaux, des mots scientifiques ou techniques ou des mots désignant des choses :

Les noms *imprimante* et *logiciel* sont des mots récents et n'ont qu'un sens.

Les noms *calcium, volcanique* et *méningite* sont des mots de la science et n'ont qu'un seul sens.

Les mots *érable, pin* et *peuplier* ne s'emploient que pour désigner l'arbre correspondant.

3 La plupart des mots ont **plusieurs sens**. C'est ce qu'on appelle la **polysémie** (du grec *poly*, «plusieurs», et *sémie*, «sens») :

COMPARER :

Le sens du nom *sommet* dans les expressions suivantes :

Au sommet d'une montagne ; le sommet de la gloire ; une conférence au sommet.

Le sens du nom *chaîne* dans les expressions suivantes :

Une chaîne de montagnes ; une chaîne en or ; une chaîne stéréophonique ; les chaînes de l'esclavage.

Le sens du nom *opération* est précisé par le contexte :

Les médecins jugent que cette opération est délicate. (Intervention chirurgicale.)

Respectez bien l'ordre des opérations, recommande l'enseignante. (Opérations mathématiques.)

Préparez-vous à une opération dangereuse, dit le colonel. (Opération militaire.)

Les opérations à la bourse sont hasardeuses, affirment les courtiers.(Opérations boursières.)

14. LE MOT À PLUSIEURS SENS

4 Les mots ont souvent, en plus de leur **sens propre**, un **sens figuré** :

a) Le **sens propre** est le **sens concret** d'un mot, habituellement la première définition dans le dictionnaire. C'est le plus courant.

b) Le **sens figuré** est un **sens abstrait** que l'on donne à un mot pour faire image :

COMPARER :

Le volcan a explosé la semaine dernière. (Sens propre.)
Martin a explosé en classe. (Sens figuré : «colère».)

Le bébé dort depuis ce matin. (Sens propre.)
Le Fuji-Yama dort depuis 1708. (Sens figuré : «sans éruption».)

J'ai acheté une chaîne chez le bijoutier. (Sens propre.)
Briser les chaînes de l'esclavage de la drogue. (Sens figuré : «s'affranchir».)

5 C'est le **contexte** qui indique si le mot est au sens **propre** ou au sens **figuré** :

Sens propre	**Sens figuré**
Brûler *des feuilles.*	***Brûler*** *les étapes.*
De la soupe ***froide****.*	*Un accueil* ***froid****.*
J'ai fait un tour de ***manège****.*	*Je comprends son petit* ***manège****.*

LE SENS PROPRE ET LE SENS FIGURÉ DE CERTAINS MOTS		
Mot	**Sens propre**	**Sens figuré**
Boire	*Les jeunes* ***boivent*** *du lait.*	*Les auditeurs* ***boivent*** *ses paroles.*
Brillant	*Tes yeux sont* ***brillants****.*	*Cette artiste est* ***brillante****.*
Moineau	*Le* ***moineau*** *construit son nid.*	*Ton ami ? Quel beau* ***moineau*** *!*
Mouton	*Le* ***mouton*** *fait «bé!».*	*Si tu l'imites, tu fais le* ***mouton****.*
Pied	*Jean s'est blessé au* ***pied*** *droit.*	*Louise m'attendait de* ***pied*** *ferme.*
Pondre	*La poule* ***pond*** *un œuf.*	*Je* ***ponds*** *un article pour le journal.*
Vendre	*Il a* ***vendu*** *sa maison.*	*Il a* ***vendu*** *ses amis.*

JE RETIENS

Un mot a habituellement plusieurs sens. Parmi ces sens, il y a toujours au moins un sens propre et il peut y avoir un ou plusieurs sens figurés. C'est le contexte qui indique si le mot est au sens propre ou au sens figuré.

15. LES SYNONYMES

Le Nyiragongo

Un lac de lave

Le Nyiragongo constitue, pour les spécialistes des volcans, un attrait scientifique particulier. Au fond de son cratère, le volcan emprisonne un immense lac de lave en fusion. Jusqu'en 1977, les volcanologues ont étudié son comportement de près en descendant à l'intérieur du cratère. Le 10 janvier de la même année, le lac de lave se vide d'un seul coup, en moins d'une heure ! Il se transforme en un véritable fleuve de boue qui atteint une vitesse de quarante kilomètres à l'heure et détruit tout sur son passage : forêts, cultures, maisons, habitants, etc. En 1982, à la surprise générale, un nouveau lac apparaît, deux fois plus grand que le premier.

J'OBSERVE

Que désignent les mots en couleur ?

Les mots *spécialistes des volcans* et *volcanologues* désignent les personnes qui étudient les volcans.

JE REMARQUE

1 Des mots ou des expressions de même nature qui ont le **même sens** sont des **synonymes**. Ils sont utiles pour éviter les répétitions dans un discours oral ou écrit :

Appliqués aux *volcans*, les mots *éruption* et *explosion* ont le même sens. Ce sont des synonymes.

Le texte parle de *spécialistes des volcans* et de *volcanologues* pour désigner les mêmes personnes. Ce sont des synonymes.

2 Généralement, les synonymes ont plutôt un **sens voisin** :

a) Les synonymes expriment des **nuances de sens**. Cette nuance peut être simplement un degré d'intensité :

Les noms *angoisse, crainte, effroi, épouvante, frayeur, frousse, panique, peur, phobie* et *terreur* peuvent exprimer non seulement différentes formes de peur mais aussi des degrés différents de la peur. Ce sont des synonymes de sens plus ou moins voisin.

Les noms *butte, colline, côte, coteau, éminence, hauteur, mont, montagne, monticule, sommet* et *talus* ne désignent pas la même réalité. Mais tous ces noms désignent un accident géographique plus ou moins important. Certains de ces noms sont des synonymes de sens voisin (*butte, talus*). D'autres ne sont pas des synonymes (*côte, montagne*).

b) Les synonymes n'appartiennent pas tous au même **niveau de langue**. Par exemple, les verbes *manger* et *bouffer* ne s'emploient pas indifféremment dans les mêmes situations :

Langue courante	Langue familière
*Éric **mange** un biscuit.*	*Éric **bouffe** un biscuit.*
*Je me rends au **travail**.*	*Je vais au **boulot**.*

15. LES SYNONYMES

QUELQUES SYNONYMES DU VERBE *REGARDER*		
Synonyme	**Nuance**	**Exemple**
Observer	**Regarder** pendant longtemps.	*Rachel **observe** le volcan.*
Remarquer	**Regarder** un aspect qui frappe.	*Lucie **a remarqué** la différence.*
Examiner	**Regarder** sous tous les angles.	*Il **examine** le cratère.*
Admirer	**Regarder** avec plaisir.	*France **admire** ce spectacle.*
Contempler	**Regarder** avec admiration.	*Frédéric **contemple** le paysage.*
Épier	**Regarder** attentivement.	*Il **épie** les réactions du volcanologue.*
Surveiller	**Regarder** dans le but de contrôler.	*Elle **surveille** les mouvements du fleuve de boue.*
Scruter	**Regarder** dans le but de découvrir.	*Les volcanologues **scrutent** la fissure de l'écorce terrestre.*

3 On trouve des synonymes dans diverses classes de mots :

Noms synonymes exprimant des nuances du nom *maison : demeure, domicile, foyer, habitation, logement, résidence...*

Adjectifs qualificatifs synonymes exprimant des nuances de l'adjectif *belle : élégante, gracieuse, jolie, magnifique, ravissante...*

Adverbes synonymes exprimant des nuances de l'adverbe *souvent : fréquemment, généralement, habituellement...*

Verbes synonymes exprimant des nuances du verbe *chanter : chantonner, entonner, fredonner, interpréter, psalmodier, roucouler...*

Expressions synonymes exprimant des nuances de l'expression *faire cesser : mettre le holà, mettre un frein, mettre un terme...*

JE RETIENS

Des mots ou des expressions de même nature qui ont le même sens ou un sens voisin sont des synonymes.

16. LES ANTONYMES

Une maison ensevelie

L'Eldfell, en Islande

Sur la toute petite île volcanique nommée Heimaey vit paisiblement une ville portuaire de cinq mille habitants. Elle voisine, à moins d'un kilomètre, le volcan Helgafell, endormi depuis des milliers d'années. À la mi-janvier de l'année 1973, un tremblement de terre est suivi de l'ouverture d'une large crevasse, à partir du volcan, sur une longueur de mille cinq cents mètres. Cette fissure laisse échapper de la lave en fusion par plus de cinquante endroits à la fois. On dirait cinquante volcans ! Ainsi est né l'Eldfell. Pendant six mois, le volcan a craché des milliers de tonnes de cendres sur la ville, la couvrant d'une couche de cinq à dix mètres selon les endroits.

J'OBSERVE

Quelle est la différence de sens entre les deux mots en couleur ?

Le mot *moins* est le contraire du mot *plus*.

JE REMARQUE

1 Un mot qui exprime un **sens opposé** ou contraire à celui d'un autre mot de même nature est son **antonyme** :

Les noms ***capacité*** et ***incapacité*** sont des antonymes.
Les adjectifs qualificatifs ***actifs*** et ***inactifs*** sont des antonymes.
Les verbes ***monter*** et ***descendre*** sont des antonymes.
Les locutions verbales ***avoir chaud*** et ***avoir froid*** sont des antonymes.
Les adverbes ***moins*** et ***plus*** sont des antonymes.
Les prépositions ***devant*** et ***derrière*** sont des antonymes.
Les locutions conjonctives ***avant que*** et ***après que*** sont des antonymes.

2 Il y a **trois sortes** d'antonymes :

a) Les antonymes qui sont des **mots différents** :

COMPARER :
Lise aime les pommes, mais elle déteste les kiwis.
Cette large crevasse ne laisse qu'un passage étroit.
Une victoire éclatante est parfois suivie d'une cuisante défaite.

b) Les antonymes qui ont le **même radical**. L'un d'eux a alors un **préfixe négatif** :

COMPARER :
L'éruption du volcan était-elle prévisible ou imprévisible ?
Que le temps soit favorable ou défavorable importe peu.
Au bord du cratère, Rachel est prudente, mais son frère est imprudent.

c) Les antonymes qui ont le **même radical** et un **suffixe** de **sens contraire** :

COMPARER :
Le francophile aime ce qui vient de la France; le francophobe le rejette.
Le xénophile aime les étrangers; le xénophobe les déteste.

16. LES ANTONYMES

QUELQUES EXEMPLES D'ANTONYMES						
Catégorie	**Verbe**		**Nom**		**Adjectif qualificatif**	
Mots différents	affirmer	nier	ami	ennemi	bon	mauvais
	augmenter	diminuer	amour	haine	chaud	froid
	entrer	sortir	bonheur	malheur	doux	brutal
	monter	descendre	guerre	paix	joyeux	triste
	ouvrir	fermer	qualité	défaut	pâle	foncé
	rire	pleurer	richesse	pauvreté	petit	grand
	savoir	ignorer	victoire	défaite	vague	précis
Préfixes négatifs	armer	**dés**armer	accord	**dés**accord	actif	**in**actif
	cacheter	**dé**cacheter	dignité	**in**dignité	content	**mé**content
	charger	**dé**charger	légalité	**il**légalité	égal	**in**égal
	estimer	**més**estimer	parité	**dis**parité	possible	**im**possible
	paraître	**dis**paraître	succès	**in**succès	prudent	**im**prudent

JE RETIENS

Des mots ou des expressions de même nature dont la signification est opposée sont des antonymes.

Je remplace la mélancolie par le courage, le doute par la certitude, le désespoir par l'espoir, la méchanceté par le bien, les plaintes par le devoir, les scepticismes par la foi, les sophismes par la froideur du calme et l'orgueil par la modestie.

Lautréamont

17. LES PARONYMES ET LES HOMONYMES

Le Mauna Loa

Le laboratoire des volcanologues

Hawaii, cette île du Pacifique, compte cinq volcans dont deux sont actifs, le Mauna Loa et le Kilauea. Le premier est l'une des plus hautes montagnes du monde, avec ses quatre mille mètres visibles au-dessus du niveau de la mer et ses six mille mètres dissimulés sous l'eau. Quant au second, le Kilauea, il est considéré comme le volcan le plus actif de la planète. Il a fait éruption quatre-vingt-quinze fois au XXe siècle. Aussi n'est-ce pas surprenant que les volcanologues aient décidé de s'installer à demeure à Hawaii avec leurs appareils modernes. Au moindre changement d'humeur de ces monstres de la nature, les volcanologues font irruption dans leur laboratoire sophistiqué.

J'OBSERVE

Que présentent de particulier les mots en couleur ?

Les mots *éruption* et *irruption* se ressemblent sur le plan de l'orthographe.

JE REMARQUE

1 Deux mots qui ont un **sens différent**, mais dont l'orthographe et la prononciation se ressemblent sans être pareilles, sont des **paronymes.** À cause de leurs ressemblances, on peut être porté à les employer l'un pour l'autre :

COMPARER :

Le volcan fait éruption. (*Faire éruption* signifie «exploser».)
Le volcanologue fait irruption dans le laboratoire. (*Faire irruption* signifie «entrer subitement en un lieu».)

L'éminente volcanologue donne une conférence. (*Éminente* signifie «célèbre».)
Le volcanologue dit que l'éruption est imminente. (*Imminente* signifie «près de survenir».)

2 Voici **deux catégories** courantes de paronymes :

a) Toutes les lettres sont les mêmes, mais les lettres d'une **syllabe** sont **inversées** :

COMPARER :

Décrier (critiquer)	*Décrire* (dépeindre)
Percepteur (celui qui perçoit)	*Précepteur* (professeur particulier)

b) Une **syllabe** est **différente** :

COMPARER :

Allusion (rappel)	*Illusion* (erreur)
Collision (accident)	*Collusion* (complicité)
Conjecture (hypothèse)	*Conjoncture* (situation)
Dénuement (pauvreté)	*Dénouement* (conclusion, fin)
Inculper (accuser)	*Inculquer* (convaincre)
Infraction (violation de la loi)	*Effraction* (action de briser)
Original (nouveau, inédit)	*Originel* (datant de l'origine)
Prescrire (recommander)	*Proscrire* (interdire)

3 Deux mots qui **se prononcent** ou qui **s'écrivent** de la **même manière**, mais dont le **sens** est **différent**, sont des **homonymes** :

a) Si les deux mots **s'écrivent** de la **même façon**, on dit que ce sont des **homographes**. C'est le contexte de la phrase qui aide à comprendre le sens :

COMPARER :

Les poules couvent leurs œufs. (Du verbe *couver*.)
J'ai visité le couvent à côté de l'église. (Nom commun.)
Les mots *couvent* (du verbe *couver*) et *couvent* (nom commun) sont des homographes.

Le président arrive. (Nom commun.)
Tous deux président l'assemblée. (Du verbe *présider*.)
Les mots *président* (nom commun) et *président* (du verbe *présider*) sont des homographes.

b) Si les mots **se prononcent** de la **même façon**, on dit que ce sont des **homophones** :

COMPARER :

Mon voisin et sa femme m'ont dit qu'ils ont vu le mont Kilauea. (*Mon*, *m'ont* et *mont* sont des homophones.)
Je sais que c'est là que se trouvent ces deux volcans. (*Sais*, *c'est* et *ces* sont des homophones.)

JE RETIENS

Les paronymes sont des mots qui ont une prononciation ou une orthographe semblables, mais dont le sens est différent.
Les homonymes ont un sens différent mais se prononcent ou s'écrivent de la même façon.

Bossuet fut l'Aigle de Meaux grâce aux mots à l'aide desquels il tenta guérir les maux du ciel et de la terre.
Bruno Samson

18. LES NIVEAUX DE LANGUE

La montagne Pelée

Éruption à la Martinique

Trente mille morts et la ville de Saint-Pierre engloutie en deux minutes, voilà le bilan catastrophique de l'éruption de la montagne Pelée dans l'île de la Martinique. Nous sommes au printemps 1902, le 8 mai au matin. Le volcan éclate sur son flanc et crache une gigantesque nuée ardente de neuf cents degrés Celsius. L'avalanche de pierres, de cendres et de gaz brûlants se précipite à plus de cent cinquante kilomètres à l'heure. La ville la plus peuplée de l'île est anéantie. Il n'y a qu'un seul survivant, un prisonnier, retrouvé dans le cachot souterrain qui lui a sauvé la vie. Affreusement brûlé, il obtient sa grâce.

J'OBSERVE

Parmi les mots suivants : *formidable, énorme, grosse,* lequel serait moins expressif dans le texte comme synonyme de *gigantesque* ?

Le mot *grosse* serait plutôt terne dans un texte à caractère littéraire.

JE REMARQUE

1 On ne parle pas toujours exactement de la même façon. On adapte son langage à la **situation de communication** :

Avec un ami, on ne surveille pas toujours son langage.
Si l'on fait une demande d'emploi, on est plus attentif à sa façon de parler.
À une réception officielle, on s'exprime en choisissant ses mots lorsqu'on est présenté à une personnalité.

2 Cette variété linguistique liée à la situation particulière où l'on se trouve s'appelle le **niveau de langue**. On dit aussi **registre de langue**. Cette variété touche le vocabulaire, mais aussi la prononciation et la syntaxe, c'est-à-dire la **construction de la phrase**.

3 On distingue généralement **quatre** niveaux de langue parlée : la langue **soutenue**, la langue **courante**, la langue **familière** et la langue **populaire** :

a) La langue **soutenue** est celle des grandes occasions. C'est une langue recherchée. Elle s'emploie, par exemple, dans un discours, à l'occasion d'une réception officielle, en présence de personnalités de marque.

b) La langue **courante** est celle des bulletins de nouvelles. C'est une langue claire, simple, précise. Elle est compréhensible par toute personne qui connaît la langue. Les personnes qui animent les émissions d'affaires publiques à la radio et à la télévision emploient, pour la plupart, la langue courante.

c) La langue **familière** est la langue de tous les jours, celle de la conversation. La langue familière n'est pas affectée, mais elle respecte la grammaire. On l'entend dans certains téléromans.

d) La langue **populaire** est la langue de la rue. Elle ne se préoccupe pas de la correction grammaticale. Les écarts entre la langue populaire et les autres niveaux sont nombreux et touchent le vocabulaire, la prononciation, la syntaxe. Par ailleurs, la langue populaire est pittoresque et créatrice de mots.

4 Il existe des niveaux dans toutes les langues du monde. Ainsi, la langue **populaire** a même reçu un nom particulier dans certains cas :

L'**argot** parisien est une forme de français populaire.
Le **slang** représente la langue populaire de l'anglais américain.
Le **cockney** est la langue populaire parlée dans certains quartiers de la ville de Londres, en Angleterre.

5 Les niveaux de langue ne sont pas toujours clairement distincts. Ils sont étroitement **liés à la situation**. Aussi est-il facile de passer de l'un à l'autre sans s'en rendre compte. Ce qu'il faut comprendre, c'est que des écarts trop grands peuvent surprendre et même déranger l'entourage :

Un ministre qui emploie la langue populaire à la télévision peut choquer certains de ses électeurs.
Une personne qui adopte une langue affectée dans une réunion de famille se rend parfois ridicule.
Au théâtre ou à la télévision, on ne s'étonne pas qu'un comédien change de niveau de langue selon le personnage qu'il interprète ou la situation dans laquelle il se trouve.

DES EXEMPLES DE NIVEAUX DE LANGUE			
Langue soutenue	**Langue courante**	**Langue familière**	**Langue populaire**
Ce mets est absolument exquis.	*Votre cuisine est excellente.*	*C'est ben bon.*	*C'pas pire pantoute.*
Où allons-nous ?	*Où va-t-on ?*	*Où on va ?*	*Où qu'on va ?*
Je ne sais pas.	*Je n'sais pas.*	*J'sais pas.*	*Ch'é pas.*
C'est extrêmement agréable !	*C'est très agréable !*	*C'pas mal !*	*C'est l'fun !*
J'ai acheté une nouvelle voiture.	*J'ai acheté une auto neuve.*	*J'ai changé mon auto.*	*J'me su't ach'té un char d'l'année.*

JE RETIENS

Les niveaux de langue sont des variétés de langage qu'on emploie selon les situations de communication. À l'oral, on distingue quatre niveaux : la langue soutenue, la langue courante, la langue familière et la langue populaire.

19. LA DIVISION DES MOTS À L'ÉCRIT

Des ruines de Pompéi

Le Vésuve, en Italie

Une éruption du Vésuve, en Italie, qui est survenue en l'an 79 après Jésus-Christ, a fait disparaître sous ses cendres trois villes construites au pied du volcan. La plus connue des trois était Pompéi. Au milieu du XVIIIe siècle, les fouilles des archéologues ont permis de déblayer une partie impor-tante de Pompéi. L'état de conservation des vestiges que l'on a pu retrouver facilite la connaissance de la vie et des coutumes de cette époque. Le Vésuve aurait fait alors envi-ron deux mille victimes, nombre considérable par rapport à la population du temps. Le Vésuve est toujours actif. Sa dernière éruption date de mai 1944.

J'OBSERVE

Quels mots du texte ont été coupés en bout de ligne ?

Il s'agit des mots *importante* et *environ* coupés après la deuxième syllabe.

JE REMARQUE

1 La **division des mots** en bout de ligne à l'aide du **trait d'union** ne se fait pas n'importe comment. Elle doit respecter un certain nombre de règles. Généralement, la coupure s'appuie sur la **syllabe** :

COMPARER :

Tou/jours (deux syllabes, une coupure possible)
Re/trou/ver (trois syllabes, deux coupures possibles)
Do/cu/men/ter (quatre syllabes, trois coupures possibles)
Con/si/dé/ra/ble (cinq syllabes, quatre coupures possibles)

2 La coupure et les **voyelles** :

a) La syllabe composée d'**une seule voyelle** ne peut **jamais** être coupée :

COMPARER :

Ita/lie et non **I/talie* (trois syllabes, une seule coupure possible)
Épo/que et non **é/poque* (trois syllabes, une seule coupure possible)

Des mots comme *une, état, alors* et *être* ne se coupent pas.

b) On ne coupe **jamais** entre **deux voyelles**, sauf s'il s'agit d'un préfixe suivi d'une voyelle :

COMPARER :

Archéo/logue	et non	**arché/ologue*
Pom/péi	et non	**Pompé/i*
Érup/tion	et non	**érupti/on*
Pied	et non	**pi/ed*
Théâ/tre	et non	**thé/âtre*
Mais :		
Ré/évaluer	et non	**réé/valuer*
Anti/acide	et non	**antia/cide*
Pré/établi	et non	**préé/tabli*

3 La coupure et les **consonnes** :

a) On ne coupe **ni avant ni après** les lettres *x* et *y*, sauf si elles sont suivies d'une consonne :

COMPARER :

Maxi/male et non **ma/ximale* ni **max/imale*
Déblaye/ront et non **débla/yeront* ni **déblay/eront*

Mais :

Tex/tuellement
Pay/sannerie

b) On ne rejette **jamais** une syllabe **finale muette** de deux lettres à la ligne suivante. On peut, lorsque la largeur du texte l'exige, rejeter une syllabe finale sonore de deux lettres à la ligne suivante :

COMPARER :

Fa/cile et non **faci/le*
Se/cousse et non **secous/se*

Mais :

Facili/té

4 Quelques cas particuliers :

a) Un **mot composé** sans trait d'union se coupe **entre les mots** qui le composent :

Pomme/ de terre ou *pomme de/ terre* et non **pom/me de terre* ni **pomme de ter/re*
Chemin/ de fer ou *chemin de/ fer* et non **che/min de fer*

b) Un **nom composé** avec trait d'union se coupe seulement au **trait d'union** :

Porte-/parole et non **por/te-parole* ni **porte-pa/role*
Laissez-/passer et non **lais/sez-passer* ni *laissez-pas/ser*

c) On ne coupe **jamais** un mot **après** une **apostrophe** :

Au/jourd'hui et non **aujourd'/hui*
Lors/qu'il et non **lorsqu'/il*

d) On ne coupe **jamais** un mot en **fin de page** :

*Lors d'une visite *tou/ristique...*

5 La plupart des logiciels de traitement de texte offrent la possibilité de couper mécaniquement les mots. Cependant, tous ne sont pas parfaitement au point. Il est donc prudent de vérifier chaque coupure proposée afin de s'assurer qu'elle respecte les règles énoncées précédemment.

JE RETIENS

La division des mots en bout de ligne par un trait d'union respecte un certain nombre de règles. En général, la coupure se fait à la syllabe.

20. LA LIAISON À L'ORAL

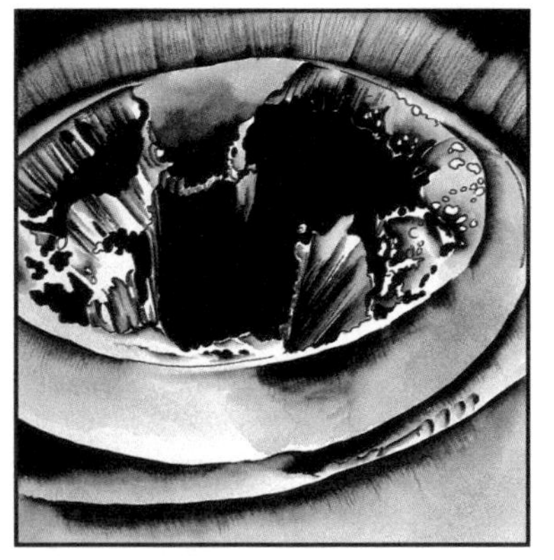

Une vue aérienne

Le Kilimandjaro, en Tanzanie

Le Kilimandjaro est un volcan éteint de la Tanzanie. On croit qu'il a pu naître il y a plus d'un million d'années. Son altitude de cinq mille neuf cent soixante-trois mètres en fait le plus haut mont d'Afrique. Le volcan a deux sommets distants l'un de l'autre d'environ dix kilomètres. Le Kilimandjaro est couvert de neiges éternelles. Pour un volcan, c'est un phénomène assez particulier, n'est-ce pas ? S'il n'a pas fait éruption depuis des siècles, le volcan n'est tout de même pas tout à fait inactif. En effet, on y observe encore la présence de fumerolles, colonnes de gaz qui s'échappent à divers endroits. Les scientifiques y ont remarqué aussi d'importants dépôts de soufre.

J'OBSERVE

Dans les expressions en couleur, la consonne *n* est suivie d'une voyelle. Se prononce-t-elle dans les deux cas ?

La consonne *n* se prononce seulement dans *son altitude.*

JE REMARQUE

1 La **liaison** est la **prononciation** d'une **consonne finale**, normalement muette, si elle est suivie d'un mot commençant par une **voyelle** :

COMPARER :

Son sommet	*Son‿altitude*
Les visiteurs	*Les‿enfants*

2 S'il y a liaison, on prononce la **consonne** telle quelle, sauf dans les cas qui suivent :

a) Les consonnes finales ***-s*** et ***-x*** se prononcent [z] :

Les neiges [z] *éternelles ; les deux* [z] *enfants...*

b) La consonne ***-d*** se prononce [t] :

Un grand [t] *enfant s'avance près du volcan.*

c) La consonne ***-f*** se prononce [v] :

Jacques a vu le Kilimandjaro à dix-neuf [v] *ans.*

Mais : *Les neuf* [f] *élèves de Luc dessinent un volcan.*

3 La liaison est **obligatoire** quand les mots sont unis par le **sens**, comme dans les cas suivants :

a) À l'intérieur du **groupe nominal** :

Entre le déterminant et le nom : *son‿altitude ; les‿éruptions...*

Entre l'adjectif qualificatif et le nom : *de brèves‿éruptions ; à divers‿endroits...*

Entre le déterminant et l'adjectif qualificatif : *les‿abominables‿explosions...*

b) Entre le **pronom sujet** et le **verbe** :

Elles‿arrivent. On‿admire le volcan.

Je reviendrai, dit‿elle. Tout‿a été dit.

c) Dans le **groupe du verbe** :
Entre l'auxiliaire et le participe passé : *Elles ont agi... Vous avez admiré...*
Entre le verbe *être* et ce qui suit : *Cette éruption est extraordinaire.*

d) Entre un **mot invariable** et celui **qui suit** :
En effet, les visiteurs sont trop émus.
Dans un village voisin... Quand [t] *un visiteur...*

e) À l'intérieur de **locutions** ou de **mots composés** :
Le volcan n'est pas tout à fait inactif. De temps à autre...
Il y a plusieurs volcans aux États-Unis.

f) Après des mots terminés par ***-rs*** et ***-rt***, la liaison se fait avec le *r* :
C'est toujours ainsi que... Marie part en vacances.

4 La liaison est **à éviter** dans les cas suivants :

a) Entre le **groupe du nom sujet** et son **verbe** :
Ces deux volcans//ont fait éruption en même temps.

b) Entre une **préposition** et un **nom propre** :
Nous nous sommes arrêtés avant//Alma.

c) Devant un nom commençant par un ***h* aspiré** :
Les//hamacs ; les//handicapés ; les//haricots ; les//hérons ; les//hiboux...
J'admire les beaux//héros. **Mais** : *Les belles héroïnes.*
Il me fait//hurler. **Mais** : *Il me fait honneur.*

d) Devant les **interjections** :
Dire des//oh ! et des//ah !

e) Devant les mots d'**origine étrangère** commençant par les lettres ***y*** ou ***w*** :
Les//yatchs ; les//week-ends.

5 Attention aux **mauvaises liaisons** !

COMPARER :
Les deux cents élèves sont partis.

Mais :

Les cent élèves	et non	*les cent *[z] élèves*
Les huit enfants	et non	*les huit *[z] enfants*
Les cent vingt avions	et non	*les cent vingt *[z] avions*

JE RETIENS

La liaison est la prononciation d'une consonne finale, normalement muette, si elle est suivie d'un mot commençant par une voyelle. La liaison est souvent obligatoire, mais dans de nombreux cas, il faut l'éviter.

21. L'ÉLISION

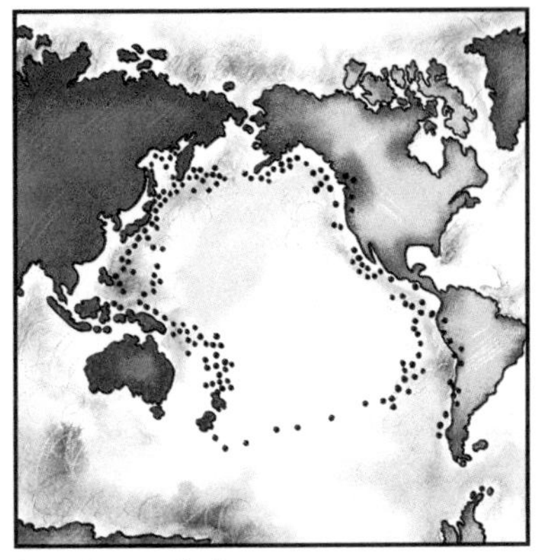
La ceinture de feu

La ceinture de feu du Pacifique

Sur une mappemonde, traçons une ligne vers le nord en longeant la côte ouest de l'Amérique du Sud. Poursuivons le tracé jusqu'en Alaska, puis descendons le long des archipels, situés en bordure de la côte est de l'Asie, jusqu'au nord-est de l'Australie. Cette ligne fait presque le tour de l'océan Pacifique. Elle marque aussi l'emplacement de la grande majorité des volcans actifs du monde. C'est ce qu'on a appelé la ceinture de feu du Pacifique. Elle coïncide avec la partie la plus fragile de la croûte terrestre, là où plusieurs plaques se rencontrent. C'est aussi une zone sujette à de fréquents tremblements de terre.

J'OBSERVE

Quelle lettre l'apostrophe remplace-t-elle dans les groupes de mots en couleur ?
Dans les groupes *l'Amérique*, *l'Asie* et *l'Australie*, l'apostrophe remplace le *a* de l'article *la*. Dans l'autre groupe, l'apostrophe remplace le *e* de l'article *le*.

JE REMARQUE

1 L'**élision** est la **suppression d'une voyelle** à la fin d'un mot si cette voyelle est suivie d'un mot commençant par une **voyelle** ou un ***h* muet**. L'élision empêche la rencontre de deux voyelles :

a) À l'**oral**, on fait l'élision en ne prononçant pas le *e* final devant un mot commençant par une voyelle :
Elle marque aussi l'emplacement des volcans. (La voyelle *e* est muette.)

b) À l'**écrit**, on fait l'élision en remplaçant la voyelle par l'**apostrophe** :
J'*aimerais visiter* ***l'****Asie.* (La voyelle *e* de *je* est remplacée par l'apostrophe ; la voyelle *a* de *la* est remplacée par l'apostrophe.)

2 Les **voyelles** qui peuvent **s'élider** sont ***-e***, ***-a*** et ***-i*** :
Nous longeons ***l'o****céan Pacifique.* (*L'océan* pour ****le o****céan.*)
Cette belle Australie, nous ***l'a****vons visitée.* (*L'avons* pour ****la a****vons.*)
S'il *fait éruption, ce volcan peut être dangereux.* (*S'il* pour ****si il****.*)

3 L'**élision obligatoire** de la voyelle ***-e*** :

a) Il y a élision avec **apostrophe** dans les conjonctions ***lorsque***, ***puisque*** et ***quoique*** devant les mots suivants : *ainsi, en, il, ils, elle, elles, on, un* et *une* :
*Lucie a vu le volcan lorsq****u'il*** *a fait éruption.*
Mais : *Lorsque, arrivé au volcan, j'ai senti la vibration, j'ai eu peur.* (Élision à l'oral et non à l'écrit.)

b) Le mot ***quelque*** ne s'élide avec **apostrophe** que devant les mots *un* et *une* :
*Nous avons rencontré quelq****u'un*** *près du cratère.*
Mais : *À quelque endroit que tu ailles, respecte l'environnement.* (Élision à l'oral et non à l'écrit.)

c) Pour le mot ***presque***, il n'y a élision avec **apostrophe** que devant le mot ***île***:

*La Gaspésie est une presq**u'î**le.*

Mais: *Nous sommes presq**ue a**rrivés au volcan.* (Élision à l'oral et non à l'écrit.)

4 Les voyelles ***-a*** et ***-i*** s'élident rarement:

a) La voyelle ***-a*** ne s'élide avec **apostrophe** que dans le mot ***la*** placé devant un mot commençant par une **voyelle** ou un ***h*** **muet**:

***L'a**ctivité de ce volcan est observable.* (*L'activité* pour **la activité.*)

*Cette éruption, nous **l'a**vions prévue.* (*L'avions* pour **la avions.*)

*On a **l'h**abitude de survoler le cratère.* (*L'habitude* pour **la habitude.*)

b) La voyelle ***-i*** ne s'élide avec **apostrophe** que dans la conjonction ***si*** placée devant les pronoms personnels ***il*** ou ***ils***:

COMPARER:

S'il le faut, je me rendrai en Australie. (*S'il* pour **si il.*)

S'ils voient un volcan, ils seront contents. (*S'ils* pour **si ils.*)

Mais: *Si elle arrive avant moi, elle m'attendra à l'hôtel.*

JE RETIENS

À l'oral, l'élision consiste à ne pas prononcer une voyelle devant un mot commençant par une voyelle ou un *h* muet. À l'écrit, l'élision est marquée par l'apostrophe.

Les mots sont des oiseaux sauvages qu'on ne rattrape jamais, une fois lâchés.

Jean Simard

22. LES ABRÉVIATIONS, LES SYMBOLES ET LES SIGLES

L'Irazu

Le volcan nourricier

Le Costa Rica est un tout petit pays de l'Amérique Centrale. Son paysage accidenté compte surtout une importante chaîne de volcans, parmi lesquels se trouve l'Irazu. Situé à moins de 50 km de la capitale San José, le volcan Irazu culmine à plus de 3 430 m d'altitude. Lors d'une éruption importante, survenue en 1723, il a détruit l'ancienne capitale, Cartago. Toujours actif – ses plus récents dégâts datent de 1963 – il constitue malgré tout l'une des principales attractions touristiques de la région. Mais le volcan n'apporte pas que des déboires. Ses flancs sont d'une fertilité étonnante, grâce à cette activité volcanique dont profitent les habitants du pays.

J'OBSERVE

Qu'ont de particulier les nombres et les unités de mesure en couleur ?

Dans ce texte, tous les nombres sont écrits en chiffres et les unités de mesure sont abrégées.

JE REMARQUE

1 L'**abréviation** est un moyen commode de **raccourcir un mot** en lui enlevant des lettres. Bon nombre de ces abréviations sont fréquemment employées dans les rubriques des dictionnaires, dans les grammaires ou d'autres ouvrages :

masc. pour *masculin* ; ***vx*** pour *vieux* ; ***fig.*** pour *sens figuré* ; ***m*** pour *mètre* ; ***km*** pour *kilomètre* ; ***min*** pour *minute...*

2 L'usage a déjà consacré plusieurs abréviations. Ce sont les plus usuelles. Voir le tableau des abréviations les plus courantes à la page 388.

M. pour *monsieur* ; *MM.* pour *messieurs* ; *Mme* ou *Mme* pour *madame* ; *Mmes* ou *Mmes* pour *mesdames...*

3 Pour abréger correctement, on doit appliquer l'une des **quatre règles** suivantes :

a) Retrancher toutes les lettres, **sauf la première**, et mettre un **point** :

p. pour *page* ou *pages* ; *E.* pour *est* ; *s.* pour *siècle...*

b) Retrancher les lettres **du milieu** et surélever la ou les lettres finales (règle générale) sans mettre de point final :

ltée pour *limitée* ; *b^{d}*, *bd* ou *boul.* pour *boulevard* ; *D^{r}* ou *Dr* pour *docteur...*

c) Retrancher toutes les lettres **après une consonne**, sauf les premières, et mettre un **point** :

av. pour *avenue* et non **ave.* ; *max.* pour *maximum* ; *Sask.* pour *Saskatchewan...*

d) Pour abréger une **expression** comprenant plusieurs mots, retrancher toutes les lettres, **sauf la première**, de chaque mot, et mettre un point ou non après chaque lettre :

p.c.q. pour *parce que* ; *R.S.V.P.* ou *RSVP* pour *répondez s'il vous plaît...*

4 Un **symbole** est une forme d'**abréviation** employée internationalement pour désigner des unités de mesure. Il s'écrit toujours **sans point**. Le symbole est séparé du nombre par une **espace**. Voir le tableau des symboles les plus courants à la page 389 :

m pour *mètre*: *Nous avons parcouru 150* ***m*** *aujourd'hui.*
kg pour *kilogramme*: *Mon frère pèse 5* ***kg*** *de trop.*
h pour *heure*: *Il est 15* ***h*** *à San Francisco.*
$ pour *dollar*: *Ma chemise coûte 35,56* ***$****, TPS incluse.*

5 L'écriture des nombres en chiffres ou en lettres obéit à quelques règles bien définies :

a) Habituellement, on écrit en **lettres** les nombres de **0 à 9** inclusivement :
COMPARER :
Il y avait cinq volcanologues au pied du volcan.
À cette réunion, 18 volcanologues ont pris la parole.

b) Si une phrase contient **plusieurs nombres**, dont l'un est supérieur à **10**, tous les nombres s'écrivent en **chiffres** :
Après le séisme, ***5*** *volcanologues et* ***18*** *géographes ont examiné les lieux.*

c) Un nombre placé en **tête de phrase** s'écrit toujours en **lettres** :
Quarante-huit *personnes ont visité la région.*

d) On écrit généralement en **chiffres** les nombres indiquant la **date**, l'**heure**, **l'âge**, la **page**, le **numéro d'ordre**, de même que les **nombres complexes** :
Le volcanologue est mort le ***18*** *avril* ***1993****, vers* ***21*** *h, à l'âge de* ***54*** *ans.*
Il habitait au ***8851****, rue Foucher, à Montréal.*
Le volcan Irazu a attiré plus de ***4 500*** *touristes le mois dernier.*

e) Un nombre accompagné d'un **symbole** du Système international s'écrit toujours en **chiffres** :
Nous parcourons ***2 500 km*** *pour observer des volcans.*
Et non : *Nous parcourons *deux mille cinq cents* ***km*** *pour observer ce volcan.*

f) Dans un même texte, on ne passe pas des **lettres** aux **chiffres** ou inversement :
Situé à ***48 km*** *de la capitale, le volcan culmine à plus de* ***3 430*** *m d'altitude.*
Ou : *Situé à* ***quarante-huit*** *kilomètres de la capitale, le volcan culmine à plus de* ***trois mille quatre cent trente*** *mètres d'altitude.*
Et non : *Situé à *quarante-huit kilomètres de la capitale, le volcan culmine à plus de *3 430 m d'altitude.*

6 Un **sigle** est une **abréviation** de plusieurs mots par leurs premières lettres, nommées l'une après l'autre. La tendance générale, aujourd'hui, est d'écrire le sigle en **lettres majuscules sans points**. Le sigle sert souvent à désigner des organismes. Selon une recommandation de l'Office de la langue française, dans un sigle, les lettres majuscules ne prennent pas d'accent. Voir le tableau des sigles et des acronymes les plus courants à la page 390 :

PNB, pour *produit national brut.*
PME, pour *petite et moyenne entreprise.*
NAS, pour *numéro d'assurance sociale.*
STL, pour *Société de transport de Laval.*

7 Un **sigle** qui se prononce comme un véritable mot est un **acronyme.** Il peut même former lui-même des mots dérivés :

Cégep, pour *collège d'enseignement général et professionnel* ; il a donné les noms *cégépien* et *cégépienne*, qui désignent l'élève du cégep. On écrit même, au pluriel : *les cégep***s**.

ONU, pour *Organisation des Nations Unies.*

Sida, pour *syndrome immuno-déficitaire acquis* ; il a donné les mots *sidéen*, *sidéenne* et *sidatique*.

Unesco est l'acronyme anglais désignant l'*Organisation des Nations Unies pour l'éducation, la science et la culture.* Cet acronyme a été adopté tel quel en français.

Unicef est l'acronyme anglais désignant le *Fonds des Nations Unies pour l'enfance.* Cet acronyme a été adopté tel quel en français.

JE RETIENS

L'abréviation, le symbole et le sigle sont des conventions utiles qui suivent certaines règles d'écriture.
L'abréviation sert à raccourcir les mots en enlevant des lettres, comme *M.* pour *monsieur.*
Le symbole est une forme d'abréviation employée internationalement pour désigner une unité de mesure, comme *km* pour *kilomètre.*
Le sigle est l'abréviation de plusieurs mots par leurs premières lettres nommées l'une après l'autre, comme *PME* pour *petite et moyenne entreprise.*
Un sigle qui se prononce comme un véritable mot est un acronyme, comme *ONU* pour *Organisation des Nations Unies.*

Pour bien jouer du violon, il faut avoir étudié le violon.
Maurice Prudhomme

LA PHRASE

1. GÉNÉRALITÉS SUR LA PHRASE

Victor Hugo

Un auteur universel

L'écrivain français Victor Hugo naît en 1802. Il meurt à Paris en 1885. Ses talents exceptionnels le font exceller dans tous les genres littéraires. Ses recueils de poèmes, dont *Odes et Ballades* ou encore *Les Orientales*, révèlent un maître du vers. Le dramaturge écrit des pièces qui ont marqué l'histoire du théâtre. La bataille provoquée par *Hernani*, pièce de théâtre jugée trop audacieuse, est demeurée célèbre. Son roman *Les Misérables* a été porté à l'écran à de nombreuses reprises. On en a même fait une comédie musicale. Les personnages de Jean Valjean, de Gavroche et de Cosette semblent aussi vrais que s'ils avaient existé. Victor Hugo est un auteur à connaître.

J'OBSERVE

Les deux phrases en couleur ont-elles le même nombre de verbes conjugués ?
Non. La première a un verbe : *meurt*; l'autre en a deux : *écrit* et *ont marqué*.

JE REMARQUE

1 Une suite de mots placés dans un certain ordre et exprimant un message est une **phrase**. La phrase est l'**unité de base** de la communication. À l'écrit, la phrase commence par une majuscule et finit par un point (.), un point d'interrogation (?) ou un point d'exclamation (!) :

Il meurt à Paris en 1885. (Majuscule et point.)
As-tu vu le film Les Misérables*?* (Majuscule et point d'interrogation.)
Quel roman extraordinaire ! (Majuscule et point d'exclamation.)

2 La phrase a un **sens**, elle contient un message. Le sens dépend de l'**ordre** des mots et des **relations** entre ces mots. Si on change l'ordre des mots, la phrase change de sens :

COMPARER :
Andrée connaît Victor Hugo.
Victor Hugo connaît Andrée. (L'ordre des mots change le sens.)

3 La phrase a une **structure**. Elle obéit aux règles de la **syntaxe**, c'est-à-dire aux règles de l'ordre des mots et des relations entre les mots. Dans ce cas, la phrase est **grammaticale**. Sinon, la phrase est **non grammaticale** ou agrammaticale :

COMPARER :
Miguel a joué Hernani *au théâtre.* (Phrase gramm.)
**A Miguel* Hernani *joué au théâtre.* (Phrase non gramm.)

JE RETIENS

La phrase est l'unité de base de la communication. Elle est faite d'une suite de mots placés dans un certain ordre. La phrase a une structure et obéit aux règles de la syntaxe.

2. LES TYPES DE PHRASES

Une romancière acadienne

Antonine Maillet

La Sagouine demeure l'un des personnages les plus typiques de notre théâtre. Cependant, c'est son roman, *Pélagie-la-Charrette*, qui apportera à Antonine Maillet la renommée internationale. En effet, cette œuvre lui vaut le prix Goncourt de 1979. Qui sait mieux qu'elle décrire le milieu acadien ? Antonine Maillet rappelle ces conteurs d'autrefois qui donnaient vie à des personnages issus de la tradition. La langue savoureuse qu'elle emploie n'est pas le moindre des attraits de son œuvre. Vite, lisez l'un de ses romans. Vous apprécierez vous-mêmes la stature de ses personnages.

J'OBSERVE

Quelle différence y a-t-il entre les deux phrases en couleur ?

La première sert à poser une question ; la deuxième contient un verbe à l'impératif servant à donner un conseil.

JE REMARQUE

1 Selon son **intention**, la personne qui communique choisit obligatoirement une construction de phrase, une façon de présenter son message. C'est ce qui donne les types de phrases. On distingue **quatre types** de phrases : la **phrase déclarative**, la **phrase interrogative**, la **phrase impérative** et la **phrase exclamative** :

Antonine Maillet est d'origine acadienne. (Phrase décl.)
Qui sait mieux qu'elle décrire le milieu acadien ? (Phrase int.)
Vite, lisez son dernier roman. (Phrase imp.)
Tu as déjà terminé la lecture de ce roman ! (Phrase excl.)

2 La **phrase déclarative** (ou énonciative) sert à communiquer de l'**information**, un **fait**, une **opinion** ou un **jugement** :

La Sagouine est un personnage attachant.

3 La **phrase interrogative** sert à demander un **renseignement**, à poser une **question** :

Qui a créé la Sagouine ?

4 La **phrase impérative** sert à exprimer un **ordre**, un **souhait**, un **désir** :

Vite, lisez l'un de ses romans.

5 La **phrase exclamative** sert à exprimer une **émotion**, un **sentiment** plus ou moins intense. Elle se termine toujours par un **point d'exclamation** :

Vous avez lu ce roman trois fois !

JE RETIENS

On distingue quatre types de phrases : la phrase déclarative, la phrase interrogative, la phrase impérative et la phrase exclamative.

3. LA PHRASE DÉCLARATIVE

Germaine Guèvremont

Germaine Guèvremont

Germaine Guèvremont voit le jour à Saint-Jérôme, en 1893. C'est à Sorel qu'elle commence sa carrière de journaliste. **Ses romans décrivent la vie des habitants de cette région.** *En pleine terre*, *Le Survenant* et *Marie-Didace* sont ses œuvres les plus célèbres. **Elle a adapté ces deux dernières œuvres pour la télévision.** Ces téléromans ont fait les délices de bon nombre de familles québécoises. Membre de l'Académie canadienne-française et de la Société royale du Canada, madame Guèvremont demeure l'une des grandes femmes de lettres québécoises. **Sa réputation a dépassé nos frontières.** En effet, son talent a été reconnu en France, en Angleterre et aux États-Unis .

J'OBSERVE

Quel est le rôle des trois phrases en couleur ?
Chacune de ces phrases sert à donner de l'information.

JE REMARQUE

1 Quand la phrase sert à communiquer de l'**information**, un **fait**, une **opinion**, un **jugement**, on dit que c'est une **phrase déclarative**. La plus fréquente en français, la phrase déclarative est la **phrase de base**. Elle compte habituellement plusieurs mots :
Germaine Guèvremont voit le jour à Saint-Jérôme.
Ses romans décrivent la vie des habitants de cette région.

2 La phrase déclarative, à l'**écrit**, commence par une **majuscule**. Elle se termine, selon le cas, par le **signe de ponctuation** suivant :
a) Par un **point**, dans la plupart des cas :
Germaine Guèvremont a été d'abord journaliste.

b) Par des **points de suspension**, si la phrase est incomplète ou interrompue :
J'allais vous dire que...

3 Dans la phrase déclarative, l'**ordre** des **mots** est relativement **fixe** :
a) Sujet + verbe :
Germaine Guèvremont écrit.

b) Sujet + verbe + complément d'objet :
Germaine Guèvremont a écrit plusieurs romans.

c) Sujet + verbe + attribut :
La romancière est devenue célèbre.

JE RETIENS

La phrase déclarative sert à communiquer de l'information, un fait, une opinion, un jugement.

4. LA PHRASE INTERROGATIVE

Une romancière d'époque

Arlette Cousture

Reste-t-il encore quelqu'un au Québec qui ne connaît pas *Les Filles de Caleb* ? L'histoire des amours turbulentes d'Émilie Bordeleau et de son Ovila a séduit les lecteurs et lectrices de ce merveilleux roman d'époque. Que dire alors de la magistrale adaptation qu'a réalisée Jean Beaudin pour la télévision ? Le Québec est resté rivé au petit écran pour vivre au rythme des villageois de Saint-Tite. Les personnages criants de vérité créés par la romancière sont inspirés de personnes réelles. Mais il fallait l'immense talent d'Arlette Cousture pour leur donner vie. Le triomphe de Blanche, la fille d'Émilie, dans la série qui porte son nom, confirme la qualité exceptionnelle de cette page d'histoire.

J'OBSERVE

Quel signe de ponctuation les phrases en couleur ont-elles en commun ?
Elles se terminent par un point d'interrogation.

JE REMARQUE

1 Quand la phrase sert à poser une **question**, à demander de l'**information**, on dit que c'est une **phrase interrogative** :
As-tu lu Les Filles de Caleb *?*
Jocelyne est-elle allée visiter le village de Saint-Tite ?

2 La phrase interrogative se marque à l'**oral** par l'**intonation**. L'intonation monte en fin de phrase :
COMPARER :
Vous allez à Saint-Tite demain ? (Phrase int.)
Vous allez à Saint-Tite demain. (Phrase décl.)

3 La phrase interrogative se termine à l'**écrit** par un **point d'interrogation** :
Qui incarnait Émilie à la télé ?
Vous connaissez Ovila Pronovost ?

4 L'interrogation est **totale** ou **partielle** :

a) L'interrogation est **totale** si elle porte sur toute la phrase. Dans ce cas, on peut répondre par *oui* ou par *non* :
As-tu lu le roman au complet ? *Oui.* (Ou : *Non.*)
Gisèle a-t-elle déjà visité le village de Saint-Tite ? *Non.* (Ou : *Oui.*)

b) L'interrogation est **partielle** lorsqu'elle porte seulement sur un élément de la phrase : le sujet, l'objet ou une circonstance. Dans ce cas, on ne peut pas répondre par *oui* ou par *non* :
Qui jouait le rôle d'Ovila ? *Roy Dupuis.* (L'interrogation porte sur le sujet.)
Qui Émilie aimait-elle ? *Ovila Pronovost.* (L'interrogation porte sur l'objet.)
Où Émilie enseignait-elle ? *À Saint-Tite.* (L'interrogation porte sur le lieu.)

5 Dans la phrase interrogative, l'**ordre** des **mots** peut **varier** :

a) Si l'interrogation commence par ***est-ce que***, l'ordre des mots **ne change pas.** Il est le même que dans la phrase déclarative :

COMPARER :
Est-ce que vous avez visité l'école d'Émilie ? (Phrase int.)
Vous avez visité l'école d'Émilie. (Phrase décl.)

b) Si l'interrogation ne commence pas par un mot interrogatif, le **pronom personnel sujet** est **inversé**. Il se place **après** le **verbe**. Il est uni au verbe par un **trait d'union** :

*Avez-**vous** visité l'école d'Émilie ?* (Inversion du pron. pers. sujet *vous*, avec trait d'union.)

c) Si l'interrogation commence par un mot interrogatif, le **pronom personnel sujet** est **inversé**. Il se place **après** le **verbe**. Il est uni au verbe par un **trait d'union** :

*Combien as-**tu** lu de romans ?* (Inversion du pron. pers. sujet *tu*, avec trait d'union.)

d) Si l'interrogation commence par un mot interrogatif autre que *pourquoi*, le **groupe nominal sujet** peut être **inversé** ou placé **devant** le **verbe** et repris après le verbe par un **pronom de rappel**. Ce pronom est uni au verbe par un **trait d'union** :

*Comment vont **les comédiens** ?* (Inversion du gr. nom. sujet.)
*Comment **les comédiens** vont-**ils** ?* (Gr. nom. sujet placé devant le verbe et repris après le verbe par le pron. de rappel *ils*, avec trait d'union.)

e) Si l'interrogation commence par ***pourquoi***, le **groupe nominal sujet** est placé **devant** le **verbe** et repris après le verbe par un **pronom de rappel**. Ce pronom est uni au verbe par un **trait d'union** :

*Pourquoi **le comédien** parle-t-**il** si vite ?*

6 L'interrogation est **directe** ou **indirecte** :

a) L'interrogation est **directe** quand la question est rapportée textuellement. Elle se termine toujours par un **point d'interrogation** :

Avez-vous aimé la série Blanche ***?***
Pourquoi Ovila part-il toujours pour les chantiers ?

b) L'interrogation est **indirecte** quand elle est contenue dans une proposition subordonnée complétive. Alors, il n'y a **pas de point d'interrogation** :

Dis-moi si tu as aimé la série Blanche**.**
Émilie se demande pourquoi Ovila part toujours pour les chantiers.

4. LA PHRASE INTERROGATIVE

LES MOTS INTERROGATIFS STYLE : INTERROGATION DIRECTE	
Pronom interrogatif	**Exemple**
Qui, que, quoi (et les variantes : qui est-ce qui, qu'est-ce qui, qui est-ce que, qu'est-ce que), **lequel, laquelle,** **lesquels, lesquelles** (et les variantes : duquel, de laquelle, desquels, desquelles, auquel, à laquelle, auxquels, auxquelles)	***Qui*** *parle ?* ***Que*** *dit-elle ? À* ***quoi*** *penses-tu ?* ***Qui*** *est-ce qui est avec toi ?* ***Qu****'est-ce qui te rend si heureux ?* ***Qui*** *est-ce que tu préfères ?* ***Qu****'est-ce que vous désirez ?* ***Lequel*** *des deux préfères-tu ?* ***Lesquelles*** *sont absentes ?* ***Duquel*** *parle-t-elle ?* ***Desquels*** *parle-t-on ?* ***Auquel*** *des trois s'attache-t-il ?* ***Auxquelles*** *pensez-vous ?*
Adverbe interrogatif	**Exemple**
Est-ce que, **où, quand,** **comment, pourquoi,** **combien**	***Est-ce que*** *Lucie est là ?* ***Où*** *est caché ton livre ?* *Jusqu'à* ***quand*** *joueront-ils ?* ***Combien*** *a-t-il lu de romans ?*
Déterminant interrogatif	**Exemple**
Quel, quelle, **quels, quelles**	***Quel*** *livre ta mère lit-elle ?* *À* ***quelle*** *heure dîneront-elles ?*

LES MOTS INTERROGATIFS STYLE : INTERROGATION INDIRECTE	
Pronom interrogatif	**Exemple**
Qui, que, quoi (et les variantes), **lequel, laquelle...** (et les variantes)	*Je me demande* ***qui*** *réussira.* *Dis-moi* ***qui*** *est-ce qui est avec toi.* *Elle veut savoir* ***lesquelles*** *tu préfères.* *Je me demande* ***auxquels*** *tu penses.*
Conjonction interrogative	**Exemple**
Si, où, quand, **comment, pourquoi,** **combien...**	*Tu te demandes* ***si*** *elle lit.* *Je veux savoir* ***où*** *nous allons.* *Dis-moi* ***quand*** *elle arrivera.*
Déterminant interrogatif	**Exemple**
Quel, quelle, **quels, quelles**	*Dis-moi* ***quel*** *roman tu préfères.* *Je me demande* ***quels*** *livres tu as lus.*

JE RETIENS

La phrase interrogative sert à poser une question ou à demander de l'information.

5. LA PHRASE IMPÉRATIVE

Félix Leclerc

Le premier chansonnier québécois

La longue carrière de compositeur-interprète de Félix Leclerc n'a pas connu un départ facile. Commençons par le début. Modeste auteur de textes radiophoniques, Félix Leclerc s'accompagnant à la guitare chante quelques chansons qui ont peu de succès. Lors d'un séjour en France, il triomphe. Par la suite, il deviendra chez nous l'inspirateur d'une génération de chansonniers. Leclerc a chanté la terre du Québec comme peu de poètes ont réussi à le faire. Il a su donner à ses compatriotes la fierté du pays. Lisez un conte, un poème, une pièce ou un roman de Félix Leclerc. Vous y reconnaîtrez l'amoureux de la nature et de la terre.

J'OBSERVE

Les verbes des phrases en couleur ont-ils un sujet ?
Non. Ces verbes sont conjugués au mode impératif.

JE REMARQUE

1 Quand la phrase sert à exprimer un **ordre**, un **conseil**, un **souhait**, une **invitation**, une **consigne**, une **prière**, on dit que c'est une **phrase impérative** :
Lisez un conte, un poème, une pièce ou un roman de Félix Leclerc. (Ordre.)
***Lis ce conte**. Tu connaîtras mieux le genre de Leclerc.* (Conseil.)
Il faut que vous lisiez ce roman. (Souhait.)
Venez tous voir cette pièce. (Invitation.)
Commençons par le début. (Consigne.)
Aidez-moi ! (Prière.)

2 Dans la phrase impérative, le **mode** et le **temps** du verbe peuvent **varier** :

a) Généralement, la phrase impérative se construit avec un verbe à l'**impératif présent**. Dans ce cas, le verbe n'a pas de sujet exprimé :
***Prends** ce roman. **Lis**-le.*

b) Souvent, sur les affiches exprimant des consignes, la phrase impérative est construite avec un verbe à l'**infinitif** :
***Passer** par derrière.* ***Fermer** la porte.*

c) Si le verbe est à la **troisième personne**, la phrase impérative se construit avec un verbe au **subjonctif présent** :
*Que tous les élèves **lisent*** Moi, mes souliers *pour la semaine prochaine.*
*Que Marie-Claude **commence** la lecture.*

d) Parfois, la phrase impérative se limite à un **nom** ou à un **groupe nominal** :
Silence ! (Nom.) *Défense de passer.* (Gr. nom.)

JE RETIENS

La phrase impérative sert à exprimer un ordre, un conseil, un souhait, une invitation, une consigne, une prière.

6. LA PHRASE EXCLAMATIVE

Le romancier urbain

Quel conteur que le romancier québécois Yves Beauchemin! Son premier livre, *L'Enfirouapé* (1974), annonçait déjà l'immense talent de l'écrivain. Le succès remporté par *Le Matou* (1981) et *Juliette Pomerleau* (1989) suffit à le prouver. En effet, chacun de ces deux romans compte plus de cinq cents pages et le lecteur y est tenu en haleine du début à la fin. Les personnages de Beauchemin sont issus d'un milieu urbain et populaire que l'auteur décrit avec force détails. Parallèlement à son métier d'écrivain, Yves Beauchemin s'est engagé politiquement dans la sauvegarde du français au Québec. Il s'est révélé un ardent défenseur de notre langue. Dieu sait que c'est important!

Yves Beauchemin

J'OBSERVE

Qu'ont de particulier les deux phrases en couleur?
Elles se terminent par un point d'exclamation.

JE REMARQUE

1 Quand la phrase sert à exprimer un **sentiment**, une **émotion** (crainte, surprise, admiration...) avec plus ou moins d'intensité, on dit que c'est une **phrase exclamative**:
Quel conteur que le romancier québécois Yves Beauchemin!

2 À l'**oral**, le **rythme** de la phrase exclamative est **vif** et l'intonation varie en fin de phrase pour marquer l'**exclamation** :
COMPARER:
Sandra a lu Le Matou *trois fois!* (Phrase excl. : une surprise.)
Sandra a lu Le Matou *trois fois.* (Phrase décl. : un fait.)

3 À l'**écrit**, la phrase exclamative commence souvent par un **mot exclamatif**. Elle se termine toujours par un **point d'exclamation**:
Que** j'ai aimé le roman* Juliette Pomerleau ***! (Interjection.)
***Quel** conteur que ce romancier!* (Dét. excl.)

4 La phrase exclamative est souvent formée d'**un seul mot** :

a) Ce mot peut être un **nom seul** suivi du point d'exclamation :
***Lecture! Lecture!** Que de belles heures en ta compagnie!*

b) Ce mot peut être un **verbe seul** suivi du point d'exclamation :
***Tiens!** Prends* Le Matou *et lis-le !*

c) Ce mot peut être un **adverbe seul** suivi du point d'exclamation:
***Vite!** J'achète ce roman! Combien?*

JE RETIENS

La phrase exclamative sert à exprimer un sentiment, une émotion. Elle se termine toujours par un point d'exclamation.

7. LES FORMES DE PHRASES

Anne, Emily et Charlotte Brontë

Des romancières anglaises

L'enfance des sœurs Brontë n'a pas été très facile. Elles perdent leur mère alors qu'elles sont encore très jeunes. Elles sont élevées très sévèrement par un père profondément religieux. Intéressées par la littérature, elles se passionneront vite pour la poésie et le roman. Charlotte, l'aînée, est restée célèbre grâce à son roman *Jane Eyre*. Emily publie, en 1847, un roman à succès: *Les Hauts de Hurlevent*. La même année, la cadette, Anne, écrit aussi un roman: *Agnes Grey*. Il n'a pas connu un grand succès.

J'OBSERVE

Qu'ont de semblable les deux phrases en couleur ?
Les deux contiennent une négation.

JE REMARQUE

1 Chaque type de phrase peut subir des modifications, des changements, au choix de la personne qui s'exprime. Ces changements, on les appelle les **formes de phrases.** On distingue plusieurs formes de phrases. Elles s'opposent deux à deux :

a) La phrase à la forme **affirmative** s'oppose à la phrase à la forme **négative** :
Serge a lu Jane Eyre. (Forme aff.)
Serge n'a pas lu Jane Eyre. (Forme nég.)

b) La phrase à la forme **neutre** s'oppose à la phrase à la forme **emphatique** :
Emily a publié Les Hauts de Hurlevent. (Forme neutre.)
C'est Emily qui a publié Les Hauts de Hurlevent. (Forme emphatique.)

c) La phrase à la forme **active** s'oppose à la phrase à la forme **passive** :
Charlotte a écrit le roman Jane Eyre. (Forme active.)
Le roman Jane Eyre *a été écrit par Charlotte.* (Forme passive.)

d) La phrase à la forme **personnelle** s'oppose à la phrase à la forme **impersonnelle** :
Un exemplaire de Jane Eyre *manque à la bibliothèque.* (Forme pers.)
Il manque un exemplaire de Jane Eyre *à la bibliothèque.* (Forme impers.)

2 Les formes de phrases ne sont pas exclusives. Elles peuvent donc **se combiner** dans un même type de phrase :
Ce roman, vous ne l'avez pas lu ? (Phrase int. aux formes nég. et emphatique.)

JE RETIENS

On distingue plusieurs formes de phrases.
La phrase à la forme affirmative s'oppose à la phrase à la forme négative.
La phrase à la forme neutre s'oppose à la phrase à la forme emphatique.
La phrase à la forme active s'oppose à la phrase à la forme passive.
La phrase à la forme personnelle s'oppose à la phrase à la forme impersonnelle.

8. LES FORMES AFFIRMATIVE ET NÉGATIVE

Anne Hébert

Anne Hébert

Anne Hébert s'intéresse à la littérature dès son enfance. Deux poètes ont marqué sa vie : son père, Maurice Hébert, et son cousin, Hector de Saint-Denys-Garneau. Aucune œuvre d'Anne Hébert ne passe inaperçue. En plus de ses poèmes, Anne Hébert a publié plusieurs romans. L'un d'eux, *Kamouraska*, a été porté à l'écran par le cinéaste Claude Jutra. Une autre œuvre romanesque, *Les fous de Bassan*, a été adaptée au cinéma par Yves Simoneau. Plusieurs prix, au fil des ans, sont venus couronner la qualité exceptionnelle de son œuvre. Anne Hébert ne laisse personne indifférent. En 1994, la Fondation Émile-Nelligan lui a décerné son prix Gilles-Corbeil pour l'ensemble de son œuvre.

J'OBSERVE

Qu'y a-t-il de semblable dans les deux phrases en couleur ?
Les deux phrases contiennent une négation.

JE REMARQUE

1 La phrase est à la forme **affirmative** ou à la forme **négative** :

a) La phrase à la forme **affirmative** est celle qui **n'est pas marquée** par un **adverbe de négation** :
Anne Hébert s'intéresse à la littérature. (Phrase décl. à la forme aff.)

b) La phrase à la forme **négative** est celle qui **est marquée** par un **adverbe de négation** : *ne* (ou *n'* devant une voyelle ou un *h* muet), *ne... pas, ne... jamais, ne... personne* :
Anne Hébert ***ne*** *laisse* ***personne*** *indifférent.* (Phrase décl. à la forme nég.)

2 Les quatre types de phrases peuvent prendre la forme **affirmative** ou la forme **négative** :

a) La phrase **déclarative** peut prendre la forme **affirmative** ou la forme **négative** :
Isabelle aime la poésie. (Phrase décl. aff.)
Isabelle ***n'****aime* ***pas*** *la poésie.* (Phrase décl. nég.)

b) La phrase **interrogative** peut prendre la forme **affirmative** ou la forme **négative** :
André lit-il un roman d'Anne Hébert ? (Phrase int. aff.)
André ***ne*** *lit-il* ***pas*** *un roman d'Anne Hébert ?* (Phrase int. nég.)

c) La phrase **impérative** peut prendre la forme **affirmative** ou la forme **négative** :
Achetez ce roman. (Phrase imp. aff.)
N'*achetez* ***pas*** *ce roman.* (Phrase imp. nég.)

d) La phrase **exclamative** peut prendre la forme **affirmative** ou la forme **négative** :
Tu as déjà acheté ce roman ! (Phrase excl. aff.)
Tu ***n'****as* ***pas*** *encore acheté ce roman !* (Phrase excl. nég.)

3 La négation peut porter sur le **verbe** et affecter la **phrase entière**. On emploie alors les adverbes suivants: *ne, ne... pas, ne... jamais, ne... plus...* :

COMPARER :

Elle écrit des romans. (Phrase décl. aff.)
*Elle **n'**écrit **pas** de romans.* (Phrase décl. nég.)

4 La négation peut porter sur le **sujet** ou le **complément**. On emploie alors les **déterminants indéfinis** *aucun, nul...* ou les **pronoms indéfinis** *aucun, nul, personne, rien...* L'adverbe de négation ***ne*** est toujours présent **devant** le **verbe** :

***Aucun** roman d'Anne Hébert **ne** passe inaperçu.* (Dét. ind. + *ne.*)
*Elle **ne** laisse **personne** indifférent.* (*Ne* + pron. ind.)

LA NÉGATION	
OBJET DE LA NÉGATION : UN VERBE PERSONNEL	
Adverbe de négation	**Exemple**
Ne... pas	*Je **ne** lis **pas**.*
Ne... jamais	*Il **ne** lit **jamais**.*
Ne... plus	*Elle **n'**écrit **plus**.*
Ne... point	*Ils **ne** répondent **point**.*
OBJET DE LA NÉGATION : UN VERBE À L'INFINITIF	
Adverbe de négation	**Exemple**
Ne pas...	***Ne pas** fumer.*
Ne jamais...	*Je souhaite **ne jamais** m'absenter.*
Ne plus...	*Elle espère **ne plus** manquer de rien.*
OBJET DE LA NÉGATION : RÉPONSE NÉGATIVE SANS VERBE	
Adverbe de négation	**Exemple**
Non	*Vas-tu au cinéma ? **Non**.*
Nullement	*Vous en êtes-vous mêlés ? **Nullement**.*
Pas du tout	*Vous revenez de Dolbeau ? **Pas du tout**.*
Jamais	*Veux-tu lire ce roman ? **Jamais**.*
Personne	*Qui a-t-elle rencontré ? **Personne**.*
Rien	*Qu'a-t-il acheté hier ? **Rien**.*

JE RETIENS

La phrase à la forme affirmative ne contient pas d'adverbe de négation. La phrase à la forme négative est marquée par un adverbe de négation. Les quatre types de phrases peuvent prendre la forme affirmative ou la forme négative.

9. LES FORMES NEUTRE ET EMPHATIQUE

Une Québécoise d'adoption

Alice Parizeau

Alice Poznanska-Parizeau est née en Pologne en 1930. Elle a connu les camps de concentration nazis au cours de la Deuxième Guerre mondiale. **En 1955, elle décide d'immigrer au Québec.** Ses premières œuvres lui permettent de se libérer de ses souvenirs de la guerre. **C'est une série de quatre romans qui la fera connaître comme romancière.** Le premier, *Les Lilas fleurissent à Varsovie*, remporte un succès immédiat. Par son engagement social, Alice Parizeau suscite l'admiration. Elle est un modèle d'intégration parfaite à sa patrie d'adoption, le Québec. Alice Parizeau est décédée en 1991.

J'OBSERVE

Quel groupe de mots est mis en évidence dans chacune des phrases en couleur ?

Dans la première, c'est le groupe complément circonstanciel *en 1955* ; dans la deuxième, c'est le groupe sujet *une série de quatre romans*.

JE REMARQUE

1 La phrase est à la forme **neutre** ou à la forme **emphatique** :

a) La phrase à la forme **neutre** est celle dont **aucun élément** n'est **mis en évidence** :
Elle décide d'immigrer au Québec en 1955. (Phrase décl. à la forme neutre.)

b) La phrase à la forme **emphatique** est celle dont **un élément** est **mis en évidence** :
***En 1955**, elle décide d'immigrer au Québec.* (Phrase décl. à la forme emphatique.)

2 Plusieurs éléments de la phrase peuvent être mis en évidence : le **sujet**, le **complément d'objet direct**, le **complément d'objet indirect**, l'**attribut** et le **complément circonstanciel** :

a) Mise en évidence du **sujet** :
COMPARER :
Ce roman est excellent. (Phrase décl. neutre.)
Il est excellent, ce roman. (Phrase décl. emphatique.)

b) Mise en évidence du **complément d'objet direct** :
COMPARER :
En combien d'heures as-tu lu son roman ? (Phrase int. neutre.)
Son roman, en combien d'heures l'as-tu lu ? (Phrase int. emphatique.)

c) Mise en évidence du **complément d'objet indirect** :
COMPARER :
Je vous parle de ce roman. (Phrase décl. neutre.)
Ce dont je vous parle, c'est de ce roman. (Phrase décl. emphatique.)

d) Mise en évidence de l'**attribut** :
COMPARER :
Elle voulait être romancière. (Phrase décl. neutre.)
Ce qu'elle voulait être, c'est romancière. (Phrase décl. emphatique.)

e) Mise en évidence du **complément circonstanciel** :

COMPARER :

Elle décide d'immigrer au Québec ***en 1955****!* (Phrase excl. neutre.)

En 1955*, elle décide d'immigrer au Québec!* (Phrase excl. emphatique.)

3 Il existe un certain nombre de procédés pour mettre en évidence un élément de la phrase. Parfois, pour un même élément, on peut recourir à plus d'un procédé :

a) Parfois, l'élément est déplacé et remplacé par un **pronom de rappel**, c'est-à-dire un pronom qui remplace l'élément déplacé :

COMPARER :

Ce ***roman*** *est superbe.* (Phrase décl. neutre.)

Il est superbe, ce ***roman****.* (Phrase décl. emphatique; *il*, pron. de rappel.)

b) Parfois l'élément est simplement **déplacé**, sans pronom de rappel :

COMPARER :

La romancière a écrit ***toute la nuit****.* (Phrase décl. neutre.)

Toute la nuit*, la romancière a écrit.* (Phrase décl. emphatique.)

c) Très souvent, l'élément est placé **en tête de phrase** à l'aide d'un **présentatif** comme : *c'est... qui, c'est... que...* :

COMPARER :

Alice Parizeau est née ***en Pologne****.* (Phrase décl. neutre.)

C'est en Pologne qu'*est née Alice Parizeau.* (Phrase décl. emphatique.)

d) Enfin, l'élément en évidence est placé **en fin de phrase** avec le **présentatif** *c'est...* ; la phrase débute alors par un pronom démonstratif suivi d'un pronom relatif :

COMPARER :

Ce roman traite de ***la guerre****.* (Phrase décl. neutre.)

Ce ***dont*** *traite ce roman,* ***c'est de la guerre****.* (Phrase décl. emphatique.)

4 Les quatre types de phrases peuvent prendre la forme **neutre** ou la forme **emphatique** :

a) La phrase **déclarative** peut prendre la forme **neutre** ou la forme **emphatique** :

Alice Parizeau a écrit ce roman. (Phrase décl. neutre.)

C'est Alice Parizeau qui *a écrit ce roman.* (Phrase décl. emphatique.)

b) La phrase **interrogative** peut prendre la forme **neutre** ou la forme **emphatique** :

As-tu lu ce roman? (Phrase int. neutre.)

Ce roman, l'*as-tu lu?* (Phrase int. emphatique.)

c) La phrase **impérative** peut prendre la forme **neutre** ou la forme **emphatique** :

Lisez ce roman. (Phrase imp. neutre.)

Ce roman*, lisez-****le****.* (Phrase imp. emphatique.)

d) La phrase **exclamative** peut prendre la forme **neutre** ou la forme **emphatique** :

Cette œuvre est un grand roman! (Phrase excl. neutre.)

Quel grand roman que *cette œuvre!* (Phrase excl. emphatique.)

9. LES FORMES NEUTRE ET EMPHATIQUE

MISE EN ÉVIDENCE	
ÉLÉMENT MIS EN ÉVIDENCE : LE SUJET	
Phrase à la forme neutre	**Phrase à la forme emphatique**
Lucie, Denise, Andrée... *sont présentes.* ***Cette moto*** *est superbe.* ***Hélène*** *viendra avec nous.* ***Miguel*** *chante.*	*Sont présentes :* ***Lucie, Denise, Andrée...*** ***Elle*** *est superbe,* ***cette moto.*** ***C'est Hélène qui*** *viendra avec nous.* ***Celui qui*** *chante,* ***c'est Miguel.***
ÉLÉMENT MIS EN ÉVIDENCE : LE COD	
Phrase à la forme neutre	**Phrase à la forme emphatique**
J'ai reçu ***cette bague*** *à Noël.* *Tu m'as prêté* ***ce livre.*** *Nous* ***la*** *saluerons d'abord.* *Je préfère* ***la rouge.***	***Cette bague****, je l'ai reçue à Noël.* ***C'est ce livre que*** *tu m'as prêté.* ***C'est elle que*** *nous saluerons d'abord.* ***Celle que*** *je préfère,* ***c'est la rouge.***
ÉLÉMENT MIS EN ÉVIDENCE : LE COI	
Phrase à la forme neutre	**Phrase à la forme emphatique**
Il refuse de parler ***de cette défaite.*** *Elle se souvient* ***de toi.*** *Nous parlons* ***de la poésie.*** *Elle pense à* ***son livre.***	***Cette défaite****, il refuse* ***d'****en parler.* ***C'est de toi qu'****elle se souvient.* *Ce* ***dont*** *nous parlons,* ***c'est*** *de* ***la poésie.*** ***Ce à quoi*** *elle pense,* ***c'est*** *à* ***son livre.***
ÉLÉMENT MIS EN ÉVIDENCE : L'ATTRIBUT	
Phrase à la forme neutre	**Phrase à la forme emphatique**
Il est ***avare****, il restera* ***avare.*** *Denise deviendra* ***célèbre*** *un jour.* *Je veux devenir* ***la championne.***	***Avare*** *il est,* ***avare*** *il restera.* ***Célèbre****, Denise* ***le*** *deviendra un jour.* ***Ce que*** *je veux devenir,* ***c'est la championne.***
ÉLÉMENT MIS EN ÉVIDENCE : LE CC	
Phrase à la forme neutre	**Phrase à la forme emphatique**
Je refuse de retourner ***à Paris.*** *Tu souhaites te rendre* ***en Asie.*** *Elle travaille* ***souvent*** *toute la nuit.*	***À Paris****, je refuse d'y retourner.* ***C'est en Asie que*** *tu souhaites te rendre.* ***Souvent****, elle travaille toute la nuit.*

JE RETIENS

La phrase à la forme neutre ne contient aucun élément mis en évidence.
La phrase à la forme emphatique est celle dont un élément est mis en évidence.
Les quatre types de phrases peuvent prendre la forme neutre ou la forme emphatique.

10. LES FORMES ACTIVE ET PASSIVE

Michel Tremblay

Michel Tremblay

Michel Tremblay est né à Montréal en 1942. Il est frappé par la pauvreté de la classe populaire de son quartier, le Plateau-Mont-Royal. Sa première pièce de théâtre, *Les Belles-Soeurs*, ouvrira la porte au théâtre de la contestation. En effet, Tremblay utilise uniquement la langue populaire québécoise et il en fait un instrument dramatique. La langue devient l'image de la société elle-même, avec sa misère et la difficulté de s'en sortir. Michel Tremblay poursuivra la même démarche dans ses romans. Dans *La grosse femme d'à côté est enceinte*, Tremblay analyse encore son milieu. Le quartier y est décrit par l'auteur avec un réalisme cru.

J'OBSERVE

Dans les deux phrases en couleur, qu'indique l'emploi de l'auxiliaire *être*?
L'auxiliaire *être* indique ici l'emploi du verbe à la voix passive.

JE REMARQUE

1 La phrase est à la forme **active** ou à la forme **passive**:

a) La phrase à la forme **active** est celle où le **verbe** est la **voix active**:
La pauvreté des gens ***frappe*** *Tremblay.* (Phrase décl. à la forme active.)

b) La phrase à la forme **passive** est celle où le **verbe** est à la **voix passive**:
Tremblay ***est frappé*** *par la pauvreté des gens.* (Phrase décl. à la forme passive.)

2 Les **fonctions** dans la phrase à la forme **active** et à la forme **passive** :

a) Le **sujet** de la phrase à la forme **active** devient, dans la phrase à la forme **passive**, le **complément d'agent** du **verbe**. Il est précédé de la préposition ***par*** ou ***de*** :
COMPARER :
Tremblay *décrit la société.* (*Tremblay,* sujet du v. *décrit* à la voix active.)
La société est décrite par ***Tremblay****.* (*Tremblay,* compl. d'agent du v. *est décrite* à la voix passive.)

b) Le **complément d'objet direct** de la phrase à la forme **active** devient, dans la phrase à la forme **passive**, le **sujet** du **verbe** :
COMPARER :
Les jeunes apprécient ses pièces. (*Ses pièces,* COD du v. *apprécient* à la voix active.)
Ses pièces sont appréciées par les jeunes. (*Ses pièces,* sujet du v. *sont appréciées* à la voix passive.)

3 Le fait de transformer une phrase de la forme **active** à la forme **passive ne change pas** le **sens** de la **phrase**:
COMPARER :
Tremblay transforme le théâtre. (Forme active.)
Le théâtre est transformé par Tremblay. (Forme passive: fonctions différentes, mais même sens.)

Mais : *Le théâtre transforme Tremblay.* (Forme active : fonctions différentes et sens différent.)

4 Le **verbe** de la phrase à la forme **passive** est toujours conjugué avec l'auxiliaire *être* :

COMPARER :

Tremblay écrit ce roman. (Forme active : verbe à la voix active.)
Ce roman est écrit par Tremblay. (Forme passive : verbe à la voix passive.)

5 Attention ! Le **verbe** conjugué avec l'auxiliaire ***être*** n'est **pas toujours** à la **voix passive** :

Ce roman ***est acheté*** *par Andrée.* (Verbe à la voix passive à l'ind. prés.)
Roland ***est tombé*** *par la fenêtre.* (Verbe à la voix active à l'ind. passé comp.)

6 Parfois le complément d'agent n'est pas exprimé :

COMPARER :

Les comédiennes ont été applaudies par le public.
Les comédiennes ont été applaudies.

7 Les quatre types de phrases peuvent prendre la forme **active** ou la forme **passive** :

a) La phrase **déclarative** peut prendre la forme **active** ou la forme **passive** :

Tremblay décrit la société. (Phrase décl. active.)
La société ***est décrite*** *par Tremblay.* (Phrase décl. passive.)

b) La phrase **interrogative** peut prendre la forme **active** ou la forme **passive** :

Le théâtre attire-t-il Tremblay ? (Phrase int. active.)
Tremblay ***est-il attiré*** *par le théâtre ?* (Phrase int. passive.)

c) La phrase **impérative** peut prendre la forme **active** ou la forme **passive** :

Voyez cette pièce de Tremblay. (Phrase imp. active.)
Soyez attirés *par le théâtre.* (Phrase imp. passive.)

d) La phrase **exclamative** peut prendre la forme **active** ou la forme **passive** :

Le théâtre t'attire à ce point ! (Phrase excl. active.)
Tu ***es attirée*** *par le théâtre à ce point !* (Phrase excl. passive.)

JE RETIENS

**La phrase à la forme active est celle dont le verbe est à la voix active.
La phrase à la forme passive est celle dont le verbe est à la voix passive.
Les quatre types de phrases peuvent prendre la forme active ou la forme passive.**

11. LES FORMES PERSONNELLE ET IMPERSONNELLE

Yves Thériault

Le romancier de la nature sauvage

Il existe au Québec peu d'écrivains comme Yves Thériault. Il a réussi à vivre presque exclusivement de sa plume. Né à Québec en 1915, dans une famille modeste d'ascendance amérindienne, Thériault consacrera ses meilleurs romans aux groupes sociaux minoritaires. Son roman *Aaron* se déroule chez les Juifs; *Agaguk*, chez les Inuits; *Ashini*, chez les Amérindiens. Ce merveilleux conteur excelle dans la description de la nature sauvage. À certains moments, il fait jouer à la grande nature un rôle aussi important dans le récit que celui des personnages. Héros et nature se confondent souvent dans la trame dramatique. Le romancier est un autodidacte. Il a appris son métier tout seul.

J'OBSERVE

Le mot *il* en couleur remplace-t-il toujours un nom ?

Non. Dans les expressions *il a réussi* et *il a appris*, le pronom personnel *il* remplace le nom *Thériault* ou le nom *romancier.* Par contre, dans l'expression *il existe,* le pronom neutre *il* ne remplace pas un nom.

JE REMARQUE

1 La phrase est à la forme **personnelle** ou à la forme **impersonnelle** :

a) La phrase à la forme **personnelle** est celle dont le **verbe** a un **sujet personnel** :

__Peu d'écrivains__ comme Yves Thériault existent au Québec. (Phrase décl. à la forme pers.)

b) La phrase à la forme **impersonnelle** est celle dont le **verbe** est employé à la **troisième personne du singulier** avec le **pronom neutre *il*** :

***Il** existe au Québec peu d'écrivains comme Yves Thériault.* (Phrase décl. à la forme impers.)

2 Certains **verbes** sont **toujours impersonnels** ; d'autres sont des verbes personnels qui peuvent s'employer **impersonnellement** :

COMPARER :

Il faut lire ce roman. (Verbe toujours impers.)

Il manque un roman de Thériault. (Verbe pers. employé comme impers.)

3 Parfois, on peut employer certains **verbes impersonnels** évoquant la météo dans une **forme personnelle** :

COMPARER :

Il neige. (Verbe impers.)

Les pétales neigeaient sur la pelouse. (Verbe pers.)

4 Traditionnellement, le pronom neutre ***il*** est appelé **sujet apparent** et ce qui suit le verbe est appelé **sujet réel** :

Il** se vend **beaucoup de romans. (*Il*, sujet apparent. *Beaucoup de romans,* sujet réel du v. *se vend.*)

5 La phrase à forme **impersonnelle** peut souvent se transformer en phrase à forme **personnelle.** Il suffit d'enlever le pronom neutre et de faire accorder le verbe avec le sujet réel :

COMPARER :
Il se vend beaucoup de romans. (Forme impers.)
Beaucoup de romans se vendent. (Forme pers.)

6 On peut construire une phrase à forme **impersonnelle** au moyen de plusieurs catégories de **verbes** :

a) Un **verbe personnel**, comme *arriver, manquer, importer, suffire...*, s'emploie parfois **impersonnellement** :
COMPARER :
Il ne suffit pas d'une histoire pour écrire un roman. (Forme impers.)
Une histoire ne suffit pas pour écrire un roman. (Forme pers.)

b) Un **verbe pronominal**, comme *se lire, se passer, se vendre...*, s'emploie parfois **impersonnellement** :
COMPARER :
Il se lit beaucoup de romans d'Yves Thériault chaque année. (Forme impers.)
Beaucoup de romans d'Yves Thériault se lisent chaque année. (Forme pers.)

7 Rappelons que le **participe passé** du **verbe impersonnel** est **toujours invariable** :
COMPARER :
Il s'est vendu plusieurs romans cette semaine. (Forme impers. : part. passé inv.)
Plusieurs romans se sont vendus cette semaine. (Forme pers. : part. passé var.)

8 Les quatre types de phrases peuvent prendre la forme **personnelle** ou la forme **impersonnelle** :

a) La phrase **déclarative** peut prendre la forme **personnelle** ou la forme **impersonnelle** :
Trois romans manquent à la bibliothèque. (Phrase décl. pers.)
***Il manque** trois romans à la bibliothèque.* (Phrase décl. impers.)

b) La phrase **interrogative** peut prendre la forme **personnelle** ou la forme **impersonnelle** :
Combien de romans se sont vendus cette semaine ? (Phrase int. pers.)
***Il s'est vendu** combien de romans cette semaine ?* (Phrase int. impers.)

c) La phrase **impérative** peut prendre la forme **personnelle** ou la forme **impersonnelle** :
Que trente livres au moins soient vendus aujourd'hui. (Phrase imp. pers.)
*Qu'**il se vende** au moins trente livres aujourd'hui.* (Phrase imp. impers.)

d) La phrase **exclamative** peut prendre la forme **personnelle** ou la forme **impersonnelle** :
On a vendu tout ça en une heure ! (Phrase excl. pers.)
***Il s'est vendu** tout ça en une heure !* (Phrase excl. impers.)

JE RETIENS

La phrase à la forme personnelle est celle dont le verbe a un sujet personnel.
La phrase à la forme impersonnelle est celle dont le verbe est employé à la troisième personne du singulier avec le pronom neutre *il*.
Les quatre types de phrases peuvent prendre la forme personnelle ou la forme impersonnelle.

12. LA PHRASE SIMPLE

Émile Nelligan

Émile Nelligan

Son père est anglophone et d'origine irlandaise. Sa mère, Émilie Hudon, est canadienne-française. À dix-sept ans, Émile Nelligan publie ses premiers poèmes dans les journaux montréalais comme *Le Samedi* et *Le Monde illustré*. Il rêve de vivre de sa poésie. À cette époque, un poète ne peut pas gagner sa vie par l'écriture. Son père n'accepte pas son métier de poète. Le conflit éclate. Émile est admis à l'École littéraire de Montréal en 1897. Il abandonne ses études pour se consacrer à son art. Incompris, il se replie sur lui-même. Il va bientôt sombrer dans la démence. Son père le fait interner en août 1899. Émile n'a que dix-neuf ans. Il meurt à Montréal, en 1941, à l'hôpital Saint-Jean-de-Dieu, aujourd'hui Louis-Hippolyte-La Fontaine.

J'OBSERVE

Les phrases en couleur contiennent-elles plus d'un verbe conjugué ?

Non. Chacune de ces phrases ne compte qu'un seul verbe conjugué.

JE REMARQUE

1 Une phrase qui ne contient qu'**un seul verbe conjugué** s'appelle une **phrase simple**. En relisant attentivement le texte, on constate que c'est le cas pour toutes les phrases qui le composent :

Son père est anglophone et d'origine irlandaise.

2 Habituellement, la phrase simple comprend deux ensembles principaux : d'une part, le **sujet** ou **groupe sujet** ; d'autre part, le **verbe** ou **groupe verbal**. Ce sont les **constituants obligatoires** de la phrase simple :

a) Le **sujet** ou **groupe sujet** indique **de qui** ou **de quoi** l'on parle :

Son père *n'accepte pas son métier de poète.* (**De qui** parle-t-on ? De **son père**.)
Son métier *ne plaît pas à son père.* (**De quoi** parle-t-on ? De **son métier**.)

b) Le **verbe** ou **groupe verbal** indique **ce qu'on en dit** :

Son père ***n'accepte pas son métier de poète.*** (On dit de son père qu'il **n'accepte pas son métier de poète**.)
Son métier ***ne plaît pas à son père.*** (On dit de son métier qu'il **ne plaît pas à son père**.)

3 Les structures élémentaires de la phrase simple reposent habituellement sur la présence d'un **groupe sujet** (GS) et d'un **groupe verbal** (GV) :

a) Le groupe verbal est formé d'un seul mot :

GS	+	GV
Émile		*étudie.*
Le poète		*écrit.*

b) Le groupe verbal est formé du verbe et du complément d'objet direct :

GS	+	GV		
		(V.	+	COD)
Émile		*compose*		*des poèmes.*
Le poète		*écrit*		*de beaux vers.*

c) Le groupe verbal est formé du verbe et du complément d'objet indirect :

GS	+	GV		
		(V.	+	COI)
Émile		*discute*		*avec son père.*
Le poète		*écrit*		*à sa mère.*

d) Le groupe verbal est formé du verbe, du complément d'objet direct et du complément d'objet indirect :

GS	+	GV				
		(V.	+	COD	+	COI)
Le poète		*écrit*		*une lettre*		*à sa mère.*
Émile		*dédie*		*un poème*		*à sa mère.*

e) Le groupe verbal est formé du verbe et de l'attribut :

GS	+	GV		
		(V. d'état	+	attr.)
Émile		*est*		*malheureux.*
La mère d'Émile		*demeure*		*la confidente du poète.*

4 Lorsque le verbe est employé à l'**impératif**, il n'y a pas de sujet exprimé. Le groupe verbal qui compose ce type de phrase peut contenir les divers éléments :

COMPARER :

Étudie. (GV : V. seul.)
*Compose **des poèmes**.* (GV : V. + COD.)
*Parlons **à son père**.* (GV : V. + COI.)
*Écris **une lettre à ta mère**.* (GV : V. + COD + COI.)
*Sois **prudente**.* (GV : V. + attr.)

5 Parfois, la phrase simple n'est formée que d'un seul mot. Ce mot n'est pas nécessairement un verbe :

Ah !	*Ouf !*	(Interj.)
Merci.	*Bonjour.*	(Adv.)
Oui.	*Non.*	(Adv., en réponse à une interrogation totale.)

6 Une phrase construite autour d'un **nom**, sans la présence d'un **verbe**, est une **phrase nominale** :

Chien méchant.
Sortie de secours.
Entrée gratuite.

JE RETIENS

La phrase simple comprend habituellement deux ensembles principaux qui en sont les constituants obligatoires : le groupe sujet et le groupe verbal.
La phrase simple ne contient qu'un verbe conjugué.

13. DE LA PHRASE SIMPLE À LA PHRASE COMPLEXE

Judith Jasmin

Judith Jasmin

Judith Jasmin a révolutionné le journalisme des années cinquante. En effet, auparavant, la plupart des journalistes de la presse écrite étaient des hommes. Hélas ! les femmes se voyaient souvent cantonnées à la chronique mondaine, au courrier du cœur ou aux pages féminines ! Grâce à Judith Jasmin, la politique, la psychologie, les lettres, les affaires ne seront plus le privilège exclusif des hommes. **En effet, elle aborde les grandes questions du jour et les analyse avec autorité et compétence.** Elle interviewe des personnalités d'envergure internationale. Sa rigueur intellectuelle lui permet de se tailler une place de choix dans le domaine de l'information.

J'OBSERVE

Les deux phrases en couleur comptent-elles le même nombre de verbes conjugués ?
Non. La première contient un seul verbe conjugué : *a révolutionné* ; la deuxième en compte deux : *aborde* et *analyse*.

JE REMARQUE

1 Une phrase qui ne contient qu'**un seul verbe conjugué** s'appelle une **phrase simple** :
Judith Jasmin ***a révolutionné*** *le journalisme.*
Elle ***interviewe*** *des personnalités d'envergure internationale.*

2 La phrase simple peut s'enrichir de plusieurs façons :

a) En étoffant le **sujet** :
COMPARER :
Judith *a écrit un reportage.*
La journaliste *a écrit un reportage.*
Cette journaliste de talent *a écrit un reportage.*

b) En étoffant le **complément** :
COMPARER :
Danielle a écrit ***un reportage.***
Andrée a écrit ***un reportage politique.***
Anne-Christine a écrit ***un reportage politique virulent.***

c) En étoffant le **sujet** et le **complément** :
COMPARER :
Jessica *a écrit* ***un reportage.***
La journaliste *a écrit* ***un reportage politique.***
Cette journaliste de talent *a écrit* ***un reportage politique virulent.***

d) En ajoutant un ou plusieurs **compléments circonstanciels** :
COMPARER :
Solange a écrit un reportage.
La semaine dernière, *Solange a écrit un reportage.*
La semaine dernière, *Solange a écrit un reportage* ***dans le cahier artistique.***

e) En insérant une **proposition subordonnée** :

COMPARER :

Suzanne a écrit un reportage.
Suzanne, qui est journaliste depuis peu, a écrit un reportage.
Quand elle a commencé à travailler au Soleil, *Suzanne a écrit un reportage.*

3 Une phrase qui contient **plusieurs verbes conjugués** est une **phrase complexe**. C'est comme si l'on avait alors plusieurs phrases simples réunies dans une même phrase :

COMPARER :

*Elle **aborde** les grandes questions du jour. Elle les **analyse** avec autorité et compétence.* (Deux phrases simples avec chacune un seul verbe conjugué.)
*Elle **aborde** les grandes questions du jour et les **analyse** avec autorité et compétence.* (Une phrase complexe avec deux verbes conjugués.)

*Judith Jasmin **était** une grande journaliste. Elle **était admirée** de tous.* (Deux phrases simples avec chacune un seul verbe conjugué.)
*Judith Jasmin **était** une grande journaliste qui **était admirée** de tous.* (Une phrase complexe avec deux verbes conjugués.)

4 Une **phrase simple** ne compte qu'**une seule proposition**. Les mots groupés autour d'un même verbe forment avec lui une proposition :

COMPARER :

*Judith Jasmin **était admirée** de tous ses collègues journalistes.* (Phrase simple, une proposition.)
*Elle **adorait** son métier et le **pratiquait** à la perfection.* (Phrase complexe, deux propositions.)

5 La **phrase complexe** est une phrase contenant **plusieurs propositions**. Elle compte autant de propositions que de verbes conjugués :

*Elle **a révolutionné** le journalisme ; elle **a ouvert** aux femmes le monde des médias.* (Deux verbes conjugués : *a révolutionné* et *a ouvert* ; donc, deux propositions.)
*Judith Jasmin **était** une femme de grande culture qui **adorait** la lecture et **écrivait** admirablement.* (Trois verbes conjugués : *était, adorait* et *écrivait* ; donc, trois propositions.)

JE RETIENS

La phrase simple contient un seul verbe conjugué. Elle ne compte donc qu'une seule proposition.
La phrase complexe compte autant de propositions que de verbes conjugués.

Marcel Dubé

Marcel Dubé

Marcel Dubé est encore étudiant quand il commence sa carrière de dramaturge. Dans ses premières pièces, il s'intéresse surtout aux adolescents et aux jeunes adultes des milieux populaires. Ses drames, intitulés *Zone, Un simple soldat* et *Florence*, connaissent un grand succès. Ses personnages cherchent violemment à se libérer des contraintes sociales. Par la suite, Dubé aborde le milieu bourgeois, avec *Bilan, Les Beaux Dimanches* et *Au retour des oies blanches*. Le dramaturge y fait ressortir l'hypocrisie et l'ambition démesurée qui font agir ses personnages. Marcel Dubé a écrit de nombreux textes dramatiques pour la télévision.

J'OBSERVE

Les phrases en couleur ont-elles toutes le même nombre de verbes conjugués ?
Non. La première a deux verbes : *est* et *commence* ; la deuxième en a un seul : *connaissent*.

JE REMARQUE

1 Une **phrase simple** est une **proposition indépendante**. La proposition indépendante ne complète pas une autre proposition et aucune proposition ne se rattache à elle :
Ses drames, intitulés Zone, Un simple soldat *et* Florence, *connaissent un grand succès.* (Prop. ind.)

2 On trouve parfois la **proposition indépendante** dans une **phrase complexe** :
Un simple soldat *a été présenté au théâtre, mais on l'a vu aussi à la télé.* (Deux prop. ind.)

3 Une proposition qui est complétée par une autre proposition est une **proposition principale** :
Dubé est encore étudiant quand il commence sa carrière de dramaturge.
(*Dubé est encore étudiant* : princ.)

4 Une proposition qui en complète une autre est une **proposition subordonnée** :

a) La proposition subordonnée introduite par un **pronom relatif** est une **subordonnée relative** :
Monique Miller, qui jouait le rôle de Florence, était extraordinaire.
(*qui jouait le rôle de Florence* : sub. rel.)

b) La proposition subordonnée introduite par une **conjonction de subordination** est une **subordonnée conjonctive** :
Puisque tu vas au théâtre, je t'accompagne.
(*Puisque tu vas au théâtre* : sub. conj. ; *je t'accompagne* : princ.)

5 On distingue deux sortes de propositions subordonnées conjonctives : la **subordonnée conjonctive complétive** (ou simplement, **subordonnée complétive**) et **la subordonnée conjonctive circonstancielle** (ou simplement, **subordonnée circonstancielle**) :

a) La **subordonnée conjonctive complétive** est celle qui a habituellement une **fonction essentielle** dans la phrase : sujet, complément d'object direct, complément d'objet indirect ou attribut. Si on la supprime, la phrase n'a plus de sens :

Richard dit ***qu'il aimerait jouer le rôle de Tarzan dans*** **Zone**. (Sub. conj. complét. COD du v. *dit*. Elle ne peut pas être supprimée.)

b) La **subordonnée conjonctive circonstancielle** est celle qui n'est **pas essentielle** à la phrase. On peut la supprimer sans modifier la structure ou le sens de la phrase :

Lucie a beaucoup aimé Un simple soldat ***parce que les comédiens étaient excellents.*** (Sub. conj. circ.)

6 Une forme particulière de proposition se rencontre surtout à l'écrit. Il s'agit de la **proposition incise** ou **incidente**. Elle se place toujours entre virgules ou entre des tirets ou des parenthèses au milieu ou à la fin d'une phrase :

COMPARER :

Il dit *que ce comédien est excellent dans cette pièce de Dubé.* (Princ.)
Ce comédien, ***dit-il****, est excellent dans cette pièce de Dubé.* (Incise.)
Ce comédien est excellent dans cette pièce de Dubé, **dit-il**. (Incise.)

Il me semble *que cette pièce est moins bonne.* (Princ.)
Cette pièce, ***me semble-t-il****, est moins bonne.* (Incise.)

JE RETIENS

La proposition principale est celle qui est complétée par une autre proposition.
La proposition subordonnée est celle qui complète une autre proposition.
La proposition subordonnée relative est introduite par un pronom relatif.
La proposition subordonnée conjonctive est introduite par une conjonction de subordination. Parmi les subordonnées conjonctives, on distingue la subordonnée complétive et la subordonnée circonstancielle.
La proposition incise se place toujours entre virgules, entre des tirets ou des parenthèses.

15. LES PROPOSITIONS JUXTAPOSÉES OU COORDONNÉES

Marie-Claire Blais

La romancière de la révolte

Née à Québec en 1939, Marie-Claire Blais se voit forcée d'abandonner ses études pour travailler. Elle rêve de devenir romancière ; elle veut vivre de sa plume. À vingt ans, elle publie son premier roman, *La Belle Bête*, bientôt suivi de deux autres. Des adolescents y font une critique virulente des valeurs traditionnelles qu'ils rejettent ou, tout au moins, qu'ils mettent en question. Avec *Une saison dans la vie d'Emmanuel,* Marie-Claire Blais confirme son talent et reçoit le prix Médicis. Dramaturge à ses heures, elle poursuit son cri de révolte contre toute forme de conformisme. En 1992, Marie-Claire Blais est élue à l'Académie royale de langue et de littérature de Belgique. Elle se hisse au premier rang de la littérature québécoise.

J'OBSERVE

Les phrases en couleur ont-elles le même nombre de propositions ?

Non. La première compte deux verbes conjugués : *rêve* et *veut.* Elle a donc deux propositions. La deuxième compte trois verbes conjugués : *font, rejettent* et *mettent.* Elle a donc trois propositions.

JE REMARQUE

1 Des **propositions placées côte à côte** dans une même phrase sont des **propositions juxtaposées**. On les appelle parfois, en souriant, «juste à côté». Elles sont habituellement séparées par une virgule, un point-virgule ou un deux-points :

COMPARER :

Elle rêve de devenir romancière. Elle veut vivre de sa plume. (Deux phrases.)

Elle rêve de devenir romancière ; elle veut vivre de sa plume. (Une phrase, deux prop. juxtaposées.)

2 Les propositions juxtaposées ne se juxtaposent pas de n'importe quelle façon :

a) On juxtapose **deux propositions indépendantes** :

Ses romans parlent des adolescents (ind.) *; ils critiquent les valeurs traditionnelles.* (ind.)

b) On juxtapose une **proposition indépendante** et une **proposition principale** :

Gloria a lu La Belle Bête (ind.) *; elle me dit* (princ.) *qu'elle a bien aimé ce roman.*

c) On juxtapose **deux propositions subordonnées** de **même fonction** :

Si tu lis ce roman, (sub. circ.) *si tu vois le film,* (sub. circ.) *tu peux comparer.*

3 Des **propositions unies** par une **conjonction de coordination** sont des **propositions coordonnées.** Elles sont unies par *et, ou, ni, mais, or, car...* :

COMPARER :

Elle veut devenir romancière. Elle souhaite vivre de sa plume. (Deux phrases.)

Elle veut devenir romancière et souhaite vivre de sa plume. (Une phrase, deux prop. coordonnées.)

4 Les propositions coordonnées ne se lient pas de n'importe quelle façon :

a) On coordonne **deux propositions indépendantes** :

Elle écrit un roman ***et*** *le propose à un éditeur.*

ind. ind.

b) On coordonne une **proposition indépendante** et une **proposition principale** :

Elle écrit un roman ***et*** *dit à ses amies qu'elle le proposera à un éditeur.*

ind. princ.

c) On coordonne **deux propositions subordonnées** de même fonction :

Éric dit qu'il a lu ce roman ***et*** *qu'il l'a trouvé dramatique.*

sub. COD sub. COD

Quand tu as lu ce livre ***et*** *que tu en as parlé, je l'ai acheté.*

sub. circ. sub. circ.

JE RETIENS

Les propositions peuvent être juxtaposées ou coordonnées.
Elles sont juxtaposées quand elles sont simplement placées côte à côte.
Elles sont coordonnées quand elles sont unies par une conjonction de coordination.

Tu n'as pas à comprendre, tu n'as qu'à devenir.
Anne Hébert

16. LA PROPOSITION SUBORDONNÉE RELATIVE

Gabrielle Roy

Gabrielle Roy

Gabrielle Roy est née à Saint-Boniface, au Manitoba, en 1909. Institutrice et animatrice de théâtre dans sa province natale, elle décide de venir s'installer à Montréal. Elle écrit un premier roman, *Bonheur d'occasion*, qui lui vaut le prix Femina. Avec cette œuvre, ainsi qu'avec le roman de Roger Lemelin, *Au pied de la Pente douce*, la ville fait son apparition dans la littérature québécoise. Gabrielle Roy a écrit de nombreux romans, dont certains ont été traduits en plusieurs langues. Citons, entre autres, *Alexandre Chenevert* et *Rue Deschambault*. Plusieurs de ses œuvres, comme *La Route d'Altamont* et *Un jardin au bout du monde*, s'inspirent de son enfance dans l'Ouest canadien. Gabrielle Roy est décédée en 1983.

J'OBSERVE

Quelle est la nature du premier mot des propositions en couleur ?

Les deux propositions commencent par un pronom relatif : *qui* et *dont*.

JE REMARQUE

1 Une proposition qui est reliée à la **proposition principale par un pronom relatif** est une **proposition subordonnée relative** :

Elle écrit un roman, Bonheur d'occasion, *qui lui vaut le prix Femina.*

(princ. : *Elle écrit un roman,* Bonheur d'occasion — sub. rel. : *qui lui vaut le prix Femina.*)

2 Les **pronoms relatifs** qui introduisent le plus souvent une proposition subordonnée relative sont *qui, que, qu', dont, où* et *lequel :*

Le roman ***dont*** *tu parles est de Gabrielle Roy.*

(sub. rel. : *dont tu parles*)

3 La proposition subordonnée relative est toujours **complément de l'antécédent** du **pronom relatif** :

a) La subordonnée relative est **complément du nom** si l'antécédent est un **nom** :

Le roman ***que Lise a reçu*** *est de Gabrielle Roy.* (Sub. rel. compl. du nom *roman.*)

b) La subordonnée relative est **complément du pronom** si l'antécédent est un **pronom** :

André te rapporte celui ***que tu lui as prêté****.* (Sub. rel. compl. du pron. *celui.*)

4 Le **pronom relatif** a une **fonction propre** dans la proposition subordonnée. Il peut, entre autres, remplir les fonctions suivantes :

a) Le pronom relatif peut être **sujet** du **verbe** de la **subordonnée** :

Dahlia, ***qui*** *a lu* Bonheur d'occasion, *a été enchantée.* (*Qui* remplace le nom *Dahlia* et est sujet du v. *a lu.*)

b) Le pronom relatif peut être **complément d'objet direct** du **verbe** de la **subordonnée** :

Le roman Alexandre Chenevert, ***que*** *Sonia a acheté hier, a paru en 1954.* (*Que* remplace le nom *roman* et est COD du v. *a acheté.*)

c) Le pronom relatif peut être **complément d'objet indirect** du **verbe** de la **subordonnée** :
Ce livre de Gabrielle Roy ***dont*** *tu m'as parlé est* Rue Deschambault. (*Dont* remplace le nom *livre* et est COI du v. *as parlé*.)

d) Le pronom relatif peut être **complément du nom** dans la **subordonnée** :
Ce roman, ***dont*** *j'admire le style, est d'une grande romancière.* (*Dont* remplace le nom *roman* et est compl. du nom *style*.)

5 Dans la phrase complexe, la proposition subordonnée relative se comporte comme le **nom** ou le **groupe nominal complément du nom** ou du **pronom** dans la **phrase simple** :

a) La subordonnée relative **peut être supprimée** sans que cela modifie la structure ou le sens de la phrase. La phrase contient cependant moins de précision :
COMPARER :
Ce roman de Gabrielle Roy a connu un grand succès. (Gr. nom. compl. du nom.)
Ce roman dont tu parles a connu un grand succès. (Sub. rel. compl. du nom.)
Ce roman a connu un grand succès. (Sans sub. rel., même structure et même sens.)

b) La subordonnée relative se place **toujours après** le **mot** qu'elle **complète**, c'est-à-dire son **antécédent** :
COMPARER :
Un roman de Gabrielle Roy ne laisse jamais indifférent. (Gr. nom. compl. du nom.)
Un roman qui est écrit par Gabrielle Roy ne laisse jamais indifférent. (Sub. rel. compl. du nom.)

c) La subordonnée relative peut toujours **se remplacer** par un **nom** ou un **groupe nominal complément du nom** ou par un **adjectif qualificatif épithète** :
COMPARER :
Ce roman que je viens de lire est le dernier de Gabrielle Roy. (Sub. rel.)
Ce roman d'époque est le dernier de Gabrielle Roy. (Nom.)
Ce roman psychologique est le dernier de Gabrielle Roy. (Adj. qual. épith.)

JE RETIENS

La proposition subordonnée relative est reliée à la proposition principale par un pronom relatif.
La subordonnée relative est toujours complément de l'antécédent du pronom relatif.
Dans la phrase complexe, la subordonnée relative se comporte comme le nom ou le groupe nominal complément du nom ou du pronom dans la phrase simple.

17. LA PROPOSITION SUBORDONNÉE COMPLÉTIVE

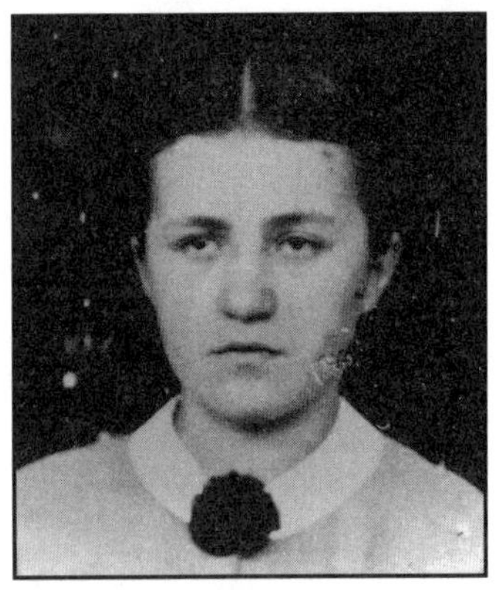

Laure Conan

Le roman psychologique

En 1845, à La Malbaie, naît Félicité Angers. Sous le pseudonyme de Laure Conan, elle deviendra la première romancière québécoise en publiant *Angéline de Montbrun* (1882). On sait que, jusqu'alors, le roman était réservé à quelques écrivains masculins. De plus, pour la première fois, notre littérature aborde l'analyse psychologique serrée d'un personnage. En partie autobiographique, le roman illustre la lutte d'une femme contre le destin. Laure Conan a écrit plusieurs œuvres historiques, dont *L'Oublié* et *À l'œuvre et à l'épreuve*. Il est regrettable que Laure Conan soit tombée dans l'oubli. Cette pionnière de nos lettres ne méritait pas un tel sort.

J'OBSERVE

Par quel mot les propositions subordonnées en couleur commencent-elles ?
Les deux commencent par la conjonction de subordination *que*.

JE REMARQUE

1 Dans la phrase complexe, la proposition subordonnée qui **complète** le **verbe** de la **proposition principale** est une **proposition subordonnée complétive** :
*On sait **que, jusqu'alors, le roman était réservé à quelques écrivains masculins**.* (Sub. complét. COD du v. *sait*.)

2 La proposition subordonnée complétive est introduite par une **conjonction de subordination**. La plus fréquente est *que* ou *qu'* :
*Ma sœur veut **que je lise le roman historique*** **L'Oublié**.
*Elle affirme **qu'il me plaira**.*

3 Lorsqu'elle complète le verbe, la proposition subordonnée complétive ne peut **pas être supprimée**, sinon la phrase n'a plus de sens :
*Maman souhaite **que nous visitions La Malbaie l'été prochain**.* (Sans sub. complét., phrase non gramm.)

4 La proposition subordonnée complétive remplit diverses **fonctions essentielles** auprès du **verbe** de la proposition **principale**, entre autres :

a) La subordonnée complétive peut être **sujet** du **verbe** de la proposition **principale** :
***Que Laure Conan devienne romancière** était étonnant à son époque.* (Sub. complét. sujet du v. *était*.)

b) La subordonnée complétive peut être **complément d'objet direct** du **verbe** de la proposition **principale** :
*Patricia ignorait **que Laure Conan portait un pseudonyme**.* (Sub. complét. COD du v. *ignorait*.)

c) La subordonnée complétive peut être **complément d'objet indirect** du **verbe** de la proposition **principale** :

Benoît s'étonne ***que la romancière ait choisi ce pseudonyme.*** (Sub. complét. COI du v. *s'étonne*.)

d) La subordonnée complétive peut être **attribut du sujet** du **verbe** de la proposition **principale** :

Sa gloire demeure ***qu'elle a été la première romancière québécoise.*** (Sub. complét. attr. du sujet *sa gloire*.)

JE RETIENS

Dans la phrase complexe, la proposition subordonnée complétive complète le verbe de la proposition principale.
Elle remplit alors une fonction essentielle dans la phrase.

C'est une épreuve que de voir s'échapper une idée, faute du mot qui la fixerait.

Adjutor Rivard

18. LA PROPOSITION SUBORDONNÉE COMPLÉTIVE SUJET

Gilles Vigneault

Un troubadour des temps modernes

L'auteur de *Gens du pays* est originaire de Natashquan, sur la Côte-Nord. Gilles Vigneault a chanté comme pas un le pays du Québec. Que Vigneault manie l'image avec un bonheur consommé réjouit tous ses admirateurs. Avec sa passion du Québec, il conquiert la renommée, non seulement ici, mais aussi en France. Conteur exceptionnel, dans la plus pure tradition des conteurs de village, il agrémente ses spectacles de récits pittoresques et humoristiques. Il a créé des personnages vivants et colorés. Il a su peindre en des images originales nos hivers et nos gens. Ses contes pour enfants ravissent ses auditeurs.

J'OBSERVE

Par quel mot la proposition subordonnée complétive en couleur commence-t-elle ?
Elle commence par la conjonction de subordination *que*.

JE REMARQUE

1 Dans la phrase complexe, la proposition subordonnée complétive sujet correspond au **nom** ou au **groupe nominal sujet** dans une **phrase simple** :

COMPARER :
Que Vigneault manie si bien l'humour réjouit les spectateurs. (Sub. complét. sujet du v. *réjouit.*)
L'humour de Vigneault réjouit les spectateurs. (Gr. nom. sujet du v. *réjouit.*)

2 La proposition subordonnée complétive sujet se comporte comme le **nom** ou le **groupe nominal sujet** dans la **phrase simple** :

a) La subordonnée complétive sujet se place toujours **devant** le **verbe** de la proposition **principale** :
Que Vigneault donne un tel spectacle *enchante ses admirateurs.* (Sub. complét.)
Ce spectacle *enchante ses admirateurs.* (Gr. nom.)

b) La subordonnée complétive sujet ne peut **pas être supprimée**, sinon la phrase n'a plus de sens :
Que Vigneault donne un tel spectacle *enchante ses admirateurs.* (Sans sub. complét. sujet, phrase non gramm.)

c) La subordonnée complétive sujet peut toujours être **remplacée** par les pronoms personnels ***il, elle, on*** ou par le pronom démonstratif ***cela*** :

COMPARER :
Que Vigneault donne un tel spectacle enchante ses admirateurs.
Il enchante ses admirateurs. (Pron. pers.)
Cela enchante ses admirateurs. (Pron. dém.)

d) La subordonnée complétive sujet peut être **mise en évidence** à l'aide du présentatif ***c'est... qui...*** :

COMPARER :

Que Vigneault donne un tel spectacle enchante ses admirateurs.

C'est que Vigneault donne un tel spectacle qui enchante ses admirateurs.

e) La subordonnée complétive sujet répond à la question ***qu'est-ce qui*** ? :

Que Vigneault soit devenu notre poète national *ne fait aucun doute.*
(**Qu'est-ce qui** ne fait aucun doute ? **Que Vigneault soit devenu notre poète national.**)

3 Traditionnellement, on appelle **sujet réel** la proposition subordonnée qui suit un **verbe impersonnel** ou un verbe employé impersonnellement. On dit que le pronom neutre ***il*** est le **sujet apparent** du **verbe impersonnel** :

Il faut ***que vous assistiez au spectacle de Vigneault.*** (Sub. complét. sujet réel du v. *faut*. Le pron. neutre *il* est sujet apparent du v. impers. *faut.*)

Il arrive ***que Vigneault fasse une tournée de la province.*** (Sub. complét. sujet réel du v. *arrive*. Le pron. neutre *il* est sujet apparent du v. impers. *arrive.*)

JE RETIENS

Dans la phrase complexe, la proposition subordonnée complétive sujet correspond au nom ou au groupe nominal sujet dans la phrase simple et se comporte de la même façon.

La langue est une prison. La posséder c'est l'agrandir un peu.
Pierre Baillargeon

19. LA PROPOSITION SUBORDONNÉE COMPLÉTIVE COD

Jean de La Fontaine

Un fabuliste de génie

Le corbeau et le renard, la cigale et la fourmi, le lièvre et la tortue : trois couples de personnages que tout le monde connaît ; trois titres aussi, bien sûr. Vous savez évidemment qu'il s'agit de fables de La Fontaine. Ce grand sage du XVIIe siècle nous a laissé le recueil de fables le plus célèbre de tous les temps. Souvent inspiré de celles d'Ésope, fabuliste grec de l'Antiquité, La Fontaine a recréé à sa façon les situations évoquées dans ces fables. Tous reconnaissent que La Fontaine dépeint à merveille les travers de l'humanité. La sagesse du fabuliste est telle qu'un nombre incalculable de vers tirés de ses fables sont devenus des proverbes familiers. La plupart du temps, nous en avons oublié l'origine.

J'OBSERVE

Par quel mot les propositions subordonnées en couleur commencent-elles ?
Elles commencent par la conjonction de subordination *que* ou *qu'*.

JE REMARQUE

1 Dans la phrase complexe, la proposition subordonnée complétive complément d'objet direct correspond au **nom** ou au **groupe nominal complément d'objet direct** dans une **phrase simple** :

COMPARER :
Tous reconnaissent qu'il décrit à merveille les travers de l'humanité. (Sub. complét. COD du v. *reconnaissent.*)
Tous reconnaissent les travers de l'humanité. (Gr. nom. COD du v. *reconnaissent.*)

2 La proposition subordonnée complétive complément d'objet direct se comporte comme le **nom** ou le **groupe nominal complément d'objet direct** dans la **phrase simple** :

a) La subordonnée complétive complément d'objet direct est toujours placée **après** le **verbe** de la proposition **principale** :
Le renard attend ***que le fromage tombe du bec du corbeau.*** (Sub. complét.)
Le renard attend ***le fromage.*** (Gr. nom.)

b) La subordonnée complétive complément d'objet direct **ne peut être supprimée** sans que cela change le sens de la phrase ou la rende non grammaticale :
La Fontaine rappelle ***qu'il ne faut pas vendre la peau de l'ours avant de l'avoir tué.*** (Sans sub. complét. COD, phrase non gramm.)

c) La subordonnée complétive complément d'objet direct peut toujours être **remplacée** par le pronom personnel ***le*** ou ***l'*** ou par le pronom démonstratif ***cela*** :

COMPARER :
Vous savez qu'il s'agit de fables de La Fontaine.
Vous le savez. (Pron. pers.)
Vous savez cela. (Pron. dém.)

d) La subordonnée complétive complément d'objet direct peut être **mise en évidence** à l'aide du présentatif ***ce que... c'est***:

COMPARER :

Vous savez qu'il s'agit de fables de La Fontaine.
Ce que vous savez, c'est qu'il s'agit de fables de La Fontaine.

e) La subordonnée complétive complément d'objet direct répond à la question ***quoi*** *?* :

Vous savez ***qu'il s'agit de fables de La Fontaine.*** *(*Vous savez **quoi** ? **Qu'il s'agit de fables de La Fontaine.**)

3 Il est possible de poser une question au moyen d'une proposition subordonnée complétive complément d'objet direct du verbe de la proposition principale. On procède alors de la façon suivante :

a) On emploie l'**interrogation indirecte** ou un mot interrogatif, sans point d'interrogation :

COMPARER :

Je ne sais pas si tu connais La Fontaine. (Interrogation indirecte.)
Connais-tu La Fontaine ? (Interrogation directe.)

b) Les mots interrogatifs les plus fréquents sont les suivants : *où, quand, comment, pourquoi, combien, qui, si...* :

Jacques se demande ***s'il lira*** **Les Fables** ***de La Fontaine.***
Denise demande ***quand est né La Fontaine.***

JE RETIENS

Dans la phrase complexe, la proposition subordonnée complétive complément d'objet direct correspond au nom ou au groupe nominal complément d'objet direct dans la phrase simple et se comporte de la même façon.

20. LA PROPOSITION SUBORDONNÉE COMPLÉTIVE COI

Molière

Jean-Baptiste Poquelin, dit Molière

Molière est à coup sûr le grand maître du théâtre comique. Il a dénoncé à la scène, avec une hardiesse étonnante, l'hypocrisie des grands et des petits de son temps. Certains de ses personnages sont parfois presque tragiques. Si *L'Avare* et *Tartuffe* font rire, c'est d'un rire souvent grinçant. On s'étonne que Molière attire encore aujourd'hui. Sans doute est-ce parce que ses personnages incarnent des vérités universelles. Mais on ne s'attend jamais à ce que le succès soit facile. Molière était avant tout un comédien. Il a perdu conscience sur scène en jouant *Le Malade imaginaire*. Il est mort quelques heures plus tard. C'était à Paris, en 1673. Ses pièces ont traversé le temps et l'espace. Ce sont de véritables chefs-d'œuvre universels.

J'OBSERVE

Qu'ont en commun les propositions subordonnées complétives en couleur ?
La conjonction de subordination *que*.

JE REMARQUE

1 Dans la phrase complexe, la proposition subordonnée complétive complément d'objet indirect correspond au **nom** ou au **groupe nominal complément d'objet indirect** dans une **phrase simple** :

COMPARER :
On s'étonne que Molière attire encore aujourd'hui. (Sub. complét. COI du v. *s'étonne*.)
On s'étonne de l'attrait de Molière aujourd'hui. (Gr. nom. COI du v. *s'étonne*.)

2 La proposition subordonnée complétive complément d'objet indirect se comporte comme le **nom** ou le **groupe nominal complément d'objet indirect** dans la **phrase simple** :

a) La subordonnée complétive complément d'objet indirect est toujours placée **après** le **verbe** de la proposition **principale** :
Gilles se souvient ***qu'il a joué dans*** **L'Avare**. (Sub. complét.)
Gilles se souvient de ***cette pièce***. (Gr. nom.)

b) La subordonnée complétive complément d'objet indirect **ne peut être supprimée** sans que cela change le sens de la phrase ou la rende non grammaticale :
Sonia s'attend ***à ce que*** **Tartuffe** ***soit présenté cette année***. (Sans sub. complét. COI, phrase non gramm.)

c) La subordonnée complétive complément d'objet indirect peut toujours être **remplacée** par les pronoms personnels ***y***, ***en*** ou par le pronom démonstratif ***cela*** :

COMPARER :
Le professeur s'étonne que je n'aie pas vu Les Femmes savantes.
Le professeur s'en étonne. (Pron. pers.) *Le professeur s'étonne de* ***cela***. (Pron. dém.)
Suzanne s'attend à ce que l'on voie un Molière à la télé.
Suzanne s'y attend. (Pron. pers.) *Suzanne s'attend à cela.* (Pron. dém.)

d) La subordonnée complétive complément d'objet indirect peut être **mise en évidence** à l'aide des présentatifs ***ce dont... c'est*** et ***ce à quoi... c'est***:

COMPARER :

Karine se souvient que Tartuffe *a été joué au Théâtre du Nouveau Monde.*
Ce dont Karine se souvient, c'est que Tartuffe *a été joué au Théâtre du Nouveau Monde.*
Molière ne s'attend pas à ce que le succès soit facile.
Ce à quoi Molière ne s'attend pas, c'est que le succès soit facile.

e) La subordonnée complétive complément d'objet indirect répond à la question ***de quoi****?* ou *à* ***quoi****?* :

Vous vous étonnez ***que je connaisse*** **Les Précieuses ridicules**. (Vous vous étonnez **de quoi** ? **Que je connaisse *Les Précieuses ridicules***.)
Nous nous attendons ***à ce que cette pièce soit un succès****.* (Nous nous attendons **à quoi** ? **À ce que cette pièce soit un succès.**)

JE RETIENS

Dans la phrase complexe, la proposition subordonnée complétive complément d'objet indirect correspond au nom ou au groupe nominal complément d'objet indirect dans la phrase simple et se comporte de la même façon.

Si tous ceux qui parlent pesaient leurs mots,
comme l'air serait léger!

Albert Brie

21. LA PROPOSITION SUBORDONNÉE COMPLÉTIVE ATTRIBUT

Stephen King

Le romancier de la peur

Les amateurs de frissons connaissent le romancier américain Stephen King. Ce spécialiste de la peur est un conteur peu commun. Son talent est qu'il sait transformer un fait banal en situation d'épouvante. Il prend son lecteur au cœur. Certains de ses récits donnent la chair de poule, d'autres provoquent presque des cauchemars. Pour comprendre ce que veut dire le mot *peur*, il faut lire *Ça* ou *Misery*. Plusieurs de ses histoires terrifiantes ont été portées à l'écran. Le succès extraordinaire que connaît ce romancier, particulièrement auprès des jeunes, serait-il un phénomène de civilisation ? Peut-être l'explication est-elle que nous aimons avoir peur !

J'OBSERVE

Par quel mot les propositions subordonnées en couleur commencent-elles ?
Elles commencent par la conjonction de subordination *que* ou *qu'*.

JE REMARQUE

1 Dans la phrase complexe, la proposition subordonnée complétive attribut correspond au **nom** ou au **groupe nominal attribut** dans une **phrase simple** :

COMPARER :

Son talent est qu'il sait transformer un fait banal en situation d'épouvante. (Sub. complét. attr. du sujet *son talent.*)

Son talent est l'art de l'épouvante. (Gr. nom. attr. du sujet *son talent.*)

2 La proposition subordonnée complétive attribut se comporte comme le **nom** ou le **groupe nominal attribut** dans la **phrase simple** :

a) La subordonnée complétive attribut s'emploie avec le verbe ***être*** ou un autre **verbe d'état** dans la proposition **principale** :

La surprise est ***que Jacques lise*** **Misery** ***si rapidement.***

b) La subordonnée complétive attribut est toujours placée **après** le **verbe** de la proposition **principale** :

La surprise demeure ***que Jacques lise*** **Misery** ***si rapidement.***

c) La subordonnée complétive attribut ne peut **pas être supprimée**, sinon la phrase n'a plus de sens :

Le bonheur suprême est ***que je voie le film après avoir lu le roman.***

d) La subordonnée complétive attribut peut toujours être **remplacée** par un **adjectif qualificatif** :

La surprise est ***que Jacques ait lu*** **Misery** ***si rapidement.***

La surprise est ***grande.*** (Adj. qual.)

JE RETIENS

Dans la phrase complexe, la proposition subordonnée complétive attribut correspond au nom ou au groupe nominal attribut dans la phrase simple et se comporte de la même façon.

22. LES AUTRES PROPOSITIONS SUBORDONNÉES COMPLÉTIVES

Les contes de fées

Charles Perrault

Si on pense à Cendrillon, que se passe-t-il ? Voilà que surgissent de la mémoire Barbe-Bleue, le Petit Poucet, le Chaperon rouge. Ces personnages des contes de fées de notre enfance, tous empreints de merveilleux, sont nés il y a trois siècles. Charles Perrault, leur créateur, était contemporain de Molière et du fabuliste La Fontaine. Comme eux, il a écrit des œuvres qui ont traversé les siècles jusqu'à nous. L'idée qu'elles disparaissent un jour paraît peu réaliste. Il semble que le conteur se soit inspiré de récits populaires. Il leur a donné une forme littéraire qui les a rendus éternels et universels. On dit spontanément: «Les contes de Perrault».

J'OBSERVE

Par quel mot les propositions subordonnées en couleur commencent-elles?

Elles commencent par la conjonction de subordination *que* ou *qu'*.

JE REMARQUE

1 On sait que la proposition subordonnée conjonctive complétive correspond à un **nom** ou à un **groupe nominal** qui remplirait, dans la phrase simple, une **fonction essentielle**. Si l'on supprime cette subordonnée complétive, la phrase change de sens ou devient non grammaticale:

Que tu aimes les contes de fées me réjouit beaucoup. (Sans sub. complét. sujet, phrase non gramm.)

2 Certaines propositions subordonnées conjonctives complétives moins fréquentes remplissent d'autres **fonctions compléments** dans la **phrase complexe**. Elles ne sont **pas essentielles**. Ces subordonnées remplissent les **mêmes fonctions** que le **nom** ou le **groupe nominal** correspondant dans la **phrase simple** et se comportent de la même façon:

a) La subordonnée complétive peut être **complément du nom**. Le mot *que* (*qu'*) de la subordonnée n'est pas un pronom relatif. Il n'a pas de fonction propre dans la subordonnée. Il s'agit plutôt d'une simple **conjonction de subordination** :

COMPARER :

L'idée qu'elles disparaissent un jour semble peu réaliste. (Sub. complét. compl. du nom *idée. Qu',* conj. de sub.)

L'idée de leur disparition semble peu réaliste. (Gr. nom. compl. du nom *idée.*)

L'idée que tu as exprimée semble peu réaliste. (Sub. rel. compl. du nom *idée. Que,* pron. rel. COD du v. *as exprimée.*)

b) La subordonnée complétive peut être en **apposition** :

COMPARER :

Il n'a qu'un rêve, que ce conte soit un succès. (Sub. complét. en appos. au nom *rêve.*)

Il n'a qu'un rêve, le succès de ce conte. (Gr. nom. en appos. au nom *rêve.*)

c) La subordonnée complétive peut être **complément de l'adjectif** :

COMPARER :

Clermont est content que je lui rappelle ce personnage de Perrault. (Sub. complét. compl. de l'adj. *content.*)

Clermont est content de son fils. (Gr. nom. compl. de l'adj. *content.*)

d) La subordonnée complétive peut être **complément de l'adverbe** :

COMPARER :

Heureusement que tu lui as relu ce conte. (Sub. complét. compl. de l'adv. *heureusement.*)

Heureusement pour les enfants, il existe des contes merveilleux. (Gr. nom. compl. de l'adv. *heureusement.*)

e) La subordonnée complétive peut être **complément du comparatif** :

COMPARER :

Ce personnage est plus attachant que tu ne le dis. (Sub. complét. compl. du compar. *plus attachant.*)

Ce personnage est plus attachant que Barbe-Bleue. (Nom compl. du compar. *plus attachant.*)

f) La subordonnée complétive peut être **complément du superlatif** :

COMPARER :

Ce conte est le plus féerique que je connaisse. (Sub. complét. compl. du superl. *le plus féerique.*)

Ce conte est le plus féerique des contes de Perrault. (Gr. nom. compl. du superl. *le plus féerique.*)

g) La subordonnée complétive peut être **complément du présentatif** :

COMPARER :

Voilà que surgissent de ma mémoire Barbe-Bleue, le Petit Poucet, le Chaperon rouge. (Sub. complét. compl. du présentatif *voilà.*)

Voilà Barbe-Bleue et le Petit Poucet. (Gr. nom. compl. du présentatif *voilà.*)

JE RETIENS

Dans la phrase complexe, certaines propositions subordonnées complétives moins fréquentes remplissent les mêmes fonctions que le nom ou le groupe nominal correspondant dans la phrase simple.
Ces subordonnées complétives peuvent être en apposition à un nom ou être complément du nom, de l'adjectif, de l'adverbe, du comparatif, du superlatif ou du présentatif.

23. LA PROPOSITION SUBORDONNÉE CIRCONSTANCIELLE

Un défricheur du théâtre québécois

Gratien Gélinas

Comme Gabrielle Roy, Gratien Gélinas est né en 1909. Il entreprend une carrière radiophonique, où il connaît un certain succès comme comédien. Puis, il devient célèbre lorsqu'il crée le personnage de Fridolin. Parce que son personnage est populaire, il le transpose au théâtre. Ce sont les *Fridolinades*. Gratien Gélinas triomphe pendant neuf ans. En 1948, Gélinas écrit une vraie pièce à sujet québécois. *Ti-Coq* est né. Gélinas vient d'ouvrir la voie aux dramaturges de chez nous. Toute sa vie, il s'est révélé un chef de file. Bien qu'il passe quatre-vingts ans, il joue encore la comédie. On l'a revu sur la scène avec sa femme, Huguette Oligny, dans sa dernière pièce, *Narcisse Mondoux*.

J'OBSERVE

Les propositions subordonnées en couleur commencent-elles toutes par la même conjonction de subordination ?

Non. Elles commencent par une conjonction différente : *lorsque*, *parce que* et *bien que*.

JE REMARQUE

1 Dans la phrase complexe, la proposition subordonnée conjonctive circonstancielle correspond au **nom** ou au **groupe nominal complément circonstanciel** dans la **phrase simple** :

COMPARER :
Il devient célèbre lorsqu'il crée le personnage de Fridolin. (Sub. circ.)
Il devient célèbre à la création de Fridolin. (Gr. nom. CC.)

2 La proposition subordonnée circonstancielle se comporte comme le **nom** ou le **groupe nominal complément circonstanciel** dans la **phrase simple** :

a) La subordonnée circonstancielle se place **avant** ou **après** le **verbe** de la proposition **principale** :
Bien qu'il passe quatre-vingts ans, *il joue encore la comédie.*
Il joue encore la comédie, ***bien qu'il passe quatre-vingts ans.***

b) La subordonnée circonstancielle **peut être supprimée** sans que cela modifie d'une façon importante le sens de la phrase :
Puis, il devient célèbre ***lorsqu'il crée Fridolin.***
Puis, il devient célèbre.

c) La subordonnée circonstancielle peut, selon son sens, répondre aux questions ***quand*** *?*, ***pourquoi*** *?...* :
Puis, il devient célèbre ***lorsqu'il crée Fridolin***. (Il devient célèbre **quand** ? **Lorsqu'il crée Fridolin**.)

JE RETIENS

Dans la phrase complexe, la proposition subordonnée circonstancielle correspond au nom ou au groupe nominal complément circonstanciel dans la phrase simple et se comporte de la même façon.

Jacques Ferron

Un médecin et homme de lettres

Jacques Ferron pratique la médecine lorsqu'il commence à écrire. Il a composé de nombreux contes, dont un recueil intitulé *Contes du pays incertain* (1962). Comme il est près des gens ordinaires, Ferron se plaît à décrire leurs mœurs. Dans ses romans *La Nuit* ou *La Charrette* et ses pièces de théâtre *Les Grands Soleils* ou *La Tête du roi*, ses personnages vivent sous nos yeux. On y retrouve toujours cet humour mordant, souvent grinçant, qui le caractérise. La langue de Jacques Ferron est remarquable, alerte et imagée. L'écrivain est décédé en 1985. Si vous voulez le connaître davantage, lisez l'une de ses œuvres. Vous ne risquez pas d'être déçus.

J'OBSERVE

Les propositions subordonnées en couleur commencent-elles toutes par la même conjonction de subordination ?

Non. Chacune commence par une conjonction différente : *lorsque, comme* et *si.*

JE REMARQUE

1 C'est le **sens** qui permet de distinguer les diverses propositions subordonnées circonstancielles. Le sens de la subordonnée est marqué par la **conjonction de subordination** qui l'introduit :

Jacques Ferron pratique la médecine ***quand il commence à écrire.*** (Sub. circ. de temps introduite par la conj. de sub. *quand.*)

2 La subordonnée **circonstancielle de temps** ou temporelle précise le **moment** : avant, pendant ou après. Les conjonctions de subordination correspondantes les plus fréquentes sont *quand, lorsque, avant que, après que...* :

Jacques Ferron pratique la médecine ***lorsqu'il commence à écrire.*** (Sub. circ. de temps introduite par la conj. de sub. *lorsque.*)

3 La subordonnée **circonstancielle de but** ou finale précise l'**intention**, le **but visé**. Les conjonctions de subordination correspondantes les plus fréquentes sont *afin que, pour que, de crainte que...* :

Afin que vous connaissiez mieux la société québécoise, *je vous invite à lire le roman* La Charrette. (Sub. circ. de but introduite par la loc. conj. de sub. *afin que.*)

4 La subordonnée **circonstancielle de conséquence** ou consécutive précise le **résultat**. Les conjonctions de subordination correspondantes les plus fréquentes sont *de façon que, au point que, tellement que...* :

Suzanne a mis beaucoup de temps à lire ce roman, ***tellement qu'elle en a oublié le début.*** (Sub. circ. de conséquence introduite par la loc. conj. de sub. *tellement que.*)

5 La subordonnée **circonstancielle de cause** ou causale précise le **motif**, la **cause**. Les conjonctions de subordination correspondantes les plus fréquentes sont *parce que, vu que, comme...* :

Alain ne veut pas lire le roman La Charrette ***parce qu'il déteste la lecture.*** (Sub. circ. de cause introduite par la loc. conj. de sub. *parce que.*)

6 La subordonnée **circonstancielle de condition** ou conditionnelle précise l'**hypothèse**, la **condition**. Les conjonctions de subordination correspondantes les plus fréquentes sont *si, à moins que, pourvu que...* :

__Si j'allais au théâtre ce soir__, j'aimerais voir une pièce de Ferron. (Sub. circ. de condition introduite par la conj. de sub. *si*.)

7 La subordonnée **circonstancielle de comparaison** ou comparative précise la **différence** ou la **ressemblance**. Les conjonctions de subordination correspondantes les plus fréquentes sont *comme, autant que, de même que...* :

Dominique apprécie ce roman __autant qu'il a aimé la pièce__. (Sub. circ. de comparaison introduite par la loc. conj. de sub. *autant que*.)

8 La subordonnée **circonstancielle de concession** ou concessive précise l'**opposition**. Les conjonctions de subordination correspondantes les plus fréquentes sont *bien que, quoique, même si...* :

Hubert veut voir le film __même s'il a lu le roman__. (Sub. circ. de concession introduite par la loc. conj. de sub. *même si*.)

JE RETIENS

C'est le sens qui permet de distinguer les diverses propositions subordonnées circonstancielles. Le sens de la subordonnée circonstancielle est marqué par la conjonction de subordination qui l'introduit.
On distingue les propositions subordonnées circonstancielles suivantes : de temps, de but, de conséquence, de cause, de condition, de comparaison et de concession.

On peut dire sur le papier beaucoup de choses qu'on ne dirait pas de vive voix.

Jean Rivard

25. LA PROPOSITION SUBORDONNÉE INFINITIVE

Hercule Poirot

Une romancière britannique

Les romans d'Agatha Christie sont connus dans le monde entier. Ils ont été traduits dans presque toutes les langues. En créant Hercule Poirot, la romancière britannique combla de plaisir des millions de lectrices et de lecteurs inconditionnels. Portées à l'écran, ses œuvres ont vu leur succès s'accroître davantage. Agatha Christie sait soutenir l'intérêt. Souvent, il faut attendre à la dernière page du roman pour connaître la solution de l'énigme. C'est le cas, par exemple, du roman intitulé *Les dix petits nègres*. Les récits d'Agatha Christie sont souvent teintés d'un humour typiquement britannique. On a vu plus d'un lecteur lire plusieurs fois le même roman.

J'OBSERVE

Qu'ont en commun les mots en couleur ?
Ce sont des verbes à l'infinitif.

JE REMARQUE

1 L'**infinitif** peut être le **noyau** d'une proposition subordonnée infinitive :

On a vu (princ.) *plus d'un lecteur* ***lire*** *plusieurs fois le même roman.* (sub. inf.)

2 Il y a subordonnée infinitive seulement lorsque les **trois conditions** suivantes sont remplies :

a) Le **verbe** à l'**infinitif** a son **propre sujet**, **différent** de celui du **verbe** de la proposition **principale** :

Nous avons entendu (princ.) *cet élève* ***vanter*** *ce roman policier.* (sub. inf.)

(*Cet élève* est **sujet** du v. *vanter*.)

b) Le **sujet** de l'**infinitif** est **complément d'objet direct** du **verbe** de la proposition **principale** :

Francis voit (princ.) *son frère* ***lire*** *ce roman.* (sub. inf.)

(*Son frère* est **COD** du v. *voit*.)

c) Le **verbe** à l'**infinitif** dépend d'une proposition **principale** dont le verbe fait partie de la liste suivante : *apercevoir, écouter, empêcher, entendre, envoyer, laisser, mener, regarder, sentir* et *voir* :

On a vu ***plus d'un lecteur lire plusieurs fois le même roman****.*
Le professeur ne peut pas empêcher ***cet élève de lire****.*
Les élèves sentent ***venir la fin de l'enquête de Poirot****.*

3 La subordonnée infinitive peut remplir **deux fonctions** dans la phrase :

a) La subordonnée infinitive peut être **complément d'objet direct** du **verbe** de la proposition **principale** :

Ses œuvres ont vu ***leur succès s'accroître****.* (Sub. inf. COD du v. *ont vu*.)

b) La subordonnée infinitive peut être **complément du présentatif** :
Voici ***venir Hercule Poirot***. (Sub. inf. compl. du présentatif *voici*.)

JE RETIENS

La proposition subordonnée infinitive a son propre sujet, différent du sujet du verbe de la proposition principale.
Le sujet de l'infinitif est complément d'objet direct du verbe de la proposition principale.
La subordonnée infinitive peut remplir la fonction de complément d'objet direct du verbe de la proposition principale ou de complément du présentatif.

Ouvrez les mots que je vous donne
Ils sont de coquille très mince.
Ce ne sont point des mots de prince
À dure écorce et rien dedans.
Gilles Vigneault

26. LA PROPOSITION SUBORDONNÉE PARTICIPIALE

Anton Tchekhov

Un conteur et dramaturge russe

Né d'une famille modeste en 1860, Anton Tchekhov s'orienta vers la pratique médicale avant de devenir écrivain. Toute sa vie, il mena de front les deux carrières. Ce sont ses œuvres littéraires qui lui ont assuré une renommée internationale. Les dons de conteur de l'écrivain nous ont valu des récits d'une rare intensité, comme *La Steppe* et *La Fiancée*, écrits en 1888 et en 1903. Au théâtre, les chefs-d'œuvre de Tchekhov sont présentés, encore aujourd'hui, sur les plus grandes scènes du monde. Des pièces comme *La Mouette* et *La Cerisaie* font toujours les délices des amateurs de théâtre. Ses personnages reflétant la société russe de l'époque, Tchekhov a su les rendre attachants. Le dramaturge est mort en 1904. L'auteur disparu, ses œuvres demeurent.

J'OBSERVE

Qu'ont en commun les mots en couleur ?
Ce sont tous des verbes au mode participe.

JE REMARQUE

1 Le **participe** (présent ou passé) peut être le **noyau** d'une proposition subordonnée participiale :

L'auteur ***disparu****, ses œuvres demeurent.* (*Disparu*, part. passé.)
sub. part. — princ.

2 Il y a subordonnée participiale seulement lorsque le **participe** a son **propre sujet**, **différent** de celui du **verbe** de la proposition **principale** :

Le climat ***étant*** *favorable, on a présenté cette pièce controversée.*
sub. part. — princ.

(*Le climat* est **sujet** du part. prés. *étant.*)

3 La proposition subordonnée participiale remplit la fonction de **complément circonstanciel** du **verbe** de la proposition **principale** :

L'auteur disparu*, ses œuvres demeurent.* (Sub. part. CC de temps du v. *demeurent.*)

Le ***climat étant favorable****, on a présenté cette pièce controversée.* (Sub. part. CC de cause du v. *a présenté.*)

JE RETIENS

La proposition subordonnée participiale a son propre sujet, différent du sujet du verbe de la proposition principale.
La subordonnée participiale remplit la fonction de complément circonstanciel du verbe de la proposition principale.

LES FONCTIONS

1. NATURE ET FONCTION

Jean-Paul Mousseau

Jean-Paul Mousseau

Jean-Paul Mousseau, l'un des signataires du *Refus global,* s'est révélé un **artiste** au sens plein du terme. En effet, en plus de la peinture abstraite, dite automatiste, où il s'est affirmé, l'**artiste** a abordé avec bonheur de nombreux domaines de la création. On le voit au théâtre comme concepteur de décors, d'éclairages ou de costumes. Il a aussi illustré des programmes, des affiches et des recueils de poèmes. En collaboration avec des architectes, Jean-Paul Mousseau a su intégrer à l'architecture, comme personne avant lui, le jeu des couleurs et de l'éclairage. Au siège social d'Hydro-Québec, à Montréal, une immense murale témoigne du grand talent de cet **artiste**. D'autres murales décorent le métro de la métropole.

J'OBSERVE

Le mot *artiste* apparaît trois fois dans le texte. Quelle espèce de mot le précède dans chaque cas ?

Il est précédé d'un déterminant : *un, l'* et *cet.*

JE REMARQUE

1 La **nature** d'un mot est l'**espèce**, la **classe** dont il fait partie. Les mots qui ont les **mêmes propriétés** font partie de la **même classe**. Ils ont la **même nature**. Dans des grammaires traditionnelles, on appelle les classes de mots les «parties du discours». Il y a neuf espèces ou classes de mots.

2 Selon la **forme**, on distingue les **mots variables**, qui s'écrivent de différentes façons, et les **mots invariables**, qui s'écrivent d'une seule façon :

Le mot *nombreux* est **variable.** On peut l'écrire : *nombreux, nombreuse* et *nombreuses.*

Le mot *aussi* est **invariable.** Il s'écrit d'une seule façon.

3 Les **mots variables** sont :

a) Le **nom** :
*Un **peintre** ; des **peintres**.*

b) Le **déterminant** :
***Un** artiste ; **une** artiste.*

c) L'**adjectif qualificatif** :
*De **nombreux** tableaux ; de **nombreuses** murales.*

d) Le **verbe** :
*Une immense murale **témoigne** de son talent.*
*Tous **témoignent** de son talent.*

e) Le **pronom** :
***Il** a illustré des recueils de poèmes.*
***Ils** ont illustré des romans.*

4 Les **mots invariables** sont :

a) L'**adverbe** :

Elles admirent ***longtemps*** *ce tableau de Mousseau.*

b) La **préposition** :

Mousseau travaille ***avec*** *des architectes.*

c) La **conjonction** :

Mousseau commença à peindre ***lorsqu'****il était jeune.*

d) L'**interjection** :

Hélas! *ces artistes n'ont pas toujours le succès mérité !*

5 La **fonction grammaticale** d'un mot est le **rôle syntaxique** que ce mot joue dans la phrase. On distingue plusieurs fonctions. Pour plus de clarté, on les partage en **deux** groupes : les **fonctions essentielles** et les **fonctions non essentielles**.

6 Les **fonctions essentielles** sont celles qui représentent, avec le verbe, les éléments fondamentaux appelés constituants obligatoires de la phrase simple :

a) Le **sujet** du verbe :

Mousseau *est un peintre montréalais.* (*Mousseau,* sujet du v. *est.*)

b) Le **complément d'objet direct** du verbe :

Mousseau a peint ***cette murale.*** (*Cette murale,* COD du v. *a peint.*)

c) Le **complément d'objet indirect** du verbe :

Diane s'intéresse à ***ce tableau.*** (*Ce tableau,* COI du v. *s'intéresse.*)

d) L'**attribut** :

Cette murale est ***célèbre.*** (*Célèbre,* attr. du sujet *cette murale.*)

e) Le **complément d'agent** du verbe passif :

Ce jeu d'éclairage et de couleurs est admiré de ***tous.*** (*Tous,* compl. d'agent du v. *est admiré.*)

7 Les **fonctions non essentielles** sont celles qui ne sont pas indispensables à la phrase simple. On peut généralement les **supprimer** sans modifier la **structure** ni le **sens** de la **phrase**. La phrase contient cependant moins de précision :

a) Le **complément circonstanciel** :

COMPARER :

Souvent, *Mousseau collabore avec des architectes.* (*Souvent,* CC du v. *collabore.*)
Mousseau collabore avec des architectes.

b) L'**épithète** :

COMPARER :

Mousseau décide de peindre une ***grande*** *murale.* (*Grande,* épith. du nom *murale.*)
Mousseau décide de peindre une murale.

c) Le **complément du nom** :

COMPARER :

Ce tableau de ***Mousseau*** *est magnifique.* (*Mousseau,* compl. du nom *tableau.*)
Ce tableau est magnifique.

d) L'**apposition** :

COMPARER :

*Sa fille, **Katerine**, admire cette murale.* (*Katerine,* appos. au gr. nom. *sa fille.*)
Sa fille admire cette murale.

8 Il existe un certain nombre de fonctions que l'on rencontre moins fréquemment. Ces fonctions sont les suivantes :

a) Le **complément du pronom** :

*Ce tableau ressemble à celui de **Mousseau**.* (*Mousseau,* compl. du pron. *celui.*)

b) Le **complément de l'adjectif** :

*L'artiste n'est pas satisfaite de **son tableau**.* (*Son tableau,* compl. de l'adj. *satisfaite.*)

c) Le **complément de l'adverbe** :

*Heureusement pour **moi**, elle m'a offert ce tableau.* (*Moi,* compl. de l'adv. *heureusement.*)

d) Le **complément du comparatif** :

*Cette murale est plus colorée que **celle-ci**.* (*Celle-ci,* compl. du compar. *plus colorée.*)

e) Le **complément du superlatif** :

*Ce tableau est le plus célèbre de **tous**.* (*Tous,* compl. du superl. *le plus célèbre.*)

f) Le **complément du présentatif** :

*Voici **une autre murale**.* (*Une autre murale,* compl. du présentatif *voici.*)

g) Le mot en **apostrophe** :

***Francine**, que penses-tu de ce tableau ?* (*Francine,* mot mis en apostrophe.)

JE RETIENS

Selon la forme, on distingue les mots variables et les mots invariables.
Les mots dans la phrase ont une nature et une fonction.
La nature d'un mot est l'espèce, la classe dont il fait partie.
La fonction du mot est le rôle syntaxique qu'il joue dans la phrase par rapport aux autres mots.

2. LE SUJET DU VERBE

Paul-Émile Borduas

Vent d'Hiver

Originaire de Saint-Hilaire, Paul-Émile Borduas naît en 1905. Il n'a que quinze ans quand le peintre Ozias Leduc l'accepte comme apprenti. Après ses études à l'École des beaux-arts à Paris, il est professeur de dessin à Montréal. Borduas devient vite le chef de file et le maître à penser des jeunes artistes. L'année 1948 voit paraître le *Refus global,* signé par Borduas et une quinzaine d'autres artistes ou écrivains. C'est le cri du cœur d'un groupe épris de liberté. Liberté de penser, liberté de créer, liberté de vivre ! Les autorités ne lui pardonnent pas cette révolte. Borduas est congédié. Il s'exile à New York, puis à Paris.

J'OBSERVE

Si l'on remplace les mots en couleur par un pronom personnel de la troisième personne, la structure de la phrase est-elle changée ?

Non. Tous ces mots peuvent se remplacer par un pronom personnel.

JE REMARQUE

1 Le **mot** ou **groupe de mots** qui donne au **verbe** sa **personne grammaticale** et son **nombre** remplit la **fonction** de **sujet du verbe** :

__Jenny__ a visité l'exposition de Borduas. (Nom, 3e pers. sing.)
__Les autorités__ ne lui pardonnent pas. (Gr. nom., 3e pers. plur.)
__Nous__ l'avons accompagnée au musée. (Pron. pers., 1re pers. plur.)

2 Le **sujet** ou **groupe sujet** forme avec le **groupe verbal** la **structure** même de la phrase simple. On dit qu'ils sont les **constituants obligatoires** de la **phrase simple** :

a) Le **sujet** désigne **de qui l'on parle** :
__Borduas__ signe le manifeste. (On parle de *Borduas.*)
__Je__ peins un tableau. (On parle de *moi.*)

b) Le **groupe verbal** indique **ce que l'on dit du sujet** :
Borduas __signe le manifeste.__ (On dit de *Borduas* qu'il *signe le manifeste.*)
Je __peins un tableau.__ (On dit de *moi* que je *peins un tableau.*)

3 Parmi les pronoms personnels, seuls *je, tu, il, ils* et *on* sont toujours sujets. Les pronoms *elle, elles, nous* et *vous* ne sont pas toujours sujets ; ils peuvent aussi être compléments :

COMPARER :
Nous parlons d'elle. (*Nous* est sujet ; *elle* est COI.)
Elle parle de nous. (*Elle* est sujet ; *nous* est COI.)

4 Comment reconnaître le sujet ? Traditionnellement, on dit que le sujet répond à la question ***qui est-ce qui*** ? ou ***qu'est-ce qui*** ? posée **avant** le **verbe** :

__Borduas__ naît en 1905. (**Qui est-ce qui** naît en 1905 ? **Borduas.** *Borduas,* sujet du v. *naît.*)

__Les tableaux de Borduas__ se trouvent dans tous les grands musées. (**Qu'est-ce qui** se trouve dans tous les grands musées ? **Les tableaux de Borduas.** *Les tableaux de Borduas,* sujet du v. *se trouvent.*)

5 Il existe plusieurs autres moyens de reconnaître le sujet :

a) Place du sujet. Le sujet se place normalement **avant** le **verbe**, sauf dans certains cas d'**inversion** :

__Ozias Leduc__ accepte Borduas comme apprenti. (Avant le verbe.)
L'accepte-t-__il__ comme apprenti ? (Après le verbe.)

b) Suppression du sujet. On ne peut **pas supprimer** le sujet sans modifier la **structure** ou le **sens** de la **phrase** :

__Les enfants__ visitent le musée. (Sans sujet, phrase non gramm.)
COMPARER :
__Borduas__ signe le manifeste du Refus global.
Signe le manifeste du Refus global. (Sans sujet, structure et sens différents.)

c) Remplacement ou substitution du sujet. Le sujet peut toujours se remplacer par l'un des **pronoms** *il, ils, elle, elles* ou *cela* placé **devant** le **verbe** :

COMPARER :
__Cette artiste__ signe le Refus global.
__Elle__ signe le Refus global. (Pron. pers.)
__Que Borduas soit un grand peintre__ ne fait pas de doute.
__Cela__ ne fait pas de doute. (Pron. dém.)

d) Mise en évidence du sujet. On peut toujours mettre le sujet en évidence en tête de la phrase, en l'encadrant par le présentatif ***c'est... qui***. Les pronoms sujets *je, tu, il* et *ils* se remplacent alors, respectivement, par les pronoms *moi, toi, lui* et *eux* :

COMPARER :
__Borduas__ enseigne à l'École du meuble.
__C'est__ Borduas __qui__ enseigne à l'École du meuble.
__Tu__ as acheté un tableau de Borduas.
__C'est__ toi __qui__ as acheté un tableau de Borduas.

e) Transformation de la phrase. Le sujet du verbe à la voix active devient le complément d'agent du verbe à la voix passive :

COMPARER :
__Borduas__ a peint ce tableau. (*Borduas,* sujet du v. à la voix active.)
Ce tableau a été peint par __Borduas__. (*Borduas,* compl. d'agent du v. à la voix passive.)

6 La **nature** du sujet peut **varier** :

a) Le sujet peut être un **nom** ou un **groupe nominal** :

__Borduas__ a vécu longtemps à Paris. (Nom.)
__Le peintre Ozias Leduc__ a enseigné à Borduas. (Gr. nom.)

b) Le sujet peut être un **pronom** :

__Nous__ visiterons le musée demain.

c) Le sujet peut être un **infinitif** :

__Peindre__ a toujours été la passion de Borduas.

d) Le sujet peut être une **proposition subordonnée** :

__Que Borduas signe le manifeste__ ne plaît pas aux autorités.

2. LE SUJET DU VERBE

7 Le **verbe** s'accorde avec le **sujet**, c'est-à-dire qu'il prend la **personne grammaticale**, le **nombre** et parfois le **genre** du sujet :

Tu as acheté un tableau de Borduas ! (Accord du v. *as acheté* avec le pron. *tu,* 2e pers. sing.)

Claire est allée au musée trois fois. (Accord du v. *est allée* avec le sujet *Claire,* 3e pers. sing. Part. passé au fém.)

JE RETIENS

Le mot ou groupe de mots qui donne au verbe sa personne grammaticale et son nombre remplit la fonction de sujet du verbe.
Le sujet forme avec le groupe verbal la structure même de la phrase simple ; on ne peut le supprimer sans modifier la structure ou le sens de la phrase. Le sujet et le groupe verbal sont les constituants obligatoires de la phrase simple.
Le sujet répond à la question *qui est-ce qui ?* ou *qu'est-ce qui ?* posée avant le verbe.

L'écriture est la peinture de la voix.
Voltaire

3. LES COMPLÉMENTS D'OBJET

Les totems

Virginia Bordeleau

Virginia Pésémapéo Bordeleau est une artiste peintre métisse. Sa mère est crie et son père, québécois. Les tableaux de Virginia Bordeleau transposent **les traditions ancestrales**. Ils s'inspirent des mythes amérindiens et évoquent les légendes et les rituels de son peuple. La terre nourricière, le monde animal voisinent les personnages mythiques. L'artiste utilise dans ses tableaux des matériaux divers qu'elle emprunte à **la nature**. Sable, lichen, écorce s'intègrent à sa peinture et donnent aux tableaux une texture différente, qui met en relief le contraste des couleurs ou celui de la transparence et de la lumière. Les animaux, l'ours et le loup, par exemple, habitent ses toiles.

J'OBSERVE

Les groupes de mots en couleur sont-ils placés avant ou après le verbe ?
Ils sont placés après le verbe.

JE REMARQUE

1 Le verbe est le noyau de la phrase simple. Le verbe est rarement seul. Il peut être accompagné de **mots** qui le **complètent**, le **précisent.** Ce sont des **compléments**:
L'artiste s'inspire ***des traditions ancestrales.*** (Le gr. nom. *des traditions ancestrales* complète le v. *s'inspire*.)

2 Le **mot** ou **groupe de mots** sur lequel porte l'**action** du **verbe** remplit la **fonction** de **complément d'objet**. Le **complément d'objet** forme avec le **verbe** le **groupe verbal**:
Ses tableaux évoquent ***les légendes amérindiennes.*** (*Les légendes amérindiennes*, compl. d'objet. *Évoquent les légendes amérindiennes*, gr. verb.)

3 Il existe deux compléments d'objet : le **complément d'objet direct** et le **complément d'objet indirect**:

a) Le **complément d'objet direct** est habituellement relié **directement** au **verbe**, sans préposition :
L'artiste utilise ***des matériaux divers.*** (Sans prép. : COD.)

b) Le **complément d'objet indirect** est habituellement relié **indirectement** au **verbe** par une préposition :
Les matériaux s'intègrent à ***sa peinture.*** (Avec la prép. *à*: COI.)

JE RETIENS

Le mot ou groupe de mots sur lequel porte l'action du verbe remplit la fonction de complément d'objet.
Il existe deux compléments d'objet: le complément d'object direct et le complément d'objet indirect.

4. LE COMPLÉMENT D'OBJET DIRECT DU VERBE

Mona Lisa

La Joconde

La Joconde est sans contredit le tableau le plus connu du monde. Appelé aussi *Mona Lisa*, d'après le nom du modèle qui aurait inspiré **l'artiste**, ce chef-d'œuvre de tous les temps a été imité, copié, caricaturé de toutes les façons. Jamais il n'aura été égalé. *La Joconde* est l'œuvre de Léonard de Vinci, l'un des plus grands génies de l'histoire. Ce grand esprit s'intéressait à tout. Il exerça **plusieurs métiers**. Il explora **tous les domaines**. L'art, la science, la technique, tout l'attirait. Il a dessiné **le premier hélicoptère**. Mais c'est surtout comme peintre qu'il nous est familier. Un autre tableau célèbre de Léonard de Vinci est *La Cène*, représentant le repas du Christ avec ses apôtres le Jeudi saint. Léonard de Vinci est mort en France en 1519, à l'âge de 67 ans.

J'OBSERVE

Les groupes de mots en couleur sont-ils placés avant ou après le verbe ?
Ils sont tous placés après le verbe.

JE REMARQUE

1 Le **mot** ou **groupe de mots complément d'objet** relié **directement** au **verbe** remplit la **fonction** de **complément d'objet direct** :
Léonard de Vinci exerça ***plusieurs métiers****.* (*Plusieurs métiers,* COD du v. *exerça.*)

2 Le **complément d'object direct** forme avec le **verbe** le **groupe verbal**. Le **sujet** et le **groupe verbal** sont les **constituants obligatoires** de la **phrase simple** :
Il explora ***tous les domaines****.* (*Tous les domaines,* COD. *Explora tous les domaines,* gr. verb.)

3 Comment reconnaître le complément d'objet direct ? Traditionnellement, on dit que le COD répond à la question ***qui*** ? ou ***quoi*** ? posée **après le verbe** :
Suzanne admire ***Léonard de Vinci****.* (Suzanne admire **qui** ? **Léonard de Vinci.** *Léonard de Vinci,* COD du v. *admire.*)

Le peintre surveille ***l'éclairage****.* (Le peintre surveille **quoi** ? **L'éclairage.** *L'éclairage,* COD du v. *surveille.*)

4 Il existe plusieurs autres moyens de reconnaître le complément d'object direct :

a) **Place du COD.** Le COD se place **après** le **verbe**, sauf si le COD est un **pronom.** On peut difficilement le déplacer sans changer le sens de la phrase :
De Vinci peint **La Joconde**. (Après le verbe.)
De Vinci ***la*** *peint.* (Avant le verbe.)

b) **Suppression du COD.** On ne peut habituellement **pas supprimer** le COD sans modifier la **structure** ou le **sens** de la **phrase** :
Le peintre rencontre ***plusieurs modèles****.* (Sans COD, phrase non gramm.)
COMPARER :
Nadia aime ce ***tableau****.*
Nadia aime. (Sans COD, structure et sens différents.)

c) **Remplacement ou substitution du COD.** Le COD peut toujours se remplacer par l'un des **pronoms personnels** *le, la, les* ou *l'* placé **devant** le **verbe** :

COMPARER :

Léonard de Vinci aurait dessiné ***le premier hélicoptère.***
Léonard de Vinci ***l'****aurait dessiné.* (Pron. pers.)

d) **Mise en évidence du COD.** On peut toujours mettre le COD en évidence en tête de la phrase, en l'encadrant par les présentatifs ***c'est... que, voici... que*** ou ***voilà... que*** :

COMPARER :

Léonard de Vinci a peint ce ***tableau.***
C'est *ce tableau* ***qu'****a peint Léonard de Vinci.*

e) **Construction du COD.** Le COD s'emploie le plus souvent **sans préposition.** L'infinitif COD se construit parfois avec préposition :

Le peintre craint ***la critique.*** (COD sans prép.)
Le peintre craint de ***rater son tableau.*** (COD avec la prép. *de.*)

f) **Transformation de la phrase.** Le COD du verbe à la voix active devient le sujet du verbe à la voix passive :

COMPARER :

Hélène a acheté ***ce tableau.*** (*Ce tableau,* COD du v. à la voix active.)
Ce tableau *a été acheté par Hélène.* (*Ce tableau,* sujet du v. à la voix passive.)

5 La **nature** du complément d'objet direct peut **varier** :

a) Le COD peut être un **nom** ou un **groupe nominal** :

L'artiste peint ***Marie.*** (Nom.)
Le modèle regarde ***le célèbre artiste.*** (Gr. nom.)

b) Le COD peut être un **pronom** :

Lucie a peint ce tableau. Cécile a peint ***celui-ci.***

c) Le COD peut être un **infinitif** :

Jacques désire ***peindre,*** *mais Roland préférerait* ***sculpter.***

d) Le COD peut être une **proposition subordonnée** :

L'artiste exige ***que son modèle soit ponctuel.***

JE RETIENS

Le mot ou groupe de mots complément d'objet relié directement au verbe remplit la fonction de complément d'objet direct.
Le complément d'objet direct forme avec le verbe le groupe verbal ; on ne peut le supprimer sans modifier la structure ou le sens de la phrase. Le sujet et le groupe verbal sont les constituants obligatoires de la phrase simple.
Le complément d'objet direct répond à la question ***qui ?*** **ou** ***quoi ?*** **posée après le verbe.**

5. LE COMPLÉMENT D'OBJET INDIRECT DU VERBE

Henri Masson

D'origine belge, Henri Masson immigre au Canada avec sa mère en 1921, deux ans après la mort de son père. Depuis son enfance, il s'intéresse à l'art. S'absentant de sa résidence à Ottawa, Henri Masson voyage pour revenir chez lui la tête pleine des paysages qu'il a admirés un peu partout. Aucune région du Québec n'échappe à sa palette. Masson réinvente le paysage, lui attribue les couleurs que son imagination propose. Il parle de la nature avec passion et ses tableaux expriment l'amour intense qu'il lui voue.

Mount Rundle

J'OBSERVE

Quelle est la nature du mot qui précède immédiatement les groupes nominaux en couleur ?

Il s'agit des prépositions *à* et *de*.

JE REMARQUE

1 Le **mot** ou **groupe de mots complément d'objet** relié **indirectement** au **verbe** par une **préposition** remplit la **fonction** de **complément d'objet indirect** :

Depuis son enfance, il s'intéresse à ***l'art****.* (*L'art,* COI avec la prép. *à.*)

2 Le **complément d'object indirect** forme avec le **verbe** le **groupe verbal**. Le **sujet** et le **groupe verbal** sont les **constituants obligatoires** de la **phrase simple** :

Aucune région du Québec n'échappe à ***sa palette****.* (*Sa palette,* COI. *Échappe à sa palette,* gr. verb.)

3 Comment reconnaître le complément d'objet indirect ? Traditionnellement, on dit que le COI répond à la question *à qui ?, à quoi ?, de qui ?, de quoi ?, pour qui ?, pour quoi ?, contre qui ?* ou *contre quoi ?* posée **après** le **verbe** :

Maria pense à ***ce peintre****.* (Maria pense **à qui** ? À **ce peintre**. *Ce peintre*, COI du v. *pense.*)

Depuis son enfance, il s'intéresse à ***l'art****.* (Il s'intéresse **à quoi** ? À **l'art**. *L'art*, COI du v. *s'intéresse.*)

Miguel parle de ***ce peintre****.* (Miguel parle **de qui** ? De **ce peintre**. *Ce peintre*, COI du v. *parle.*)

4 Il existe plusieurs autres moyens de reconnaître le complément d'objet indirect :

a) Place du COI. Le COI se place toujours **après** le **verbe**, sauf si le COI est un **pronom.** On peut difficilement le déplacer sans changer le sens de la phrase :

Masson s'intéresse à ***la nature****.* (Après le verbe.)
*Masson s'****y*** *intéresse.* (Avant le verbe.)

b) Suppression du COI. On ne peut **pas supprimer** le COI sans changer la **structure** ou le **sens** de la **phrase** :

*Dès l'enfance, il s'intéresse à **la peinture**.* (Sans COI, phrase non gramm.)

COMPARER :

*Le peintre réfléchit à **son avenir**.*

Le peintre réfléchit. (Sans COI, structure et sens différents.)

c) Remplacement ou substitution du COI. Le COI peut toujours se remplacer par un **pronom personnel.** Le pronom se place avant le verbe, sans préposition, ou après le verbe, avec préposition :

COMPARER :

*Borduas a parlé à **cette artiste**.*

*Borduas **lui** a parlé.* (Pron. pers. avant le verbe.)

*Jacques a parlé de **cette artiste**.*

*Jacques a parlé d'**elle**.* (Pron. pers. après le verbe avec prép.)

d) Mise en évidence du COI. On peut toujours mettre le COI en évidence en tête de la phrase, en l'encadrant par un présentatif comme ***c'est... que, voici... dont, voilà... dont*** :

COMPARER :

*Denise a parlé de ce **peintre** hier soir.*

*C'est de ce peintre **que** Denise a parlé hier soir.*

***Voilà** ce peintre **dont** Denise a parlé hier soir.*

e) Construction du COI. Le COI s'emploie **toujours** avec une **préposition**, sauf s'il s'agit d'un **pronom** placé **avant** le **verbe** :

COMPARER :

*Masson pense à **ses amis**.* (Gr. nom. COI après le v. avec prép.)

*Masson pense à **eux**.* (Pron. COI après le v. avec prép.)

*Masson pense à **la peinture**.* (Gr. nom. COI après le v. avec prép.)

*Masson **y** pense.* (Pron. COI avant le v. sans prép.)

5 La **nature** du complément d'objet indirect peut **varier** :

a) Le COI peut être un **nom** ou un **groupe nominal** :

*Il parle à **Masson**.* (Nom.)

*Il parle de **la peinture abstraite**.* (Gr. nom.)

b) Le COI peut être un **pronom** :

*Jocelyne a parlé de **lui**.*

*Jocelyne **lui** a parlé.*

c) Le COI peut être un **infinitif** :

*Ces artistes s'attendaient à **réussir**.*

d) Le COI peut être une **proposition subordonnée** :

*On doute **que l'artiste ait vendu ce tableau**.*

6 La même phrase peut avoir deux COI :

L'artiste parle à ses amis de ses voyages.

(ses amis : COI ; ses voyages : COI)

5. LE COMPLÉMENT D'OBJET INDIRECT DU VERBE

7 La même phrase peut avoir à la fois un COD et un COI :

L'artiste donne <u>une grande place</u> <u>aux paysages.</u>

COD COI

JE RETIENS

Le mot ou groupe de mots complément d'objet relié indirectement au verbe par une préposition remplit la fonction de complément d'objet indirect.
Le complément d'objet indirect forme avec le verbe le groupe verbal ; on ne peut le supprimer sans modifier la structure ou le sens de la phrase. Le sujet et le groupe verbal sont les constituants obligatoires de la phrase simple.
Le complément d'objet indirect répond à la question *à qui ?, à quoi ?, de qui ?, de quoi ?, pour qui ?, pour quoi ?, contre qui ?* ou *contre quoi ?* posée après le verbe.

Rien de ce qui nous entoure ne nous est objet,
tout nous est sujet.

André Breton

6. L'ATTRIBUT

Le péage

Cornelius Krieghoff

Né en Hollande, Krieghoff vivra tour à tour en Allemagne, aux États-Unis et au Québec. À 24 ans, il épouse une jeune Québécoise. Son œuvre s'inspire surtout de la vie quotidienne québécoise et amérindienne. La scène du poste de péage où l'on passe sans payer est pleine d'humour. Cependant, le peintre ne réussit pas à vivre de son art. Les ventes sont **rares**. Décédé en 1872, Krieghoff est toujours considéré comme **le peintre fidèle** de nos coutumes d'autrefois.

J'OBSERVE

Les groupes de mots en couleur sont-ils tous de la même nature ?

Non. Le premier est adjectif qualificatif : *rares* ; le deuxième est un groupe nominal : *le peintre fidèle*.

JE REMARQUE

1 Le **mot** ou **groupe de mots** qui **caractérise** le **sujet** ou le **complément d'objet direct** à l'aide d'un **verbe** du type ***être*** remplit la **fonction** d'**attribut** :

Les ventes sont ***rares.*** (*Rares*, attr. du sujet *les ventes*.)

Je trouve ce tableau ***intéressant***. (*Intéressant,* attr. du COD *ce tableau.*)

2 L'**attribut** forme avec le **verbe** le **groupe verbal**. Le **sujet** et le **groupe verbal** sont les **constituants obligatoires** de la **phrase simple** :

Les ventes sont ***rares***. (*Rares,* attr. *Sont rares,* gr. verb.)

3 Il y a deux sortes d'attributs :

a) L'**attribut du sujet** :

Souvent, ses tableaux sont ***amusants.*** (Attr. du sujet *ses tableaux*.)

b) L'attribut du complément d'objet direct :

Rodolphe trouve ce tableau ***trop cher***. (Attr. du COD *ce tableau.*)

4 Comment reconnaître l'attribut du sujet ?

a) L'attribut du sujet est toujours présenté par un verbe du type ***être***, c'est-à-dire un **verbe d'état**, comme *demeurer, devenir, sembler,* ainsi que par certains verbes employés à la **voix passive**, comme *choisir, considérer, élire, juger...* Le verbe d'état peut toujours se remplacer par le verbe *être* :

COMPARER :

Ces tableaux de Krieghoff ***semblent*** *les plus célèbres.*

Ces tableaux de Krieghoff ***sont*** *les plus célèbres.*

Ce tableau ***est jugé*** *intéressant.*

Ce tableau ***est*** *intéressant.*

b) Place de l'attribut du sujet. L'attribut du sujet se place toujours **après** le **verbe**, sauf si on veut le mettre en évidence en tête de phrase :

COMPARER :

Les ventes sont ***rares****.* (Après le verbe.)

Rares *sont les ventes.* (Avant le verbe.)

c) Suppression de l'attribut du sujet. On ne peut **pas supprimer** l'attribut du sujet sans changer la **structure** ou le **sens** de la **phrase** :

Krieghoff est devenu ***célèbre****.* (Sans attr. du sujet, phrase non gramm.)

COMPARER :

Krieghoff est tombé ***malade****.*

Krieghoff est tombé. (Sans attr. du sujet, structure et sens différents.)

d) Remplacement ou substitution de l'attribut du sujet. L'attribut du sujet peut toujours se remplacer par un **adjectif qualificatif** ou par un **pronom personnel** comme *le, la, les* ou *l'* placé **devant** le **verbe** :

COMPARER :

Ce peintre est ***un travailleur acharné.***

Ce peintre est ***heureux****.* (Adj. qual.)

Ce peintre ***l'****est.* (Pron. pers.)

e) Mise en évidence de l'attribut du sujet. Seul l'**adjectif qualificatif** attribut du sujet se met en évidence en tête de phrase. Le verbe suit alors immédiatement l'attribut :

COMPARER :

Les peintres modernes sont ***nombreux.***

Nombreux *sont les peintres modernes.*

f) Construction de l'attribut du sujet. L'attribut du sujet est parfois précédé d'une **préposition**, quand le verbe est à la **voix passive** :

Il est choisi comme ***peintre****.* (Attr. avec la prép. *comme.)*

g) Identité de l'attribut du sujet. Le **sujet** et l'**attribut** désignent toujours le **même être** ou la **même chose** :

COMPARER :

Krieghoff semble ***un peintre sérieux****. (Krieghoff* et *un peintre sérieux* sont la même personne : *un peintre sérieux* est attr.)

Krieghoff rencontre ***un peintre sérieux****.* (*Krieghoff* et *un peintre sérieux* sont deux personnes différentes : *un peintre sérieux* n'est pas attr.)

h) Accord de l'attribut du sujet. L'attribut du sujet s'accorde en **genre** et en **nombre** avec le **sujet** :

Gilles est ***satisfait*** *de ce tableau.* (*Satisfait,* masc. sing. comme le sujet *Gilles*.)

Elles sont ***satisfaites*** *de ce tableau.* (*Satisfaites,* fém. plur. comme le sujet *elles*.)

5 Comment reconnaître l'attribut du complément d'objet direct ?

a) L'attribut du COD ne peut se construire qu'avec quelques **verbes transitifs** comme *croire, déclarer, trouver, rendre, nommer...* :

Le jury déclare cet artiste ***gagnant***. (*Gagnant,* attr. du COD *cet artiste.*)

b) Lorsque le verbe transitif est **pronominal**, comme *s'appeler, se prendre pour, se révéler...*, l'attribut se rapporte au **pronom COD** :

Ce peintre se prend pour ***Krieghoff***. (*Krieghoff,* attr. du pron. COD *se.*)

c) **Place de l'attribut du COD.** L'attribut du COD se place **toujours après** le **verbe** :

Je trouve Chenda ***très chanceuse*** *de posséder un Krieghoff.* (Après le verbe.)

d) **Suppression de l'attribut du COD.** On ne peut **pas supprimer** l'attribut du COD sans changer la **structure** ou le **sens** de la **phrase** :

Le jury déclare l'artiste ***gagnante***. (Sans attr. du COD, phrase non gramm.)

COMPARER :

Gisèle a trouvé ce tableau ***très intéressant.***

Gisèle a trouvé ce tableau. (Sans attr. du COD, structure et sens différents.)

e) **Construction de l'attribut du COD.** L'attribut du COD est souvent précédé d'une **préposition** :

Je le considère comme ***un bon peintre***. (Attr. avec la prép. *comme.*)

f) **Accord de l'attribut du COD.** L'attribut du COD s'accorde en **genre** et en **nombre** avec le **COD** :

Je trouve ce tableau ***intéressant.*** (*Intéressant,* masc. sing. comme le COD *ce tableau.*)

Je trouve ces toiles ***intéressantes.*** (*Intéressantes,* fém. plur. comme le COD *ces toiles.*)

6 La **nature** de l'attribut peut **varier** :

a) L'attribut peut être un **nom** ou un **groupe nominal** :

Krieghoff est ***peintre***. (Nom.)

Krieghoff est ***un peintre célèbre***. (Gr. nom.)

b) L'attribut peut être un **pronom** :

Ce tableau n'est pas ***le sien.***

c) L'attribut peut être un **adjectif qualificatif** :

Ce tableau est ***étonnant***.

d) L'attribut peut être un **infinitif** :

Mon rêve est de ***peindre***.

e) L'attribut peut être une **proposition subordonnée**:
Mon rêve est ***que je possède un jour un Krieghoff.***

JE RETIENS

Le mot ou groupe de mots qui caractérise le sujet ou le complément d'objet direct à l'aide d'un verbe remplit la fonction d'attribut.
L'attribut du sujet est introduit par un verbe du type *être*, comme *sembler, paraître, devenir…*, ou par certains verbes d'action employés à la voix passive, comme *choisir, considérer, juger…*
L'attribut du sujet s'accorde en genre et en nombre avec le sujet du verbe.
L'attribut du complément d'objet est introduit par quelques verbes transitifs, comme *croire, déclarer, trouver…*, ou par certains verbes pronominaux, comme *s'appeler, se révéler…*
L'attribut du complément d'objet s'accorde en genre et en nombre avec le complément d'objet du verbe.

La première condition pour écrire, c'est une manière de sentir vive et forte.

Germaine de Staël

7. LE COMPLÉMENT D'AGENT

Indian Village, Alert Bay

Emily Carr

Née à Victoria, en 1871, Emily Carr est élevée surtout par **ses sœurs**. Son goût des arts l'amène très tôt à vouloir poursuivre des études en ce domaine. Elle étudiera tour à tour à San Francisco, à Londres et à Paris. Peintre de la nature, Emily Carr est attirée par **les coutumes des Amérindiens**; le paysage l'inspire aussi. Il lui faudra beaucoup de patience avant d'être reconnue par **la critique**. Pour gagner sa vie, elle exerce des métiers qui lui plaisent très peu. Quand elle se voit terrassée par la maladie, elle se tourne vers l'écriture. La plume remplace avantageusement le pinceau, jusqu'à sa mort, survenue en mars 1945. Elle est alors âgée de 74 ans.

J'OBSERVE

Quelle préposition précède les groupes nominaux en couleur?

C'est la préposition *par*.

JE REMARQUE

1 Le **mot** ou **groupe de mots** désignant **qui fait l'action** exprimée par le **verbe** à la **voix passive** remplit la **fonction** de **complément d'agent du verbe passif**:

Emily Carr est élevée surtout par ***ses sœurs****.* (*Ses soeurs,* compl. d'agent du v. passif *est élevée.*)

2 Comment reconnaître le complément d'agent?

a) Présence du verbe passif. Le complément d'agent ne s'emploie qu'avec un **verbe** à la **voix passive** :

Emily Carr est attirée par les coutumes amérindiennes.

(est attirée : voix passive; les coutumes amérindiennes : compl. d'agent)

b) Transformation de la phrase. Le complément d'agent du verbe à la voix passive devient le sujet du verbe à la voix active:

COMPARER:

Ce tableau a été peint par ***Emily Carr****.* (*Emily Carr,* compl. d'agent du v. à la voix passive.)

Emily Carr *a peint ce tableau.* (*Emily Carr,* sujet du v. à la voix active.)

c) Construction du complément d'agent. Le complément d'agent est toujours introduit par une **préposition**. Le plus souvent, il s'agit de ***par*** ou ***de***:

Je suis émerveillée par ***ce tableau****.* (Compl. d'agent avec la prép. *par.*)

Mon frère est rongé de ***chagrin*** *parce qu'il a raté cette exposition.* (Compl. d'agent avec la prép. *de.*)

d) Suppression du complément d'agent. Généralement, on ne peut **pas supprimer** le complément d'agent sans changer la **structure** ou le **sens** de la **phrase**:

Emily Carr est élevée surtout par ***ses sœurs****.* (Sans compl. d'agent, phrase non gramm.)

Mais :
*Le talent d'Emily Carr n'a pas été reconnu tout de suite par **la critique**.*
Le talent d'Emily Carr n'a pas été reconnu tout de suite. (Sans compl. d'agent, même structure et même sens.)

3 Attention aux fausses ressemblances de construction :
COMPARER :
*Emily est admirée par **tous**.* (V. à la voix passive avec compl. d'agent.)
*Emily est passée par **derrière**.* (V. à la voix active avec CC.)

4 La **nature** du complément d'agent peut **varier** :
a) Le complément d'agent peut être un **nom** ou un **groupe nominal** :
*Ce tableau a été peint par **Carr**.* (Nom.)
*Ce tableau a été peint par **une amie d'Emily Carr**.* (Gr. nom.)

b) Le complément d'agent peut être un **pronom** :
COMPARER :
Elle a peint cette toile.
*Cette toile a été peinte par **elle**.*
Il a peint ce tableau.
*Ce tableau a été peint par **lui**.*

JE RETIENS

Le mot ou groupe de mots désignant qui fait l'action exprimée par le verbe à la voix passive remplit la fonction de complément d'agent.
Le complément d'agent est toujours introduit par un verbe à la voix passive.

Parler sans penser, c'est tirer sans viser.
Cervantes

Portrait de femme

Pablo Picasso

Ce peintre espagnol a révolutionné l'art universel. En 1881, Picasso naît dans la petite ville de Malaga. L'Espagne du dictateur Franco lui répugne. Il s'installe à **Paris**. **À l'âge de dix-neuf ans**, Picasso découvre l'art africain. L'artiste touche plusieurs domaines de l'art. Tantôt graveur, tantôt sculpteur, il ne cesse d'étonner. Picasso ne laisse personne indifférent. Parfois, il choque. Il dérange toujours. **À sa façon**, il dénonce les folies de l'humanité. La guerre, par exemple, qui le révolte à cause de sa cruauté et de sa barbarie. Picasso meurt en 1973, dans un petit village de la Côte d'Azur, en France. Il a plus de quatre-vingt-dix ans. Avec Picasso, l'art du XXe siècle se transforme. Après lui, rien ne sera plus pareil.

J'OBSERVE

Peut-on supprimer les groupes de mots en couleur sans changer vraiment le sens de la phrase ?

Tous ces groupes de mots, sauf *à Paris*, peuvent être supprimés sans que le sens de la phrase soit vraiment modifié.

JE REMARQUE

1 Le **mot** ou **groupe de mots** qui apporte des **précisions** sur le déroulement de l'**action** du **verbe** (lieu, manière, cause, temps...) remplit la **fonction** de **complément circonstanciel** :

*Il s'installe à **Paris**.* (CC de lieu.)
***À sa façon**, Picasso dénonce les folies de l'humanité.* (CC de manière.)
*Picasso choque par **son audace**.* (CC de cause.)
***Après lui**, rien ne sera plus pareil.* (CC de temps.)

2 Pour ce qui est de la **syntaxe**, on note que le complément circonstanciel n'est pas toujours essentiel dans la phrase :

a) Le complément circonstanciel est **essentiel** si l'on ne peut pas le supprimer sans changer le sens ou la structure de la phrase. Il forme alors avec le **verbe** le **groupe verbal**. Le **sujet** et le **groupe verbal** sont les **constituants obligatoires** de la **phrase simple** :

COMPARER :
*Picasso s'installe à **Paris**.* (CC essentiel.)
Picasso s'installe. (Sans CC, structure et sens différents.)

b) Le complément circonstanciel n'est **pas essentiel** si l'on peut le supprimer sans changer la structure de la phrase ni en modifier vraiment le sens. La phrase contient cependant moins de précision. Dans certains ouvrages, on appelle ce complément «complément de phrase» :

COMPARER :
*Il découvre l'art africain **à l'âge de dix-neuf ans**.* (CC non essentiel.)
Il découvre l'art africain. (Sans CC, même structure et même sens.)

3 Comment reconnaître le complément circonstanciel ? Traditionnellement, on dit que le complément circonstanciel répond à l'une des questions suivantes : ***où*** ?, ***quand*** ?, ***comment*** ?, ***pourquoi*** ?, ***combien*** ?..., posée **après** le **verbe** :

Picasso va à ***Paris***. (Picasso va **où** ? À **Paris**. *Paris,* CC de lieu du v. *va.*)

Picasso peint ***chaque jour***. (Picasso peint **quand** ? **Chaque jour**. *Chaque jour,* CC de temps du v. *peint.*)

Le modèle se tient ***mal***. (Le modèle se tient **comment** ? **Mal**. *Mal,* CC de manière du v. *se tient.*)

Louis-Frédéric peint cette toile pour ***l'exposition***. (Louis-Frédéric peint cette toile **pourquoi** ? Pour **l'exposition**. *L'exposition,* CC de but du v. *peint.*)

Ce tableau mesure ***trois mètres***. (Ce tableau mesure **combien** ? **Trois mètres**. *Trois mètres,* CC de quantité du v. *mesure.*)

4 Il existe plusieurs autres moyens de reconnaître le complément circonstanciel :

a) Place du CC essentiel. La place du CC essentiel est toujours **fixe**, soit **après** le **verbe**. Il ne peut pas être déplacé :

Picasso va à ***Paris***. (*Paris* ne peut pas être placé avant le verbe.)

b) Place du CC non essentiel. Le CC non essentiel est **mobile** : il peut se placer à différents endroits dans la phrase sans en modifier vraiment le sens :

COMPARER :

À sa façon*, Picasso a dénoncé les folies de l'humanité.*
Picasso, ***à sa façon****, a dénoncé les folies de l'humanité.*
Picasso a, ***à sa façon****, dénoncé les folies de l'humanité.*
Picasso a dénoncé, ***à sa façon****, les folies de l'humanité.*
Picasso a dénoncé les folies de l'humanité ***à sa façon****.*

c) Suppression du CC essentiel. Généralement, on ne peut **pas supprimer** le CC essentiel sans changer la **structure** de la **phrase** ou en modifier sensiblement le **sens** :

Ce tableau mesure ***deux mètres***. (Sans CC, phrase non gramm.)

COMPARER :

Ce tableau se vend ***cher***.
Ce tableau se vend. (Sans CC, structure et sens différents.)

d) Suppression du CC non essentiel. On **peut supprimer** le CC non essentiel sans changer la **structure** de la **phrase** ni en modifier vraiment le **sens**. La phrase contient cependant moins de précision :

COMPARER :

Il découvre l'art africain ***à l'âge de dix-neuf ans***.
Il découvre l'art africain. (Sans CC, même structure et même sens.)

e) Remplacement ou substitution du CC. On peut toujours remplacer le CC par un **adverbe** :

COMPARER :

Picasso peint pour ***l'exposition***.
Picasso peint ***souvent***. (Adv.)

f) **Mise en évidence du CC.** On peut toujours mettre le CC en évidence en tête de la phrase, en l'encadrant par le présentatif ***c'est... que*** :

COMPARER :

Cette toile vient du ***Louvre****.*
C'est du Louvre ***que*** *vient cette toile.*

g) **Construction du CC.** Le CC se construit avec ou sans **préposition** :

COMPARER :

Picasso travaille ***la nuit****.* (CC de temps sans prép.)
Picasso travaille durant ***la nuit****.* (CC de temps avec la prép. *durant*.)

5 Lorsqu'il y a plusieurs CC, on peut les répartir, **avant** et **après** le **verbe**, pour mieux équilibrer la phrase :

COMPARER :

L'artiste a exposé ses œuvres dans cette galerie durant plusieurs années.
(cette galerie : CC de lieu ; plusieurs années : CC de temps)

Durant plusieurs années, l'artiste a exposé ses œuvres dans cette galerie.
(plusieurs années : CC de temps ; cette galerie : CC de lieu)

6 La **nature** du complément circonstanciel peut **varier** :

a) Le CC peut être un **nom** ou un **groupe nominal** :
Picasso s'installe à ***Paris****.* (Nom.)
À ***l'âge de dix-neuf ans****, Picasso découvre l'art africain.* (Gr. nom.)

b) Le CC peut être un **pronom** :
Après ***lui****, rien ne fut plus pareil.*

c) Le CC peut être un **adverbe** :
Souvent*, Picasso peint la nuit.*

d) Le CC peut être un **infinitif** :
Pour ***vivre****, Picasso doit vendre des tableaux.*

e) Le CC peut être une **proposition subordonnée** :
Quand il expose ses tableaux*, Picasso suscite souvent la controverse.*

SYNTHÈSE DES COMPLÉMENTS CIRCONSTANCIELS

Sens	Question	Exemple	Nature du CC
Lieu	Où ?	*Picasso s'installe à* ***Paris****.*	Nom
Temps	Quand ? Pendant combien de temps ?	*Le peintre travaille* ***toujours****.* *L'artiste voyage pendant* ***deux semaines****.*	Adv. Gr. nom.
Cause	Pourquoi ? À cause de quoi ?	*L'artiste crie de* ***joie****.*	Nom

SYNTHÈSE DES COMPLÉMENTS CIRCONSTANCIELS (SUITE)			
Sens	**Question**	**Exemple**	**Nature du CC**
Quantité	Combien ?	*Ce tableau mesure* ***un mètre****.*	Gr. nom.
Manière	Comment ?	*Picasso peint avec* ***soin****.* *Louis-Frédéric regarde* ***attentivement*** *ce tableau.*	Nom Adv.
Moyen	Avec quoi ?	*L'artiste peint à* ***la spatule****.*	Gr. nom.
Comparaison	Comme qui ? Comme quoi ?	*Manon peint comme* **Picasso***.*	Nom
But	Pourquoi ? Dans quel but ?	*Carole peint pour* ***s'amuser****.* *Luc peint pour* ***le plaisir****.*	Inf. Gr. nom.
Accompagnement	Avec qui ?	*Cette artiste travaille avec* ***sa fille****.*	Gr. nom.

JE RETIENS

Le mot ou groupe de mots qui apporte des précisions sur le déroulement de l'action du verbe (lieu, manière, cause, temps...) remplit la fonction de complément circonstanciel.
Le complément circonstanciel essentiel est toujours placé après le verbe. Il forme avec le verbe le groupe verbal ; on ne peut pas le supprimer sans modifier la structure ou le sens de la phrase.
On peut supprimer le complément circonstanciel non essentiel sans modifier la structure de la phrase ni en modifier vraiment le sens. La phrase contient cependant moins de précision.
Le complément circonstanciel répond à la question *où ?, quand ?, comment ?, pourquoi ?, combien ?...* posée après le verbe.

9. L'ÉPITHÈTE

Les muses

Alfred Laliberté

Le monument à Dollard des Ormeaux, au parc Lafontaine de Montréal, ou celui de Louis Hébert, à Québec, font partie de l'environnement **quotidien** de bien des gens. On connaît moins *Les muses*, cette œuvre d'un des plus **importants** sculpteurs de notre patrimoine **culturel**, Alfred Laliberté. Après des études en France, Laliberté a enseigné son art à Montréal. À sa mort, survenue en 1953, l'artiste avait réalisé des centaines de sculptures de bronze, de bois ou de pierre illustrant les traditions québécoises. On sait peut-être moins que Laliberté pratiquait aussi la peinture. Dans plus de cinq cents tableaux, il évoque les **fascinants** paysages de son enfance et les lieux où il a vécu.

J'OBSERVE

Quelle est la nature des mots en couleur ?
Ce sont tous des adjectifs qualificatifs.

JE REMARQUE

1 L'**adjectif qualificatif** qui est relié **directement** au **nom** sans l'aide d'un verbe remplit la **fonction** d'**épithète**. Le mot *épithète* signifie «mot ajouté» :
Les sculptures d'Alfred Laliberté illustrent les traditions ***québécoises***. (*Québécoises*, épith. du nom *traditions*.)

2 L'**adjectif épithète** fait partie du **groupe nominal** :
Il évoque les ***fascinants*** *paysages de son enfance*. (*Fascinants*, épith. du nom *paysages*. *Les fascinants paysages de son enfance*, gr. nom.)

3 Comment reconnaître l'épithète ?

a) **Place de l'épithète.** Certaines épithètes se placent **avant** le **nom** qu'elles accompagnent ; d'autres se placent **après** le **nom** :
Les ***belles*** *maisons le fascinent.*
Les maisons ***rurales*** *le fascinent.*

b) **Suppression de l'épithète.** On **peut** toujours **supprimer** l'épithète sans modifier la **structure** ou le **sens** de la **phrase**. La phrase contient cependant moins de précision :
COMPARER :
Il parcourt diverses régions ***québécoises***.
Il parcourt diverses régions. (Sans épith., même structure et même sens.)

c) **Remplacement ou substitution de l'épithète.** On peut toujours remplacer l'épithète par un **complément du nom** ou par une **proposition subordonnée relative** :
COMPARER :
Cette sculpture ***superbe*** *me ravit.*
Cette sculpture ***aux formes audacieuses*** *me ravit.* (Compl. du nom.)
Cette sculpture ***dont les formes sont si audacieuses*** *me ravit.* (Sub. rel.)

d) Accord de l'épithète. L'épithète s'accorde en **genre** et en **nombre** avec le **nom** qu'elle accompagne :

Son tableau représente un ***magnifique*** *paysage.* (*Magnifique,* masc. sing. comme le nom *paysage.*)

Ces tableaux représentent de ***magnifiques*** *paysages.* (*Magnifiques,* masc. plur. comme le nom *paysages.*)

4 Comment distinguer l'adjectif **épithète** de l'adjectif **attribut** ?

a) L'adjectif épithète est toujours relié au nom sans l'aide d'un verbe, alors que l'adjectif attribut est toujours relié au nom par l'intermédiaire d'un verbe du type *être* :

COMPARER :

Les muses *sont une illustration* ***éloquente*** *du talent de l'artiste.* (Adj. épith. relié au nom *illustration* sans l'intermédiaire d'un verbe.)

L'illustration est ***éloquente****.* (Adj. attr. relié au nom *illustration* par l'intermédiaire du v. *être*.)

b) On **peut** toujours supprimer l'adjectif épithète, mais on ne peut pas supprimer l'adjectif attribut :

COMPARER :

Les muses *sont une illustration* ***éloquente*** *du talent de l'artiste.* (Sans adj. épith., phrase gramm.)

L'illustration est ***éloquente****.* (Sans adj. attr., phrase non gramm.)

5 Parfois, l'épithète est séparée du nom par la **ponctuation** ou une pause à l'oral. On dit alors qu'il s'agit d'une **épithète détachée** :

Ce sulpteur, hardi et talentueux, a créé de purs chefs-d'œuvre.

Hardi et talentueux, ce sculpteur a créé de purs chefs-d'œuvre.

6 À l'occasion, l'**épithète détachée** peut se rapporter à un **pronom** :

Fasciné*, il peint de nouveau ces paysages du village de Warwick.* (L'épith. *fasciné* se rapporte au pron. pers. *il*.)

JE RETIENS

L'adjectif qualificatif qui est relié directement au nom sans l'aide d'un verbe remplit la fonction d'épithète.
L'épithète fait partie du groupe nominal.
On peut supprimer l'épithète sans modifier la structure ou le sens de la phrase. La phrase contient cependant moins de précision.
L'épithète s'accorde en genre et en nombre avec le nom qu'elle accompagne.

10. LE COMPLÉMENT DU NOM

Vitrail, station Champ-de-Mars du métro de Montréal

Marcelle Ferron

À l'École des beaux-arts de **Québec**, Marcelle Ferron sera l'élève de **Jean-Paul Lemieux**. Avec de nombreux autres artistes, elle se joint au peintre Paul-Émile Borduas pour signer le manifeste du *Refus global*. Pendant plus de dix ans, Marcelle Ferron travaille en France, où elle participe à de multiples expositions. Les œuvres de **Marcelle Ferron** sont très recherchées. Elle est reconnue pour ses vitraux **aux couleurs chaudes**, aussi appréciés que ses tableaux. Plusieurs stations du métro de **Montréal** sont décorées de vitraux de cette grande artiste. Peut-on parler du style **Ferron** ? Sans aucun doute.

J'OBSERVE

Les noms ou les groupes nominaux en couleur sont-ils tous précédés d'une préposition ?

Ils sont tous précédés d'une préposition, sauf le nom *Ferron*.

JE REMARQUE

1 Le **mot** ou **groupe de mots** qui **complète** le **nom** pour en **préciser** le **sens** remplit la **fonction** de **complément du nom** :

Ce vitrail de ***Ferron*** *est magnifique.* (*Ferron,* compl. du nom *vitrail.*)

2 Le **complément du nom** fait partie du **groupe nominal** :

Les œuvres de ***Ferron*** *sont très recherchées.* (*Ferron,* compl. du nom *œuvres. Les œuvres de Ferron,* gr. nom.)

3 Comment reconnaître le complément du nom ?

a) Place du complément du nom. Le complément du nom se place toujours **après** le **nom** qu'il complète :

Voici une peinture sur ***toile.***

b) Suppression du complément du nom. On **peut supprimer** le complément du nom sans modifier la **structure** ni le **sens** de la **phrase**. La phrase contient cependant moins de précision :

COMPARER :

Ce tableau de ***Marcelle Ferron*** *est superbe.*

Ce tableau est superbe. (Sans compl. du nom, même structure et même sens.)

c) Remplacement ou substitution du complément du nom. On peut toujours remplacer le complément du nom par un **adjectif épithète** ou par une **proposition subordonnée relative** :

COMPARER :

Ce tableau de ***Ferron*** *appartient au musée.*

Ce tableau ***célèbre*** *appartient au musée.* (Adj. épith.)

Ce tableau ***qui a été peint par Ferron*** *appartient au musée.* (Sub. rel.)

d) Construction du complément du nom. Le complément du nom est le plus souvent uni au nom par une **préposition**. À l'occasion, la préposition est absente :

Ce tableau de ***Ferron*** *appartient au musée.* (Compl. du nom avec la prép. *de.*)
Peut-on parler du style ***Ferron*** *?* (Compl. du nom sans prép.)

e) Identité du complément du nom. Le **complément du nom** et le **nom** qu'il complète désignent toujours deux **choses** ou deux **êtres différents**. S'ils désignent la même chose ou le même être, le deuxième est en **apposition** au premier :

COMPARER :
Regarde ce tableau de ***Ferron****. (Ferron* n'est pas *ce tableau. Ferron,* compl. du nom *tableau.*)
Parlez-moi de l'artiste ***Ferron****.* (*L'artiste* est *Ferron. Ferron,* appos. au nom *artiste.*)

4 La **nature** du complément du nom peut **varier** :

a) Le complément du nom peut être un **nom** ou un **groupe nominal** :
Ce vitrail de ***Ferron*** *est impressionnant.* (Nom.)
Elle a peint ce tableau ***aux couleurs vives****.* (Gr. nom.)

b) Le complément du nom peut être un **pronom** :
Ce tableau suscite l'admiration de ***tous****.*

c) Le complément du nom peut être un **adverbe** :
Les artistes de ***demain*** *n'oublieront pas Marcelle Ferron.*

d) Le complément du nom peut être un **infinitif** :
*La peur d'****échouer*** *n'arrête pas cette artiste.*

e) Le complément du nom peut être une **proposition subordonnée** :
Ce tableau ***que tu m'as offert*** *me plaît beaucoup.*

JE RETIENS

Le mot ou groupe de mots qui complète le nom pour en préciser le sens remplit la fonction de complément du nom.
Le complément du nom fait partie du groupe nominal.
On peut supprimer le complément du nom sans modifier la structure ou le sens de la phrase. La phrase contient cependant moins de précision.
Le complément du nom et le nom qu'il complète désignent toujours deux choses ou deux êtres différents.

11. L'APPOSITION

Femmes de Caughnawaga

Suzor-Côté, peintre et sculpteur

Né au XIXe siècle, en 1869, Marc-Aurèle De Foy Suzor-Côté est reconnu comme l'un des plus grands peintres paysagistes du Québec. Plusieurs séjours d'études en France lui permettent de rencontrer les artistes impressionnistes français dont on retrouve certaines influences dans son œuvre. Le village d'**Arthabaska** où il est né et la région qui l'entoure inspirent ses paysages de neige. Mais Suzor-Côté est aussi sculpteur. L'artiste **sculpteur** s'attache aux paysans qu'il observe dans leur vie quotidienne. Il s'intéresse aussi aux coutumes amérindiennes comme le prouve son œuvre *Femmes de Caughnawaga*. Frappé de paralysie, Suzor-Côté cesse ses activités en 1927. Il mourra en Floride, dix ans plus tard, à l'âge de soixante-huit ans.

J'OBSERVE

Les mots en couleur sont-ils tous précédés d'une préposition ?
Non. Seul *Arthabaska* est précédé de la préposition *de* élidée.

JE REMARQUE

1 Le **mot** ou **groupe de mots** qui se joint à un **nom** en désignant le **même référent** que ce nom remplit la **fonction** d'**apposition**. Le nom en apposition est le **deuxième** :
*L'artiste **sculpteur** s'attache aux paysans.* (*Sculpteur,* appos. au nom *artiste.*)

2 Si l'apposition est séparée du nom par la **ponctuation**, on dit qu'elle est **détachée** :
*Suzor-Côté, **le sculpteur**, est peut-être moins connu que le peintre. (Le sculpteur,* appos. détachée au nom *Suzor-Côté.*)

3 **Identité de l'apposition** :

a) L'apposition marque souvent l'**identité** entre un nom et une occupation ou une caractéristique :
*L'artiste **sculpteur** s'attache aux paysans.* (*Sculpteur* désigne la même personne que le nom *artiste.*)
*Jean-Paul **Riopelle** est également sculpteur comme Suzor-Côté.* (*Riopelle* désigne la même personne que le nom *Jean-Paul.*)

b) L'apposition **précise** le nom attribué à un lieu géographique, à un monument, à un établissement, à une rue :
*Il est né au village d'**Arthabaska**.* (*Arthabaska* est le nom du village.)
*Ce tableau est à l'hôpital **Jean-Talon**.* (*Jean-Talon* est le nom de l'hôpital.)

4 Comment reconnaître l'apposition ?

a) **Place de l'apposition.** L'apposition se place toujours **après** le **nom**. L'apposition **détachée** se place **avant** ou **après** le **nom** :
*L'artiste **peintre** a vendu son tableau.* (Appos. après le nom.)
***Peintre et sculpteur**, Suzor-Côté s'intéresse aux paysans de chez nous.* (Appos. détachée, avant le nom.)
*Suzor-Côté, **peintre et sculpteur**, s'intéresse aux paysans de chez nous.* (Appos. détachée, après le nom.)

b) Suppression de l'apposition. On **peut supprimer** l'apposition sans modifier la **structure** ou le **sens** de la **phrase**. La phrase contient cependant moins de précision :

COMPARER :
*Suzor-Côté, **peintre et sculpteur**, est mort en Floride.*
Suzor-Côté est mort en Floride. (Sans appos., même structure et même sens.)

c) Construction de l'apposition. L'apposition peut être ou non précédée d'une **préposition**. Si l'apposition est détachée par la ponctuation, il n'y a jamais de préposition :

*Le peintre **Suzor-Côté** est originaire d'Arthabaska.* (Appos. sans prép.)
*Le village d'**Arthabaska** est fier de lui.* (Appos. avec la prép. *de* élidée.)
*Suzor-Côté, **peintre et sculpteur**, est connu.* (Appos. détachée, sans prép.)

5 Comment distinguer l'**apposition** et le **complément du nom** ?

a) L'apposition et le **nom** qu'elle accompagne désignent toujours la **même chose** ou le **même être** :

*Le peintre **Suzor-Côté** est mort en 1937.* (*Le peintre* est *Suzor-Côté. Suzor-Côté,* appos. au nom *peintre.*)

b) Le **complément du nom** et le **nom** qu'il complète désignent toujours deux **choses** ou deux **êtres différents** :

*Ce peintre du **dimanche** imite Suzor-Côté.* (*Ce peintre* n'est pas *dimanche. Dimanche,* compl. du nom *peintre.*)

6 La **nature** de l'apposition peut **varier** :

a) L'apposition peut être un **nom** ou un **groupe nominal** :

*Le village d'**Arthabaska** inspire l'artiste.* (Nom.)
*Suzor-Côté, **peintre paysagiste**, admire la nature.* (Gr. nom.)

b) L'apposition peut être un **pronom** :

*L'artiste **lui-même** a préparé son exposition.*

c) L'apposition peut être un **infinitif** :

*Suzor-Côté n'avait qu'un rêve, **créer**.*

d) L'apposition peut être une **proposition subordonnée** :

*Le peintre n'avait qu'un désir, **que l'exposition réussisse**.*

JE RETIENS

Le mot ou groupe de mots qui se joint à un nom en désignant le même référent que ce nom remplit la fonction d'apposition.
On peut supprimer l'apposition sans modifier la structure ou le sens de la phrase. La phrase contient cependant moins de précision.

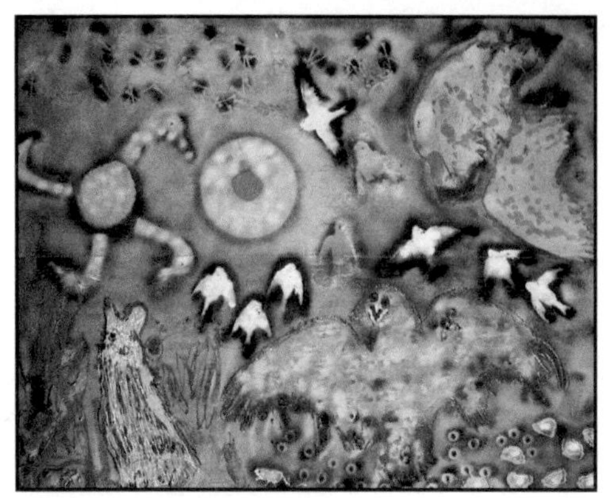
Sans titre

Jean-Paul Riopelle

Jean-Paul Riopelle est sans doute l'artiste québécois le plus connu dans le monde. Né à Montréal, en 1923, il se donne entièrement à la peinture dès son jeune âge. Jean-Paul Riopelle est contestataire. Il se joint à d'autres et signe le *Refus global*. La même année, en 1948, on le retrouve à Paris où il fréquente des artistes comme Nicolas de Staël et Alberto Giacometti dont il partagera les controverses. Les plus grands musées, ceux d'**Europe** comme ceux d'**Amérique**, possèdent l'une ou l'autre de ses œuvres. Jean-Paul Riopelle est célèbre pour **ses immenses tableaux**, souvent audacieux.

J'OBSERVE

Les mots en couleur se rapportent-ils tous à des mots de même nature ?

Non. Ils se rapportent à des mots de natures différentes : les noms *Europe* et *Amérique* se rapportent au pronom *ceux* ; le groupe *ses immenses tableaux* se rapporte à l'adjectif *célèbre*.

JE REMARQUE

1 Le **mot** ou **groupe de mots** qui **complète** le **sens** d'un **pronom** remplit la **fonction** de **complément du pronom** :

*Les plus grands musées, ceux d'**Europe** comme ceux d'**Amérique**, possèdent l'une ou l'autre de ses œuvres.* (*Europe* et *Amérique*, compl. du pron. *ceux*.)

2 Seuls le pronom **démonstratif**, le pronom **indéfini** et le pronom **interrogatif** peuvent avoir un **complément du pronom** :

*De ces deux musées, le peintre préfère celui d'**ici**.* (Compl. du pron. dém. *celui*.)
*Aucune d'entre **nous** n'a vu ce tableau.* (Compl. du pron. ind. *aucune*.)
*Qui d'entre **vous** a connu Riopelle ?* (Compl. du pron. int. *qui*.)

3 La **nature** du complément du pronom peut **varier** :

a) Le complément du pronom peut être un **nom** ou un **groupe nominal** :
*Parmi ces œuvres, celles de **Riopelle** se démarquent.* (Nom.)
*De tous les tableaux, celui de **ce grand peintre** est le plus beau.* (Gr. nom.)

b) Le complément du pronom peut être un **pronom** :
*Qui parmi **vous** a visité l'exposition de Riopelle ?*

c) Le complément du pronom peut être un **adverbe** :
*Des deux musées que j'ai visités, celui d'**hier** est le plus intéressant.*

d) Le complément du pronom peut être un **infinitif** :
*Le plaisir de peindre et celui de **sculpter** sont toute sa vie.*

e) Le complément du pronom peut être une **proposition subordonnée** :
*Celui **qui a peint cette toile** a beaucoup de talent.*

4 Le **mot** ou **groupe de mots** qui **complète** le **sens** d'un **adjectif** remplit la **fonction** de **complément de l'adjectif** :

Riopelle est célèbre pour ***ses immenses toiles****.* (*Ses immenses toiles,* compl. de l'adj. *célèbre.*)

5 La **nature** du complément de l'adjectif peut **varier** :

a) Le complément de l'adjectif peut être un **nom** ou un **groupe nominal** :

Cette artiste est comparable à ***Riopelle****.* (Nom.)
Riopelle est content de ***sa dernière exposition****.* (Gr. nom.)

b) Le complément de l'adjectif peut être un **pronom** :

Cet artiste est fier de ***lui.***

c) Le complément de l'adjectif peut être un **adverbe** :

Ces couleurs sont ***plutôt*** *vives.*

d) Le complément de l'adjectif peut être un **infinitif** :

Ce tableau est agréable à ***regarder****.*

e) Le complément de l'adjectif peut être une **proposition subordonnée** :

Riopelle est heureux ***que son exposition soit un succès****.*

6 Le **mot** ou **groupe de mots** qui **complète** ou **modifie** le **sens** d'un **adverbe** remplit la **fonction** de **complément de l'adverbe** :

Heureusement pour ***toi****, la toile a été vendue.* (*Toi,* compl. de l'adv. *heureusement.*)

7 La **nature** du complément de l'adverbe peut **varier** :

a) Le complément de l'adverbe peut être un **nom** ou un **groupe nominal** :

Contrairement à ***Riopelle****, Jeanne n'a pas séjourné à Paris.* (Nom.)
Conformément ***aux attentes de tous****, elle a peint cette fresque.* (Gr. nom.)

b) Le complément de l'adverbe peut être un **pronom** :

Heureusement pour ***elle****, elle verra l'exposition.*

c) Le complément de l'adverbe peut être un **adverbe** :

Très *souvent, l'artiste peignait la nuit.*

d) Le complément de l'adverbe peut être une **proposition subordonnée** :

Heureusement ***que tu as acheté ce tableau****.*

JE RETIENS

Le mot ou groupe de mots qui complète le sens d'un pronom remplit la fonction de complément du pronom.
Le mot ou groupe de mots qui complète le sens d'un adjectif remplit la fonction de complément de l'adjectif.
Le mot ou groupe de mots qui complète ou modifie le sens d'un adverbe remplit la fonction de complément de l'adverbe.

Leah Qumaluk

Homme portant de la nourriture à ses chiens

Leah Qumaluk est une artiste de grande réputation. Elle habite maintenant Povungnituk, au nord du Nouveau-Québec, avec sa famille. Leah Qumaluk s'est adonnée pendant plusieurs années à la sculpture inuite traditionnelle sur la stéatite, mieux connue sous le nom de pierre à savon. **Plus innovatrice** que d'autres, l'artiste a délaissé cette forme d'art pour adopter la gravure qu'elle maîtrise bientôt à un très haut point. Si les légendes et les mythes inuits l'inspirent parfois, Leah Qumaluk traite plus souvent de son monde intérieur où se mêlent êtres fantastiques, esprits maléfiques, scènes de chasse et vie de famille. L'orientation toute personnelle de Leah Qumaluk s'éloigne quelque peu de l'art inuit habituel et contribue à la renommée exceptionnelle de l'artiste.

J'OBSERVE

Qu'a de particulier l'adjectif que renferme le groupe de mots en couleur ?
Il est précédé du mot *plus*.

JE REMARQUE

1 On peut exprimer divers **degrés** de l'**adjectif qualificatif** ou de l'**adverbe**. Le **comparatif** exprime ces divers degrés en apportant une **comparaison**. Pour marquer cette comparaison, on utilise notamment les adverbes ***plus***, ***aussi*** ou ***moins*** placés **devant** l'**adjectif** ou l'**adverbe** :

a) Le **comparatif de supériorité** s'exprime par l'adverbe ***plus*** :
Cette artiste est ***plus innovatrice*** *que d'autres.* (Degré : compar. de supériorité de l'adj. *innovatrice.*)
Ces artistes exposent leurs œuvres ***plus souvent.*** (Degré : compar. de supériorité de l'adv. *souvent.*)

b) Le **comparatif d'égalité** s'exprime par l'adverbe ***aussi*** :
Cette gravure est ***aussi célèbre*** *que celle-ci.* (Degré : compar. d'égalité de l'adj. *célèbre.*)
Cette artiste sculpte ***aussi bien*** *que toi.* (Degré : compar. d'égalité de l'adv. *bien.*)

c) Le **comparatif d'infériorité** s'exprime par l'adverbe ***moins*** :
Cette sculpture est ***moins expressive.*** (Degré : compar. d'infériorité de l'adj. *expressive.*)
Cette artiste expose ***moins souvent*** *que toi.* (Degré : compar. d'infériorité de l'adv. *souvent.*)

2 Le **mot** ou **groupe de mots** qui **complète** un **adjectif qualificatif** ou un **adverbe** employé au **comparatif** remplit la **fonction** de **complément du comparatif** :
Ces artistes exposent leurs œuvres plus souvent que ***nous.*** (*Nous,* compl. du compar. *plus souvent.*)
Cette gravure est aussi célèbre que ***l'autre.*** (*L'autre,* compl. du compar. *aussi célèbre.*)
Cette sculpture est moins expressive que ***celle-ci.*** (*Celle-ci,* compl. du compar. *moins expressive.*)

3 La **nature** du complément du comparatif peut **varier** :

a) Le complément du comparatif peut être un **nom** ou un **groupe nominal** :
Ces artistes sont moins connus que ***Qumaluk.*** (Nom.)
Il expose moins souvent que ***les autres artistes.*** (Gr. nom.)

b) Le complément du comparatif peut être un **pronom** :
Cette gravure est plus expressive que ***la tienne.***

c) Le complément du comparatif peut être un **infinitif** :
Sculpter est aussi difficile que ***peindre.***

d) Le complément du comparatif peut être une **proposition subordonnée** :
Elle pratique son art aussi souvent ***qu'elle le peut.***

JE RETIENS

L'adjectif qualificatif ou l'adverbe employé au comparatif est précédé de l'adverbe *plus, aussi* ou *moins.*
Le mot ou groupe de mots qui complète un adjectif qualificatif ou un adverbe employé au comparatif remplit la fonction de complément du comparatif.

La littérature est l'expression de la société, comme la parole est l'expression de l'homme.
Louis de Bonald

14. LE COMPLÉMENT DU SUPERLATIF

Miyuki Tanobe

Miyuki Tanobe

Miyuki Tanobe est une Montréalaise d'origine japonaise. Sa peinture de la vie urbaine s'inspire beaucoup de son observation du Plateau-Mont-Royal. Ses tableaux fourmillent de personnages les plus **pittoresques** croqués dans leur vie de tous les jours. Les attitudes des figurants, les contorsions des bâtiments et la variété des scènes reflètent une forme d'humour très personnelle. Ses tableaux évoquent souvent des scènes prises dans les rues de Montréal. Miyuki Tanobe décrit, à sa façon, un peuple québécois qu'elle aime et auquel elle s'est bien intégrée. D'ailleurs, n'affirme-t-elle pas elle-même, avec une très grande fierté, être une «Québécoise pure laine» ? Les tableaux de Miyuki Tanobe dégagent fraîcheur et joie de vivre.

J'OBSERVE

Quel adverbe précède immédiatement l'adjectif qualificatif en couleur ?
C'est l'adverbe *plus,* accompagné du déterminant *les.*

JE REMARQUE

1 On peut exprimer divers **degrés** de l'**adjectif qualificatif** ou de l'**adverbe**. Le **superlatif relatif** exprime ces divers degrés en apportant une **comparaison**. Pour marquer cette comparaison, on utilise notamment les adverbes ***plus*** ou ***moins*** précédés du déterminant article ***le***, ***la*** ou ***les*** :

a) Le **superlatif de supériorité** s'exprime par l'adverbe ***plus*** précédé du **déterminant article** :
Ses tableaux fourmillent de personnages ***les plus pittoresques***. (Degré : superl. de supériorité de l'adj. *pittoresques.*)
Elle s'inspire ***le plus souvent*** *de la vie urbaine.* (Degré : superl. de supériorité de l'adv. *souvent.*)

b) Le **superlatif d'infériorité** s'exprime par l'adverbe ***moins*** précédé du **déterminant article** :
Ces personnages sont ***les moins colorés*** *de tous.* (Degré : superl. d'infériorité de l'adj. *colorés.*)
Elle attend ***le moins longtemps*** *possible.* (Degré : superl. d'infériorité de l'adv. *longtemps.*)

2 Le **mot** ou **groupe de mots** qui **complète** un **adjectif qualificatif** ou un **adverbe** employé au **superlatif relatif** remplit la **fonction** de **complément du superlatif** :
Cette artiste est la plus habile de ***tous.*** (*Tous,* compl. du superl. *la plus habile.*)
Elle peint le plus souvent ***qu'elle le peut.*** (*Qu'elle le peut,* compl. du superl. *le plus souvent.*)

3 La **nature** du complément du superlatif peut **varier** :

a) Le complément du superlatif peut être un **nom** ou un **groupe nominal** :
Ce tableau est le plus connu de ***Tanobe.*** (Nom.)
Ce tableau est le plus célèbre de ***toute son œuvre.*** (Gr. nom.)

b) Le complément du superlatif peut être un **pronom** :
Cette artiste est la plus habile de ***tous****.*

c) Le complément du superlatif peut être une **proposition subordonnée** :
Ce tableau est le plus coloré ***que j'aie vu jusqu'à présent****.*

JE RETIENS

L'adjectif qualificatif ou l'adverbe employé au superlatif est précédé de l'adverbe *plus* ou *moins* et du déterminant article *le, la* ou *les*.
Le mot ou groupe de mots qui complète un adjectif qualificatif ou un adverbe employé au superlatif relatif remplit la fonction de complément du superlatif.

L'art de raisonner se réduit à une langue bien faite.
Étienne Bonnot de Condillac

15. LE COMPLÉMENT DU PRÉSENTATIF ET LE MOT EN APOSTROPHE

Sans titre

Pierre Auguste Renoir

À l'âge de 13 ans, Pierre Auguste Renoir travaillait comme décorateur de porcelaine. À 21 ans, le voilà à l'École des beaux-arts de Paris. C'est **la rencontre**, alors, de Claude Monet, à qui Renoir restera lié d'une profonde amitié. C'est avec **lui** que Renoir peindra de nombreux paysages. L'artiste a appris son métier en copiant les grands maîtres au musée du Louvre. Considéré comme l'un des chefs des maîtres de l'impressionnisme français, Renoir a su agencer avec génie la lumière et les couleurs. Toutes ses toiles sont empreintes d'une sensualité délicate. Mais, avant tout, elles débordent de vie, de grâce et de chaleur humaine. Retenons, parmi ses tableaux célèbres, *La Balançoire* et *Le Déjeuner des canotiers*. Pierre Auguste Renoir est mort en 1919.

J'OBSERVE

Quelle est la nature du mot ou du groupe de mots en couleur qui suit le présentatif *c'est*?

Le groupe *la rencontre* est un groupe nominal; le mot *lui* est un pronom personnel.

JE REMARQUE

1 Certains mots servent à **introduire** ou à mettre en **évidence** un autre mot ou un groupe de mots. Ce sont des **présentatifs**. Les présentatifs les plus courants sont: *voici, voilà, c'est, il y a*:

__Voilà__ Renoir à l'École des beaux-arts.
__C'est__ la rencontre de Claude Monet.

2 Le **mot** ou **groupe de mots introduit** par un **présentatif** remplit la **fonction** de **complément du présentatif**:

Il y a __de nombreux personnages__ dans ce tableau. (*De nombreux personnages*, compl. du présentatif *il y a*.)

3 La **nature** du complément du présentatif peut **varier**:

a) Le complément du présentatif peut être un **nom** ou un **groupe nominal**:

Voici __Renoir__. (Nom.)
C'est __un grand peintre__. (Gr. nom.)

b) Le complément du présentatif peut être un **pronom**:

__Le__ voici.
C'est __elle__.

c) Le complément du présentatif peut être un **adverbe**:

C'était __hier__.

d) Le complément du présentatif peut être une **proposition subordonnée complétive**:

Voilà __que nous devons choisir un tableau__.

e) Le complément du présentatif peut être une **proposition subordonnée infinitive** :

Voici ***venir Renoir et Monet.***

LES COMPLÉMENTS DU PRÉSENTATIF		
Présentatif	**Exemple**	**Nature du complément**
Voici	*Voici* ***Renoir.*** *Voici* ***venir Renoir.***	Nom Sub. inf.
Voilà	*Voilà* ***Renoir.*** *Voilà* ***le peintre Renoir.*** *Voilà* ***qu'elle imite Renoir.***	Nom Gr. nom. Sub. complét.
Il y a (temps variable)	*Il y a aussi* ***Renoir.*** *Il y aura* ***deux peintres*** *à l'exposition.* *Il y avait* ***toi et moi*** *au vernissage.*	Nom Gr. nom. Pron. pers.
C'est (temps variable)	*C'était* ***hier.*** *C'était* ***Renoir*** *!* *Ce sera* ***ton tour.*** *C'était* ***toi*** *la première.*	Adv. Nom Gr. nom. Pron. pers.
Ce sont (temps variable)	*Ce sont* ***des peintres.*** *C'étaient* ***des artistes.***	Gr. nom. Gr. nom.
C'est... qui	*C'est* ***Lise*** *qui a peint ce tableau.* *C'était* ***cette artiste*** *qui arrivait.*	Nom Gr. nom.
Ce sont... qui	*Ce sont* ***mes amis*** *qui ont vu l'exposition.*	Gr. nom.
C'est... que	*C'est* ***Kevin*** *que j'ai rencontré au musée.* *C'est* ***un tableau*** *que Luc a peint.*	Nom Gr. nom.
Ce sont... que	*Ce sont* ***des tableaux*** *que Lucie a vus.*	Gr. nom.
Vive... !	*Vive* ***Renoir*** *!* *Vive* ***l'impressionnisme*** *!*	Nom Gr. nom.
Soit	*Soit* ***les couleurs jaune, rouge et vert...***	Gr. nom.

4 Le **mot** ou **groupe de mots** détaché par la ponctuation et **désignant** la **personne**, l'**animal** ou la **chose** à qui l'on adresse la parole remplit la **fonction** de **mot mis en apostrophe** :

Denise*, aimes-tu Renoir ?* (Personne.)

Milou*, attention au tableau !* (Animal.)

Ah ! ***Soleil****, montre-toi enfin !* (Chose personnifiée.)

5 Comment reconnaître le mot mis en apostrophe ?

a) Place du mot mis en apostrophe. Le mot mis en apostrophe est **mobile**. Il peut se placer à différents endroits dans la phrase :

COMPARER :

Anne-Christine, regarde ce tableau de Renoir.
Regarde, Anne-Christine, ce tableau de Renoir.
Regarde ce tableau de Renoir, Anne-Christine.

b) Suppression du mot mis en apostrophe. On **peut supprimer** le mot mis en apostrophe sans modifier la **structure** ou le **sens** de la **phrase**. La phrase contient cependant moins de précision :

COMPARER :

Linda, reconnais-tu ce tableau de Renoir ?
Reconnais-tu ce tableau de Renoir ? (Sans mot mis en apostr., même structure et même sens.)

c) Identité du mot mis en apostrophe. Le mot mis en apostrophe désigne toujours celui ou celle à qui l'on s'adresse :

COMPARER :

Linda, reconnais-tu ce tableau de Renoir ? (Personne.)
Je t'ai dit, Milou, de te coucher ici. (Animal.)

6 La **nature** du mot mis en apostrophe peut **varier** :

a) Le mot mis en apostrophe peut être un **nom** ou un **groupe nominal** :

***Louis-Frédéric**, regarde ce tableau.* (Nom.)
*Approchez, **mes chers enfants**, admirez ces couleurs.* (Gr. nom.)

b) Le mot mis en apostrophe peut être un **pronom** :

***Toi**, connais-tu* Le Déjeuner des canotiers *de Renoir ?* (Pron.)

JE RETIENS

Le mot ou groupe de mots introduit par un présentatif, comme *voilà* ou *c'est*, remplit la fonction de complément du présentatif.
Le nom, le groupe nominal ou le pronom détaché par la ponctuation et désignant la personne, l'animal ou la chose à qui l'on adresse la parole remplit la fonction de mot mis en apostrophe.

LE NOM

1. LES PROPRIÉTÉS DU NOM ET DU GROUPE NOMINAL

Une coupe du sol

Le sol gelé en permanence

On appelle pergélisol la partie du sol terrestre qui est gelée en permanence. Le pergélisol couvre tout le Nord, de l'Alaska au Québec, soit près de la moitié du territoire du Canada. Roger Brown, qui en a fait la découverte, a étudié la répartition du pergélisol à travers le pays. On ne le retrouve pas également partout. Selon l'endroit, le sol peut être gelé de quelques centimètres jusqu'à plus d'un kilomètre de profondeur. Quels problèmes pour la construction ! Quand le sol est sablonneux, la chaleur de la maison dégèle le sol et l'on risque de voir la construction s'effondrer. La surprise n'est pas très agréable.

J'OBSERVE

Y a-t-il une différence entre les mots *Québec* et *pays* ?
Le mot *Québec* s'écrit avec une majuscule. Le mot *pays* s'écrit sans majuscule.

JE REMARQUE

1 Le mot qui sert à **nommer** les personnes, les animaux, les choses, les idées... s'appelle un **nom** :
__Brown__ a découvert le pergélisol. (Nom désignant une personne.)
Le __sol__ est sablonneux. (Nom désignant une chose.)
L'__ours__ polaire habite l'Arctique. (Nom désignant un animal.)
Cette __découverte__ fut importante. (Nom désignant une idée.)

2 Le **nom** forme, avec le **déterminant** et l'**adjectif qualificatif** ou le **complément** qui l'accompagnent, le **groupe nominal** :
__Le pergélisol__ couvre tout le Nord. (Gr. nom. formé du dét. et du nom.)
__Le sol sablonneux__ dégèle très vite. (Gr. nom. formé du dét., du nom et de l'adj. qual.)
Brown a étudié __la répartition du pergélisol__. (Gr. nom. formé du dét., du nom et du compl. du nom.)

3 Le nom ou le groupe nominal remplit plusieurs **fonctions** grammaticales, entre autres :

a) Sujet du verbe :
__Brown__ parcourt le Nord du Québec. (Nom sujet du v. *parcourt*.)
__Le pergélisol__ couvre tout le Nord. (Gr. nom. sujet du v. *couvre*.)

b) Attribut :
Ce savant s'appelle __Brown__. (Nom attr. du sujet *ce savant*.)
Le pergélisol est __un sujet intéressant__. (Gr. nom. attr. du sujet *le pergélisol*.)

c) Complément du verbe :
J'ai vu __Brown__ à la télé. (Nom COD du v. *ai vu*.)
Brown étudie __la répartition du pergélisol__. (Gr. nom. COD du v. *étudie*.)

1. LES PROPRIÉTÉS DU NOM ET DU GROUPE NOMINAL

4 Le nom ou le groupe nominal a un **genre**. Il est **masculin** ou **féminin** :
Masculin : *le sol gelé, le Nord, Roger, un problème, le Québec...*
Féminin : *une maison, la découverte, Marie-Claude, la construction, l'Amérique...*

5 Le nom ou le groupe nominal a un **nombre**. Il est **singulier** ou **pluriel** :
Singulier : *Roger, le sol, un pays, la maison, Anne-Christine...*
Pluriel : *dix centimètres, les animaux, les territoires, les Amériques...*

6 Selon le **sens**, on distingue diverses espèces de noms :

a) Les noms **communs** et les noms **propres** :
Noms communs : *un savant, le pays, la gelée...*
Noms propres : *Brown, l'Alaska, le Québec...*

b) Les noms **abstraits** et les noms **concrets** :
Noms abstraits : *l'idéal, l'aventure, la vision...*
Noms concrets : *une maison, le sol, du sable...*

c) Les noms d'**êtres animés** et les noms d'**êtres inanimés** (objets) :
Noms d'êtres animés : *le chat, le fils, la femme...*
Noms d'êtres inanimés : *la bouteille, un caillou, une planche...*

d) Les noms **individuels** et les noms **collectifs** :
Noms individuels : *Roger, Suzanne, une ville...*
Noms collectifs : *un essaim, un ensemble, une collection...*

7 Selon la **forme**, on distingue :

a) Le nom **simple**, formé d'**un seul mot** :
Jessica, un fruit, une idée...

b) Le nom **composé**, formé de **plusieurs mots**, réunis ou non par un trait d'union :
Avec trait d'union : *les États-Unis, un grand-père, un nouveau-né...*
Sans trait d'union : *l'Amérique du Nord, un chemin de fer, un ver à soie...*

8 Attention à l'emploi du trait d'union dans l'écriture des mots composés suivants :

a) Les noms composés formés d'un **nom** et de l'adverbe de négation ***non*** sont **toujours réunis** par un **trait d'union** :
La ***non-agression****, la* ***non-assistance****, un* ***non-sens****, la* ***non-violence****, un* ***non-violent****, une* ***non-violente****, la* ***non-conformité****...*

b) Les adjectifs qualificatifs composés formés d'un **adjectif** et de l'adverbe de négation ***non*** ne sont **jamais réunis** par un **trait d'union** :
Une rivière ***non polluée****, un tableau* ***non figuratif****, une personne* ***non violente****, une opinion* ***non conformiste****...*

JE RETIENS

Le nom sert à nommer les personnes, les animaux, les choses, les idées...
Le nom est le noyau du groupe nominal.

2. LES FONCTIONS DU NOM ET DU GROUPE NOMINAL

Le mont Saint-Hilaire

Les Montérégiennes

Les Montérégiennes sont une série de collines alignées en direction de l'Estrie, sur la Rive-Sud de Montréal. Les monts Saint-Bruno et Saint-Hilaire sont bien connus. On ne doit pas oublier les autres : Rougemont, Saint-Grégoire, Yamaska, Shefford et Brome. Le mont Royal fait aussi partie des Montérégiennes. **Ces collines** ne sont pas **des volcans éteints**, puisqu'elles n'ont jamais fait éruption. Elles se sont formées par une montée de magma, la matière en fusion du centre de la terre. Ce magma s'est arrêté avant de parvenir à la surface. Les Montérégiennes représentent l'une des curiosités touristiques de la Montérégie, région de Montréal.

J'OBSERVE

Dans le texte, les groupes nominaux *ces collines* et *des volcans éteints* remplissent-ils la même fonction ?

Non. Le groupe nominal *ces collines* est sujet du verbe *sont*, alors que le groupe nominal *des volcans éteints* est attribut du sujet *ces collines*.

JE REMARQUE

1 Les **rôles** joués par les mots s'appellent des **fonctions grammaticales** :

Marie a visité ***Rougemont****.* (*Rougemont* : nom, COD du v. a *visité*.)

2 Le nom ou le groupe nominal peut remplir diverses **fonctions** dans la phrase :

a) Le nom ou le groupe nominal peut remplir la fonction de **sujet du verbe** :

Montréal *est le centre de la Montérégie.* (Nom sujet du v. *est*.)

b) Le nom ou le groupe nominal peut remplir la fonction de **complément d'objet direct du verbe** :

Au cours du voyage, Serge a photographié ***le mont Yamaska****.* (Gr. nom. COD du v. *a photographié*.)

c) Le nom ou le groupe nominal peut remplir la fonction de **complément d'objet indirect du verbe** :

Depuis hier, tu parles de ***Montréal****.* (Nom COI du v. *parles*.)

d) Le nom ou le groupe nominal peut remplir la fonction d'**attribut du sujet** :

Ces montagnes s'appellent ***Montérégiennes****.* (Nom attr. du sujet *ces montagnes*.)

On considère la Montérégie comme ***une région touristique exceptionnelle****.* (Gr. nom. attr. du COD *la Montérégie*.)

e) Le nom ou le groupe nominal peut remplir la fonction de **complément d'agent du verbe passif** :

Les Montérégiennes ont été formées par ***une montée de magma****.* (Gr. nom. compl. d'agent du v. *ont été formées*.)

f) Le nom ou le groupe nominal peut remplir la fonction de **complément circonstanciel du verbe** :

Lucie est allée au ***mont Yamaska****.* (Gr. nom. CC du v. *est allée*.)

g) Le nom ou le groupe nominal peut remplir la fonction de **complément du nom** :
La montée de ***magma volcanique*** *n'a pas atteint la surface.* (Gr. nom. compl. du nom *montée.*)

h) Le nom ou le groupe nominal peut remplir la fonction d'**apposition** :
La ville de ***Montréal*** *est au cœur de la Montérégie.* (Nom appos. au nom *ville.*)

i) Le nom ou le groupe nominal peut remplir la fonction de **complément du pronom** :
Le sommet du mont Saint-Hilaire est plus haut que celui du ***mont Royal.*** (Gr. nom. compl. du pron. *celui.*)

j) Le nom ou le groupe nominal peut remplir la fonction de **complément de l'adjectif** :
Pedro est très content de ***sa randonnée*** *au mont Saint-Hilaire.* (Gr. nom. compl. de l'adj. *content.*)

k) Le nom ou le groupe nominal peut remplir la fonction de **complément de l'adverbe** :
Heureusement pour ***Hélène****, nous arrivons à Rougemont.* (Nom compl. de l'adv. *heureusement.*)

l) Le nom ou le groupe nominal peut remplir la fonction de **complément du comparatif** :
Le mont Saint-Hilaire est plus loin de chez moi que ***le mont Brome.*** (Gr. nom. compl. du compar. *plus loin.*)

m) Le nom ou le groupe nominal peut remplir la fonction de **complément du superlatif** :
Cette montagne est la plus haute des ***Montérégiennes.*** (Nom compl. du superl. *la plus haute.*)

n) Le nom ou le groupe nominal peut remplir la fonction de **complément du présentatif** :
Voici ***le mont Saint-Bruno.*** (Gr. nom. compl. du présentatif *voici.*)

o) Le nom ou le groupe nominal peut remplir la fonction de **mot en apostrophe** :
Annie*, prends une photo du mont Yamaska.* (Nom mis en apostr.)

JE RETIENS

Le nom ou le groupe nominal peut remplir diverses fonctions dans la phrase : sujet du verbe, complément d'objet direct ou indirect du verbe, attribut, complément d'agent du verbe passif, complément circonstanciel, complément du nom, apposition, complément du pronom, de l'adjectif, de l'adverbe, du comparatif, du superlatif ou du présentatif, ainsi que mot en apostrophe.

3. LE GENRE DU NOM

Un iceberg

Une montagne flottante

Le méfait le plus connu causé par les icebergs est le naufrage du *Titanic*, en 1912. Un iceberg est une montagne de glace qui se détache du continent, sous la pression de l'eau et des marées. La partie visible correspond à peine au quart du volume de la glace. Dans l'océan Arctique, au nord, les icebergs viennent surtout des glaciers du Groenland. Ceux de l'Antarctique, au sud, sont d'une grande dimension. Ils mesurent de cinquante à cent mètres de hauteur et des dizaines de kilomètres de largeur. Les icebergs de l'Arctique ont une hauteur moyenne de cinquante mètres et une largeur de quelques centaines de mètres.

J'OBSERVE

Dans les groupes de mots en couleur, quel renseignement les déterminants donnent-ils ?

Les déterminants *le*, *un* et *au* indiquent le masculin ; les déterminants *une* et *la* indiquent le féminin.

JE REMARQUE

1 Le nom a un **genre** : il est **masculin** ou **féminin** :

Le naufrage du Titanic *a fait de nombreuses victimes.*

(naufrage : masc. ; Titanic : masc. ; victimes : fém.)

2 Lorsque le nom désigne un **être humain**, le genre de ce nom correspond souvent au sexe de cette personne :

a) Le nom est habituellement **masculin** s'il désigne un **homme** et **féminin** s'il désigne une **femme** :

Nom masculin	Nom féminin
Un garçon	*Une fille*
Un enseignant	*Une enseignante*
Un passager	*Une passagère*

b) Parfois, le nom qui désigne un être humain n'a qu'**un genre**, indépendamment du sexe :

Sont toujours masculins : *un assassin, un bandit, un individu...*
Sont toujours féminins : *une personne, une recrue, une victime...*

c) Certains noms s'emploient indifféremment aux deux genres. Ce sont des noms **épicènes**. Le genre du nom est alors marqué par le contexte, c'est-à-dire par le déterminant ou l'adjectif qualificatif qui l'accompagnent :

COMPARER :

Ce journaliste photographie un iceberg. (Genre marqué par le dét. masc. *ce*.)
La journaliste photographie un iceberg. (Genre marqué par le dét. fém. *la*.)
L'artiste talentueux dessine un iceberg. (Genre marqué par l'adj. masc. *talentueux*.)
L'artiste talentueuse dessine un iceberg. (Genre marqué par l'adj. fém. *talentueuse*.)

3. LE GENRE DU NOM

LE GENRE DES NOMS DE PERSONNES SELON LE SEXE					
Masculin	**Féminin**	**Masculin**	**Féminin**	**Masculin**	**Féminin**
cégépien	cégépienne	frère	sœur	parrain	marraine
compagnon	compagne	garçon	fille	père	mère
cousin	cousine	héros	héroïne	roi	reine
époux	épouse	homme	femme	serviteur	servante

DES NOMS DE PERSONNES À UN SEUL GENRE					
Toujours masculin			**Toujours féminin**		
assassin	brigand	monstre	brute	matrone	recrue
bandit	gourmet	poupon	canaille	nourrice	sentinelle
bébé	individu	tyran	fripouille	personne	victime

DES NOMS ÉPICÈNES DÉSIGNANT DES PERSONNES					
UN OU UNE					
adversaire	artiste	concierge	enfant	journaliste	pianiste
ancêtre	camarade	cycliste	esclave	partenaire	secrétaire
arbitre	complice	élève	garde	philosophe	touriste

3 Lorsque le nom désigne un **animal**, le genre de ce nom correspond parfois au sexe de cet animal :

a) Le nom est habituellement **masculin** s'il désigne le **mâle** et **féminin** s'il désigne la **femelle** :

Nom masculin (mâle)	**Nom féminin** (femelle)
Un jars	*Une oie*
Un lièvre	*Une hase*
Un sanglier	*Une laie*
Un singe	*Une guenon*
Un tigre	*Une tigresse*

b) Souvent, le nom qui désigne un animal n'a qu'**un genre**, indépendamment du sexe. On précise alors qu'il s'agit d'un **mâle** ou d'une **femelle** :

Nom toujours masculin (mâle ou femelle)		**Nom toujours féminin** (mâle ou femelle)	
Un castor	*Un puma*	*Une alouette*	*Une grenouille*
Un crocodile	*Un requin*	*Une carpe*	*Une marmotte*
Un hibou	*Un rhinocéros*	*Une chouette*	*Une panthère*
Un moineau	*Un vautour*	*Une cigale*	*Une perruche*
Un perroquet	*Un zèbre*	*Une colombe*	*Une pie*

c) Le nom du **petit de l'animal** est le plus souvent **masculin**. On précise alors qu'il s'agit d'un **mâle** ou d'une **femelle** :

Un** ânon **mâle ou ***un** ânon **femelle*** (petit de l'âne et de l'ânesse).

Un** marcassin **mâle ou ***un** marcassin **femelle*** (petit du sanglier et de la laie).

LE GENRE DES NOMS D'ANIMAUX ET DE LEURS PETITS						
PARENTS (MÂLE ET FEMELLE)				PETITS (MÂLE ET FEMELLE)		
Masculin (mâle)	**Féminin (femelle)**	**Toujours masculin (mâle ou femelle)**	**Toujours féminin (mâle ou femelle)**	**Masculin (mâle)**	**Féminin (femelle)**	**Toujours masculin (mâle ou femelle)**
aigle	aigle			aiglon	aiglonne	
âne	ânesse					ânon
bœuf	vache			veau	génisse	
bouc	chèvre			chevreau	chevrette	
buffle	bufflonne					buffletin
canard	cane					caneton
cerf	biche					faon
chameau	chamelle					chamelon
chat	chatte					chaton
cheval	jument			poulain	pouliche	
chevreuil	chevrette					chevrotin
chien	chienne					chiot
			cigogne			cigogneau
coq	poule					poussin
		corbeau				corbillat
dindon	dinde					dindonneau
éléphant	éléphante					éléphanteau
faisan	faisane					faisandeau
			hirondelle			hirondeau
jars	oie					oison
lapin	lapine					lapereau
lièvre	hase					levraut
lion	lionne					lionceau
loup	louve					louveteau
merle	merlette					merleau
mouton	brebis			agneau	agnelle	
ours	ourse					ourson
paon	paonne					paonneau
			perdrix			perdreau
pigeon	pigeonne					pigeonneau
			pintade			pintadeau
porc	truie					porcelet
rat	rate					raton
renard	renarde					renardeau
		rossignol				rossignolet
sanglier	laie					marcassin
		serpent				serpenteau
			souris			souriceau
			tourterelle			tourtereau

3. LE GENRE DU NOM

4 Le genre du nom désignant un **objet inanimé** ne suit pas de règle stricte :

a) Dans le doute, il est plus prudent de consulter le dictionnaire :

L'amiante québécois ou *québécoise ?* (**L'amiante québécois**.)
Un ou *une atmosphère ?* (**Une atmosphère**.)

b) Parfois, seul le **déterminant** marque le genre :

Nom masculin	Nom féminin
Un *iceberg*	***Une*** *montagne*
Le *naufrage*	***La*** *pression*
Un *océan*	***La*** *hauteur*

c) Parfois, c'est le **contexte** qui indique le genre :

COMPARER :
Ce sont de ***bons*** *épisodes.* (Genre marqué par l'adj. qual. masc. *bons.*)
Ce sont de ***bonnes*** *énigmes.* (Genre marqué par l'adj. qual. fém. *bonnes.*)

d) Certains noms changent de **sens** selon le **genre** :

Un manche *de pelle*	***Une manche*** *de chemise*
Le mode *d'emploi*	***La*** *nouvelle* ***mode***
Un voile *sur la tête*	***Une voile*** *de navire*

DES NOMS DONT ON OUBLIE PARFOIS LE GENRE					
Toujours masculin			**Toujours féminin**		
abîme	éclair	hôpital	acné	attache	idole
accident	élastique	incendie	algèbre	auto	impasse
air	emblème	indice	amorce	autoroute	insulte
anniversaire	en-tête	insigne	anagramme	débâcle	interview
astérisque	entracte	moustique	apostrophe	enclume	météorite
atome	escalier	orage	argile	épice	molécule
autobus	exemple	orchestre	armoire	épithète	oasis
autographe	habit	oreiller	artère	équerre	octave
automne	haltère	orteil	astuce	hélice	orbite
avion	hémisphère	pétale	atmosphère	horloge	orthographe

DES NOMS QUI CHANGENT DE SENS SELON LE GENRE	
Nom au masculin	**Nom au féminin**
Un **critique** de cinéma	Une **critique** dans le journal
Le **mousse** du bateau	La **mousse** à barbe
Le **parallèle** de l'Équateur	La **parallèle** à la ligne AB
Un **physique** imposant	L'étude de la **physique**
Un **poste** de direction	Une lettre à la **poste**
Un **somme** dans l'après-midi	La **somme** des dépenses
Le **tour** de la maison	La **tour** du château
Un **vase** à fleurs	Une mare de **vase**

JE RETIENS

Le nom a un genre. Il est masculin ou féminin.

4. LE NOMBRE DU NOM

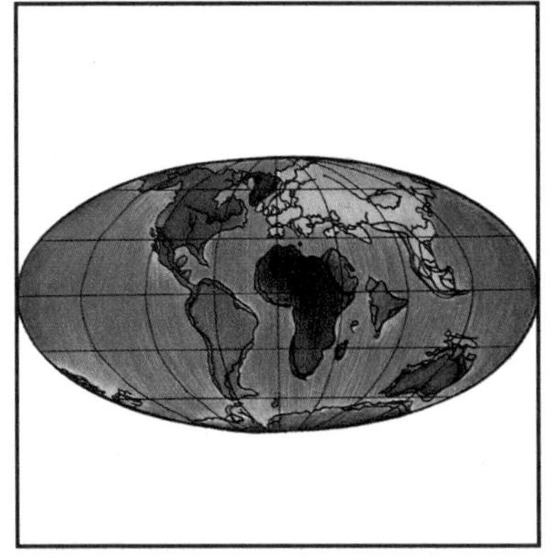

La dérive des continents

Un radeau gigantesque

Il y a plus de deux cent cinquante millions d'années, tous les continents actuels formaient un seul continent. Cet immense bloc s'est brisé en plusieurs morceaux, appelés plaques. Depuis ce temps, chaque continent est une plaque qui se déplace. Elle flotte comme un énorme radeau. Ainsi, l'Amérique s'éloigne de plus en plus de l'Europe et de l'Afrique. Ce qui a permis la formation de l'océan Atlantique. Selon les calculs des scientifiques, l'Amérique se déplacerait à une vitesse de un centimètre par année. Ce mouvement des plaques, appelé la dérive des continents, se poursuit toujours.

J'OBSERVE

Qu'indique la lettre *s* à la fin des noms en couleur ?

Elle indique qu'il s'agit de plusieurs *continents*, plusieurs *calculs* et plusieurs *scientifiques*, mais le nom *temps* est au singulier.

JE REMARQUE

1 Le nom a un **nombre** : il est **singulier** ou **pluriel** :

a) Il est **singulier** quand il désigne **une seule** personne, **un seul** animal, **une seule** chose :

*Cette **géologue** étudie notre continent.* (Une seule personne.)
*Le **phoque** plonge dans l'eau.* (Un seul animal.)
*Ce **continent** dérive toujours.* (Une seule chose.)

b) Il est **pluriel** quand il désigne **plus d'une** personne, **plus d'un** animal, **plus d'une** chose :

*Ces **géologues** étudient notre continent.* (Plus d'une personne.)
*Les **phoques** plongent dans l'eau.* (Plus d'un animal.)
*Ces **continents** dérivent toujours.* (Plus d'une chose.)

2 Emplois particuliers du **singulier** :

a) Un nom singulier peut désigner plusieurs êtres. C'est le cas du **nom collectif.** Le nom collectif s'emploie aussi au pluriel :

COMPARER :
*L'**ensemble** des continents formait un bloc unique.*
*Les **ensembles** A et B sont identiques.*

b) Certains noms ne s'emploient **qu'au singulier**. Ces noms désignent en particulier des qualités, des sciences, les points cardinaux :

*La **santé** est précieuse.* (Qualité.)
*La **géographie** est passionnante.* (Science.)
*Ce continent dérive vers l'**est**.* (Point cardinal.)

c) Le singulier s'emploie parfois au sens **générique** :

*Le **renard** est rusé.* (Au sens de «les renards».)

3 Certains noms ne s'emploient **qu'au pluriel**. Ils désignent le plus souvent un ensemble, un événement ou un élément géographique (chaîne de montagnes, région) :

Les environs, les funérailles, les Appalaches, les Laurentides.

4 D'autres noms changent de **sens** en changeant de **nombre** :

*Il y a **une vacance** à la direction.* (Poste inoccupé.)

*Michèle passe **ses vacances** à la plage.* (Période de congé, toujours au pluriel dans ce sens.)

DES NOMS QUI ONT UN SEUL NOMBRE					
Toujours singulier			**Toujours pluriel**		
Qualité	Science	Point cardinal	Ensemble	Événement	Élément géographique
avarice	botanique	est	annales	épousailles	Alpes
innocence	écologie	nord	archives	fiançailles	Appalaches
orgueil	géographie	ouest	armoiries	funérailles	Laurentides
santé	géologie	sud	entrailles	semailles	Maritimes

DES NOMS QUI CHANGENT DE SENS SELON LE NOMBRE	
Nom au singulier	**Nom au pluriel**
Ciseau (outil) : *Utiliser un **ciseau** à bois.*	Ciseaux (instrument) : *Prendre les **ciseaux** du tailleur.*
Lunette (vitre de voiture) : *Remplacer la **lunette** arrière.*	Lunettes (verres) : *Porter des **lunettes**.*

DES NOMS COLLECTIFS OU EMPLOYÉS COMME COLLECTIFS					
amas	brigade	collectivité	groupe	parti	réunion
archipel	caravane	délégation	légion	patrouille	société
armée	chœur	famille	ligue	peuple	syndicat
assemblée	clan	fédération	masse	poignée	tribu
association	classe	file	meute	portée	troupe
auditoire	clique	flotte	multitude	ramassis	troupeau
banc	club	foule	nation	rangée	vol
bande	collection	grappe	nichée	régiment	volée

JE RETIENS

Le nom a un nombre. Il est singulier ou pluriel. Le singulier désigne habituellement un seul être ; le pluriel en désigne plusieurs.

L'ADJECTIF QUALIFICATIF

1. LES PROPRIÉTÉS DE L'ADJECTIF QUALIFICATIF

Le Stade olympique

Le Stade olympique

C'est à un architecte français, Roger Taillibert, que l'on doit ce révolutionnaire Stade olympique. Construit pour les Jeux de Montréal de 1976, il défie, par ses lignes audacieuses, les lois habituelles de la physique. Sa tour inclinée est considérée comme la plus haute du monde. Cela ajoute un élément innovateur à l'intérêt que le Stade représente. Cette monumentale construction deviendra peut-être un jour, comme la tour Eiffel de Paris ou la tour penchée de Pise, le symbole international d'une ville, Montréal ! Pourquoi pas ? L'histoire nous le dira.

J'OBSERVE

Pourquoi les mots *habituelles* et *monumentale* n'ont-ils pas le même nombre ?
Parce que le mot *habituelles* s'accorde avec le nom *lois* (pluriel), alors que le mot *monumentale* s'accorde avec le nom *construction* (singulier).

JE REMARQUE

1 Le mot ***adjectif*** est réservé pour désigner ce qu'on appelle traditionnellement «adjectif qualificatif». Le mot *adjectif* ne s'emploie plus pour désigner le déterminant. L'adjectif répond aux deux conditions suivantes :

a) L'emploi de l'adjectif est le plus souvent **facultatif** dans le **groupe nominal**. Il n'est pas essentiel. Si on le supprime, la phrase demeure grammaticalement correcte, mais avec moins de précision :

COMPARER :
Ce magnifique Stade attire les amateurs de sport.
Ce Stade attire les amateurs de sport.

b) La **place** de l'adjectif n'est **pas fixe**. Selon le cas, il se place **avant** ou **après** le **nom** qu'il accompagne :

COMPARER :
Ce magnifique Stade attire les amateurs de sport.
Ce Stade magnifique attire les amateurs de sport.

2 Un **mot variable** qui exprime une **propriété**, une **qualité** du **nom** est un **adjectif qualificatif**. Il sert à **décrire** comment sont les êtres ou les choses. Il rend un texte plus **expressif** :

COMPARER :
Il défie, par ses lignes et sa tour, les lois de la physique. (Texte plutôt neutre.)
Il défie, par ses lignes audacieuses et sa tour inclinée, les lois habituelles de la physique. (Les adjectifs décrivent les éléments et donnent plus d'expressivité au texte.)

3 L'adjectif qualificatif **accompagne** le **nom** ; il est toujours **dépendant** du nom :
Un architecte ***français*** *a conçu le Stade.*
Des lignes ***audacieuses*** *caractérisent le Stade.*

1. LES PROPRIÉTÉS DE L'ADJECTIF QUALIFICATIF

4 L'adjectif qualificatif est **variable**, c'est-à-dire qu'il prend le **genre** et le **nombre** du **nom** qu'il accompagne. On dit alors que l'adjectif qualificatif s'accorde en genre et en nombre avec le nom auquel il se rapporte :

La tour ***inclinée*** *ajoute un élément* ***innovateur*** *à l'intérêt que le Stade représente.* (*Inclinée,* fém. sing. comme le nom *tour. Innovateur,* masc. sing. comme le nom *élément.*)

5 Selon la **forme**, on distingue :

a) L'adjectif qualificatif **simple**, formé d'un seul mot :

Habituel, innovateur, international, monumental...

b) L'adjectif qualificatif **composé**, formé de plusieurs mots, réunis ou non par un trait d'union :

Avec trait d'union : *aigre-doux, bleu-vert, avant-dernier, franco-ontarien...*
Sans trait d'union : *gris pâle, vert tendre, non violent...*

6 Attention à l'emploi du trait d'union dans l'écriture des mots composés suivants :

a) Les adjectifs qualificatifs composés formés d'un **adjectif** et de l'adverbe de négation ***non*** ne sont **jamais réunis** par un **trait d'union** :

Une rivière ***non polluée****, un tableau* ***non figuratif****, une personne* ***non violente****, une opinion* ***non conformiste****...*

b) Les noms composés formés d'un **nom** et de l'adverbe de négation ***non*** sont **toujours réunis** par un **trait d'union** :

La ***non-agression****, la* ***non-assistance****, un* ***non-sens****, la* ***non-violence****, un* ***non-violent****, une* ***non-violente****, la* ***non-conformité****...*

7 L'adjectif qualificatif peut remplir **deux fonctions** dans la phrase. Il est **épithète** ou **attribut** :

a) L'adjectif qualificatif est **épithète** quand il **est lié** au **nom sans l'aide** d'un **verbe** :

Le Stade surprend avec ses lignes ***audacieuses****.* (*Audacieuses,* adj. épith. lié au nom *lignes* sans l'aide d'un verbe.)

b) L'adjectif qualificatif est **attribut** quand il est **lié** au **nom à l'aide** d'un verbe du type ***être*** ou **verbe d'état** :

Sa tour est ***inclinée****.* (*Inclinée,* adj. attr. lié au nom *tour* à l'aide du v. *être.*)
Cette construction demeure ***remarquable****.* (*Remarquable,* adj. attr. lié au nom *construction* à l'aide du v. d'état *demeure.*)

JE RETIENS

L'adjectif qualificatif exprime une propriété, une qualité du nom. Il sert à décrire comment sont les êtres et les choses. Il rend un texte plus expressif.
L'adjectif qualificatif s'accorde en genre et en nombre avec le nom qu'il accompagne.

2. LA PLACE ET LE SENS DE L'ADJECTIF QUALIFICATIF

Le Colisée de Rome

Le Colisée de Rome

Construit au premier siècle de l'ère chrétienne, le Colisée était un immense amphithéâtre, plus spacieux que le Stade olympique de Montréal. Ses proportions grandioses permettaient à 50 000 spectateurs de s'y tenir à l'aise. L'empereur romain y offrait souvent de sanglants spectacles aux dizaines de milliers de spectateurs avides de sensations fortes. Tantôt les gladiateurs s'y affrontaient en combats singuliers ou collectifs, tantôt de pauvres prisonniers de guerre ou des condamnés à mort y étaient livrés aux bêtes féroces. Selon le calendrier, on y célébrait aussi certaines fêtes en l'honneur de l'empereur.

J'OBSERVE

Si l'on disait *des prisonniers de guerre pauvres* au lieu de *de pauvres prisonniers de guerre,* le sens serait-il le même ?

Le sens serait différent : avant le nom, l'adjectif qualificatif *pauvres* signifie «qui attirent la pitié» ; après le nom, *pauvres* signifie «démunis».

JE REMARQUE

1 Dans le **groupe nominal**, on retrouve l'adjectif qualificatif tantôt **avant**, tantôt **après** le **nom**. La place qu'il occupe ne modifie pas vraiment le **sens** de la phrase. Il s'agit alors simplement d'une préférence personnelle :

COMPARER :
Le Colisée est un immense amphithéâtre. (Adj. placé avant le nom.)
Le Colisée est un amphithéâtre immense. (Adj. placé après le nom.)
Mais : *L'empereur romain ; l'ère chrétienne.* (Les adj. *romain* et *chrétienne* ne peuvent pas être placés avant le nom.)

2 Certains adjectifs qualificatifs changent de **sens** en changeant de **place** :

*Un gladiateur **brave*** («courageux») — *Un **brave** gladiateur* («bon», «gentil»)
*Un spectacle **drôle*** («amusant») — *Un **drôle** de spectacle* («bizarre»)

3 Parfois, la place de l'adjectif qualificatif dépend de la **longueur** de l'**adjectif** ou du **rythme** de la **phrase** :

COMPARER :
Un beau gladiateur s'avance dans l'arène. (Adj. court placé avant le nom.)
Un gladiateur exceptionnellement beau s'avance dans l'arène. (Rythme différent à cause de l'adv.)

JE RETIENS

Selon la longueur ou le rythme, ou parfois le sens, l'adjectif qualificatif se place avant ou après le nom.

3. LES FONCTIONS DE L'ADJECTIF QUALIFICATIF

Le Parthénon

Le Parthénon, ce chef-d'œuvre de l'Acropole d'Athènes, est un temple grandiose, dédié à la déesse Athéna, protectrice de la ville. Périclès, grand homme d'État du Ve siècle avant Jésus-Christ, a fait construire ce monument superbe. Il devait avoir fière allure, le Parthénon, avec ses quarante-six colonnes massives et ses sculptures magistrales ! L'Acropole et le Parthénon attirent des milliers de visiteurs. Hélas ! ces vestiges du passé demeurent fragiles ! La négligence des touristes et la pollution ont fait plus de tort, au cours des vingt dernières années, que les vingt siècles précédents.

Le Parthénon

J'OBSERVE

Quelle est la nature des mots en couleur ?
Ce sont tous des adjectifs qualificatifs.

JE REMARQUE

1 L'adjectif qualificatif peut remplir **deux fonctions** dans la phrase :

a) L'adjectif qualificatif peut être **épithète**. Il fait alors partie du **groupe nominal** :
*Ces monuments **fragiles** doivent être protégés.*
(*Ces monuments fragiles* : gr. nom.)

b) L'adjectif qualificatif peut être **attribut**. Il fait alors partie du **groupe verbal** :
*Ces monuments demeurent **fragiles**.*
(*demeurent fragiles* : gr. verb.)

2 Comment reconnaître l'**adjectif qualificatif épithète** ?

a) L'adjectif qualificatif épithète est **lié directement** au **nom, sans l'aide** d'un **verbe** :
*J'admire ce **merveilleux** monument.* (*Merveilleux,* adj. épith. lié au nom *monument* sans l'aide d'un verbe.)

b) L'adjectif qualificatif épithète se place **avant** ou **après** le **nom**, selon la longueur, le rythme ou le sens :
COMPARER :
*Des sculptures magistrales ornent ce **célèbre** monument.*
De magistrales sculptures ornent ce monument célèbre.
Périclès, ce grand homme d'État, fit construire le Parthénon.
Un homme grand et fier est entré dans le temple.

c) L'adjectif qualificatif épithète fait partie du **groupe nominal**. Il est généralement **facultatif**. On peut le supprimer sans modifier la structure ou le sens de la phrase. La phrase contient cependant moins de précision :
COMPARER :
Ce superbe monument se dresse sur l'Acropole.

Ce monument se dresse sur l'Acropole. (Sans adj. épith., même structure et même sens.)

d) L'adjectif qualificatif épithète s'accorde en **genre** et en **nombre** avec le **nom** qu'il accompagne :

*Ce temple **majestueux** fut dédié à la déesse Athéna.* (*Majestueux,* masc. sing. comme le nom *temple.*)

*De **magistrales** sculptures ornent le temple.* (*Magistrales,* fém. plur. comme le nom *sculptures.*)

3 Comment reconnaître l'**adjectif qualificatif attribut** ?

a) L'adjectif qualificatif attribut est **lié** au **nom** (ou au pronom) **à l'aide** d'un **verbe** du type ***être*** ou d'un autre **verbe d'état**, comme *paraître, sembler, devenir, demeurer...* :

*Cette sculpture est **superbe.*** (*Superbe,* adj. attr. lié au nom *sculpture* à l'aide du v. *être.*)

*Ces vestiges du passé demeurent **fragiles.*** (*Fragiles,* adj. attr. lié au nom *vestiges* à l'aide du v. d'état *demeurent.*)

b) L'adjectif qualificatif attribut fait partie du **groupe verbal**. C'est l'un des **constituants obligatoires** de la phrase simple. On ne peut **pas le supprimer**, sinon la phrase est non grammaticale :

*Ce temple de l'Acropole est **grandiose.*** (Sans adj. attr., phrase non gramm.)

c) L'adjectif qualificatif attribut s'accorde en **genre** et en **nombre** avec le **sujet** ou le **complément d'objet direct**, selon le cas :

COMPARER :

Ce temple est magistral. (*Magistral,* masc. sing. comme le sujet *ce temple.*)

Ces sculptures sont magistrales. (*Magistrales,* fém. plur. comme le sujet *ces sculptures.*)

La pollution rend le monument fragile. (*Fragile,* masc. sing. comme le COD *le monument.*)

La pollution rend les monuments fragiles. (*Fragiles,* masc. plur. comme le COD *les monuments.*)

JE RETIENS

L'adjectif qualificatif peut remplir deux fonctions : il est épithète ou attribut.

4. L'ADJECTIF QUALIFICATIF EMPLOYÉ COMME ADVERBE

Le complexe La Grande

À la baie James, l'une des plus importantes centrales électriques du monde se trouve à plus de cent trente mètres sous terre. Les ingénieurs ont voulu viser **juste**. Il fallait dompter la nature, en particulier la Grande Rivière et ses affluents, sur des centaines de kilomètres. De vastes étendues du territoire ont été inondées. Il faudra des années pour évaluer les retombées d'un tel bouleversement sur la nature. Est-il besoin d'ajouter que des travaux de cette envergure ont coûté très **cher** ? Ils ont toutefois fourni du travail à des milliers de Québécois et de Québécoises.

LG Deux

J'OBSERVE

Pourquoi les mots *juste* et *cher* ne sont-ils pas au pluriel ?

Dans le texte, les mots *juste* et *cher* ne sont pas des adjectifs qualificatifs.

JE REMARQUE

1 Certains adjectifs qualificatifs sont parfois employés comme **adverbes** :

COMPARER :

Hydro-Québec a installé de ***bonnes*** *turbines.* (Adj. qual.)
Les fleurs sentent ***bon****.* (Adj. qual. employé comme adv.)
Les calculs des ingénieurs sont ***justes****.* (Adj. qual.)
Les ingénieurs ont voulu viser ***juste****.* (Adj. qual. employé comme adv.)

2 L'adjectif qualificatif employé comme **adverbe** reste **invariable** comme n'importe quel adverbe. On peut toujours le remplacer par un autre adverbe :

COMPARER :

Ces travaux sont ***chers****.* (Adj. qual. : var. On ne peut pas le remplacer par un adv.)
Ces travaux coûtent ***cher****.* (Adv. : inv. On peut le remplacer par l'adv. *peu.*)
Suzanne a chanté une ***fausse*** *note.* (Adj. qual. : var. On ne peut pas le remplacer par un adv.)
Suzanne a chanté ***faux****.* (Adv. : inv. On peut le remplacer par l'adv. *mal.*)

3 Comment distinguer l'**adjectif qualificatif** de l'**adverbe** ?

a) L'**adjectif qualificatif** est **épithète**, il fait alors partie du **groupe nominal** ; il est **attribut**, il fait alors partie du **groupe verbal** :

De ***vastes*** *étendues de territoire ont été inondées.* (Adj. épith.)
L'ampleur du projet hydroélectrique est ***énorme****.* (Adj. attr.)

b) L'**adverbe** peut toujours être remplacé par un **autre adverbe** :

COMPARER :

Les visiteurs parlent ***fort****.*
Les visiteurs parlent ***souvent****.*
Ses arguments sonnent ***faux****.*
Ses arguments sonnent ***curieusement****.*

4. L'ADJECTIF QUALIFICATIF EMPLOYÉ COMME ADVERBE

DES ADJECTIFS QUALIFICATIFS EMPLOYÉS COMME ADVERBES			
Adjectif qualificatif	**Emploi comme adverbe**	**Adjectif qualificatif**	**Emploi comme adverbe**
bas	*chanter, tomber, voler* ***bas***	froid	*boire, manger, servir* ***froid***
bon	*sentir, tenir* ***bon***	grand	*ouvrir, voir* ***grand***
chaud	*boire, servir* ***chaud***	gras	*manger* ***gras***
cher	*coûter, payer, vendre* ***cher***	gros	*gagner, jouer* ***gros***
clair	*voir* ***clair***	haut	*chanter, lever, viser* ***haut***
court	*couper* ***court***	juste	*calculer, chanter, voir* ***juste***
cru	*manger* ***cru***	long	*en dire, en savoir* ***long***
doux	*filer* ***doux***	mauvais	*sentir* ***mauvais***
droit	*couper, marcher* ***droit***	menu	*couper, hacher* ***menu***
dru	*tomber* ***dru***	net	*s'arrêter, trancher* ***net***
dur	*cogner, travailler* ***dur***	ras	*couper* ***ras***
faux	*chanter, jouer* ***faux***	rond	*tourner* ***rond***
ferme	*cogner, discuter, tenir* ***ferme***	rouge	*voir* ***rouge***
fort	*chanter, frapper* ***fort***	sec	*arrêter, frapper* ***sec***
franc	*jouer, parler* ***franc***	serré	*jouer* ***serré***

JE RETIENS

Un adjectif qualificatif employé comme adverbe reste invariable.

J'apprends tous les jours à écrire.
Buffon

5. L'ADJECTIF VERBAL

Le Musée de la civilisation à Québec

En **visitant** le Musée de la civilisation à Québec, on n'a pas l'impression de se retrouver dans un musée ordinaire. Il est, en effet, tout à fait **différent**. L'exposition est **vivante**, originale et facilement accessible à tous. Adultes ou enfants, tout le monde est assuré d'y trouver son compte. **Passant** des objets aux moyens de communication, **abordant** tour à tour la pensée et la vie en société, le visiteur est invité à participer à des expériences multiples, souvent plus **impressionnantes** et **intéressantes** les unes que les autres. Chaque année, de nouveaux thèmes illustrent des facettes de l'histoire rarement exploitées.

Le Musée de la civilisation

J'OBSERVE

Quel est l'infinitif des verbes correspondant aux mots en couleur ?

Ce sont les verbes *visiter, différer, vivre, passer, aborder, impressionner* et *intéresser*.

JE REMARQUE

1 Un **verbe** peut former un **adjectif**. Cet adjectif s'appelle alors **adjectif verbal** :

COMPARER :

Ce guide du musée ***intéresse*** *les visiteurs.* (Verbe.)

La visite du musée est ***intéressante****.* (Adj. verbal.)

2 Parfois, le verbe et l'adjectif verbal se ressemblent. Souvent, en effet, la **forme** de l'**adjectif verbal** est la **même** que celle du verbe au **participe présent**. Aussi est-il important de savoir les distinguer :

COMPARER :

Vivant *près du musée, elle s'y rend souvent.* (V. au part. prés.)

Le spectacle est ***vivant****.* (Adj. verbal.)

3 Le **participe présent** est un **véritable verbe** et il se comporte comme un verbe dans la phrase :

a) Le participe présent a souvent un **complément du verbe** :

Suivant *le guide, Richard écoutait ses explications.* (Le gr. nom. *le guide* est compl. du v. *suivant.*)

b) On peut toujours placer la négation ***ne... pas*** devant le participe présent :

Ne *suivant* ***pas*** *le guide, Richard ratait beaucoup d'explications.*

c) Le participe présent est **toujours invariable** :

COMPARER :

Les garçons, ***visitant*** *longuement le musée, ont appris leur histoire.*

Les filles, ***visitant*** *longuement le musée, ont appris leur histoire.*

d) Le participe présent peut être remplacé par un **autre participe présent** :
COMPARER :
Visitant le musée, elles ont appris leur histoire.
Parcourant le musée, ils ont appris leur histoire.

4 L'**adjectif verbal** est un **véritable adjectif** et se comporte comme tel :
a) En fonction d'**épithète**, l'adjectif verbal fait partie du **groupe nominal** :
*Les salles **suivantes** sont encore plus belles, promet le guide.*

b) En fonction d'**attribut**, l'adjectif verbal fait partie du **groupe verbal** :
*Cette exposition est très **intéressante**.*

c) L'adjectif verbal s'accorde avec le **nom**. Donc, il varie en **genre** et en **nombre** :
COMPARER :
La salle suivante est encore plus belle.
Les salles suivantes sont encore plus belles.
Un guide intéressant nous informe.
Des guides intéressants nous informent.

d) L'adjectif verbal peut toujours se remplacer par un **autre adjectif** mais **jamais** par un **verbe** :
COMPARER :
Un guide charmant accompagne le groupe.
Un guide gentil accompagne le groupe.

e) L'adjectif verbal n'accepte pas la négation :
*Les salles ***ne** suivantes **pas** sont encore plus belles.*

5 Souvent, l'adjectif verbal et le participe présent **s'écrivent différemment** :

Participe présent	**Adjectif verbal**
*Communi**quant** avec toi...*	*Les vases communi**cants**...*
*Excell**ant** dans ce travail...*	*D'excell**ents** élèves...*

LE PARTICIPE PRÉSENT ET L'ADJECTIF VERBAL CORRESPONDANT

Participe présent	Adjectif verbal	Exemple
convain**quant**	convain**cant**	*Convain**quant** mon frère, je l'entraîne avec moi.* *Ses arguments sont convain**cants**.*
différ**ant**	différ**ent**	*Tous différ**ant** d'opinion, on reporte la réunion.* *Il s'agit de deux choses différ**entes**.*
excell**ant**	excell**ent**	*Excell**ant** en histoire, elle guide les visiteurs.* *Tes résultats sont excell**ents**.*
fati**guant**	fati**gant**	*En se fati**guant** à la tâche, elle n'a rien gagné.* *Cette tâche est trop fati**gante** pour toi.*
néglig**eant**	néglig**ent**	*Néglig**eant** tes conseils, il est parti.* *Ces gens sont néglig**ents**.*
viol**ant**	viol**ent**	*Viol**ant** souvent la loi, tu seras poursuivie.* *C'est une viol**ente** grippe.*

5. L'ADJECTIF VERBAL

LE PARTICIPE PRÉSENT ET LE NOM CORRESPONDANT		
Participe présent	**Nom**	**Exemple**
différ**ant**	différ**end**	*Différ**ant** d'opinion, nous avons discuté ferme.* *Nous avons eu un différ**end**.*
excéd**ant**	excéd**ent**	*Le prix excéd**ant** mon budget, je n'achète pas cette robe.* *Nous avions un excéd**ent** de bagage.*
fabri**quant**	fabri**cant**	*J'ai réussi en fabri**quant** des outils.* *C'est un fabri**cant** de jouets.*
précéd**ant**	précéd**ent**	*Précéd**ant** le cortège, elle avance dignement.* *Cela crée un précéd**ent**.*
présid**ant**	présid**ent**	*Présid**ant** l'assemblée, elle impose son autorité.* *Tu es élue présid**ente** de l'école.*

JE RETIENS

L'adjectif verbal s'accorde en genre et en nombre avec le nom comme un adjectif qualificatif.
Le participe présent est toujours invariable.

La crainte de l'adjectif est le commencement du style.
Paul Claudel

6. L'ADJECTIF QUALIFICATIF EMPLOYÉ COMME NOM

La tour Eiffel

La tour Eiffel de Paris

Gustave Eiffel est beaucoup moins connu que la fameuse tour de Paris qui porte son nom. Construite en 1889, à l'occasion de l'Exposition universelle de Paris, elle attire depuis ce temps tous les curieux. Les touristes, les riches et les pauvres, les gens snobs et les gens simples, ne quittent pas Paris sans visiter la Tour, devenue le symbole universel de la Ville lumière. Certains l'ont contestée, d'autres ont exprimé à l'auteur leur admiration pour son audace. Aujourd'hui, on a oublié les querelles d'autrefois et les gens ne peuvent imaginer Paris sans la Tour. Par ailleurs, est-il besoin de préciser que la ville de Paris, vue du haut de la tour Eiffel, se révèle très impressionnante ?

J'OBSERVE

Si, dans les groupes de mots *les riches* et *les pauvres*, on ajoute le nom *gens*, qu'arrive-t-il ?

On obtient *les* ***riches*** *gens, les* ***pauvres*** *gens*, où les mots en caractères gras accompagnent un nom. Ce sont des adjectifs qualificatifs.

JE REMARQUE

1 Certains adjectifs qualificatifs sont employés comme **noms** :

COMPARER :

Les ***jeunes*** *touristes admirent la tour Eiffel.* (Adj. qual., épith. du nom *touristes.*)
Les ***jeunes*** *admirent la tour Eiffel.* (Nom, sujet du v. *admirent.*)
Eiffel est connu comme un esprit ***curieux****.* (Adj. qual., épith. du nom *esprit.*)
Les ***curieux*** *se rassemblent autour du guide.* (Nom, sujet du v. *se rassemblent.*)

2 Comment reconnaître l'**adjectif qualificatif** ?

a) L'adjectif qualificatif en fonction d'**épithète** accompagne un nom et forme, avec lui, un **groupe nominal** :

Ce visiteur a de ***faux*** *papiers.* (*De faux papiers,* gr. nom.)

b) L'adjectif qualificatif dépend du **nom** qu'il accompagne et s'accorde en **genre** et en **nombre** avec ce **nom** :

Le touriste ***québécois*** *admire Paris du sommet de la tour Eiffel.*
La touriste ***québécoise*** *admire Paris du sommet de la tour Eiffel.*

c) L'adjectif qualificatif en fonction d'**attribut** est lié au **nom** à l'aide d'un verbe du type ***être*** et forme, avec ce verbe, un **groupe verbal** :

Certains touristes sont ***riches****.* (*Sont riches,* gr. verb.)

3 Comment reconnaître le **nom** ?

a) L'adjectif qualificatif employé comme nom est **précédé** de son **déterminant** :

COMPARER :

Ce sont de ***faux*** *papiers.* (*Faux,* adj. qual. Le dét. *de* se rapporte au nom *papiers.*)
Ce billet de 10 $ est un ***faux****.* (*Faux,* nom. Il a son dét., *un.*)

b) L'adjectif qualificatif employé comme nom remplit les **fonctions** du **nom**. Entre autres, il peut être **sujet**, **complément**, **attribut**... :

*Les **jeunes** gens aiment Paris.* (*Jeunes*, adj. qual., épith. du nom *gens*.)
*Les **jeunes** aiment Paris.* (*Jeunes*, nom, **sujet** du v. *aiment*.)

*Les **grands** personnages comme Gustave Eiffel ont souvent beaucoup d'audace.* (*Grands*, adj. qual., épith. du nom *personnages*.)
*L'audace caractérise souvent les **grands**.* (*Grands*, nom, **COD** du v. *caractérise*.)

*Les gens **snobs** comme les gens simples visitent la Tour.* (*Snobs*, adj. qual., épith. du nom *gens*.)
*Ces touristes sont des **snobs**.* (*Snobs*, nom, **attr.** du sujet *ces touristes*.)

c) L'adjectif qualificatif employé comme nom peut toujours être remplacé par un **autre nom** :

COMPARER :
À Paris, Danielle a acheté un faux.
À Paris, Danielle a acheté un tableau.

DES ADJECTIFS QUALIFICATIFS EMPLOYÉS COMME NOMS	
Adjectif qualificatif	**Nom**
*Il lui arrive un **malheureux** accident.*	*Ce **malheureux** a eu un accident.*
*Cette touriste **montréalaise** visite Paris.*	*Cette **Montréalaise** visite Paris.*
*Le nouveau **visiteur** s'installe à Paris.*	*Le **nouveau** entre avec sa sœur.*
*Le car est **plein** à craquer.*	*Le car fera le **plein** en quittant Paris.*

JE RETIENS

Un adjectif qualificatif peut être employé comme nom.

Les mots, de toute manière, valent plus que toutes les monnaies.
Jacques Godbout

7. LES DEGRÉS DE L'ADJECTIF QUALIFICATIF : LE COMPARATIF

Les grandes pyramides

Les pyramides d'Égypte

Les grandes pyramides d'Égypte sont célèbres dans le monde entier. Ces majestueux tombeaux des pharaons se dressent au milieu des sables du désert, à quelques kilomètres de la capitale, Le Caire. Ces constructions gigantesques attirent un grand nombre de touristes. Mais le visiteur qui pénètre à l'intérieur des pyramides en conserve un meilleur souvenir. Il ne faut pas croire, cependant, que ce sont les seuls monuments du genre que l'on rencontre dans ce beau pays. On trouve en Égypte des centaines de pyramides, de toutes les tailles, dont une forte proportion sont en ruines. Ces pyramides sont moins connues, mais, sur le plan historique, elles demeurent aussi importantes que les grandes.

J'OBSERVE

Les trois adjectifs qualificatifs en couleur sont-ils tous précédés d'un adverbe ?
Non. L'adjectif *meilleur* n'est pas précédé d'un adverbe ; l'adjectif *connues* est précédé de l'adverbe *moins* ; l'adjectif *importantes* est précédé de l'adverbe *aussi.*

JE REMARQUE

1 Certains adjectifs qualificatifs peuvent s'employer avec un **indicateur de degré**. Cet indicateur de degré peut être un **adverbe de comparaison**. Les degrés de l'adjectif sont au nombre de trois : le **degré positif**, le **degré comparatif** et le **degré superlatif** :
*Les grandes pyramides sont **célèbres**.* (Degré **positif**, sans marque d'intensité ou de comparaison.)
*Les grandes pyramides sont **aussi célèbres** que l'Acropole d'Athènes.* (Degré **compar.** de l'adj. *célèbres*.)
*Les grandes pyramides sont **très célèbres**.* (Degré **superl.** de l'adj. *célèbres*.)

2 Le **degré positif** est plutôt **neutre**. L'adjectif qualificatif n'exprime alors aucune nuance particulière :
*Elle conserve un **bon** souvenir de sa visite.* (Degré positif, sans marque d'intensité ou de comparaison.)
*Elle conserve un **mauvais** souvenir de sa visite.* (Degré positif, sans marque d'intensité ou de comparaison.)

3 Le **degré comparatif** exprime des **nuances** de l'adjectif qualificatif et établit une **comparaison**. Les nuances de l'adjectif qualificatif sont au nombre de trois :

a) Le **comparatif de supériorité** est marqué le plus souvent par l'adverbe ***plus*** placé devant l'adjectif qualificatif. Certains adjectifs ont une forme particulière de comparatif :
COMPARER :
Cette pyramide est haute. (Degré positif.)
Cette pyramide est plus haute. (Compar. de supériorité de l'adj. *haute*.)

b) Le **comparatif d'égalité** est marqué par l'adverbe ***aussi*** placé devant l'adjectif qualificatif :
COMPARER :
Cette pyramide est haute. (Degré positif.)
Cette pyramide est aussi haute que celle-ci. (Compar. d'égalité de l'adj. *haute*.)

c) Le **comparatif d'infériorité** est marqué par l'adverbe ***moins*** placé devant l'adjectif qualificatif :

COMPARER :

Cette pyramide est haute. (Degré positif.)
Cette pyramide est moins haute que celle-ci. (Compar. d'infériorité de l'adj. *haute*.)

4 Certains adjectifs qualificatifs ne **peuvent pas s'employer** au comparatif ou au superlatif :

a) Leur **sens** exprime déjà une idée de **comparaison** ou de **haut degré** :
*Je conserve un **excellent** souvenir de ma visite en Égypte.* (Un souvenir ne peut être **plus** ou **moins** *excellent*.)

b) Leur **sens** ne se prête pas à l'expression d'une idée de degré ou de comparaison :
*Un nombre **incalculable** de touristes visite les pyramides.* (Un nombre ne peut pas être **plus** ou **moins** *incalculable*.)

5 Attention aux pièges du comparatif !

a) L'adverbe ***plus*** indique toujours le **degré de supériorité**, quel que soit le sens de l'adjectif :
*Jean est **plus petit** que toi.* (Compar. de supériorité.)
*Luc est **plus grand** que lui.* (Compar. de supériorité.)

b) De même, l'adverbe ***moins*** indique toujours le **degré d'infériorité**, quel que soit le sens de l'adjectif :
*Louise est **moins petite** que Marie.* (Compar. d'infériorité.)
*Isabelle est **moins grande** que sa sœur.* (Compar. d'infériorité.)

c) Quand un comparatif contient déjà l'adverbe *plus*, on ne peut pas employer un deuxième adverbe comme *plus*, *moins* ou *aussi* :

Le comparatif ***pire*** signifie «**plus** mauvais» ; on ne peut donc pas dire **plus pire*, qui signifierait «plus plus mauvais», ni **pas si pire*, qui signifierait «pas si plus mauvais». Il en est de même pour **aussi pire* et **moins pire*, qui signifieraient alors «aussi plus mauvais» ou «moins plus mauvais». Il faut dire : ***aussi mauvais*** et ***moins mauvais***.

Le comparatif ***meilleur*** signifie «**plus** bon» ; on ne peut donc pas dire **plus meilleur*, qui signifierait «plus plus bon».
*Je conserve un **bon** souvenir de ma visite.* (Degré positif.)
*Je conserve un **meilleur** souvenir de ma visite.* (Compar. de supériorité de l'adj. *bon*.)

JE RETIENS

Le comparatif exprime trois degrés de l'adjectif qualificatif à l'aide d'adverbes placés devant l'adjectif.
L'adverbe *plus* exprime le comparatif de supériorité.
L'adverbe *aussi* exprime le comparatif d'égalité.
L'adverbe *moins* exprime le comparatif d'infériorité.

8. LES DEGRÉS DE L'ADJECTIF QUALIFICATIF : LE SUPERLATIF

Le Biodôme de Montréal

Le Biodôme

L'une des créations les plus remarquables des dernières années est le Biodôme de Montréal. Cette œuvre originale a été conçue et réalisée par Pierre Bourque et son équipe du Jardin botanique. On peut y explorer quatre climats différents, reconstitués de toutes pièces. L'explorateur en herbe connaîtra successivement la forêt tropicale brésilienne, la forêt laurentienne, le Saint-Laurent marin et la région polaire. On peut admirer dans leur milieu naturel des oiseaux aussi divers que le manchot de l'Antarctique, le perroquet ara de l'Amérique du Sud et le macareux moine des îles Mingan. Le Biodôme est un très beau cadeau pour Montréal et le Québec.

J'OBSERVE

Quels mots précèdent immédiatement les adjectifs qualificatifs en couleur ?

L'adverbe *plus* précède l'adjectif qualificatif *remarquables* ; l'adverbe *très* précède l'adjectif qualificatif *beau*.

JE REMARQUE

1 Si l'on veut exprimer un **haut degré** de l'adjectif qualificatif, on emploie le **degré superlatif** :

COMPARER :

Le Biodôme est une création remarquable. (Degré positif, sans nuance d'intensité.)
Le Biodôme est l'une des créations les plus remarquables. (Superl. de supériorité de l'adj. *remarquables*.)

2 On distingue deux sortes de superlatifs : le **superlatif absolu** et le **superlatif relatif** :

a) Le **superlatif absolu** exprime un haut degré **sans comparaison**. On le marque à l'aide d'**adverbes** comme *très, bien, infiniment, tellement...* On l'exprime aussi en ajoutant un **préfixe** à l'adjectif qualificatif, comme *extra, super... :*

Les perroquets sont ***très colorés.***
Le climat tropical est ***tellement réussi*** *qu'on se croirait au Brésil.*

b) Le **superlatif relatif** exprime un haut degré **avec comparaison**. On le marque, comme le comparatif, à l'aide de l'adverbe ***plus*** ou ***moins***, précédé du déterminant article ***le, la*** ou ***les*** :

Cette visite est ***la plus enrichissante.***
Cette visite est ***la moins ennuyeuse*** *que l'on puisse faire.*

3 Le **superlatif relatif** exprime deux nuances de l'adjectif qualificatif : le **degré de supériorité** et le **degré d'infériorité** :

a) Le **superlatif de supériorité** est marqué par l'adverbe ***plus*** précédé du déterminant article ***le, la*** ou ***les***. Il exprime le **plus haut degré** :

Cette reconstitution est ***la plus réaliste.*** (Superl. de supériorité.)
C'est ***la meilleure*** *réalisation des dernières années.* (Superl. de supériorité.)

b) Le **superlatif d'infériorité** est marqué par l'adverbe ***moins*** précédé du déterminant article ***le, la*** ou ***les***. Il exprime le **plus bas degré** :

*Cet arbre est **le moins feuillu** du Biodôme.* (Superl. d'infériorité.)

4 Trois adjectifs qualificatifs ont une forme particulière de **superlatif de supériorité**. Ces adjectifs sont ***bon***, ***mauvais*** et ***petit*** :

a) Le superlatif de ***bon*** est ***le meilleur***, qui varie en genre et en nombre. La langue correcte n'accepte pas la forme **le plus bon* ni la forme **le plus meilleur*, car *meilleur* contient déjà le sens de «plus» :

*Le Biodôme représente **la meilleure** réalisation des dernières années.*

b) Il existe **deux formes** de **superlatifs** pour l'adjectif qualificatif ***mauvais***, soit *le plus mauvais* ou *la plus mauvaise* et *le pire* ou *la pire*. La forme **le plus pire* est incorrecte parce que la forme *pire* contient déjà le sens de «plus» :

***La pire** déception pour les créateurs serait que le public ne se rende pas au Biodôme.*

c) Il existe **deux formes** de **superlatifs** pour l'adjectif qualificatif ***petit***, soit *le plus petit* ou *la plus petite* et *le moindre* ou *la moindre* :

*Cet oiseau est **le plus petit**.*

*L'intérêt du public n'est pas **la moindre** des préoccupations des créateurs.*

JE RETIENS

Le superlatif exprime un haut degré de l'adjectif qualificatif.
Le superlatif absolu exprime ce haut degré sans comparaison, à l'aide d'adverbes comme *très, bien...* placés devant l'adjectif.
Le superlatif relatif exprime ce haut degré avec comparaison.
Le superlatif relatif de supériorité est marqué par l'adverbe *plus* précédé du déterminant article *le, la* ou *les.*
Le superlatif relatif d'infériorité est marqué par l'adverbe *moins* précédé du déterminant article *le, la* ou *les.*

Bien parler, ce n'est pas seulement exprimer des idées fortes et les formuler dans des termes choisis, c'est aussi les traduire par des intonations exactes et harmonieuses.

Guillain

LE DÉTERMINANT

1. LES PROPRIÉTÉS DU DÉTERMINANT

Sylvie Bernier

La championne du plongeon

Aux Jeux olympiques d'été de 1984, à Los Angeles, une jeune athlète québécoise s'avance, toute menue, sur le tremplin de trois mètres. Âgée d'à peine vingt ans, Sylvie Bernier va conquérir la gloire. Inconnue la veille, elle devient célèbre, du jour au lendemain, grâce à sa détermination et à son courage. Cette athlète de chez nous décroche la médaille d'or devant une foule enthousiaste. Quelle performance ! On oublie souvent que, pour en arriver là, Sylvie a dû s'imposer plusieurs privations. Même si ce genre de vie était un choix personnel, il lui a fallu y tenir jusqu'au bout. Lorsque Sylvie Bernier abandonnera la compétition, elle se tournera vers la communication.

J'OBSERVE

Dans le texte, chaque mot en couleur accompagne un nom. Ces mots sont-ils placés avant ou après le nom ?

Tous les mots en couleur sont placés avant le nom.

JE REMARQUE

1 Le mot ***déterminant*** est désormais réservé pour désigner le mot qui répond aux deux conditions suivantes :

a) L'**emploi** du déterminant est le plus souvent **obligatoire** dans le **groupe nominal**. Si on le supprime, la phrase devient non grammaticale :

__Sa__ grande détermination et __son__ courage exemplaire ont conduit Sylvie Bernier au podium. (Sans les dét. *sa* et *son,* la phrase est non gramm.)

b) La **place** du déterminant est **fixe.** Il se place toujours **avant** le **nom.** Il est parfois séparé du nom par un adjectif qualificatif épithète :

__Une__ jeune athlète s'avance sur __le__ tremplin. (Les dét. *une* et *le* sont placés avant le nom.)

2 Un mot qui **présente** le **nom** et qui **dépend** de ce **nom** s'appelle un **déterminant** :

Sylvie Bernier est __une__ grande athlète.
__Quelle__ performance !
__Ce__ genre de vie lui plaît.

3 Le **déterminant** fait partie du **groupe nominal** :

Nous sommes fières de __cette__ athlète québécoise. (*Cette,* dét. *Cette athlète québécoise,* gr. nom.)

4 Le déterminant prend, la plupart du temps, le **genre** et le **nombre** du **nom** qu'il précède. Souvent, il est le seul indice du genre ou du nombre du nom :

__Sa__ détermination et __son__ courage l'ont conduite __au__ podium.
__Les__ choix qu'elle doit faire sont difficiles.

1. LES PROPRIÉTÉS DU DÉTERMINANT

5 La place du déterminant est toujours **avant** le **nom**. Parfois, le déterminant est séparé du nom par un adjectif qualificatif :

__Sa__ ferme détermination et __son__ grand courage sont remarquables.
__Une__ jeune athlète s'avance sur __le__ tremplin.
Sylvie a réussi __trois__ magnifiques plongeons de suite.

6 La grammaire traditionnelle n'utilise pas le mot ***déterminant***. Elle nomme «adjectifs déterminatifs» les déterminants autres que l'article :

Sylvie a dû s'imposer __plusieurs__ privations. (Le dét. ind. *plusieurs* est traditionnellement appelé un **adjectif indéfini**.)

7 Selon le **sens** du déterminant ou selon l'**information** qu'il apporte sur le nom, on le classe dans l'une des catégories suivantes :

a) Le **déterminant article**, *le, la, les...* :
Elle s'avance sur __le__ tremplin.
__La__ plongeuse remporte __la__ victoire.

b) Le **déterminant possessif**, *son, sa, ses...* :
__Son__ courage est exceptionnel.
__Sa__ détermination est exemplaire.

c) Le **déterminant démonstratif**, *ce, cette, ces...* :
__Cette__ athlète a beaucoup de talent.
__Ce__ concurrent est audacieux.

d) Le **déterminant interrogatif**, *quel, quelle, quels...* :
__Quel__ record a-t-elle battu ?
__Quels__ concurrents ont obtenu une médaille ?

e) Le **déterminant exclamatif**, *quel, quelle, quelles...* :
__Quelle__ performance !
__Quels__ champions !

f) Le **déterminant indéfini**, *plusieurs, certain, aucun...* :
Elle a dû s'imposer __plusieurs__ privations.
__Aucune__ nageuse ne l'a égalée.

g) Le **déterminant numéral**, *deux, cinq, dix-neuf...* :
Elle plonge du tremplin de __trois__ mètres.
Âgée d'à peine __vingt__ ans, Sylvie Bernier va conquérir la gloire.

JE RETIENS

Le déterminant est un mot placé devant le nom pour le déterminer et former avec lui le groupe nominal.
Le déterminant prend le genre et le nombre du nom qu'il précède.
On distingue: le déterminant article, le déterminant possessif, le déterminant démonstratif, le déterminant interrogatif, le déterminant exclamatif, le déterminant indéfini et le déterminant numéral.

2. LE DÉTERMINANT ARTICLE

Jackrabbit

Une légende vivante

S'il s'appelle Herman Smith Johannsen, c'est sous le nom de Jackrabbit qu'il est devenu célèbre. Originaire de la Norvège, il contribue à développer le goût du ski au Québec. Le ski alpin ou le ski de fond n'ont pour lui aucun secret. Il parle du ski en expert. À quatre-vingt-dix ans, il continue à entraîner des athlètes pour les compétitions de haut niveau. À plus de cent ans, il parcourt encore les pistes de ski de fond qu'il a lui-même tracées un peu partout au Québec. Jackrabbit meurt à l'âge de cent douze ans. Certains disent que Jackrabbit hante toujours les centres de ski et les pentes laurentiennes ! Serait-ce plutôt son souvenir qui demeure toujours vivant ?

J'OBSERVE

Tous les mots en couleur accompagnent un nom. Ces noms ont-ils tous le même genre et le même nombre ?

Certains noms sont au masculin singulier (*le goût, le ski*) ou au féminin singulier (*la Norvège*) ; d'autres sont au féminin pluriel (*les compétitions, les pentes*) ou au masculin pluriel (*les centres*).

JE REMARQUE

1 Le déterminant qui sert simplement à **déterminer** le **nom**, sans ajouter un sens particulier au groupe nominal, est le **déterminant article**. L'article prend le **genre** et le **nombre** du **nom** qu'il précède :

__Le__ ski de randonnée est de plus en plus populaire __au__ Québec.
__Les__ amateurs de ski de fond parcourent __les__ nombreuses pistes laurentiennes.

2 Selon le **sens**, on distingue :

a) L'**article défini**, qui détermine ce qui est supposé connu ou déjà mentionné par le contexte. *Le, la, l', les, au, aux, du* et *des* sont des articles définis :

__Le__ ski alpin est un sport très populaire. (Le dét. art. *le* suppose que le ski alpin est connu.)

b) L'**article indéfini**, qui détermine ce qui n'est pas encore connu par le contexte. *Un, une, des* et *de* sont des articles indéfinis :

COMPARER :
J'ai acheté __un__ vêtement de ski en solde. (On ne sait pas de quel vêtement il s'agit.)
J'ai acheté __le__ vêtement de ski en solde. (On sait de quel vêtement il s'agit.)

c) L'**article partitif**, qui accompagne un nom désignant une chose qu'on ne peut pas compter. *Du, de la, de l'* et *des* sont des articles partitifs :

Après une descente, le skieur prend __du__ thé chaud.

3 Selon la **forme**, on distingue :

a) L'**article simple**, qui est formé d'**un seul mot**. *Le, la, les, un, une* et *de* sont des articles simples :

Myriam Bédard pratique __le__ biathlon.

b) L'**article élidé**, qui se place devant un mot commençant par une **voyelle** ou un ***h* muet**. *Le* et *la* deviennent *l'* et *de* devient *d'* :

L'athlète s'entraîne pour les compétitions. (*L'* pour **le athlète.*)
*Ce sont **d'h**onnêtes concurrents.* (*D'* pour **de honnêtes.*)

c) L'**article contracté**, qui se combine à une **préposition** *(à + le = au). Au, aux, du* et *des* sont des articles contractés.

*Jean-Luc Brassard préfère le ski dans les bosses **au** ski de randonnée.*

4 Le déterminant article prend le **genre** et le **nombre** du **nom** qu'il précède :

***Le** skieur et **la** skieuse s'entraînent pour la compétition.*
***Les** entraîneurs encouragent **le** jeune athlète.*

LE DÉTERMINANT ARTICLE			
	Déterminant article		**Exemple**
Selon le sens	défini	le, la, l', les, au (à le), aux (à les), du (de le), des (de les)	***Les** skis sont brisés.* *Je me rends **au** centre de ski.* *Je parle **des** skieuses.*
	indéfini	un, une, des, de, d'	*Tu vois **un** skieur.* *Tu achètes **des** skis.*
	partitif	du, de la, de l', des	*Il applique **du** vernis sur ses skis.* *Elle applique **de la** cire sur ses skis.*
Selon la forme	Article simple	le, la, les, un, une, de	***Le** ski de fond est agréable.* *J'utilise **de** grands skis.*
	Article élidé	l', d'	***L'**athlète fait du ski.* *Je rencontre **d'**habiles skieuses.*
	Article contracté	au (à le), aux (à les), du (de le), des (de les)	*Elle enseigne **aux** skieurs.* *Il parle **du** ski.*

JE RETIENS

Le déterminant article sert simplement à déterminer le nom, sans ajouter un sens particulier au groupe nominal.
Le déterminant article prend le genre et le nombre du nom qu'il précède.

3. LE DÉTERMINANT POSSESSIF

Nadia Comaneci

La Fée des Jeux de Montréal

L'été de 1976 représente pour Nadia un sommet dans sa jeune carrière de gymnaste. Son audace, son intrépidité et sa témérité soulèvent les foules. Trois fois médaillée d'or, à la poutre, aux barres asymétriques et au concours général, elle obtient sept notes parfaites. Du jamais vu ! Avec sa petite taille, elle ne fait pas ses quatorze ans. De retour dans son pays, c'est le triomphe. En 1990, Nadia revient à Montréal comme immigrante. Quelle ne fut pas sa surprise de constater que les Québécois et les Québécoises ne l'avaient pas oubliée ! L'image de Nadia qui vient à l'esprit, c'est celle de la Fée des Jeux olympiques.

J'OBSERVE

Qu'ont en commun les mots en couleur dans le texte ?
Ils expriment tous une forme d'appartenance, de possession.

JE REMARQUE

1 Le déterminant qui exprime une forme d'**appartenance**, de **possession**, est un **déterminant possessif** :
L'audace de Nadia, ***sa*** *témérité et* ***son*** *immense talent ont plu aux spectateurs.*
Plusieurs parents québécois ont donné ***son*** *prénom à* ***leur*** *fille née en 1976.*

2 Le déterminant possessif renvoie à une personne grammaticale. Il indique à quelle **personne grammaticale** se trouve le **possesseur** :

a) *Mon, ma, mes, notre* et *nos* renvoient à la **première personne** :
Mon *habileté en gymnastique ne se compare pas à celle de Nadia.*
Mes *entraîneurs m'encouragent à continuer.*
Notre *jeune gymnaste a étonné tous les juges.*
Nos *championnes s'entraînent chaque jour.*

b) *Ton, ta, tes, votre* et *vos* renvoient à la **deuxième personne** :
Ton *frère et* ***ta*** *sœur ont assisté au triomphe de Nadia.*
Tes *admirateurs applaudissent* ***tes*** *exploits.*
Votre *carrière de gymnaste ressemblera-t-elle à celle de la petite Roumaine ?*
Vos *performances étonnent les spectateurs.*

c) *Son, sa, ses, leur* et *leurs* renvoient à la **troisième personne** :
De retour dans ***son*** *pays, c'est le triomphe.*
Ses *performances ont conduit Nadia à la gloire.*
Plusieurs parents ont donné à ***leur*** *fille le prénom de Nadia.*
Des athlètes consacrent ***leurs*** *loisirs à l'entraînement.*

3 Le déterminant possessif prend le **genre** et le **nombre** du **nom** qu'il précède :
Sa *détermination et* ***son*** *courage sont exemplaires.*
Nos *futures athlètes ont* ***leur*** *idole toute trouvée.*

3. LE DÉTERMINANT POSSESSIF

LE DÉTERMINANT POSSESSIF				
PERSONNE GRAMMATICALE ET GENRE	**UN POSSESSEUR**		**PLUSIEURS POSSESSEURS**	
	Singulier	**Pluriel**	**Singulier**	**Pluriel**
1re pers. **masc.**	mon	mes	notre	nos
1re pers. **fém.**	ma	mes	notre	nos
2e pers. **masc.**	ton	tes	votre	vos
2e pers. **fém.**	ta	tes	votre	vos
3e pers. **masc.**	son	ses	leur	leurs
3e pers. **fém.**	sa	ses	leur	leurs

4 Devant un **nom féminin** commençant par une **voyelle** ou un *h* **muet**, on emploie la **forme masculine** *mon, ton, son,* au lieu de *ma, ta, sa* :

__Son__ audace et __son__ intrépidité n'avaient d'égal que __son__ courage.
__Sa__ détermination, __son__ habileté et __sa__ hardiesse soulevaient les foules.

JE RETIENS

Le déterminant possessif exprime une forme d'appartenance, de possession. Il indique à quelle personne grammaticale se trouve le possesseur. Le déterminant possessif s'accorde en genre et en nombre avec le nom qu'il précède.

Les mots restent, quoi qu'on dise. Longtemps après qu'ils ont été prononcés, ceux qui blessent continuent de faire mal. Ils vivent en nous d'une vie tenace, douloureuse.

Jean-Paul Pinsonneault

4. LE DÉTERMINANT DÉMONSTRATIF

Manon Rhéaume

Une fille dans la Ligue nationale

Le hockey, depuis toujours, était réservé aux hommes. C'est Manon Rhéaume qui devait forcer l'accès à ce monde hermétiquement fermé. Cette réussite spectaculaire n'a rien d'une concession à une femme. Passionnée de hockey dès sa tendre enfance, Manon rêve de garder les buts. Elle le fait d'abord pour l'équipe de garçons que son père entraîne. Chaque étape de sa carrière a été une lutte contre les doutes, les mesquineries et les préjugés. Manon ne doit être que la meilleure. On ne lui pardonne aucune faiblesse. Pourtant, elle accumule les trophées, gravit les échelons de la ligue atome à la ligue junior. Puis, ce rêve fou devient réalité. L'équipe de Tampa Bay, en Floride, lui ouvre les portes de la Ligue nationale.

J'OBSERVE

Peut-on remplacer chaque déterminant en couleur par un article ?

Oui. On peut le faire dans chaque cas : *au monde, la réussite, le rêve.*

JE REMARQUE

1 Le déterminant qui **précise** le **nom** en le montrant dans le contexte ou la situation où il se trouve est un **déterminant démonstratif** :

__Cette__ réussite spectaculaire n'a rien d'une concession.
Puis, __ce__ rêve fou devient réalité.

2 Le déterminant démonstratif prend le **genre** et le **nombre** du **nom** qu'il précède :

__Ce__ rêve fou devient réalité.
__Cette__ performance de Manon est extraordinaire.
__Cet__ arrêt est spectaculaire.
__Ces__ victoires successives sont exceptionnelles.

3 Selon la **forme**, on distingue :

a) Le déterminant démonstratif **simple**, formé d'**un seul mot**, *ce, cet, cette* et *ces* :

__Cette__ merveilleuse athlète s'impose par la qualité de son jeu.
__Cet__ arrêt soulève l'enthousiasme de la foule.

b) Le déterminant démonstratif **composé**, s'il est accompagné de ***-ci*** ou ***-là*** joints au nom par un **trait d'union** :

__Cette__ athlète-__là__ ira loin, écrit le journaliste.
__Cette__ journaliste-__ci__ raconte les exploits de Manon Rhéaume.

4 Le déterminant ***cet*** ne s'emploie que devant un mot **masculin** commençant par une **voyelle** ou un ***h* muet** :

__Cet__ arrêt est spectaculaire. (Devant une voyelle.)
__Cet__ habile gardien nous assure la victoire. (Devant un ***h*** muet.)

4. LE DÉTERMINANT DÉMONSTRATIF

LE DÉTERMINANT DÉMONSTRATIF				
	SINGULIER		PLURIEL	
FORME	Masculin	Féminin	Masculin	Féminin
Simple	ce cet	cette	ces	ces
Composée	ce...-ci ce...-là cet...-ci cet...-là	cette...-ci cette...-là	ces...-ci ces...-là	ces...-ci ces...-là

JE RETIENS

Le déterminant démonstratif précise le nom en le montrant dans le contexte ou la situation où il se trouve.
Le déterminant démonstratif prend le genre et le nombre du nom qu'il précède.

Il y a des gens qui parlent, qui parlent... jusqu'à ce qu'ils aient enfin trouvé quelque chose à dire.
Sacha Guitry

5. LES DÉTERMINANTS INTERROGATIF ET EXCLAMATIF

Sylvie Daigle, Angela Cutrone, Annie Perreault, Nathalie Lambert

Les championnes d'Albertville

Aux Jeux d'Albertville de 1992, l'équipe canadienne de patinage de vitesse décroche la médaille d'or au relais 3000 mètres dames. Sur courte piste, la stratégie et l'esprit d'équipe l'emportent parfois sur la vitesse. C'est ce qu'ont démontré Sylvie Daigle, Angela Cutrone, Nathalie Lambert et Annie Perreault. Ces quatre Québécoises ont parcouru la distance en quatre minutes et trente-six secondes. Quelle performance ! La meilleure au monde. Pour de jeunes athlètes, quelle victoire égale la conquête d'une médaille d'or olympique ? Aucune, bien sûr. Sylvie Daigle en sait quelque chose, elle qui détient déjà cinq championnats du monde.

J'OBSERVE

Le mot *quelle* en couleur a-t-il le même sens dans les deux cas ?

Non. Dans le premier cas, *quelle* exprime un sentiment ; dans le deuxième, il sert à poser une question.

JE REMARQUE

1 Lorsque le mot *quel* **précède** un **nom** et qu'il sert à **poser une question**, il est **déterminant interrogatif** :

__Quelle__ victoire égale la conquête d'une médaille d'or ?

2 Le déterminant interrogatif prend le **genre** et le **nombre** du **nom** qu'il précède :

__Quelle__ médaille ont-elles remportée ?
__Quels__ records ont-elles battus ?

3 La **phrase interrogative** en **style direct** se termine toujours par un **point d'interrogation**. Il n'y a pas de point d'interrogation en style indirect :

COMPARER :
Quelle équipe réussira à surpasser celle-ci ? (Style direct.)
Je me demande quelle équipe réussira à surpasser celle-ci. (Style indirect.)

LE DÉTERMINANT INTERROGATIF				
SINGULIER		PLURIEL		
Masculin	Féminin	Masculin	Féminin	Exemple
quel	quelle	quels	quelles	***Quel*** *exploit ont-elles accompli ?* ***Quelle*** *équipe a gagné la compétition ?* ***Quels*** *athlètes étaient présents ?* ***Quelles*** *courses ont-elles remportées ?*

4 Lorsque le mot *quel* **précède** un **nom** et qu'il sert à exprimer un **sentiment**, il est **déterminant exclamatif** :

__Quelles__ patineuses extraordinaires !

5. LES DÉTERMINANTS INTERROGATIF ET EXCLAMATIF

5 Le déterminant exclamatif prend le **genre** et le **nombre** du **nom** qu'il précède :
Quel esprit d'équipe et ***quelle*** *performance !*
Quel *spectacle ! Mais surtout,* ***quelles*** *patineuses !*

LE DÉTERMINANT EXCLAMATIF				
SINGULIER		**PLURIEL**		
Masculin	**Féminin**	**Masculin**	**Féminin**	**Exemple**
quel	quelle	quels	quelles	***Quel*** *spectacle exceptionnel !* ***Quelle*** *gloire pour ces patineuses !* ***Quels*** *exploits !* ***Quelles*** *performances inoubliables !*

6 La **phrase exclamative** se termine toujours par un **point d'exclamation** :
Quelles *patineuses, mais aussi* ***quel*** *entraîneur !*

7 Attention ! Ne pas confondre les homophones ***qu'elle*** et ***quelle***.

JE RETIENS

Le déterminant interrogatif sert à poser une question.
Le déterminant exclamatif sert à exprimer un sentiment.
Les déterminants interrogatif et exclamatif prennent le genre et le nombre du nom qu'ils précèdent.

Les mots sont des mains qui tâtonnent dans l'obscurité.
André Berthiaume

6. LE DÉTERMINANT INDÉFINI

Gérard Côté

Gérard Côté, le marathonien

Gérard Côté naît en 1913, à Saint-Barnabé, près de Saint-Hyacinthe. Très tôt, il s'intéresse à la course à pied. Il remporte plusieurs courses, qui lui valent le titre de Grand marathonien canadien. À quelques reprises, il participe au célèbre marathon de Boston. Il y remporte quatre fois la victoire. Aucun coureur québécois n'a réussi à répéter son exploit. Au cours de sa carrière, Gérard Côté participe à quatre-vingt-neuf marathons et se classe premier vingt-quatre fois. On le retrouve parmi les dix premiers à soixante-dix-sept occasions. Chaque marathon représente un nouveau défi à relever. Sa spécialité, les côtes, est habituellement le cauchemar des autres coureurs. Gérard Côté est décédé à l'âge de 79 ans.

J'OBSERVE

Quand on écrit *plusieurs courses* ou *à quelques reprises*, est-ce qu'on précise un nombre ?

Non. On ne sait pas, d'une façon précise, de combien de courses ou de reprises il est question. S'agit-il de cinq, de dix, de vingt ou davantage ?

JE REMARQUE

1 Le déterminant qui accompagne un nom **sans** en **préciser** nettement l'**identité** ou la **quantité** est un **déterminant indéfini** :

a) Parfois le déterminant indéfini marque l'**identité** : *autre, certain, certaine, chaque...* L'imprécision porte alors sur ce dont on parle :

__Certains__ coureurs s'entraînent pendant des heures. (On ne sait pas précisément de quels coureurs on veut parler.)
__Chaque__ marathon a ses vedettes. (On ne précise pas de quel marathon il s'agit.)

b) Parfois le déterminant indéfini marque la **quantité** : *aucun, aucune, tout, toute...* L'imprécision porte alors sur le nombre :

__Aucune__ course n'a été si populaire. (Quantité zéro.)
Gérard Côté remporte __plusieurs__ courses. (Quantité imprécise.)
__Toutes__ les courses sont terminées. (Quantité totale.)

2 Certains déterminants indéfinis sont parfois accompagnés d'un autre déterminant :

__Tous__ les coureurs attendent le signal de départ. (*Tous,* dét. ind. accompagné du dét. art. *les.*)
Ces __quelques__ compétitions ont attiré plusieurs athlètes. (*Quelques,* dét. ind. accompagné du dét. dém. *ces.*)

3 Le déterminant indéfini prend le **genre** et le **nombre** du **nom** qu'il précède :

__Aucun__ homme ni __aucune__ femme n'a encore réussi à battre ce record.
__Plusieurs__ athlètes participent à la course, mais __pas un__ coureur ne l'a égalé.

6. LE DÉTERMINANT INDÉFINI

QUELQUES DÉTERMINANTS INDÉFINIS			
SINGULIER		**PLURIEL**	
Masculin	**Féminin**	**Masculin**	**Féminin**
autre	autre	autres	autres
certain	certaine	certains	certaines
chaque	chaque		
		différents	différentes
		divers	diverses
quelque	quelque	quelques	quelques
pas un	pas une		
tel	telle	tels	telles
tout	toute	tous	toutes

4 Emplois particuliers :

a) Les déterminants indéfinis *aucun, aucune, nul, nulle, pas un* et *pas une* s'emploient généralement au **singulier**. On les rencontre seulement dans des **phrases négatives**, avec l'adverbe négatif ***ne*** (sans l'auxiliaire de négation *pas*) :

__Aucune__ athlète __n'__a voulu participer à cette course.
__Nul__ coureur québécois __ne__ réussit à répéter son exploit.

b) Au pluriel, les déterminants indéfinis *aucuns* et *aucunes* s'emploient seulement avec un nom qui est toujours pluriel:

On n'exige __aucuns__ frais pour ce cours.
Il n'y a eu __aucunes__ funérailles cette semaine .

c) Le déterminant indéfini *chaque* ne s'emploie qu'au **singulier** :

__Chaque__ coureur prend place sur la ligne de départ.
__Chaque__ course est un nouveau défi.

d) Les déterminants indéfinis *différents* et *différentes, divers* et *diverses* ne s'emploient qu'au **pluriel**:

__Diverses__ épreuves ont eu lieu.
Gérard Côté a remporté __différents__ marathons.

e) Le déterminant indéfini *maint* s'emploie le plus souvent dans des expressions figées, surtout au **féminin pluriel**, dans sa forme *maintes* :

À __maintes__ reprises, les coureurs sont accablés par la chaleur.
__Maintes__ et __maintes__ fois, le marathonien lutte contre la fatigue.

JE RETIENS

Le déterminant indéfini accompagne un nom sans en préciser nettement l'identité ou la quantité.
Le déterminant indéfini prend le genre et le nombre du nom qu'il précède.

7. LES EMPLOIS DE TOUT

Gilles Villeneuve

L'As de la formule 1

Gilles Villeneuve est né le 18 janvier 1950, à Saint-Jean-sur-Richelieu. Avant la course automobile, il a mis toute son énergie dans les compétitions de motoneige. Quand, en 1973, il se lance dans la course automobile, il se fait une place dès le début. Tout lui réussit ! Il se classe d'abord champion du Québec, puis du Canada et de l'Amérique du Nord en formule atlantique. Mais, c'est en formule 1 que Gilles Villeneuve va conquérir la gloire en cumulant les Grands Prix sur presque tous les continents. Il meurt accidentellement, au cours des épreuves de qualification, à Zolder, en Belgique, en 1982. Il a 32 ans. Un musée porte son nom à Berthierville.

J'OBSERVE

Dans les expressions en couleur, pourquoi le mot *tout* varie-t-il ?
Parce que le mot *tout* est un déterminant.

JE REMARQUE

1 Le mot *tout* placé **devant** un **nom** est un **déterminant indéfini**. Il prend le **genre** et le **nombre** du **nom** qu'il précède :
__Tout__ sport intéresse le jeune Villeneuve.

2 Le mot *tout* placé **devant** un **nom** accompagné d'un **autre déterminant** est un **déterminant indéfini**. Il prend le **genre** et le **nombre** du **nom** qu'il précède :
Il gagne sur __tous__ les continents.

3 Le mot *tout* remplit parfois l'une des **fonctions** du **nom** (sujet, complément du verbe). *Tout* est alors **pronom indéfini** :
__Tous__ applaudissent le champion. ***Tout** lui réussit !* (*Tous*, **sujet** du v. *applaudissent* ; *tout*, **sujet** du v. *réussit*.)
Suzanne réussit __tout__. (*Tout*, **COD** du v. *réussit*.)

4 Le mot *tout* est un **nom** quand il désigne quelque chose en entier. Il est alors **précédé** d'un **déterminant** qui lui est propre :
Apportez le __tout__ dans votre voiture, dit Villeneuve au technicien.

5 Le mot *tout* peut être **adverbe** quand il est placé **devant** un **adjectif qualificatif**. Il signifie alors «tout à fait», «entièrement» :

a) Le mot *tout* adverbe est **invariable** si l'**adjectif** est au **masculin** :
Les bolides sont __tout__ seuls sur la piste.
Les spectateurs sont __tout__ surpris.

b) Le mot *tout* adverbe est **invariable** si l'**adjectif** est au **féminin** et commence par une **voyelle** ou un ***h* muet** :
L'assistance __tout__ entière se lève pour acclamer Villeneuve.
Rachel est __tout__ heureuse d'avoir participé à la course.

c) Le mot *tout* adverbe est **variable** si l'**adjectif** est au **féminin** et commence par une **consonne** ou un ***h* aspiré** :

COMPARER :

Robert et Gérald sont tout surpris. (Adv. inv. devant un adj. masc.)

Elle est tout aimable. (Adv. inv. devant un adj. fém. commençant par une voyelle.)

Elles sont tout heureuses. (Adv. inv. devant un adj. commençant par un *h* muet.)

Hélène est toute surprise. (Adv. var. devant un adj. fém. commençant par une consonne.)

Elles sont toutes honteuses. (Adv. var. devant un adj. fém. commençant par un *h* aspiré.)

JE RETIENS

Le mot *tout*, selon le contexte, est un déterminant indéfini, un pronom indéfini, un nom ou un adverbe. Il est alors variable ou invariable selon le cas.

Les mots qui ont un son noble contiennent toujours de belles images.

Marcel Pagnol

8. LES EMPLOIS DE TEL

Sylvie Fréchette

Les étoiles de Barcelone

Sylvie Fréchette porte en elle la passion de la nage synchronisée. En 1991, elle est médaillée d'or en Australie, où les juges lui attribuent sept notes de dix. Un tel triomphe est rare. Certains la voient déjà grande favorite aux Jeux de Barcelone, l'année suivante. Hélas, une erreur technique la confine à la médaille d'argent, malgré une performance extraordinaire. Une telle perfection méritait l'or. Un accueil triomphant l'attend au retour. Seize mois plus tard, la médaille d'or qui lui était due lui est remise officiellement. Aux mêmes Jeux de Barcelone, les jumelles Penny et Vicky Vilagos remportaient aussi une médaille d'argent dans la même discipline.

J'OBSERVE

Avec quels noms les mots en couleur s'accordent-ils ?

Le mot *tel* est au masculin et s'accorde avec le nom *triomphe*. Le mot *telle* est au féminin et s'accorde avec le nom *perfection*.

JE REMARQUE

1 Le mot *tel* placé **seul devant** un **nom** est un **déterminant indéfini**. Il prend le **genre** et le **nombre** du **nom** qu'il précède et signifie alors «un certain» ou «une certaine» :

Qui décide que ***tel*** *nageur ou* ***telle*** *nageuse participe aux Jeux olympiques ?*

2 Le mot *tel* placé **devant** un **nom** accompagné d'un **autre déterminant** est un **adjectif qualificatif**. Il s'accorde en **genre** et en **nombre** avec le **nom** qu'il accompagne et signifie alors «semblable» :

Devant une ***telle*** *perfection, les juges s'inclinent.*
Un ***tel*** *exploit suscite l'admiration.*

3 Le mot *tel*, employé **seul**, remplit parfois l'une des **fonctions** du **nom** (sujet, complément du verbe...). Il est alors **pronom indéfini** et reste **invariable**. Cette forme se rencontre dans des expressions proverbiales :

Tel *est pris qui croyait prendre.*
Tel *qui rit vendredi, dimanche pleurera.*

4 Cas particuliers :

a) Dans l'expression *tel quel*, les mots *tel* et *quel* s'accordent avec le **nom** qu'ils accompagnent. L'expression *tel quel* signifie «sans changement» :

Les juges remettent les rapports ***tels quels***. (Et non **tels que*.)
Les journalistes acceptent la copie ***telle quelle***. (Et non **telle que*.)

b) Dans l'expression *tel que*, le mot *tel* s'accorde avec le **nom** qui le **précède** et signifie «comme» :

Un triomphe ***tel que*** *la réussite de cet exploit est inoubliable.*
Les championnes ***telles que*** *Sylvie Fréchette ne sont pas nombreuses.*

c) Le mot *tel* non suivi de *que* s'accorde avec le **nom** qui **suit** :
Dans l'eau, elle évoluait ***tel*** *un dauphin.*
Sur le podium, les championnes étincelaient ***telle*** *une étoile.*

JE RETIENS

Le mot *tel*, selon le contexte et le sens, est un déterminant indéfini, un adjectif qualificatif ou un pronom indéfini. Comme déterminant indéfini et adjectif qualificatif, il varie. Comme pronom indéfini, il est invariable.

Quand, dans un discours, se trouvent des mots répétés, et qu'essayant de les corriger, on les trouve si propres qu'on gâterait le discours, il faut bien les laisser.

Blaise Pascal

9. LES EMPLOIS DE QUELQUE ET DE QUEL QUE

Jocelyne Bourassa

Le golf au féminin

Dès son jeune âge, Jocelyne Bourassa pratique quelques sports de plein air : bicyclette, ski de fond, randonnée pédestre... Elle accompagne souvent son frère au golf et apprend très vite le maniement des bâtons. Elle a quelque douze ans quand elle fait preuve d'aptitudes exceptionnelles qui attirent l'attention des connaisseurs. Jocelyne Bourassa annonce déjà celle qui marquera le golf féminin au Québec. Quelque temps plus tard, elle devient golfeuse professionnelle. Quels que soient les obstacles, Jocelyne Bourassa est déterminée à poursuivre une brillante carrière en ce domaine. Ce qu'elle réussit parfaitement. Après quelques années, Jocelyne Bourassa se retire du golf professionnel.

J'OBSERVE

Parmi les mots en couleur, quels sont ceux qui peuvent être remplacés par le mot *plusieurs* ?

Seul le mot *quelques* peut se remplacer par le mot *plusieurs*. Ici, il est employé à deux endroits : *Jocelyne Bourassa pratique quelques sports* et *Après quelques années*.

JE REMARQUE

1 Le mot *quelque* placé **devant** un **nom pluriel** est un **déterminant indéfini**. Il s'écrit au **pluriel**. On peut le remplacer par le mot *plusieurs* ou par l'expression *un petit nombre de* :

COMPARER :
Jocelyne Bourassa pratique quelques sports de plein air. (Dét. ind.)
Jocelyne Bourassa pratique plusieurs sports de plein air.

2 Le mot *quelque* placé **devant** un **nom singulier** est un **déterminant indéfini**. Il s'écrit au **singulier**. On peut le remplacer par l'expression *un certain* :

COMPARER :
Après quelque temps, elle reprend son entraînement. (Dét. ind.)
Après un certain temps, elle reprend son entraînement.

3 Le mot *quelque* placé **devant** un **nombre** signifie «environ». Il est **adverbe** et reste donc **invariable** :

COMPARER :
Elle a quelque douze ans quand elle s'adonne à ce sport. (Adv.)
Elle a environ douze ans quand elle s'adonne à ce sport.

4 Le mot *quelque* placé **devant** un **adjectif qualificatif** signifie «si». Il est **adverbe** et reste donc **invariable** :

COMPARER :
Quelque passionnants que soient ces tournois, ils demeurent exigeants. (Adv.)
Si passionnants que soient ces tournois, ils demeurent exigeants.

5 Le mot *quelque* placé **devant** un **adverbe** est lui-même **adverbe** et reste donc **invariable** :

*Ses copines sont **quelque peu** surprises de son talent exceptionnel.* (*Quelque* : adv. devant l'adv. *peu*.)

6 *Quel que* devant le verbe ***être*** au **subjonctif** s'écrit en **deux mots**.

a) Le mot *quel* s'accorde en **genre** et en **nombre** avec le **nom** qui suit le verbe :

***Quel** que soit son talent, il lui faut travailler.*
(soit : verbe ; talent : nom)

***Quelle** que soit la fatigue, elle devra continuer.*
(soit : verbe ; fatigue : nom)

***Quels** que soient les problèmes, elle persiste à jouer.*
(soient : verbe ; problèmes : nom)

***Quelles** que soient les difficultés, elle s'entraîne.*
(soient : verbe ; difficultés : nom)

b) Si le verbe est suivi de deux noms de genre différent (l'un masculin, l'autre féminin), le mot *quel* se met au **masculin pluriel**. Le nom masculin se place alors **avant** le nom féminin :

***Quels** que soient le jour et l'heure, on risque de la trouver à l'entraînement.*
Et non: **Quelles que soient l'heure et le jour, on risque de la trouver à l'entraînement.*

***Quels** que soient les problèmes et les difficultés, elle devra continuer.*
Et non: **Quelles que soient les difficultés et les problèmes, elle devra continuer.*

7 Attention ! Ne pas confondre les homophones ***quelquefois*** et ***quelques fois***.

JE RETIENS

Le mot *quelque*, selon le contexte et le sens, est un déterminant indéfini ou un adverbe. Comme déterminant indéfini, il varie. Comme adverbe, il est invariable.

Quand une fois on a goûté du suc des mots, l'esprit ne peut plus s'en passer. On y boit la pensée.
Joseph Joubert

10. LES EMPLOIS DE MÊME

Alexis Lapointe

Le Trotteur plus rapide qu'un train

Alexis Lapointe, Alexis le Trotteur, voilà deux noms pour désigner **le même homme**. Héros légendaire de Charlevoix et du Saguenay, il naît à Clermont, au milieu du siècle dernier, en 1860. Il meurt en 1924, écrasé par un train. Ce coureur extraordinaire, qui s'est lui-même comparé à un cheval, a une santé de fer et un appétit vorace. Il court plus vite que des hommes à vélo, plus vite même qu'un cheval au galop. On raconte qu'un jour, il partit d'un village en même temps que le train et qu'il arriva au village voisin avant tout le monde. Il n'était même pas fatigué. Le moins qu'on puisse dire, c'est que notre Alexis le Trotteur aurait été un adversaire coriace au marathon.

J'OBSERVE

Dans l'expression *le même homme,* le mot *même* accompagne un nom. Si l'on met *le* et *homme* au pluriel, qu'arrive-t-il au mot *même*?

L'expression *le même homme* devient *les mêmes hommes.*

JE REMARQUE

1 Le mot *même,* **précédé** d'un **autre déterminant** et placé **devant** un **nom**, est un **déterminant indéfini**. Il prend le **genre** et le **nombre** du **nom** qu'il précède. Il exprime alors la ressemblance, l'identité :

*Alexis suit les **mêmes** hommes à vélo pendant de longues heures.*

2 Le mot *même* et le trait d'union :

a) **Après** un **pronom personnel,** le mot *même* s'accorde avec ce **pronom** et s'unit à lui par un trait d'union :

*Alexis s'est **lui-même** comparé à un cheval.*
***Vous-mêmes**, les coureurs, vous réussirez.*
***Vous-même**, Diane, vous participerez à la course.*

b) **Après** un **pronom démonstratif,** le mot *même* s'accorde avec le **pronom,** mais ne prend pas de trait d'union :

*Ceux **mêmes** qui l'ont vu ont rendu témoignage de ses exploits.*

3 Le mot *même* est **adverbe** et reste **invariable** devant les mots suivants :

a) Devant un **déterminant** :

***Même** les enfants essaient de courir derrière Alexis.*

b) Devant un **pronom personnel** :

***Même** vous, les sportifs, vous auriez de la difficulté à l'imiter.*

c) Devant un **pronom démonstratif** :

***Même** ceux-là sont venus assister à son spectacle.*

d) Devant un **adjectif qualificatif** :

*Les amis d'Alexis sont **même** contents de l'accompagner.*

e) Devant un **adverbe**:
Même après, ses amis ne le croyaient pas.

f) Devant un **verbe**:
Alexis et ses amis pouvaient ***même*** *courir durant des heures.*

4 Le mot *même* est **adverbe** et **invariable** dans certaines expressions toutes faites : *à même, au même, de même que, même si, quand même, tout de même...* :
Exténués, les coureurs terminent ***quand même*** *les épreuves.*

5 Le mot *même,* employé **seul** avec un **déterminant**, est un **pronom indéfini** et **varie** :
Les ***mêmes*** *ont couru plusieurs fois avec Alexis.*

JE RETIENS

Le mot *même,* selon le contexte et le sens, est un déterminant indéfini, un adverbe ou un pronom indéfini. Comme déterminant indéfini et pronom indéfini, il varie. Comme adverbe, il est invariable.

La conscience des mots amène à la conscience de soi : à se connaître, à se reconnaître.

Octavio Paz

11. LE DÉTERMINANT NUMÉRAL

Maurice Richard

Le Gentilhomme du hockey

Plus de trente ans après avoir pris sa retraite, Maurice Richard demeure le joueur de hockey le plus célèbre de l'histoire. Les partisans d'aujourd'hui n'ont pas connu ses exploits. Cinq fois, dix fois, les journaux ont titré «Richard bat Toronto 3 à 0» ou encore «Le Numéro 9 a vaincu Détroit». Les annales du hockey vont conserver longtemps le souvenir de la première émeute au Forum : les amateurs se sont révoltés à la suite de la suspension de leur idole qui s'en était pris à l'arbitre. Après une dix-huitième saison et huit coupes Stanley avec les Glorieux, Maurice Richard s'est retiré avec une réputation de gentilhomme, qui ne cherchait jamais la bagarre. Beaucoup considèrent ce grand Montréalais comme une légende vivante.

J'OBSERVE

Qu'ont en commun les mots en couleur ?
Ils désignent tous des nombres.

JE REMARQUE

1 Un mot qui désigne un **nombre** ou un **rang** est un **numéral**. Chaque mot en couleur du texte est un numéral :

Plus de trente ans après sa retraite, Richard est toujours célèbre.
(trente : nombre)

Lucie se souvient de la première émeute au Forum.
(première : rang)

2 On classe les numéraux en quatre catégories : le **déterminant numéral**, l'**adjectif numéral**, le **nom numéral** et le **pronom numéral** :

a) Le **déterminant numéral** indique le **nombre** et accompagne un **nom**. La grammaire traditionnelle l'appelle «adjectif numéral cardinal» :

*Plus de **trente** ans après avoir pris sa retraite, Maurice Richard est toujours célèbre.* (Dét. num.)
*Maurice Richard a remporté **huit** coupes Stanley.* (Dét. num.)

b) L'**adjectif numéral** indique le **rang**. La grammaire traditionnelle l'appelle «adjectif numéral ordinal» :

*La **première** émeute est restée célèbre.* (Adj. num.)
*Après une **dix-huitième** saison avec les Glorieux, il se retire.* (Adj. num.)

c) Le **nom numéral** indique un **nombre précis**. Il est précédé d'un **déterminant**. Les plus fréquents sont : *millier, million* et *milliard.* On rencontre aussi les noms *billion, trillion, quatrillion...* :

*Deux **milliers** de spectateurs ont applaudi l'athlète.* (Nom num.)
*Trois **millions** de téléspectateurs ont suivi ses exploits.* (Nom num.)

d) Le **pronom numéral** est un **déterminant numéral** employé **seul** dans une des **fonctions** du **nom** :

*Il y avait plusieurs joueurs sur la glace, mais seulement **deux** ont marqué un but.* (*Deux*, pron. num., **sujet** du v. *ont marqué*.)

3 Selon la **forme**, le déterminant numéral est **simple** ou **composé** :

a) Le déterminant numéral **simple** est formé d'**un seul mot** :

Cent, cinquante, dix, treize, vingt...

b) Le déterminant numéral **composé e**st formé de **plusieurs mots** :

Dix-sept, trente-huit, quatre-vingt-dix-neuf...
Trente et un, soixante et onze...
Deux cent quatre-vingts, deux cent vingt-deux...

4 Le **déterminant numéral** est parfois accompagné d'un autre **déterminant**:

*Il a marqué les **trois** buts du match.* (*Trois*, dét. num. accompagné du dét. art. *les*.)
*Avec ses **deux** équipiers, il marque le but victorieux.* (*Deux*, dét. num. accompagné du dét. poss. *ses*.)

5 Le **déterminant numéral** se place toujours **devant** l'adjectif épithète. Le placer après constitue un **anglicisme de syntaxe**:

*Avant le match, il était tombé **30 bons centimètres** de neige.*
Et non : * *... un bon 30 centimètres de neige.*

*Richard a compté au moins un but à chacun des **20 derniers matchs**.*
Et non: *... à chacun * des derniers 20 matchs.*

*Cette saison, le Canadien a remporté la victoire au cours de ses **six premiers matchs**.*
Et non: *... au cours de *ses premiers six matchs.*

JE RETIENS

On compte quatre catégories de numéraux: les déterminants numéraux, les adjectifs numéraux, les noms numéraux et les pronoms numéraux.
Le déterminant numéral indique le nombre et accompagne un nom.

Il suivait son idée. C'était une idée fixe, et il était surpris de ne pas avancer.

Jacques Prévert

12. L'ORTHOGRAPHE DU DÉTERMINANT NUMÉRAL

Guy Lafleur

Le Démon blond

Né le 20 septembre 1951, à Thurso, dans la belle région de l'Outaouais, Guy Lafleur a vite révélé son immense talent au hockey. Vedette des «pee wee», puis des Remparts de Québec, le célèbre ailier droit a accédé à la Ligue nationale dès 1971, chez les Canadiens. Comme Maurice Richard, Lafleur est devenu l'idole des partisans de son équipe. Quand il s'est retiré, en 1984, Lafleur avait à son crédit cinq cent dix-huit buts et sept cent vingt-huit passes, pour un total de mille deux cent quarante-six points. Le Démon blond reviendra au jeu en 1988, à New York. Sa nouvelle équipe, les Rangers, est alors pilotée par Michel Bergeron. C'est avec les Nordiques que Lafleur terminera sa carrière.

J'OBSERVE

Les mots en couleur ont-ils la marque du pluriel ?

Aucun des mots en couleur ne porte la marque du pluriel.

JE REMARQUE

1 L'orthographe des déterminants numéraux répond à un ensemble de règles précises qu'il faut connaître :

a) Le **déterminant numéral** est habituellement **invariable** :

*Lafleur a marqué **cinq cent dix-huit** buts.*

*Les **sept cent vingt-huit** passes de Lafleur font sa renommée.*

b) Seul le déterminant numéral ***un*** prend le genre **féminin** :

*Guy Lafleur n'a pas joué pour **une** équipe de la Ligue nationale, mais pour trois différentes.*

c) ***Vingt*** et ***cent*** prennent la marque du **pluriel** s'ils sont **multipliés** et ne sont **pas suivis** d'un **autre nombre**. Suivis d'un autre nombre, *vingt* et *cent* sont toujours invariables :

*Un groupe de **quatre-vingts** partisans et un autre de **trois cents** s'avancent vers Guy Lafleur.* (*Vingt* et *cent* sont multipliés et ne sont pas suivis d'un autre nombre. Donc, variables.)

d) ***Vingt*** et ***cent*** sont toujours **invariables** s'ils sont **suivis** d'un **autre nombre** :

*Un groupe de **quatre-vingt-trois**... et un autre de **trois cent huit**...* (*Vingt* et *cent* sont multipliés, mais suivis d'un autre nombre. Donc, invariables.)

e) Attention aux pièges ! Le déterminant numéral *vingt* n'est pas toujours multiplié :

***Cent vingt** patineurs...* (*Vingt* est invariable, car il n'est pas multiplié. Il s'agit de l'addition des nombres *cent* et *vingt*.)

f) Le déterminant numéral ***mille*** est toujours **invariable** :

*Dix **mille** spectateurs envahissent le stade.*

g) Le déterminant numéral **composé** prend un **trait d'union** entre deux nombres **inférieurs à cent** qui se suivent, sauf s'ils sont unis par *et* :

Dix-sept, trente-huit, quatre-vingt-neuf... (Avec trait d'union, nombres inférieurs à cent.)
Vingt ***et*** *un, soixante* ***et*** *onze...* (Sans trait d'union, nombres unis par *et*.)
Deux cent vingt, mille cinq cents, mille cinq cent deux... (Sans trait d'union, nombres supérieurs à cent.)

2 Le numéral employé comme **adjectif** pour désigner le **rang** est **invariable** :

COMPARER :

Lafleur a signé quatre-vingts autographes.
Sa photo apparaît à la page quatre-vingt. (**Et non :** *page *quatre-vingts*, car il s'agit de la quatre-vingtième page.)
J'ai suivi sa carrière durant vingt et une saisons.
J'ai lu ses exploits à la page vingt et un. (**Et non :** *page *vingt et une*, car il s'agit de la vingt et unième page.)
J'ai parcouru deux cents kilomètres pour le voir jouer.
On parle du Démon blond à la page deux cent. (**Et non :** *page *deux cents*, car il s'agit de la deux centième page.)

3 Attention à certaines erreurs fréquentes :

a) Le *et* ne s'emploie que devant *un* et *onze*, **sans trait d'union** :

Vingt ***et*** *un, trente* ***et*** *un, cinquante* ***et*** *un, soixante* ***et*** *un, soixante* ***et*** *onze...*
Mais : *quatre-vingt-un, deux cent un, quatre-vingt-onze, cent onze, mille onze...*

b) Le *et* ne s'emploie pas avec les nombres composés de **soixante** :

Soixante-deux, soixante-trois, soixante-treize... (**Et non :** **soixante et deux, *soixante et trois, *soixante et treize...*)

JE RETIENS

Le déterminant numéral est habituellement invariable.
Seul le déterminant numéral *un* prend le genre féminin.
Les déterminants numéraux *vingt* et *cent* varient seulement s'ils sont multipliés et non suivis d'un autre nombre.
Le déterminant numéral *mille* est toujours invariable.
Le déterminant numéral composé prend un trait d'union entre deux nombres inférieurs à cent, sauf s'ils sont unis par *et*.

13. L'ADJECTIF NUMÉRAL

Gaétan Boucher

Le Prince de Sarajevo

En 1984, les quinzièmes Jeux d'hiver de Sarajevo, en Yougoslavie, ont fait de Gaétan Boucher une étoile internationale du patinage de vitesse. Sa détermination lui a permis d'arracher aux favoris soviétiques trois médailles : une de bronze et deux d'or. Aux cinq cents mètres, il obtient le troisième rang. Devant vingt mille admirateurs, il monte sur le podium pour recevoir la médaille d'or des mille mètres, sa course favorite. Le lendemain, il triomphe de nouveau aux mille cinq cents mètres : l'or. Devant combien de spectateurs : quatre-vingts ? six cents ? dix mille ? Est-ce si important ? Gaétan Boucher a été le premier Québécois à remporter une telle victoire dans cette discipline.

J'OBSERVE

À quel nombre correspond chacun des mots en couleur ?

Le mot *quinzièmes* correspond au nombre *quinze* ; le mot *troisième*, au nombre *trois* ; le mot *premier*, au nombre *un*.

JE REMARQUE

1 L'**adjectif numéral** indique le **rang**. La grammaire traditionnelle l'appelle «adjectif numéral ordinal» :

COMPARER :
Le nombre : *un, deux, quinze...* (Dét. num.)
Le rang : *premier, deuxième, quinzième, seizième...* (Adj. num.)

2 L'adjectif numéral prend le **genre** et le **nombre** du **nom** qu'il accompagne :

*Les **quinzièmes** Jeux d'hiver font de Boucher une étoile internationale.*
*La **première** épreuve était pénible.*

3 L'adjectif numéral s'emploie pour exprimer les **nombres fractionnaires**. Il devient alors un **nom**. Le nombre fractionnaire comprend un **numérateur** et un **dénominateur** :

*Il se classe troisième, dix **centièmes** de seconde derrière le deuxième.* (*Centièmes* est un nom : *dix* est le numérateur ; *centièmes* est le dénominateur.)

4 L'adjectif numéral s'abrège avec le chiffre correspondant de la façon suivante :

Premier : 1er (**et non :** **1^{ier})*	*Premiers : 1ers*
Première : 1re (**et non :** **1ère)*	*Premières : 1res*
Deuxième : 2e (**et non :** **2ème)*	*Deuxièmes : 2es*
Troisième : 3e (**et non :** **3ème)*	*Troisièmes : 3es*

...

JE RETIENS

L'adjectif numéral indique le rang. Il prend le genre et le nombre du nom qu'il accompagne.

LE PRONOM

1. LES PROPRIÉTÉS DU PRONOM

Frédéric Back

Frédéric Back

Qui ne connaît pas Frédéric Back ? Peut-être devrait-on demander : «Qui ne connaît pas *L'homme qui plantait des arbres ?*» Champion de l'environnement, Back s'est imposé par la qualité de ses œuvres. Celles-ci lui ont valu de nombreux prix, parmi lesquels deux oscars. Frédéric Back est né en France, mais il habite Montréal depuis 1948. Après *Crac*, *L'homme qui plantait des arbres* et *Le fleuve aux grandes eaux*, tous, amateurs de cinéma ou écologistes, attendent avec impatience la prochaine œuvre. Grâce à cet artiste, les jeunes de chez nous ont contribué à la protection de l'environnement en plantant un arbre dans leur milieu. Il leur a fait comprendre que respecter son milieu immédiat, c'est contribuer à sauver la planète.

J'OBSERVE

Quels noms les mots en couleur remplacent-ils ?

Le mot *celles-ci* remplace le nom *œuvres* ; le mot *lesquels* remplace le nom *prix* ; le mot *il* remplace le groupe nominal *Frédéric Back*.

JE REMARQUE

1 Le mot qui **remplace** un **nom** ou un **groupe nominal** présent dans le contexte s'appelle un **pronom**. L'emploi du pronom permet d'éviter des répétitions :

Back est né en 1924. ***Il*** *est originaire d'Alsace, en France.* (*Il*, pron. pers., remplace le nom *Back*.)

Back travaille à la Société Radio-Canada pour ***laquelle*** *il réalise des films.* (*Laquelle*, pron. rel., remplace le gr. nom. *la Société Radio-Canada*.)

2 Le pronom peut remplir, dans la phrase, la plupart des **fonctions** du **nom** :

Ce film, les amateurs ***l'****ont accueilli avec beaucoup d'enthousiasme.* (*L'* est **COD** du v. *ont accueilli*.)

Souvent, ***ils*** *ont témoigné leur admiration au cinéaste.* (*Ils* est **sujet** du v. *ont témoigné*.)

On *connaît surtout* L'homme **qui** plantait des arbres, *tiré du récit de Jean Giono.* (*On* est **sujet** du v. *connaît* ; *qui* est **sujet** du v. *plantait*.)

3 Le pronom prend le **genre** et parfois le **nombre** du **nom** qu'il remplace. Ce nom s'appelle **antécédent**, pour le **pronom relatif**, et **référent**, pour les **autres pronoms** :

Ses films, parmi ***lesquels*** *on trouve* Crac, *remportent un grand succès.* (*Lesquels* est masc. plur. comme son **ant.** *films*.)

Son œuvre est connue partout. ***Elle*** *a franchi nos frontières.* (*Elle* est fém. sing. comme son **réf.** *œuvre*.)

Parmi les œuvres de Back, je préfère ***celle-ci****.* (*Celle-ci* est fém. sing. ; *œuvres*, son **réf.**, est fém. plur.)

4 On distingue six espèces de pronoms :

a) Le **pronom personnel** :

Frédéric Back parle aux enfants et ***les*** *invite à respecter la nature.*

b) Le **pronom possessif** :
De tous les dessins animés que j'ai vus, je préfère ***les siens****.*

c) Le **pronom démonstratif** :
Parmi les films de Back, je préfère ***celui-ci****.*

d) Le **pronom relatif** :
Le film ***que*** *je viens de voir a été réalisé par Frédéric Back.*

e) Le **pronom indéfini** :
Certains *disent que Back prépare un nouveau film.*

f) Le **pronom interrogatif** :
Parmi ses films, ***lequel*** *as-tu préféré ?*

JE RETIENS

Le pronom remplace habituellement un nom ou un groupe nominal. Son emploi permet d'éviter, entre autres, les répétitions.
Il y a six espèces de pronoms : le pronom personnel, le pronom possessif, le pronom démonstratif, le pronom relatif, le pronom indéfini et le pronom interrogatif.

L'eau, mot court comme rien. Comme moi ou toi ou nous.
Plus c'est court, plus c'est plein de sens.

Charles Soucy

2. LE PRONOM PERSONNEL

Le cinématographe

Les frères Lumière

C'est aux frères Lumière, Louis et Auguste, mais surtout au premier, que nous devons l'invention du cinéma. Louis met au point un appareil de prise de vues et de projection. Il le nomme cinématographe. Le succès lui est assuré. Le 28 décembre 1895 a lieu à Paris la première séance publique de photographies animées. Cette date marque la naissance officielle du cinéma. Les films de Louis Lumière —nous pensons à *La démolition d'un mur* et à *L'arrivée du train* — sont considérés par les connaisseurs comme des spécimens précieux. On y trouve déjà les trucs techniques du cinéma moderne. Louis Lumière est décédé à 84 ans. Il avait réalisé des centaines de films.

J'OBSERVE

Le mot *il* se rencontre à deux reprises dans le texte. Quel mot remplace-t-il ?
Le mot *il* remplace le nom ou le groupe nominal *Louis Lumière.*

JE REMARQUE

1 Le pronom qui indique la **personne grammaticale** s'appelle un **pronom personnel** :
__Nous__ savons aujourd'hui que Louis était un inventeur de génie. (1re pers.)
Son imagination __lui__ a permis de créer de nombreux effets spéciaux. (3e pers.)

2 On distingue **trois personnes grammaticales** :

a) La **première** personne grammaticale désigne la **personne qui parle** :
__Je__ réalise un film. On __me__ voit figurer dans ce court métrage.
Montre-__moi__ ce film.
Louis Lumière __nous__ a laissé de nombreux films.

b) La **deuxième** personne grammaticale désigne la **personne à qui l'on parle** :
__Tu__ mets au point une caméra. Louis __te__ prête son appareil.
Denise a tourné ce film avec __toi__.
__Vous__ inventez de nouveaux effets spéciaux.

c) La **troisième** personne grammaticale désigne la **personne de qui l'on parle** :
__Il__ avait réalisé des centaines de films. Il __les__ a présentés surtout à Paris.
__Elles__ sont venues nombreuses assister aux représentations de «vues animées».
Louis-Frédéric a visionné ce film avec __eux__.

3 Le pronom personnel prend le **genre** du **nom** qu'il remplace (son **référent**) :
Marie, __tu__ connais maintenant Louis Lumière. (Fém. comme son réf. *Marie.*)
André, __tu__ connais maintenant Louis Lumière. (Masc. comme son réf. *André.*)

4 Le pronom personnel est parfois **neutre**, c'est-à-dire qu'il n'est **ni masculin ni féminin**. Dans ce cas, le pronom ne remplace rien ou il remplace une **proposition** :
__Il__ manque trois films au club vidéo. (*Il* est neutre et ne remplace rien.)
Ce film de Lumière est drôle, je te __le__ dis. (*Le* est neutre et remplace la prop. *ce film de Lumière est drôle.*)

2. LE PRONOM PERSONNEL

5 Le pronom personnel prend le **nombre** du **nom** qu'il remplace (son **référent**) :

Nicolas et moi, ***nous*** *sommes des amateurs de cinéma.* (Plur. comme son réf. *Nicolas et moi.*)

Isabelle et Anne-Christine, ***vous*** *aimez les films de Louis Lumière.* (Plur. comme son réf. *Isabelle et Anne-Christine.*)

6 Attention aux pronoms ***nous*** et ***vous*** !

a) ***Nous*** n'est pas le pluriel du pronom *je*. Le pronom *nous* ne désigne pas plusieurs *je*. Il désigne plusieurs personnes **incluant celle qui parle** :

Toi et moi, ***nous*** *allons au cinéma.* (*Nous* désigne la 2e et la 1re pers. : *toi* et *moi*.)

Lui et moi, ***nous*** *allons au cinéma.* (*Nous* désigne la 3e et la 1re pers. : *lui* et *moi*.)

b) ***Vous*** n'est pas le pluriel du pronom *tu*. Le pronom *vous* ne désigne pas plusieurs *tu*. Il désigne plusieurs personnes **incluant celle à qui l'on parle** :

Elle et toi, ***vous*** *aimez les films de Louis Lumière.* (*Vous* désigne la 3e et la 2e pers. : *elle* et *toi*.)

Les élèves et toi, ***vous*** *avez vu le cinématographe au musée.* (*Vous* désigne la 3e et la 2e pers. : *les élèves* et *toi*.)

7 Les pronoms ***nous*** et ***vous*** s'emploient parfois au **singulier** par **politesse** :

a) Un personnage important (le pape, un chef d'État, etc.) utilise parfois le pronom ***nous*** au **singulier** :

Nous *annonçons l'adoption d'une loi sur le cinéma.* (Dit par un chef d'État.)

b) Le pronom ***vous*** s'emploie au **singulier** dans certaines circonstances selon les milieux. On dit alors que l'on **vouvoie**, du verbe *vouvoyer* :

Que puis-je faire pour ***vous****, Madame ?* *Puis-je* ***vous*** *aider, Lysanne ?*

c) À la télévision ou à la radio, la personne qui interviewe dit ***vous*** à ses invités, même si elle les connaît bien :

Mon cher Gregory, ***vous*** *êtes excellent dans ce rôle. Parlez-nous-en.*

*Marina, voulez-****vous*** *nous décrire ce personnage ?*

8 Le mot ***leur*** peut être **déterminant possessif** ou **pronom personnel** :

a) Le mot ***leur*** est **déterminant possessif** s'il **accompagne** un **nom**. Il signifie alors «le sien», «la sienne», «les siens» ou «les siennes» et **varie** :

Elles vont au cinéma avec ***leurs*** *amis.* (*Leurs,* dét. poss. var., signifie «les siens».)

b) Le mot ***leur*** est **pronom personnel** lorsqu'il **remplace** un **nom**. Il se place alors devant le verbe ou après le verbe avec un trait d'union. Il est toujours **invariable** :

Paule rencontre les élèves et ***leur*** *parle du cinéma.* (*Leur,* pron. pers. inv., remplace le nom *élèves*.)

9 Le mot ***en*** peut être **préposition**, **adverbe de lieu** ou **pronom personnel** :

a) Le mot ***en*** est **préposition** s'il **introduit** un **complément** :

Marie voyage ***en*** *avion.* (*En,* prép., introduit le CC *avion*.)

b) Le mot ***en*** est **adverbe de lieu** s'il signifie «**de là**» :
*Viens-tu au cinéma avec nous ? Non, j'**en** arrive.* (*En,* adv. de lieu, signifie «de là».)

c) Le mot ***en*** est **pronom personnel** s'il **remplace** un **nom** et signifie «**de cela**» :
*Je connais ce film. On **en** parle dans ce livre.* (*En,* pron. pers., remplace le nom *film* et signifie «de cela».)

10 Le mot *y* peut être **adverbe de lieu** ou **pronom personnel** :

a) Le mot *y* est **adverbe de lieu** s'il signifie «**là**» :
Vas-tu au cinéma ce soir ? Oui. J'y vais. (*Y,* adv. de lieu, signifie «là».)

b) Le mot *y* est **pronom personnel** s'il **remplace** un **nom** et signifie «**à cela**» :
Que penses-tu de ce film ? J'y réfléchis. (*Y,* pron. pers., remplace le nom *film* et signifie «à cela».)

11 Les mots ***en*** et ***y***, employés après un verbe à l'**impératif**, se joignent au verbe par un **trait d'union**. Au **singulier**, on ajoute un ***s*** euphonique au verbe :

COMPARER :

Vous en parlez.	*Parlez-en.*	*Parlez-nous-en.*
Parle de ce livre.	*Parles-en.*	
Nous y allons.	*Allons-y.*	*Allons-nous-en.*
Va au cinéma.	*Vas-y.*	

12 Le pronom ***on*** présente plusieurs particularités. Traditionnellement considéré comme un pronom indéfini, il est aujourd'hui plutôt classé parmi les **pronoms personnels** :

a) Le pronom ***on*** est toujours **sujet** du **verbe**. Le verbe se met toujours à la **troisième personne** du **singulier** :
***On** dit que ce film de Lumière est drôle.*

b) Habituellement, les **adjectifs** et les **participes passés** s'accordent en **genre** et en **nombre** avec le **référent** du pronom personnel ***on,*** si ce référent est clairement identifié :
***On** est **allées** au cinéma, disent **Nathalie et Violette**.* (Le part. passé *allées* s'accorde avec le pron. sujet *on,* mis pour *Nathalie et Violette,* réf. fém. plur.)
***On** est **allés** au cinéma, disent **Luc et André**.* (Le part. passé *allés* s'accorde avec le pron. sujet *on,* mis pour *Luc et André,* réf. masc. plur.)

c) Pour éviter la rencontre de deux voyelles, le pronom ***on*** est parfois précédé du déterminant ***l'***, après un mot comme *si, qui, que, où* et *ou*. Cet emploi est facultatif :
*Je ne sais pas **si l'on** ira voir ce film.*
Ou : *Je ne sais pas **si on** ira voir ce film.*
*Il paraît **que l'on** présente ce film à la télévision.*
Ou : *Il paraît **qu'on** présente ce film à la télévision.*

d) Attention ! Ne pas confondre les homophones ***on a*** et ***on n'a***.

2. LE PRONOM PERSONNEL

LE PRONOM PERSONNEL		
Personne grammaticale	**Singulier**	**Pluriel**
Première	je j' me m' moi	nous
Deuxième	tu te t' toi	vous
Troisième	il elle on se s' soi lui en y le la l' il (neutre)	ils elles se s' leur eux en y les

13 Le pronom personnel peut remplir toutes les **fonctions** du **nom** :

a) Le pronom personnel peut remplir la fonction de **sujet du verbe** :
__Vous__ aimez le cinéma. (Sujet du v. *aimez.*)

b) Le pronom personnel peut remplir la fonction de **complément d'objet direct du verbe** :
*Ce film, Louis Lumière **le** tourna à Paris.* (COD du v. *tourna.*)

c) Le pronom personnel peut remplir la fonction de **complément d'objet indirect du verbe** :
*Ce film s'adresse à **nous**.* (COI du v. *s'adresse.*)

d) Le pronom personnel peut remplir la fonction d'**attribut** :
*Si j'étais **toi**, j'irais voir ce film.* (Attr. du sujet *j'.*)

e) Le pronom personnel peut remplir la fonction de **complément d'agent du verbe passif** :
*Caroline dit que ce film a bien été réalisé par **elle**.* (Compl. d'agent du v. *a été réalisé.*)

f) Le pronom personnel peut remplir la fonction de **complément circonstanciel du verbe** :
*À cause de **lui**, je ne vais pas au cinéma.* (CC de cause du v. *vais.*)

g) Le pronom personnel peut remplir la fonction de **complément du nom** :
*Une amie à **moi** m'accompagne au cinéma.* (Compl. du nom *amie.*)

h) Le pronom personnel peut remplir la fonction d'**apposition** :
*Laura a aimé ce film, Hélène, **elle**, l'a peu apprécié.* (Appos. au nom *Hélène.*)

i) Le pronom personnel peut remplir la fonction de **complément du pronom** :
*Qui parmi **vous** connaît Louis Lumière ?* (Compl. du pron. *qui.*)

j) Le pronom personnel peut remplir la fonction de **complément de l'adjectif** :
*Je suis fière de **vous**.* (Compl. de l'adj. *fière.*)

k) Le pronom personnel peut remplir la fonction de **complément de l'adverbe** :
Heureusement pour ***nous****, vous nous accompagnez au cinéma.* (Compl. de l'adv. *heureusement.*)

l) Le pronom personnel peut remplir la fonction de **complément du comparatif** :
Ce réalisateur est plus habile que ***moi****.* (Compl. du compar. *plus habile.*)

m) Le pronom personnel peut remplir la fonction de **complément du superlatif** :
La meilleure d'entre ***nous*** *sera récompensée.* (Compl. du superl. *la meilleure.*)

n) Le pronom personnel peut remplir la fonction de **complément du présentatif** :
C'est ***toi*** *qui terminera ce film.* (Compl. du présentatif *c'est... qui.*)

o) Le pronom personnel peut remplir la fonction de **mot en apostrophe** :
Toi*, parle-moi de Louis Lumière.* (Mot en apostr.)

JE RETIENS

Le pronom personnel désigne les êtres en marquant la personne grammaticale. Il prend le genre et le nombre de son référent.
Le pronom personnel remplit toutes les fonctions du nom.

Je regarde la grammaire comme la première partie de l'art de penser.
Étienne Bonnot de Condillac

3. LE PRONOM POSSESSIF

L'animation au cinéma

Le dessin animé est très populaire auprès des jeunes. Chacun a ses préférences. On adore ou on déteste le style de Disney. Pourtant, ses œuvres ont fait le tour du monde. Certains sont portés à croire que seul Disney fait du dessin animé. C'est faux. Bien sûr, sa contribution à l'évolution de cette technique est importante, mais on ne peut pas attribuer aux États-Unis l'exclusivité du dessin animé. Ils ont leurs artisans, c'est vrai. Mais d'autres pays ont aussi les leurs. Le Japon a les siens, qui se sont taillé une place enviable. Nous avons les nôtres : Norman McLaren, Frédéric Back et bien d'autres. Le dessin animé demeure un domaine où l'imagination et la créativité peuvent se donner libre cours.

Un dessin animé

J'OBSERVE

Quel nom les mots en couleur du texte remplacent-ils ?
Les trois mots remplacent le nom *artisans*.

JE REMARQUE

1 Le pronom qui exprime une forme d'**appartenance**, de **possession** est un **pronom possessif** :
Le Japon a **les siens**. (Ses artisans.) *D'autres pays ont* **les leurs**. (Leurs artisans.)

2 Le pronom possessif remplace un **nom** ou un **groupe nominal**. Il porte la marque de la **personne grammaticale** du **possesseur**.

LE PRONOM POSSESSIF				
PERSONNE GRAMMATICALE ET GENRE	**UN POSSESSEUR**		**PLUSIEURS POSSESSEURS**	
	Singulier	**Pluriel**	**Singulier**	**Pluriel**
1re pers. **masc.** 1re pers. **fém.**	le mien la mienne	les miens les miennes	le nôtre la nôtre	les nôtres les nôtres
2e pers. **masc.** 2e pers. **fém.**	le tien la tienne	les tiens les tiennes	le vôtre la vôtre	les vôtres les vôtres
3e pers. **masc.** 3e pers. **fém.**	le sien la sienne	les siens les siennes	le leur la leur	les leurs les leurs

3 Le pronom possessif prend le **genre** du **nom** qu'il remplace (son **référent**) :
Ton dessin est excellent; ***le sien*** *est plutôt médiocre.* (Masc. comme son réf. *dessin.*)
Ta photo est excellente; ***la sienne*** *est plutôt médiocre.* (Fém. comme son réf. *photo.*)

4 Le pronom possessif prend parfois le **nombre** du **nom** qu'il remplace (son **référent**) :
Ton dessin est excellent; ***le sien*** *est plutôt médiocre.* (Sing. comme son réf. *dessin.*)
Tes dessins sont excellents; ***les siens*** *sont plutôt médiocres.* (Plur. comme son réf. *dessins.*)
Tes dessins sont excellents; ***le sien*** *est plutôt médiocre.* (*Le sien*, sing. ; *dessins*, son réf., plur.)

3. LE PRONOM POSSESSIF

5 Le pronom possessif ne comprend que des **formes composées** à cause du **déterminant** qui l'accompagne. Le **déterminant possessif** est toujours **simple** :

Mes films sont des longs métrages ; les tiens, des courts métrages.
dét. poss. (*Mes*) — pron. poss. (*les tiens*)

Vos films parlent de l'environnement ; les nôtres, du sport.
dét. poss. (*Vos*) — pron. poss. (*les nôtres*)

6 Le pronom possessif peut remplir la plupart des **fonctions** du **nom** :

a) Le pronom possessif peut remplir la fonction de **sujet du verbe** :
Mes dessins animés portent sur l'environnement; ***les tiens*** *parlent de la politique.* (Sujet du v. *parlent.*)

b) Le pronom possessif peut remplir la fonction de **complément d'objet direct du verbe** :
Ils présentent leurs films dans les salles de cinéma. Vous présentez ***les vôtres*** *à la télé.* (COD du v. *présentez.*)

c) Le pronom possessif peut remplir la fonction de **complément d'objet indirect du verbe** :
La productrice achète le film de Jacques, mais elle ne s'intéresse pas ***au mien****.* (COI du v. *s'intéresse.*)

d) Le pronom possessif peut remplir la fonction d'**attribut** :
Ce film demeure ***le sien****, même s'il l'a fait en collaboration.* (Attr. du sujet *ce film.*)

e) Le pronom possessif peut remplir la fonction de **complément d'agent du verbe passif** :
Mario n'aime pas le film de Lucie, mais il est fasciné par ***le nôtre****.* (Compl. d'agent du v. *est fasciné.*)

f) Le pronom possessif peut remplir la fonction de **complément circonstanciel du verbe** :
Nous avons trouvé ce film parmi ***les vôtres****.* (CC du v. *avons trouvé.*)

g) Le pronom possessif peut remplir la fonction de **complément du nom** :
Les dessins de ton film sont très colorés, les dessins ***du sien*** *sont plutôt ternes.* (Compl. du nom *dessins.*)

h) Le pronom possessif peut remplir la fonction d'**apposition** :
Ces dessins, ***les tiens*** *surtout, sont superbes.* (Appos. au nom *dessins.*)

i) Le pronom possessif peut remplir la fonction de **complément du pronom** :
Lequel parmi ***les vôtres*** *a été présenté au Festival des films du monde ?* (Compl. du pron. *lequel.*)

j) Le pronom possessif peut remplir la fonction de **complément de l'adjectif** :
Les spectateurs semblent satisfaits de ton film ; ils sont bien déçus ***du nôtre****.* (Compl. de l'adj. *déçus.*)

k) Le pronom possessif peut remplir la fonction de **complément du comparatif**:
Ce film est plus coloré que ***le sien****.* (Compl. du compar. *plus coloré*.)

l) Le pronom possessif peut remplir la fonction de **complément du présentatif**:
C'est ***le tien*** *qui a été primé.* (Compl. du présentatif *c'est... qui*.)

JE RETIENS

Le pronom possessif remplace un nom ou un groupe nominal.
Le pronom possessif porte la marque de la personne grammaticale du possesseur. Il prend le genre et parfois le nombre de son référent.
Le pronom possessif remplit la plupart des fonctions du nom.

La grammaire est l'art de lever les difficultés d'une langue ; mais il ne faut pas que le levier soit plus lourd que le fardeau.
Rivarol

Artistes à l'œuvre

De Chaplin à Spielberg

Entre les images animées de Louis Lumière et celles de Walt Disney, il y a tout un monde. De même, les histoires de Charlie Chaplin semblent si loin de celles de Spielberg. Pourtant, celui-ci aurait-il pu réaliser *Les aventuriers de l'arche perdue* si le petit génie à la canne et au chapeau melon ne l'avait précédé ? Ceux et celles qui suivent de près l'histoire du cinéma savent que les cinéastes d'aujourd'hui ont peu inventé. Le plus souvent, ils ont perfectionné et raffiné ce que les anciens faisaient déjà. Les effets spéciaux du film *E.T., l'extraterrestre* sont plus impressionnants que ceux des films de Chaplin.

J'OBSERVE

Le mot *celles* apparaît trois fois dans le texte. Remplace-t-il toujours le même nom ?

Le premier *celles* remplace le nom *images*; le second remplace le nom *histoires*; le troisième désigne les personnes amateurs de cinéma, sans les nommer.

JE REMARQUE

1 Un mot qui **remplace** un **nom** ou un **groupe nominal** qu'il situe dans le contexte comme en le **montrant** est un **pronom démonstratif** :

L'imagination de Chaplin et ***celle*** *de Spielberg ont marqué le cinéma.* (*Celle* remplace le nom *imagination.*)

Ceux *et* ***celles*** *qui suivent l'histoire du cinéma le savent.* (*Ceux* et *celles* désignent les personnes amateurs de cinéma.)

2 Le pronom démonstratif prend le **genre** du **nom** qu'il remplace (son **référent**) :

Le monde de Disney et ***celui*** *de Chaplin fascinent les jeunes.* (Masc. comme son réf. *monde.*)

Les histoires de Chaplin et ***celles*** *de Spielberg passionnent les cinéphiles.* (Fém. comme son réf. *histoires.*)

3 Certains pronoms démonstratifs sont **neutres**, c'est-à-dire qu'ils ne sont **ni masculins ni féminins**. Ils remplacent alors généralement une **phrase**, une **proposition** ou ce qui a déjà été dit :

Chaplin a marqué le cinéma comique universel. ***Cela*** *est sûr et certain.* (*Cela*, pron. dém. neutre, remplace la phrase *Chaplin a marqué le cinéma comique universel.*)

Tout ***ce*** *que Chaplin a fait pour le cinéma ne peut nous laisser indifférents.* (*Ce*, pron. dém. neutre, remplace la prop. *que Chaplin a fait pour le cinéma.*)

4 Le pronom démonstratif prend parfois le **nombre** du **nom** qu'il remplace (son **référent**) :

Ce film de Spielberg est plus long que ***celui*** *de Chaplin.* (Sing. comme son réf. *film.*)

Ces films sont aussi drôles que ***ceux*** *de Chaplin.* (Plur. comme son réf. *films.*)

Ce film est aussi drôle que ***ceux*** *de Chaplin.* (*Ceux*, plur. ; *film*, son réf., sing.)

4. LE PRONOM DÉMONSTRATIF

5 Selon la **forme**, on distingue :

a) Le pronom démonstratif **simple**, formé d'**un seul mot** :

Ce, celui, celle...

b) Le pronom démonstratif **composé**, formé de **deux mots** :

Celui-ci, celle-ci, celui-là...

6 Le pronom ***ce*** **s'élide** devant le verbe ***être*** commençant par une **voyelle** :

COMPARER :

Ce sont des films de Chaplin.

C'est un film de Chaplin.

LE PRONOM DÉMONSTRATIF					
	SINGULIER			PLURIEL	
FORME	Masculin	Féminin	Neutre	Masculin	Féminin
Simple	celui	celle	ce c' ceci cela ça	ceux	celles
Composée	celui-ci celui-là	celle-ci celle-là		ceux-ci ceux-là	celles-ci celles-là

7 Le pronom démonstratif peut remplir la plupart des **fonctions** du **nom** :

a) Le pronom démonstratif peut remplir la fonction de **sujet du verbe** :

Les films de Chaplin sont drôles. ***Ceux*** *de Spielberg sont parfois tristes.* (Sujet du v. *sont.*)

b) Le pronom démonstratif peut remplir la fonction de **complément d'objet direct du verbe** :

Il a tourné plusieurs films au Texas. Mais il tourna ***celui-ci*** *en Californie.* (COD du v. *tourna.*)

c) Le pronom démonstratif peut remplir la fonction de **complément d'objet indirect du verbe** :

Je ne te parle pas de ***celui-là.*** (COI du v. *parle.*)

d) Le pronom démonstratif peut remplir la fonction d'**attribut** :

Ce film est ***celui*** *que je préfère.* (Attr. du sujet *ce film.*)

e) Le pronom démonstratif peut remplir la fonction de **complément d'agent du verbe passif** :

Ce festival a été organisé par ***celui*** *dont je t'avais parlé.* (Compl. d'agent du v. *a été organisé.*)

f) Le pronom démonstratif peut remplir la fonction de **complément circonstanciel du verbe** :

Tu es passée par cette rue; je suis passée par ***celle-là.*** (CC du v. *suis passée.*)

g) Le pronom démonstratif peut remplir la fonction de **complément du nom** :

Les films du dernier festival étaient bons; les films de ***celui-ci*** *sont assez banals.* (Compl. du nom *films.*)

h) Le pronom démonstratif peut remplir la fonction d'**apposition** :
*Les comédiennes, **celles-ci** surtout, ont beaucoup de talent.* (Appos. au nom *comédiennes.*)

i) Le pronom démonstratif peut remplir la fonction de **complément du pronom** :
*Lesquels parmi **ceux-ci** jouent dans ce film ?* (Compl. du pron. *lesquels.*)

j) Le pronom démonstratif peut remplir la fonction de **complément de l'adjectif** :
*Spielberg est satisfait de **ceux** et **celles** qui jouent dans ce film.* (Compl. de l'adj. *satisfait.*)

k) Le pronom démonstratif peut remplir la fonction de **complément du comparatif** :
*Ce film est plus récent que **celui** de Chaplin.* (Compl. du compar. *plus récent.*)

l) Le pronom démonstratif peut remplir la fonction de **complément du superlatif** :
*Ce court métrage est le plus drôle de **ceux** que tu as tournés.* (Compl. du superl. *le plus drôle.*)

m) Le pronom démonstratif peut remplir la fonction de **complément du présentatif** :
*C'est **cela**.* (Compl. du présentatif *c'est.*)

JE RETIENS

Le pronom démonstratif remplace un nom ou un groupe nominal et le situe dans le contexte en le montrant. Il prend le genre et parfois le nombre de son référent.
Le pronom démonstratif remplit la plupart des fonctions du nom.

Celui qui écrit lit deux fois.
Proverbe latin

5. LE PRONOM RELATIF

Les contes pour tous

Rock Demers

Rock Demers, qui est le producteur de la série de films intitulée *Contes pour tous*, est un enseignant qui a décidé de se lancer dans le domaine du cinéma pour enfants. Plusieurs de ces films ont connu un succès retentissant, parmi lesquels se trouvent *La guerre des tuques* et *La grenouille et la baleine*. L'une des préoccupations de ce producteur est de prouver que l'on peut émouvoir avec de belles histoires sans violence. Un autre principe dont Rock Demers est profondément convaincu, c'est qu'un film pour enfants doit être de qualité s'il veut respecter le public auquel il s'adresse. Les nombreux prix que les *Contes pour tous* ont remportés dans le monde ont confirmé leur qualité.

J'OBSERVE

Le pronom *auquel* remplace le nom *public*. A-t-il, dans la phrase, la même fonction que ce nom ?

Non. Le nom *public* est complément d'objet direct du verbe *respecter* ; le pronom *auquel* est complément d'objet indirect du verbe *s'adresse*.

JE REMARQUE

1 Le **pronom relatif** joue **deux rôles** dans la phrase :

a) Comme **pronom**, il **remplace** un **nom** ou un **groupe nominal**, qui est son **antécédent** :

Rock Demers, ***qui*** *produit les* Contes pour tous, *a une formation d'enseignant.* (*Qui* remplace *Rock Demers*.)

b) Comme **pronom relatif**, il **relie** une proposition **subordonnée relative** à son **antécédent** :

Le conte ***que*** *je préfère est* La grenouille et la baleine. (*Que* relie la sub. *que je préfère* à l'ant. *conte*.)

2 La subordonnée relative est toujours **complément du nom de l'antécédent** :

Le conte ***que*** *je préfère est* La grenouille et la baleine. (La sub. rel. *que je préfère* est compl. du nom *conte*, ant. de *que*.)

3 Le pronom relatif prend le **genre** du nom qu'il remplace (son **antécédent**) :

Le comédien ***auquel*** *je pense joue admirablement.* (Masc., comme son ant. *comédien*.)

La comédienne ***qui*** *joue dans ce film est extraordinaire.* (Fém., comme son ant. *comédienne*.)

4 Le pronom relatif prend le **nombre** du nom qu'il remplace (son **antécédent**) :

La comédienne ***à laquelle*** *je pense joue admirablement.* (Sing., comme son ant. *comédienne*.)

Les films ***que*** *l'on présente sont drôles.* (Plur., comme son ant. *films*.)

5. LE PRONOM RELATIF

5 Selon la **forme**, on distingue :

a) Le pronom relatif **simple**, formé d'**un seul mot** :

Qui, que, dont...

b) Le pronom relatif **composé**, formé de **plusieurs mots**, parfois soudés :

Lequel (*le* + *quel* soudés en *lequel*) ; *auxquels* (*aux* + *quels* soudés en *auxquels*)...

6 Le pronom relatif ***que* s'élide** devant une **voyelle** ou un ***h* muet** :

*Le film **que** tu as vu était excellent.*
*Le film **qu'**elle a vu était excellent.*
*Le film **qu'**Hélène a vu était excellent.*

7 Le pronom ***quiconque*** est considéré comme un **pronom relatif** sans antécédent ou comme un **pronom indéfini** :

a) ***Quiconque*** est toujours au **singulier** et, habituellement, au **masculin**, comme les mots qui s'accordent avec lui :

***Quiconque** est allé voir ce film en revient satisfait.* (Les mots *allé* et *satisfait* s'accordent avec *quiconque*, masc. sing.)

b) Parfois, le **contexte** peut exiger le **féminin** :

***Quiconque** parmi vous, Mesdames, est allée voir ce film en revient satisfaite.* (Les mots *allée* et *satisfaite* s'accordent avec *quiconque*, qui est toujours **singulier**. Ils sont au féminin à cause de *Mesdames*.)

8 Le pronom ***quiconque*** remplit toujours **deux fonctions** grammaticales dans deux propositions distinctes :

***Quiconque** verra ce film sera satisfait.* (*Quiconque* est **sujet** du v. *verra* et **sujet** du v. *sera*.)

*Cette cinéaste promet beaucoup de plaisir à **quiconque** verra son film.* (*Quiconque* est **COI** du v. *promet* et **sujet** du v. *verra*.)

<table>
<tr><th colspan="5">LE PRONOM RELATIF</th></tr>
<tr><th>FORME</th><th colspan="2">Masculin ou féminin</th><th colspan="2">Singulier ou pluriel</th></tr>
<tr><td>Simple</td><td colspan="2">qui que qu' quoi
dont où quiconque</td><td colspan="2">qui que qu'
quoi dont où</td></tr>
<tr><td rowspan="3">Composée</td><th colspan="2">SINGULIER</th><th colspan="2">PLURIEL</th></tr>
<tr><th>Masculin</th><th>Féminin</th><th>Masculin</th><th>Féminin</th></tr>
<tr><td>lequel
auquel
duquel</td><td>laquelle
à laquelle
de laquelle</td><td>lesquels
auxquels
desquels</td><td>lesquelles
auxquelles
desquelles</td></tr>
</table>

9 Ne pas confondre ! Le **pronom relatif** et le **pronom interrogatif** ont souvent une forme semblable :

a) Le **pronom relatif** introduit toujours une **subordonnée relative complément du nom** (l'antécédent) :

*Demers, **qui a produit ce film**, a une formation d'enseignant.* (*Qui*, pron. rel., introduit la sub. rel. compl. du nom *Demers*.)

b) Le **pronom interrogatif** introduit une **subordonnée complétive complément du verbe** :

Caroline se demande ***qui a produit ce film****.* (*Qui*, pron. int., introduit la sub. complét. COD du v. *se demande.*)

10 Le pronom relatif peut remplir la plupart des **fonctions** du **nom** :

a) Le pronom relatif peut remplir la fonction de **sujet du verbe** :

Rock Demers, ***qui*** *est producteur, est un enseignant.* (Sujet du v. *est.*)

b) Le pronom relatif peut remplir la fonction de **complément d'objet direct du verbe** :

Le film ***que*** *l'on présente ce soir est l'un des* Contes pour tous. (COD du v. *présente.*)

c) Le pronom relatif peut remplir la fonction de **complément d'objet indirect du verbe** :

Le film ***dont*** *nous parlons est l'un des* Contes pour tous. (COI du v. *parlons.*)

d) Le pronom relatif peut remplir la fonction d'**attribut** :

La cinéaste ***que*** *tu es devenue a réussi à nous émerveiller.* (Attr. du sujet *tu.*)

e) Le pronom relatif peut remplir la fonction de **complément d'agent du verbe passif** :

Le film par ***lequel*** *tu as été fasciné est l'un des* Contes pour tous. (Compl. d'agent du v. *as été fasciné.*)

f) Le pronom relatif peut remplir la fonction de **complément circonstanciel du verbe** :

Le festival ***où*** *ce film a été présenté est terminé.* (CC du v. *a été présenté.*)

g) Le pronom relatif peut remplir la fonction de **complément du nom** :

Ce film ***dont*** *il est le producteur est de la série des* Contes pour tous. (Compl. du nom *producteur.*)

h) Le pronom relatif peut remplir la fonction de **complément de l'adjectif** :

C'est un sujet ***auquel*** *je suis sensible.* (Compl. de l'adj. *sensible.*)

JE RETIENS

Le pronom relatif remplace un nom ou un groupe nominal appelé antécédent. Il prend le genre et le nombre de son antécédent.
Le pronom relatif relie une proposition subordonnée relative à son antécédent.
Le pronom relatif remplit la plupart des fonctions du nom.

6. LE PRONOM INDÉFINI

Claude Jutra

Claude Jutra

Claude Jutra est considéré comme l'un des fondateurs du cinéma canadien contemporain. Il entreprend d'abord des études de médecine, qu'il quitte bientôt pour la comédie. On le retrouve avec le cinéaste Norman McLaren dans la réalisation du film *Il était une chaise*. Puis viennent les longs métrages: *À tout prendre*, en 1963, et *Mon oncle Antoine*, en 1970, mettant en vedette nul autre que Jean Duceppe. En 1973, c'est *Kamouraska*. Son dernier film s'intitule *La Dame en couleur*. En 1984, le prix cinématographique québécois Albert-Tessier venait couronner son talent. Claude Jutra, ce brillant cinéaste québécois, est mort en 1986, dans des circonstances restées mystérieuses. Personne ne doute que Jutra a marqué à jamais la jeune histoire de notre cinéma.

J'OBSERVE

Le mot *personne* désigne-t-il quelqu'un en particulier?
Non. On ne peut pas dire de façon précise de qui il s'agit.

JE REMARQUE

1 Un pronom qui exprime d'une façon **imprécise** l'**identité** ou la **quantité** est un **pronom indéfini** :
__Plusieurs__ parmi nous ont vu Kamouraska *à la télévision.* (Quantité : *plusieurs* ne désigne pas un nombre précis.)

2 Le pronom indéfini **varie** habituellement en **genre** et en **nombre**:

a) ***Rien, personne*** et ***tout le monde*** sont toujours au **masculin singulier** :
Cette cinéaste n'a __rien__ fait de mieux que ce film.
__Personne__ n'est arrivé en retard au cinéma.
Je suis sûr que __tout le monde__ viendra voir ce film. (Et non **viendront*.)

b) ***Aucun, chacun*** et ***nul*** sont toujours au **singulier**. Ils **varient** en **genre**:
__Aucun__ de vous ne ratera ce film magnifique!
J'invite au cinéma __chacun__ et __chacune__ d'entre vous.
__Nulle__ parmi vous, mes amies, ne doit se priver de cinéma.

c) ***Plusieurs*** est toujours **pluriel** :
__Plusieurs__ parmi mes amis ont apprécié Kamouraska.

3 Parfois, le même mot peut être **pronom indéfini** ou **déterminant indéfini** :

a) Le **pronom indéfini** est toujours employé **seul** :
__Plusieurs__ disent que Kamouraska *est le meilleur film de Jutra.* (*Plusieurs,* pron. ind., employé seul.)

b) Le **déterminant indéfini accompagne** toujours un **nom** :
__Plusieurs__ critiques disent que Kamouraska *est le meilleur film de Jutra.* (*Plusieurs,* dét. ind., accompagne le nom *critiques*.)

4 Le pronom ***on*** présente plusieurs particularités. Dans la plupart des ouvrages, on le classe parmi les **pronoms personnels** :

a) ***On*** est toujours **sujet** du **verbe**. Le verbe se met toujours à la **troisième personne** du **singulier** :

On dit que Kamouraska *est le meilleur film de Jutra.*

b) Habituellement, les **adjectifs qualificatifs** et les **participes passés** s'accordent en **genre** et en **nombre** avec le **référent** du pronom personnel ***on***, si ce référent est clairement identifié :

On *est* ***allées*** *au cinéma, disent* ***Édith et Lily****.* (Le part. passé *allées* s'accorde avec le pron. sujet *on,* mis pour *Édith et Lily,* réf. fém. plur.)

On *est* ***allés*** *au cinéma, disent* ***Luc et André****.* (Le part. passé *allés* s'accorde avec le pron. sujet *on,* mis pour *Luc et André,* réf. masc. plur.)

c) Attention ! Ne pas confondre les homophones ***on a*** et ***on n'a***.

5 Selon la **forme**, on distingue :

a) Le pronom indéfini **simple**, formé d'**un seul mot** :

Aucun, nul, personne, plusieurs...

b) Le pronom indéfini **composé**, formé de **plusieurs mots** :

La plupart, d'aucuns, quelqu'un, je ne sais qui...

LES PRINCIPAUX PRONOMS INDÉFINIS		
SINGULIER		
Masculin	**Féminin**	**EXEMPLE**
aucun	aucune	***Aucune*** *n'a vu ce film.*
nul	nulle	***Nul*** *n'a vu le cinéaste.*
chacun	chacune	***Chacun*** *et* ***chacune*** *d'entre vous ont dû voir ce film.*
pas un	pas une	***Pas une*** *parmi vous ne doute de son talent.*
personne		***Personne*** *n'est venu !*
rien		***Rien*** *ne m'empêchera de voir* À tout prendre*!*
autrui		*Le bien d'****autrui*** *appartient à* ***autrui.***
tout		***Tout*** *réussit à Claude Jutra.*
je ne sais qui		***Je ne sais qui*** *jouait ce rôle.*
je ne sais quoi		*Tu m'as dit* ***je ne sais quoi*** *sur ce film.*
tout le monde		***Tout le monde*** *a apprécié* Mon oncle Antoine.
PLURIEL		
Masculin	**Féminin**	**EXEMPLE**
plusieurs	plusieurs	***Plusieurs*** *seront présents ce soir.* ***Plusieurs*** *seront présentes ce soir.*
la plupart	la plupart	***La plupart*** *seront charmés.* ***La plupart*** *seront charmées.*
quelques-uns	quelques-unes	***Quelques-uns*** *seront emballés.* ***Quelques-unes*** *seront emballées.*
tous	toutes	***Tous*** *seront intéressés.* ***Toutes*** *seront intéressées.*

6 Le pronom indéfini peut remplir la plupart des **fonctions** du **nom** :

a) Le pronom indéfini peut remplir la fonction de **sujet du verbe** :
__Plusieurs__ admirent le talent de Jutra. (Sujet du v. *admirent.*)

b) Le pronom indéfini peut remplir la fonction de **complément d'objet direct du verbe** :
Elle a rencontré __quelqu'un__ au cinéma. (COD du v. *a rencontré.*)

c) Le pronom indéfini peut remplir la fonction de **complément d'objet indirect du verbe** :
Jutra parle de __tout__ dans ses films. (COI du v. *parle.*)

d) Le pronom indéfini peut remplir la fonction de c**omplément d'agent du verbe passif** :
Ce film a tout de même été réalisé par __quelqu'un__ ! (Compl. d'agent du v. *a été réalisé.*)

e) Le pronom indéfini peut remplir la fonction de **complément circonstanciel du verbe** :
Pour __plusieurs__, Claude Jutra est un grand cinéaste. (CC du v. *est.*)

f) Le pronom indéfini peut remplir la fonction de **complément du nom** :
Ce film de __je ne sais qui__ est d'une banalité incroyable. (Compl. du nom *film.*)

g) Le pronom indéfini peut remplir la fonction d'**apposition** :
Marie, Violette, Andrée, __toutes__ ont vu ce film. (Appos. aux noms *Marie, Violette, Andrée.*)

h) Le pronom indéfini peut remplir la fonction de **complément de l'adjectif** :
Je suis fière de __tous__. (Compl. de l'adj. *fière.*)

i) Le pronom indéfini peut remplir la fonction de **complément de l'adverbe** :
Heureusement pour __plusieurs__, ce film restera à l'affiche. (Compl. de l'adv. *heureusement.*)

j) Le pronom indéfini peut remplir la fonction de **complément du superlatif** :
Ce film est le plus intéressant de __tous__. (Compl. du superl. *le plus intéressant.*)

JE RETIENS

Le pronom indéfini exprime une quantité ou une identité imprécise.
Le pronom indéfini varie parfois en genre ou en nombre.
Le pronom indéfini remplit la plupart des fonctions du nom.

7. LE PRONOM INTERROGATIF

Les cinéastes québécoises

Paule Baillargeon

Au cinéma, comme dans plusieurs domaines longtemps réservés aux hommes, des femmes ont pris une place importante. Laquelle d'entre elles a été la première ? Difficile à dire. Certaines ont mené de front la carrière de comédienne et celle de cinéaste. C'est le cas de Micheline Lanctôt, réalisatrice de *Sonatine*, et de Paule Baillargeon, qui a fait *Sonia* et *Le sexe des étoiles*. Anne-Claire Poirier, dont *Mourir à tue-tête* a connu un grand succès, et Mireille Dansereau, avec *La vie rêvée*, poursuivent une carrière fructueuse à l'Office national du film. Qui vient de s'ajouter à cette somme impressionnante de talents ? Léa Pool, sans doute.

J'OBSERVE

Quel signe de ponctuation termine les phrases commençant par les mots en couleur ?

Ces deux phrases se terminent par un point d'interrogation.

JE REMARQUE

1 La **phrase interrogative** comprend un **mot** qui sert à **poser une question** :

a) Parfois le **mot interrogatif** est un **adverbe**, comme *où, quand, comment, pourquoi, combien...* :

__Quand__ as-tu vu le film d'Anne-Claire Poirier ? (*Quand*, adv. int.)

b) Si le mot interrogatif **accompagne** un **nom**, c'est un **déterminant interrogatif** :

__Quel__ film de Mireille Dansereau as-tu vu ? (*Quel*, dét. int.)

c) Si le mot interrogatif est **seul**, il s'agit alors d'un **pronom interrogatif** :

__Qui__ est la réalisatrice de La femme de l'hôtel *? C'est Léa Pool, voyons !* (*Qui*, pron. int.)

2 Le pronom interrogatif prend le **genre** du **nom** qu'il remplace (son **référent**) :

Parmi ces réalisateurs, __lesquels__ ont fait un court métrage ? (Masc., comme son réf. *réalisateurs*.)

Parmi ces réalisatrices, __lesquelles__ ont fait un court métrage ? (Fém., comme son réf. *réalisatrices*.)

3 Le pronom interrogatif prend parfois le **nombre** du **nom** qu'il remplace (son **référent**) :

__Lesquelles__ de ces cinéastes préfères-tu ? (Plur., comme son réf. *cinéastes*.)

__Laquelle__ de ces cinéastes préfères-tu ? (*Laquelle*, sing.; *cinéastes*, son réf., plur.)

4 L'**interrogation** peut être **directe** ou **indirecte** :

a) L'interrogation **directe** se termine par un **point d'interrogation** :

__Qui__ parmi vous a vu Le sourd dans la ville *de Mireille Dansereau ?*

b) L'interrogation **indirecte** se trouve dans une proposition **subordonnée complétive**. Elle ne se termine **jamais** par un **point d'interrogation** :

Je me demande __qui__ parmi vous a vu Le sourd dans la ville.

7. LE PRONOM INTERROGATIF

5 Le **pronom interrogatif** ressemble souvent au **pronom relatif** :

a) Le **pronom interrogatif** sert à poser une **question**, mais non le pronom relatif :

COMPARER :

Qui terminera son film la première ? (Interrogation directe : pron. int.)

Je me demande qui terminera son film la première. (Interrogation indirecte : pron. int.)

Léa Pool, qui a terminé son film la première, a connu un grand succès. (Pas d'interrogation : pron. rel.)

b) Le **pronom interrogatif** introduit une proposition **subordonnée complétive complément du verbe**. Le **pronom relatif** introduit une proposition **subordonnée relative complément du nom** :

COMPARER :

Je me demande qui terminera son film la première. (*Qui,* pron. int., introduit la sub. complét. COD du v. *me demande.*)

Nathalie, qui a terminé son film la première, a connu un grand succès. (*Qui,* pron. rel., introduit la sub. rel. compl. du nom *Nathalie.*)

6 Selon la **forme**, on distingue :

a) Le pronom interrogatif **simple**, formé d'**un seul mot** : *qui, que* et *quoi* :

Que *fait Paule Baillargeon dans ce film ?*

Je me demande ***qui*** *Anne-Claire Poirier choisira pour interpréter ce rôle.*

b) Le pronom interrogatif **composé**, formé d'un **déterminant** et du mot ***quel*** : *lequel, auquel,* etc. (déterminants *le* et *au* soudés au mot *quel*) ; *lesquelles, auxquelles,* etc. (déterminants *les* et *aux* soudés au mot *quelles*) :

Tu te demandes ***laquelle*** *de ces cinéastes a tourné* Le sexe des étoiles.

c) À cela s'ajoutent les **formes renforcées** par la locution interrogative ***qui est-ce*** ou ***qu'est-ce*** : *qui est-ce qui, qui est-ce que, qu'est-ce qui, qu'est-ce que* :

Qui est-ce qui *sera la vedette de ce film ?*

LE PRONOM INTERROGATIF				
	FORME COMPOSÉE			
	SINGULIER		PLURIEL	
FORME SIMPLE	Masculin	Féminin	Masculin	Féminin
qui	lequel	laquelle	lesquels	lesquelles
que	auquel	à laquelle	auxquels	auxquelles
quoi	duquel	de laquelle	desquels	desquelles

7 Le pronom interrogatif peut remplir la plupart des **fonctions** du **nom** :

a) Le pronom interrogatif peut remplir la fonction de **sujet du verbe** :

Qui *joue le rôle principal dans* La femme de l'hôtel *? C'est Louise Marleau.* (Sujet du v. *joue.*)

b) Le pronom interrogatif peut remplir la fonction de **complément d'objet direct du verbe** :

Que *faire d'intéressant aujourd'hui ? Aller au cinéma, bien sûr !* (COD du v. *faire.*)

c) Le pronom interrogatif peut remplir la fonction de **complément d'objet indirect du verbe**:
Mireille Dansereau se demande à ***qui*** *elle confiera ce rôle.* (COI du v. *confiera.*)

d) Le pronom interrogatif peut remplir la fonction d'**attribut** :
La réalisatrice ne sait pas ***qui*** *vous êtes.* (Attr. du sujet *vous.*)

e) Le pronom interrogatif peut remplir la fonction de **complément d'agent du verbe passif**:
Par ***qui*** *le film a-t-il été réalisé?* (Compl. d'agent du v. *a été réalisé.*)

JE RETIENS

Le pronom interrogatif sert à poser des questions.
Le pronom interrogatif prend le genre et parfois le nombre de son référent.
Le pronom interrogatif remplit la plupart des fonctions du nom.

Un mot et tout est sauvé
Un mot et tout est perdu.
André Breton

LE VERBE

1. LES PROPRIÉTÉS DU VERBE

Alexander G. Bell

L'invention du téléphone

Le téléphone est une invention qui a révolutionné le mode de vie de l'humanité. Tout le monde le sait, on doit le téléphone à Alexander Graham Bell. Originaire d'Écosse, Bell suit ses parents au Canada et s'installe avec eux en Ontario. Il a vingt-trois ans. Bell entreprend ensuite sa carrière d'enseignant auprès des enfants sourds. Les problèmes de la surdité lui sont familiers, car sa mère et sa femme sont sourdes. À la suite d'expériences sur la transmission du son, Bell invente le téléphone. Il émigre aux États-Unis où il souhaite commercialiser son invention. Bell est un inventeur de génie. Il a contribué à l'avancement de l'aéronautique. Au début du XXe siècle, Bell a réussi le premier vol canadien à Baddeck, en Nouvelle-Écosse. C'est là qu'il meurt en 1922.

J'OBSERVE

Qu'ont en commun les verbes en couleur ?

Ils sont tous formés de deux mots.

JE REMARQUE

1 Le **verbe** est le **noyau** de la **phrase**. On l'appelle parfois le «moteur» de la phrase. Le **verbe** forme, avec les **compléments d'objet** ou l'**attribut**, le **groupe verbal** :

*Bell **travaille**.* (Gr. verb. : v. seul.)
*Bell **invente le téléphone**.* (Gr. verb. : v. et COD.)
*Le téléphone **est une grande invention**.* (Gr. verb. : v. et attr.)

2 Selon le **sens**, on distingue le **verbe d'état** et le **verbe d'action** :

a) Le **verbe d'état** exprime une **manière d'être** :
*Bell **deviendra** célèbre grâce à son invention.* (*Deviendra,* v. d'état.)

b) Traditionnellement, on appelle tous les autres verbes des **verbes d'action** :
*Graham Bell **émigre** aux États-Unis.* (*Émigre,* v. d'action.)

3 Selon la **syntaxe**, on distingue le **verbe transitif** et le **verbe intransitif** :

a) Employé **avec** un **complément d'objet**, le verbe est **transitif** :
*Monique **installe** un téléphone.* (V. avec COD, v. trans.)
*Monique **parle** de l'invention.* (V. avec COI, v. trans.)

b) Employé **sans complément d'objet**, le verbe est **intransitif** :
*Bell **émigre** aux États-Unis.* (V. sans compl. d'objet, v. intrans.)

4 Selon la **forme** du verbe, on distingue les catégories de verbes suivantes qui s'opposent deux à deux :

a) La voix **active** s'oppose à la voix **passive**. À la voix **active**, le **sujet fait l'action** exprimée par le **verbe**. À la voix **passive**, le **complément d'agent fait l'action** exprimée par le **verbe** :
*Bell **invente** le téléphone.* (*Invente,* v. à la voix active.)
*Le téléphone **est inventé** par Bell.* (*Est inventé,* v. à la voix passive.)

b) La forme **pronominale** s'oppose à la forme **non pronominale**. Le verbe **pronominal** est toujours accompagné d'un **pronom personnel complément** de la **même personne grammaticale** que le **sujet** :

*Maude **s'installe** dans sa nouvelle maison.* (*S'installe,* v. pron.)
*Maude **installe** un téléphone.* (*Installe,* v. non pron.)

c) La forme **personnelle** s'oppose à la forme **impersonnelle**. Employé avec le **pronom personnel neutre *il***, le verbe est **impersonnel**. Employé avec tout autre sujet, le verbe est personnel :

*Bell suit ses parents, il **vient** au Canada.* (*Vient,* v. pers. ; *il* remplace *Bell.*)
*Il **vient** un temps où Bell est connu.* (*Vient,* v. impers. ; *il* est neutre.)

5 Lorsque les verbes *avoir* et *être* servent seulement à **conjuguer** le verbe à des **temps composés**, on les appelle des verbes **auxiliaires** :

*Le téléphone **a révolutionné** la vie des gens.* (V. *révolutionner,* ind. passé comp. avec aux. *avoir.*)
*Son invention **est utilisée** dans le monde entier.* (V. *utiliser,* ind. prés., voix passive avec aux. *être.*)

6 La **conjugaison** présente l'ensemble des **formes** que prend un **verbe** selon le **mode**, le **temps** et la **personne** :

a) Le **mode** du verbe exprime le **point de vue** sous lequel l'action du verbe est considérée. L'infinitif et l'indicatif sont deux modes parmi d'autres :

*Bell s'est fait **connaître** par son invention.* (Mode inf.)
*Lucie **connaît** l'histoire de cette invention.* (Mode ind.)

b) Le **temps** du verbe situe l'action du verbe dans le **présent**, dans le **passé** ou dans l'**avenir**. Le présent et l'imparfait sont deux temps parmi d'autres :

*Sa mère et sa femme **étaient** sourdes.* (Temps imp.)
*Sa mère et sa femme **sont** sourdes.* (Temps prés.)

c) La **personne grammaticale** du verbe désigne les **interlocuteurs**. Ainsi on parle de la **première**, de la **deuxième** ou de la **troisième** personne grammaticale, au **singulier** ou au **pluriel** :

***Tu** as visité Baddeck.* (2e pers. sing.)
***Nous** avons visité Baddeck.* (1re pers. plur.)

JE RETIENS

Le verbe est le noyau de la phrase. Il forme, avec les compléments d'objet ou l'attribut, le groupe verbal.
Selon le sens, la syntaxe ou la forme, on distingue plusieurs propriétés du verbe.

2. LES VERBES D'ÉTAT ET D'ACTION

Un paratonnerre

L'invention du paratonnerre

Benjamin Franklin est un homme à l'esprit curieux. On le voit tantôt homme de science et écrivain, tantôt imprimeur et politicien. L'électricité **demeure** pour lui un domaine passionnant. À la suite d'expériences diverses, il constate que la foudre n'est qu'une puissante décharge électrique attirée vers la terre. Il veut y faire échec. Franklin **devient**, en 1752, l'inventeur du paratonnerre. Une simple pointe de cuivre au bout d'une longue tige de métal liée à la terre. Il suffisait d'y penser ! Plus tôt, il avait eu l'idée de la première bibliothèque par abonnement aux États-Unis. Homme politique influent, il a participé à la rédaction de la Déclaration d'indépendance de son pays.

J'OBSERVE

Pourrait-on remplacer les deux verbes en couleur par le verbe *être* sans changer le sens fondamental de la phrase ?

Oui. Les deux verbes peuvent être remplacés par le verbe *être*.

JE REMARQUE

1 Selon le **sens**, on distingue le **verbe d'état** et le **verbe d'action** :

*L'électricité **demeure** pour lui un domaine passionnant.* (*Demeure,* v. d'état.)
*En 1752, Franklin **invente** le paratonnerre.* (*Invente,* v. d'action.)

2 Les **verbes d'état** expriment une **manière d'être**. Les verbes d'état les plus fréquents sont *être, paraître, sembler, devenir, rester, demeurer, avoir l'air*. On les appelle aussi les **verbes du type *être*** parce qu'ils peuvent toujours être remplacés par le verbe *être* :

COMPARER :
L'électricité demeure pour lui un domaine passionnant.
L'électricité est pour lui un domaine passionnant.

3 Le **verbe du type *être*,** ou **verbe d'état**, introduit généralement un **attribut** :

*Franklin est **un homme curieux**.* (*Un homme curieux,* attr. introduit par le v. *est*.)
*Il devient **inventeur**.* (*Inventeur,* attr. introduit par le v. *devient*.)

4 Certains **verbes d'action** peuvent parfois s'employer comme **verbes d'état**. Ils introduisent alors un **attribut** :

a) Le verbe d'état peut être un verbe d'action employé à la voix active, comme *tomber, déclarer, croire, nommer...* :

*Franklin **tombe** amoureux de la science.* (*Tombe,* v. d'état.)

b) Le verbe d'état peut être un verbe d'action employé à la voix passive, comme *choisir, considérer, élire, juger...* :

*Le paratonnerre **est considéré** comme une grande invention.* (*Est considéré,* v. d'état.)

c) Le verbe d'état peut être un verbe d'action employé à la forme pronominale, comme *s'appeler, se révéler, se trouver, se prendre pour...* :

*Franklin **se révèle** un esprit curieux.* (*Se révèle,* v. d'état.)

2. LES VERBES D'ÉTAT ET D'ACTION

5 Traditionnellement, on appelle les autres verbes des **verbes d'action**. En réalité, le verbe d'action exprime un **mouvement** (*sauter, marcher*), une **activité intellectuelle** (*réfléchir, comprendre*), une **sensation** (*voir, entendre*), un **sentiment** (*aimer, haïr*), une **action** (*travailler, participer*) :

*Franklin **a participé** à la rédaction de la Déclaration d'indépendance de son pays.*
(*A participé,* v. d'action.)

JE RETIENS

Selon le sens, on distingue les verbes d'état et les verbes d'action.
Les verbes d'état, ou verbes du type *être,* expriment une manière d'être. Ils introduisent généralement un attribut.
Les verbes d'action expriment un mouvement, une activité intellectuelle, une sensation, un sentiment ou une action.

Il rendait les mots utiles : il avait l'art de les mouiller, les rouler, les accoler les uns aux autres pour en tirer espoir.
Jacques Godbout

3. LES VERBES TRANSITIF ET INTRANSITIF

Marie Curie et Irène Joliot-Curie

Une femme de science

Marie Sklodowska est d'origine polonaise. Elle **rencontre** Pierre Curie qu'elle épousera en 1895. Passionné de science, le couple se lance dans la recherche. Il **travaille** avec acharnement et **découvre** le radium, un élément chimique radioactif. Grâce à cette découverte, le traitement du cancer fera un pas de géant. Marie Curie se voit propulsée au sommet de la gloire lorsqu'on **attribue** au couple le prix Nobel de physique. Sa passion pour la science, Marie Curie l'a transmise à sa fille, Irène. Celle-ci est devenue célèbre sous le nom d'Irène Joliot-Curie.

J'OBSERVE

Quel verbe en couleur n'a pas de complément d'objet direct ?
C'est le verbe *travaille*.

JE REMARQUE

1 Selon la **syntaxe**, c'est-à-dire selon la construction de la phrase, le verbe est **transitif** ou **intransitif** :
*Marie **rencontre** Pierre Curie.* (*Rencontre,* v. trans.)
*Elle **travaille** avec acharnement.* (*Travaille,* v. intrans.)

2 Le verbe **transitif** se construit **avec** un **complément d'objet** :

a) Employé **avec** un **complément d'objet direct**, le verbe est **transitif direct** :
*Marie Curie **découvre** le radium.* (V. trans. direct.)
COD (le radium)

b) Employé **avec** un **complément d'objet indirect**, le verbe est **transitif indirect** :
*Marie **parle** de sa découverte.* (V. trans. indirect.)
COI (sa découverte)

c) Employé à la fois **avec** un **COD** et un **COI**, le verbe est **transitif direct et indirect** :
*Marie Curie **transmet** sa passion à sa fille.* (V. trans. direct et indirect.)
COD (sa passion) COI (sa fille)

3 Le verbe **intransitif** se construit **sans complément d'objet** :
*Marie Curie **meurt** en 1934.* (Pas de COD ni de COI, v. intrans.)
CC (1934)

4 Un même verbe peut se construire de plus d'une façon :

a) Un **verbe transitif** peut s'employer **sans complément**. On parle alors de **construction absolue** d'un verbe transitif :
*Ce traitement **guérit** le cancer.* (Trans. direct avec COD.)
*Ce traitement **guérit**.* (Construction absolue, sans COD.)

3. LES VERBES TRANSITIF ET INTRANSITIF

b) Un même verbe peut se construire de deux façons, l'une **transitive directe**, et l'autre **transitive indirecte** :

COMPARER :

Sarah manque le train de Paris. (Trans. direct.)

Sarah manque d'argent. (Trans. indirect.)

QUELQUES VERBES HABITUELLEMENT TRANSITIFS DIRECTS				
abîmer	admirer	conduire	imiter	porter
acheter	aimer	démolir	jeter	ravir
achever	balayer	flatter	placer	recevoir

QUELQUES VERBES HABITUELLEMENT TRANSITIFS INDIRECTS				
abuser	aspirer	convenir	parler	profiter
adhérer	contrevenir	coopérer	penser	rêver
appartenir	contribuer	manquer	plaire	succéder

QUELQUES VERBES HABITUELLEMENT INTRANSITIFS				
aller	badiner	briller	devenir	paresser
apparaître	bavarder	croître	grogner	partir
babiller	bondir	décamper	jaillir	voyager

JE RETIENS

Selon la syntaxe, le verbe est transitif ou intransitif.
Le verbe est transitif direct s'il a un complément d'objet direct.
Le verbe est transitif indirect s'il a un complément d'objet indirect.
Le verbe est intransitif s'il n'a pas de complément d'objet.

Louis Braille

L'alphabet braille

Louis Braille naît en France en 1809. Il perd la vue accidentellement à l'âge de trois ans. À l'école, Louis se révèle un élève très doué et travailleur. C'est dans un établissement pour enfants non voyants que Louis Braille entreprend une carrière d'enseignant. Il se rend vite compte que l'accès à la culture est interdit à ces enfants s'ils ne réussissent pas à lire. En cinq ans de travail acharné, Louis Braille crée l'alphabet qui porte son nom. Une série de points en relief représente chaque lettre. La personne non voyante effleure les points du bout des doigts et peut ainsi lire un texte. En 1852, Louis Braille est emporté par la tuberculose. Mais déjà, son œuvre était reconnue.

J'OBSERVE

Qu'ont en commun les verbes en couleur ?

Ils sont conjugués avec l'auxiliaire *être*.

JE REMARQUE

1 Le verbe **transitif direct** peut prendre deux formes qui s'opposent l'une à l'autre : la **voix active** s'oppose à la **voix passive** :

Il ***crée*** *un alphabet pour les personnes non voyantes.* (*Crée,* v. à la voix active.)

Cet alphabet ***a été créé*** *par Louis Braille.* (*A été créé,* v. à la voix passive.)

2 Le verbe à la **voix active** répond aux caractéristiques suivantes :

a) Le verbe à la voix active a souvent un **complément d'objet direct** :

Louis Braille ***invente*** *un alphabet.* (V. à la voix active.)

(*un alphabet* : COD)

b) Le **sujet** du verbe à la voix active fait l'**action** exprimée par le **verbe** :

Louis Braille ***invente*** *un alphabet.*

(*Louis Braille* : sujet)

(V. à la voix active : c'est le sujet, *Louis Braille,* qui invente.)

3 Le verbe à la **voix passive** répond aux caractéristiques suivantes :

a) Le verbe à la **voix passive** est conjugué avec l'auxiliaire ***être*** et le **participe passé** du verbe que l'on conjugue :

COMPARER :

Louis Braille invente un alphabet. (V. à la voix active, sans aux. *être*.)

Un alphabet est inventé par Louis Braille. (V. à la voix passive, avec aux. *être*.)

b) Le **sujet** du verbe à la **voix active** devient **complément d'agent** du verbe à la **voix passive** :

COMPARER :

La tuberculose emporte Louis Braille. (V. à la voix active.)

(*La tuberculose* : sujet)

Louis Braille est emporté par la tuberculose. (V. à la voix passive.)

(*la tuberculose* : compl. d'agent)

c) Le **complément d'objet direct** du verbe à la **voix active** devient **sujet** du verbe à la **voix passive** :

COMPARER :

Louis Braille invente un alphabet. (V. à la voix active.)
COD

Un alphabet est inventé par Louis Braille. (V. à la voix passive.)
sujet

4 Le **participe passé** du verbe à la **voix passive** s'accorde toujours en **genre** et en **nombre** avec le **sujet du verbe** :

Cet alphabet ***a été inventé*** *par Louis Braille.* (*Inventé,* masc. sing. comme le sujet *cet alphabet.*)
Cette méthode ***a été inventée*** *par les élèves.* (*Inventée,* fém. sing. comme le sujet *cette méthode.*)

5 Le **complément d'agent** du verbe à la **voix passive** est toujours introduit par une **préposition**. Les plus fréquentes sont ***par*** et ***de*** :

Louis Braille fut emporté ***par*** *la tuberculose.*
Louis Braille était admiré ***de*** *tous.*

6 Le **complément d'agent** du verbe à la **voix passive** n'est pas toujours exprimé dans la phrase :

COMPARER :

Avant sa mort, son œuvre était reconnue par beaucoup de monde. (Compl. d'agent exprimé.)
Avant sa mort, son œuvre était reconnue. (Compl. d'agent non exprimé.)

JE RETIENS

Selon la forme, on distingue le verbe à la voix active et le verbe à la voix passive.
Le verbe à la voix active a souvent un complément d'objet direct. Le sujet du verbe à la voix active fait l'action exprimée par le verbe.
Le verbe à la voix passive se conjugue toujours avec l'auxiliaire *être* et le participe passé du verbe que l'on conjugue. À la voix passive, c'est le complément d'agent qui fait l'action exprimée par le verbe.

Joseph-Armand Bombardier

La motoneige

Dès son plus jeune âge, Joseph-Armand Bombardier s'intéresse à la mécanique. Jouer avec des outils, démonter des moteurs, c'est ce qui se révèle très tôt son passe-temps favori. À quinze ans, il construit un véhicule bizarre : une espèce de traîneau muni d'une hélice et de skis en bois, qui se déplace grâce à un vieux moteur Ford. Bombardier cherche un appareil plus pratique, plus léger. Avec le temps, un travail acharné et l'assistance de ses frères, il réussit à résoudre les nombreux problèmes techniques. En mars 1959, Bombardier et ses amis se promènent dans les rues de Valcourt, en Estrie, dans un véhicule à chenille, devenu la motoneige. L'inventeur s'éteint cinq ans plus tard, en 1964.

J'OBSERVE

Quelle est la nature du mot qui précède immédiatement les verbes en couleur ?
Il s'agit du pronom personnel *se* ou *s'*.

JE REMARQUE

1 La forme pronominale s'oppose à la forme non pronominale. Le verbe qui se construit avec un **pronom personnel complément** de la **même personne grammaticale** que le **sujet** est un **verbe pronominal** :

COMPARER :

Bombardier s'intéresse à la mécanique. (*S'*, pron. pers. compl. 3e pers. sing. *Bombardier,* sujet 3e pers. sing. Même pers. gramm. : *s'intéresse,* v. pron.)

La motoneige m'intéresse. (*M'*, pron. pers. compl. 1re pers. sing. *La motoneige,* sujet 3e pers. sing. Pers. gramm. différentes : *intéresse,* v. non pron.)

La motoneige intéresse les amateurs de plein air. (Sans pron. pers. compl. de la même pers. gramm. : *intéresse,* v. non pron.)

2 Selon la **personne grammaticale**, le pronom personnel complément est ***me***, ***te***, ***se***, ***nous*** ou ***vous***. Le *e* s'élide devant une voyelle ou un *h* muet :

*Je **me** promène, tu **te** promènes, il **se** promène, nous **nous** promenons, vous **vous** promenez.*
*Je **m'**intéresse, tu **t'**intéresses, vous **vous** intéressez, elles **s'**intéressent.*
*Je **m'**habille, tu **t'**habilles, il **s'**habille, nous **nous** habillons.*

3 Certains verbes sont **toujours pronominaux**. Le pronom complément ne peut pas être supprimé :

*Les enfants **se prélassent** dans la nature.* (Le pron. *se* ne peut pas être supprimé.)

QUELQUES VERBES TOUJOURS PRONOMINAUX					
absenter (s')	ébattre (s')	enfuir (s')	exclamer (s')	moquer (se)	réfugier (se)
abstenir (s')	écrier (s')	entraider (s')	extasier (s')	parjurer (se)	repentir (se)
affairer (s')	efforcer (s')	envoler (s')	lamenter (se)	prélasser (se)	soucier (se)
aller (s'en)	emparer (s')	évader (s')	méfier (se)	rebeller (se)	souvenir (se)

5. LES FORMES PRONOMINALE ET NON PRONOMINALE

4 Certains verbes sont **parfois pronominaux**. Il arrive que le **sens** du **verbe** soit alors **différent** :

Louis-Frédéric et sa sœur ***se promènent*** *en motoneige.* (V. pron.)
Anne-Christine ***promène*** *son frère en motoneige.* (V. non pron.)
Denise ***s'aperçoit*** *de son erreur.* (V. pron. : sens de «constater».)
Denis ***aperçoit*** *Annie en motoneige.* (V. non pron. : sens de «voir».)

QUELQUES VERBES PARFOIS PRONOMINAUX			
Verbe	**Exemple**	**Verbe**	**Exemple**
Attendre	*Luc* ***attend*** *le train.* *Luc* ***s'attend*** *à tout.*	Éteindre	*Elle* ***éteint*** *la bougie.* *Elle* ***s'éteint*** *à soixante ans.*
Déchirer	*Linda* ***déchire*** *sa feuille.* *Linda et Luc* ***se déchirent.***	Flatter	*Dahlia* ***flatte*** *son chat.* *Dahlia* ***se flatte*** *d'avoir réussi.*
Défendre	*Lucie* ***défend*** *sa sœur.* *Lucie* ***se défend*** *bien.*	Prendre	*Il* ***prend*** *l'autobus ce soir.* *Il* ***se prend*** *pour un autre.*
Entendre	*Andrée* ***entend*** *un bruit.* *Luc et Andrée* ***s'entendent*** *bien.*	Travailler	*Sa mère* ***travaille*** *au Forum.* *Cette argile* ***se travaille*** *bien.*

5 L'accord du **participe passé** du **verbe pronominal** suit les règles suivantes :

a) Pour le verbe qui est **toujours pronominal**, le **participe passé** s'accorde avec le **sujet du verbe** :

Ses amis se sont ***efforcés*** *de l'appuyer.* (*Efforcés,* masc. plur. comme le sujet *ses amis.*)

b) Pour le verbe qui est **parfois pronominal**, le **participe passé** s'accorde comme s'il était un participe passé employé avec ***avoir***, c'est-à-dire avec le **COD** lorsqu'il est placé **avant** le **participe** :

6 *Les concurrentes se sont* ***couvertes*** *de gloire.* (Ont couvert **qui** ? **Se**. *Se,* COD placé avant le participe : accord du part. passé.)
Elle s'est ***acheté*** *une motoneige.* (A acheté **quoi** ? **Une motoneige**. *Une motoneige,* COD placé après le participe : part. passé inv.)

Aux **temps composés**, le verbe pronominal se conjugue toujours avec l'auxiliaire ***être***.

COMPARER :
Raymonde s'est avancée en motoneige. (V. pron.)
Raymonde a avancé la motoneige. (V. non pron.)

JE RETIENS

Le verbe pronominal se construit avec un pronom complément qui est à la même personne grammaticale que le sujet.
Le participe passé du verbe toujours pronominal s'accorde avec le sujet.
Le participe passé du verbe parfois pronominal s'accorde avec le COD lorsqu'il est placé avant le participe.

6. LES FORMES PERSONNELLE ET IMPERSONNELLE

L'avion de Clément Ader

L'avion

Clément Ader est né en France en 1841. Devenu ingénieur, Ader s'intéresse au déplacement aérien à l'aide d'un appareil mécanique. Il construit une machine munie de deux ailes inspirées de celles de la chauve-souris géante. Il lui faut un nom. Il choisit le mot *avion*, formé sur le mot latin *avis*, signifiant «oiseau». Les expériences de l'inventeur connaissent peu de succès. En octobre 1890, son premier vol s'effectue à la hauteur d'une vingtaine de centimètres et ne dépasse pas cinquante mètres de distance. Ce n'est pas là un exploit déterminant. Il n'en est pas moins vrai que Clément Ader a sa place dans l'histoire de l'aviation moderne.

J'OBSERVE

Le mot *il* remplace-t-il toujours *Clément Ader* dans le texte ?

Non. Dans les expressions *il lui faut* et *il n'en est pas moins vrai*, le mot *il* ne remplace ni *Clément Ader* ni autre chose.

JE REMARQUE

1 La forme **personnelle** s'oppose à la forme **impersonnelle** :

a) Les **verbes personnels** sont ceux qui se conjuguent à différentes **personnes grammaticales** :

COMPARER :

Je construis un avion. (1re pers. sing.)
Clément Ader construit un avion. (3e pers. sing.)
Nous construisons un avion. (1re pers. plur.)
Construisez un avion. (2e pers. plur.)
Elles construisent un avion. (3e pers. plur.)

b) Les **verbes impersonnels** sont ceux qui ne s'emploient qu'à la **troisième personne du singulier** avec le pronom personnel **neutre *il*** :

Il *s'agit d'une invention importante.*
Il *lui faut un nom.*

2 **Le pronom personnel neutre *il*** ne sert qu'à la conjugaison :

a) Le pronom neutre *il* ne remplace rien et ne peut pas se remplacer par un autre mot :

COMPARER :

Ader est devenu ingénieur. Il crée le premier avion. (Le pron. *il* remplace *Ader*.)
Il faut un premier avion. (Le pron. *il* est neutre et ne remplace rien.)

b) Le pronom neutre *il* n'est **pas** vraiment **sujet**. On ne peut pas le mettre en évidence à l'aide du présentatif *c'est... qui*, comme tout autre sujet :

COMPARER :

Ader construit un avion. C'est Ader qui construit un avion.
Il construit un avion. C'est lui qui construit un avion.
Il manque un avion dans le hangar. (On ne peut pas mettre *il* en évidence.)

c) Traditionnellement, le **pronom neutre** est appelé **sujet apparent** du **verbe impersonnel**. Ce qui suit le verbe devient alors le **sujet réel** :
Il manque un avion. (*Il*, sujet apparent du v. *manque*. *Un avion*, sujet réel.)

3 Certains verbes sont essentiellement **impersonnels** :

a) Les verbes qui désignent les phénomènes atmosphériques :
Il pleut. Il neige. Il vente. Il grêle. Il tonne.

b) Les verbes qui ne sont employés que comme **impersonnels** : *falloir, advenir, s'ensuivre, s'agir...* :
*Il **faut** le dire : il **s'agit** du premier avion.*

c) Les verbes employés dans certaines locutions idiomatiques ou expressions figées :
*Il **fait** beau. Il **était** une fois un inventeur. Il **y va de** sa vie. Il **y a** de nombreuses inventions.*

4 Certains verbes essentiellement **impersonnels** peuvent être employés au sens **figuré** comme des verbes **personnels** :

COMPARER :
Il pleut depuis deux jours. (V. impers.)
Les louanges pleuvent sur Clément Ader. (V. pers.)

5 Certains verbes **personnels** peuvent être employés comme des verbes **impersonnels** :

COMPARER :
Un accident est arrivé. (*Est arrivé*, v. pers.)
Il est arrivé un accident. (*Est arrivé*, employé comme v. impers.)

6 Le **participe passé** du **verbe impersonnel** est toujours **invariable** :

COMPARER :
Lors de ce vol, il est survenu une tempête. (V. impers. : part. passé inv.)
Lors de ce vol, une tempête est survenue. (V. pers. : part. passé var.)

JE RETIENS

Le verbe personnel se conjugue à différentes personnes grammaticales.
Le verbe impersonnel ne s'emploie qu'à la troisième personne du singulier avec le pronom personnel neutre *il*.
Le participe passé du verbe impersonnel est toujours invariable.

7. LES VERBES AUXILIAIRES

La lunette de Galilée

Le télescope

Mieux connu sous le nom de Galilée, Galileo Galilei, ce génial physicien italien, a décidé, en 1609, de se tourner vers l'astronomie. La même année, il avait inventé la lunette astronomique, qui était adaptée d'une longue-vue. Ainsi est né l'ancêtre de notre télescope. Avec cet appareil rudimentaire, Galilée a observé la Lune. Il en a découvert le relief. Au fil des ans, il a percé les secrets de Vénus et des satellites de Jupiter. Galilée a été le premier à repérer les taches solaires. Ses théories scientifiques, en avance sur son temps, lui ont attiré la condamnation de l'Église. Les autorités religieuses de l'époque ont cru que ces découvertes contredisaient la Bible.

J'OBSERVE

Quel est l'infinitif de chacun des verbes en couleur ?

Il s'agit des verbes *décider, inventer, naître, découvrir* et *croire.*

JE REMARQUE

1 Les verbes ***être*** et ***avoir*** jouent deux rôles distincts dans la phrase. Leur premier rôle est d'être un **verbe** :

a) Employé **seul**, ***être*** est un **verbe d'état**. Il introduit généralement un **attribut** et il a un sens propre :

Vénus ***est*** *dans notre système solaire.* (V. *être,* sens plus ou moins précis de «exister».)

Galilée ***était*** *un astronome de génie.* (V. *être,* introduit l'attr. *un astronome de génie.*)

b) Le verbe ***avoir*** s'emploie le plus souvent avec un **COD** ou dans une **locution verbale**. Il a alors un sens qui lui est propre :

Galilée ***avait*** *une passion, l'astronomie.* (V. *avoir,* sens plus ou moins précis de «posséder».)

Galilée ***avait envie*** *d'en savoir toujours davantage.* (Loc. verbale, sens de «désirer».)

2 Lorsqu'ils servent simplement à **conjuguer** un verbe, ***avoir*** et ***être*** sont des **auxiliaires**. Ils n'ont plus alors de sens propre. Ils précèdent le participe passé du verbe que l'on conjugue :

COMPARER :

Galilée était un grand savant. Il avait de grandes ambitions. (V. *être* et v. *avoir.*)

Galilée était attiré par l'astronomie. Il a inventé le télescope. (Aux. *être* et aux. *avoir.*)

3 L'**auxiliaire** ***avoir*** s'emploie dans la conjugaison des **temps composés** de la plupart des verbes. À l'indicatif, par exemple, les temps composés sont le plus-que-parfait, le passé composé, le passé antérieur et le futur antérieur :

Il ***avait inventé*** *la lunette astronomique.* (Ind. p.-q.-p.)

Galilée ***a eu*** *des difficultés avec l'Église.* (Ind. passé comp.)

Quand il ***eut exposé*** *sa théorie, il eut des ennuis avec l'Église.* (Ind. passé ant.)

Il ***aura été*** *l'un des plus grands savants de son temps.* (Ind. fut. ant.)

7. LES VERBES AUXILIAIRES

4 L'**auxiliaire *être*** s'emploie dans la conjugaison dans les cas suivants :

a) À tous les temps de la conjugaison des verbes à la **voix passive** :
*La lunette de Galilée **était adaptée** d'une longue-vue.*

b) Aux **temps composés** des **verbes pronominaux** :
*Galilée **s'est attiré** la condamnation de l'Église.*

c) Aux **temps composés** de certains verbes à la **voix active** :
*L'astronomie **est devenue** populaire depuis quelques années.*
*France **est allée** à l'observatoire avec son amie.*

5 Certains verbes s'emploient, aux **temps composés**, avec l'auxiliaire ***avoir*** ou l'auxiliaire ***être***, mais dans un **sens différent** :

COMPARER :
Galilée est monté dans son observatoire. (Sens de «s'est déplacé vers un lieu».)
Galilée a monté son appareil sur le toit. (Sens de «a transporté quelque chose».)

6 On forme les **temps composés** en conjuguant l'auxiliaire au **temps simple** et au **mode** qui conviennent et en le plaçant **devant** le **participe passé** du verbe que l'on conjugue :

*J'**ai observé** les étoiles.* (Mode ind. ; temps passé comp. ; temps de l'aux., prés.)
*Tu **avais observé** les étoiles.* (Mode ind. ; temps p.-q.-p. ; temps de l'aux., imp.)

7 Quelques **verbes** sont employés avec un **infinitif** et apportent une précision sur le **déroulement** de l'action. On les appelle les **semi-auxiliaires**. Les plus fréquents sont les verbes ***aller*** et ***venir*** :

*Jacques **va visiter** le Planétarium de Montréal.* (L'aux. *va* indique que l'action, *visiter*, se fera dans un avenir prochain : futur proche.)
*Lise **vient de sortir** de l'observatoire.* (L'aux. *vient* indique que l'action, *sortir*, a eu lieu : passé récent.)

JE RETIENS

Quand les verbes *avoir* et *être* servent seulement à la conjugaison, on les appelle auxiliaires. L'auxiliaire est alors suivi du participe passé du verbe que l'on conjugue.

8. LE RADICAL ET LA TERMINAISON

Alfred Nobel

La dynamite

Le nom d'Alfred Nobel est surtout connu pour le prix qui **porte** son nom. Il est né en Suède, en 1833, d'une famille d'industriels. Doué d'une intelligence supérieure et d'une capacité de travail et de création hors pair, il **inventa** la dynamite, dont il perfectionna la formule. La production industrielle largement répandue et les usages multiples que l'on a pu en faire ont apporté la fortune à l'inventeur. À sa mort, survenue en 1896, il lègue un héritage colossal à ce qui **deviendra** la Fondation Nobel. Celle-ci a pour mission de récompenser les gens qui «**auront** apporté les plus grands bienfaits à l'humanité».

J'OBSERVE

Dans les mots en couleur, quelle partie indique le temps du verbe ou la personne grammaticale ?

C'est la partie finale du verbe : *-e*, *-a*, *-ra* et *-ront*.

JE REMARQUE

1 La **partie finale** du verbe s'appelle la **terminaison** :

COMPARER :
*Nobel invent**a** la dynamite.*
*Louis-Frédéric invent**ait** un outil.*
*Anne-Christine invent**erait** un nouvel appareil.*
*Les chimistes invent**èrent** une nouvelle formule.*

2 La **terminaison** est la partie du verbe qui **varie** :

a) La terminaison varie selon la **personne grammaticale** :

COMPARER :
*Nobel perfectionn**e** la formule.* (3e pers. sing.)
*Vous perfectionn**ez** la formule.* (2e pers. plur.)
*Elles perfectionn**ent** la formule.* (3e pers. plur.)

b) La terminaison varie selon le **temps** :

COMPARER :
*Son invention lui apport**e** la fortune.* (Temps prés.)
*Son invention lui apport**a** la fortune.* (Temps passé.)
*Son invention lui apport**era** la fortune.* (Temps fut.)

c) La terminaison varie selon le **mode** :

COMPARER :
*Nobel a voulu récompens**er** les gens.* (Mode inf.)
*Nobel récompens**e** les gens.* (Mode ind.)
*Nobel récompens**erait** les gens.* (Mode cond.)

3 Le **radical** est la partie du verbe qui reste lorsqu'on enlève la terminaison. On dit parfois, pour simplifier, que le radical est la partie **qui ne change pas** :

a) Certains verbes ont **un seul radical** dans toute leur conjugaison. C'est le cas pour la plupart des verbes en ***-er***, le groupe le plus nombreux en français :
Elle ***invent****e, que vous* ***invent****iez, tu* ***invent****ais.* (Le radical *invent-* ne change pas.)

b) D'autres verbes ont **plusieurs radicaux**. Les verbes qui ont le plus grand nombre de radicaux sont les verbes les plus fréquents en français : *faire, devenir, aller, avoir, être, devoir.* On trouve toujours le radical en enlevant la terminaison :
Verbe *faire : tu* ***fai****s, vous* ***fait****es, elles* ***f****ont, nous* ***f****erons, elles* ***f****irent, nous* ***fais****ons...*
Verbe *devenir : tu* ***devien****s, elle* ***deviend****ra, nous* ***deven****ons, elles* ***devienn****ent, il* ***devin****t...*
Verbe *devoir : je* ***doi****s, tu* ***dev****ais, elles* ***doiv****ent, nous* ***d****ûmes...*

4 Attention aux radicaux de certains verbes :

a) Les verbes en *-yer* changent le *y* en *i* devant un *e* muet :
Tu envoies, ils noieront..., **mais** *il se noyait.*
Il paye ou *il paie,* **mais** *il payait.*

b) Quelques verbes en *-eler* et *-eter* changent le *e* de l'avant-dernière syllabe en *è* devant une syllabe muette. Ce sont les verbes *acheter, fureter, geler, haleter, modeler* et *peler* :
Elle achète, elle achètera..., **mais** *nous achetons.*
Il pèle, il pèlera..., **mais** *nous pelons.*

c) Tous les autres verbes en *-eler* et *-eter* doublent la consonne devant une syllabe muette :
*Tu rappe**ll**es, tu rappe**ll**eras...,* **mais** *nous rappe**l**ons.*
*Il reje**tt**e, il reje**tt**era...,* **mais** *vous reje**t**ez.*

JE RETIENS

Le verbe conjugué comprend deux parties : le radical et la terminaison.
La terminaison varie selon la personne grammaticale, le temps ou le mode.
Le radical est ce qui reste quand on enlève la terminaison.

Charles H. Best et Frederick Banting

La découverte de l'insuline

Médecin militaire canadien, Frederick Banting commence, après la Première Guerre mondiale, à s'intéresser à la maladie du diabète. Ensuite, il devient chercheur à l'Université de Toronto, où il va entreprendre de longues et patientes recherches avec son assistant Charles Herbert Best. Ils font des expériences nombreuses sur des animaux. Cela ne va pas sans leur attirer des ennuis. Leur devoir, pensent-ils, est de poursuivre leurs recherches malgré tout. En 1921, Banting injecte à un chien dans le coma une solution qui l'empêche de mourir. Cette solution, les deux chercheurs l'appelleront *insuline*. Cette hormone sauvera par la suite la vie de millions de personnes.

J'OBSERVE

La terminaison est-elle la même pour tous les verbes en couleur ?

Non. *Entreprendre* se termine par *-re, attirer,* par *-er* et *mourir,* par *-ir*.

JE REMARQUE

1 Selon la **terminaison** de l'**infinitif**, on classe les verbes en **trois groupes**. Ce classement est très utile pour la conjugaison du verbe :

a) Les verbes du **premier groupe** sont les verbes en ***-er***. C'est le groupe qui rassemble la plupart des verbes, soit plusieurs milliers :

*Banting commence à **s'intéresser** à la maladie du diabète.*
*Cela ne va pas sans leur **attirer** des ennuis.*

b) Les verbes du **deuxième groupe** sont les verbes en ***-ir*** dont le **participe présent** est en ***-issant***. Ce groupe ne compte que quelques centaines de verbes :

*L'insuline permet de **rétablir** le taux de sucre dans le sang.* (Inf., *rétabl**ir***; part. prés., *rétabl**issant***.)
*Le chien était dans le coma. Il fallut **agir** vite.* (Inf., *ag**ir***; part. prés., *ag**issant***.)

c) **Tous** les **autres verbes** sont du **troisième groupe**. Ce groupe réunit les verbes en ***-re***, en ***-oir*** et en ***-ir*** dont le **participe présent** est en ***-ant*** :

*Banting décide d'**entreprendre** de longues recherches.* (V. du 3e gr. en ***-re***.)
*Best et Banting veulent **voir** les résultats de leurs recherches.* (V. du 3e gr. en ***-oir***.)
*L'injection empêche le chien de **mourir**.* (V. du 3e gr. en ***-ir***. Inf., *mour**ir***; part. prés., *mour**ant***.)

2 Les verbes et auxiliaires ***être*** et ***avoir*** ne font partie d'aucun des trois groupes. Chacun a sa propre conjugaison.

3 Dans certains ouvrages, on classe le verbe *aller* dans les verbes du troisième groupe à cause de sa conjugaison irrégulière. Dans le présent ouvrage, on l'intègre au premier groupe comme tous les verbes en *-er*.

9. LES GROUPES DE VERBES

LES GROUPES DE VERBES					
Groupe	**Infinitif**	**Exemple**			
Premier	*-er*	*aimer* *chanter*	*espérer* *fêter*	*habiller* *indiquer*	*louer* *nager*
Deuxième	*-ir* (part. prés. en *-issant*)	*abolir* *chérir*	*finir* *haïr*	*périr* *régir*	*rôtir* *unir*
Troisième	*-re*	*battre* *dire*	*faire* *naître*	*peindre* *rire*	*rompre* *vivre*
	-oir	*asseoir* *devoir*	*pleuvoir* *pouvoir*	*savoir* *valoir*	*voir* *vouloir*
	-ir (part. prés. en *-ant*)	*courir* *cueillir*	*dormir* *fuir*	*partir* *sentir*	*tenir* *venir*

JE RETIENS

Selon la terminaison de l'infinitif, on classe les verbes en trois groupes.
Le premier groupe comprend tous les verbes en *-er*.
Le deuxième groupe comprend les verbes en *-ir* dont le participe présent est en *-issant*.
Le troisième groupe comprend les verbes en *-re*, en *-oir* et en *-ir* dont le participe présent est en *-ant*.

Ce n'est pas sur la découverte qu'il faut s'extasier, mais bien sur le découvreur car c'est lui qui est nouveau, l'objet trouvé existait avant.

Serge Deyglun

10. LES MODES DU VERBE

La locomotive de Trevithick

La première locomotive

L'inventeur de la première locomotive à vapeur est un Anglais du nom de Richard Trevithick. Il n'avait que trente ans lorsqu'il breveta son invention. Ce nouveau mode de transport, pensait-il, serait de première utilité pour le minerai. À cette époque, les mines constituaient la principale richesse de la Grande-Bretagne. Au cours d'une démonstration, en 1804, la locomotive de Trevithick sème l'étonnement en tirant dix tonnes de minerai et plus de soixante-dix hommes sur une distance d'environ quinze kilomètres. L'inventeur caressait d'autres projets, mais, à la suite de revers financiers, il lui fallut s'exiler en Amérique du Sud. Cependant, il mourut dans son pays en 1833.

J'OBSERVE

Quelle différence y a-t-il entre les verbes en couleur ?

Deux d'entre eux ne sont pas conjugués à une personne grammaticale : les verbes *tirant* et *s'exiler* ; les deux autres sont conjugués à la troisième personne du singulier : les verbes *breveta* et *serait.*

JE REMARQUE

1 Le **mode du verbe** exprime le **point de vue**, l'angle sous lequel l'action du verbe est considérée :

*Il **breveta** son invention.* (Mode ind., fait certain.)
*Ce mode de transport **serait** utile.* (Mode cond., hypothèse.)

2 On distingue les **modes personnels** et les **modes impersonnels** :

a) Les **modes personnels** se **conjuguent** à différentes personnes grammaticales :
*La locomotive **tire** dix tonnes de minerai.* (Mode ind.)
*L'inventeur veut que tous **viennent** voir sa locomotive.* (Mode subj.)

b) Les **modes impersonnels** ne se **conjuguent pas** aux diverses personnes grammaticales :
*Trevithick doit **s'exiler**.* (Mode inf.)
*En **inventant** la locomotive, il rendait un immense service.* (Mode part.)

3 Les **modes personnels** sont au nombre de **quatre** : l'**indicatif**, le **subjonctif**, le **conditionnel** et l'**impératif** :

a) Le point de vue du **mode indicatif**, c'est généralement de présenter l'action du verbe comme un **fait certain**, **réel**, quel que soit le moment où elle se passe :
*Anne-Christine **s'approche** de la locomotive. Je la **conduirai** un jour, dit-elle.* (Faits certains.)

b) Le point de vue du **mode subjonctif**, c'est généralement de présenter l'action du verbe comme simplement **possible**, mais **incertaine**, limitée à la pensée :
*L'inventeur souhaite que sa locomotive **parvienne** jusqu'au village voisin.* (Fait possible, mais incertain.)

c) Le point de vue du **mode conditionnel**, c'est généralement de présenter l'action du verbe comme **hypothétique** ou dépendant d'une **condition** :
Si je voulais, je ***conduirais*** *la locomotive.* (Dépend d'une condition.)

d) Le point de vue du **mode impératif**, c'est généralement de présenter l'action du verbe comme un **conseil**, un **ordre**, une **prière** :
Transportez *ce minerai en locomotive.* (Ordre.)

4 Les **modes impersonnels** sont au nombre de **deux** : l'**infinitif** et le **participe** :

a) Le point de vue du **mode infinitif**, c'est, pour ainsi dire, de **nommer** l'action du verbe sans la situer dans le temps. L'infinitif est comme le **nom du verbe** :
Il lui a fallu ***s'exiler*** *en Amérique du Sud.* (Inf.)

b) Le point de vue du **mode participe**, c'est de montrer l'action **pendant** son déroulement. Le participe est la forme **adjective du verbe**. Le **participe présent** est **toujours invariable**. Le **participe passé** peut **varier** :
Criant *de joie, la foule acclame l'inventeur.* (Part. prés.)
La foule a ***crié*** *de joie.* (Part. passé.)

LES MODES DU VERBE			
		Point de vue	**Exemple**
Mode personnel	Indicatif	Fait certain	*Lucie* ***parle*** *à l'inventeur.*
	Subjonctif	Fait possible	*Je veux qu'elle* ***parle*** *à l'inventeur.*
	Conditionnel	Fait hypothétique (condition)	*Elle* ***parlerait*** *à l'inventeur si tu le lui demandais.*
	Impératif	Ordre	***Parle*** *à l'inventeur.*
Mode impersonnel	Infinitif	Nom du verbe	*Il désire lui* ***parler****.*
	Participe présent	Forme adjective du verbe	*La locomotive s'avance,* ***provoquant*** *la surprise.*
	Participe passé		*Louise a* ***parlé*** *à l'inventeur.*

JE RETIENS

Le mode du verbe indique le point de vue, l'angle sous lequel l'action du verbe est considérée.
On distingue les modes personnels et les modes impersonnels.
Les modes personnels sont l'indicatif, le subjonctif, le conditionnel et l'impératif.
Les modes impersonnels sont l'infinitif et le participe.

11. LES TEMPS DU VERBE

L'ampoule d'Edison

L'ampoule électrique

Thomas Alva Edison fut, sans contredit, l'un des grands inventeurs de son temps. Autodidacte de génie, il créa son propre système de télégraphie. Parmi les savants qui ont précédé Edison, plusieurs ont cherché un moyen d'utiliser l'électricité pour l'éclairage. Mais la solution la plus pratique, celle qui deviendra la plus populaire, est l'ampoule électrique de Thomas Edison. Sa première démonstration publique, en 1879, se révéla éloquente. La concurrence amena Edison à commercialiser son invention. C'est ainsi qu'il a fondé une industrie. Ce célèbre inventeur américain est mort en 1931.

J'OBSERVE

Quel est l'infinitif de chacun des verbes en couleur ?

L'infinitif de chacun de ces verbes est *créer, devenir* et *mourir.*

JE REMARQUE

1 Le **temps du verbe** est un ensemble de formes qui fournissent plusieurs renseignements sur le verbe :

a) Le temps du verbe indique **quand** se déroule l'action du verbe. Il la situe sur la **ligne du temps**, dans le **passé**, le **présent** ou le **futur** :

Edison ***fut*** *un grand inventeur.*

	passé	présent	futur
Ligne du temps	x ***fut***		→

Edison ***fonde*** *sa propre industrie.*

	passé	**présent**	futur
Ligne du temps		x ***fonde***	→

L'ampoule électrique ***deviendra*** *populaire.*

	passé	présent	**futur**
Ligne du temps			x ***deviendra*** →

b) Le temps du verbe permet de savoir où en est rendue l'action du verbe dans son **déroulement**. C'est ce qu'on appelle l'**aspect**. On distingue, entre autres, l'**aspect accompli** et l'**aspect non accompli** :

Edison ***a contribué*** *à l'avancement de la télégraphie.* (Aspect accompli : l'action est terminée.)

Edison ***travaillait*** *souvent la nuit.* (Aspect non accompli : l'action se continuait pendant un certain temps.)

2 Selon la **forme**, on distingue les **temps simples** et les **temps composés** :

a) Les **temps simples** sont formés d'**un seul mot** :

*Linda **regarde** l'ampoule.* (Un seul mot : temps simple, ind. prés.)
*Il **était** autodidacte.* (Un seul mot : temps simple, ind. imp.)

b) Les **temps composés** sont formés d'un **auxiliaire** et du **participe passé** du **verbe** que l'on **conjugue** :

*Edison **s'est intéressé** à plusieurs domaines.* (Temps composé, ind. passé comp. : aux. *être* et part. passé.)
*Il **avait créé** son système de télégraphie.* (Temps composé, ind. p.-q.-p. : aux. *avoir* et part. passé.)

3 Dans la **conjugaison**, le nombre de **temps** varie selon le **mode**. Voici le tableau des temps de chaque mode.

LES TEMPS DU MODE INDICATIF			
Temps simple	**Exemple**	**Temps composé**	**Exemple**
Présent	*Tu aimes.*	Passé composé	*Tu as aimé.*
Imparfait	*Tu aimais.*	Plus-que-parfait	*Tu avais aimé.*
Passé simple	*Tu aimas.*	Passé antérieur	*Tu eus aimé.*
Futur simple	*Tu aimeras.*	Futur antérieur	*Tu auras aimé.*
LES TEMPS DU MODE SUBJONCTIF			
Temps simple	**Exemple**	**Temps composé**	**Exemple**
Présent	*Que tu aimes.*	Passé	*Que tu aies aimé.*
Imparfait	*Que tu aimasses.*	Plus-que-parfait	*Que tu eusses aimé.*
LES TEMPS DU MODE CONDITIONNEL			
Temps simple	**Exemple**	**Temps composé**	**Exemple**
Présent	*Tu aimerais.*	Passé	*Tu aurais aimé.*
LES TEMPS DU MODE IMPÉRATIF			
Temps simple	**Exemple**	**Temps composé**	**Exemple**
Présent	*Aime.*	Passé	*Aie aimé.*
LES TEMPS DU MODE INFINITIF			
Temps simple	**Exemple**	**Temps composé**	**Exemple**
Présent	*Aimer.*	Passé	*Avoir aimé.*

JE RETIENS

Le temps situe l'action du verbe sur la ligne du temps : dans le présent, le passé ou le futur. Le temps donne aussi une idée du déroulement de l'action dans le temps.

En stéréo

Le baladeur

En 1979 naît une invention qui bouleversera les habitudes des amateurs de musique. En effet, un ingénieur japonais crée un lecteur de cassettes portatif. La marque de commerce sera anglaise. On l'appellera «walkman». Cet appareil devient vite populaire avec son casque d'écoute. Son nom aussi. L'intervention pertinente d'un Québécois permet qu'un mot bien français, le mot *baladeur*, supplante le terme anglais. Cette intuition lumineuse vient de Gilles Poirier, un expert en stéréophonie, qui a proposé ce mot à l'Office de la langue française. Aujourd'hui, la plupart des dictionnaires consacrent ce mot.

J'OBSERVE

Quel est l'infinitif de chacun des verbes en couleur?

L'infinitif de chacun de ces verbes est le suivant: *naître, appeler, permettre* et *venir.*

JE REMARQUE

1 Le **mode indicatif** compte **quatre temps simples**: le **présent**, l'**imparfait**, le **passé simple** et le **futur simple**.

2 L'**indicatif présent** situe l'action du verbe sur la ligne du temps. Il indique que l'action se déroule au **moment même** où l'on en parle:

Les dictionnaires ***consacrent*** *le mot* baladeur.

	passé	**présent**	futur
Ligne du temps	————————	x	————————►
		consacrent	

3 L'**indicatif présent** se rencontre souvent dans des emplois particuliers:

a) L'indicatif présent indique un événement qui **dure** ou qui est **habituel**:

Le baladeur ***demeure*** *très populaire.*

b) L'indicatif présent indique une **idée générale**, comme un proverbe:

La musique ***adoucit*** *les mœurs.*

c) L'indicatif présent indique un événement **passé**. On parle alors de **présent historique** ou de **présent de narration** :

En 1979 ***naît*** *une invention importante.*

d) L'indicatif présent indique parfois un événement **futur**, qui se déroulera dans un avenir très proche:

L'émission de radio ***commence*** *dans une heure.*

e) L'indicatif présent s'emploie aussi dans une **phrase impérative** pour donner un ordre:

Tu ***enlèves*** *ton casque d'écoute et tu* ***travailles.***

4 L'**indicatif imparfait** situe l'action du verbe sur la ligne du temps. Il indique que l'action s'est déroulée **avant** le moment où l'on en parle :

*Auparavant, on **utilisait** un mot anglais pour désigner le baladeur.*

	passé	présent	futur
Ligne du temps	x		→
	utilisait		

5 L'**indicatif imparfait** indique généralement un événement qui se déroule dans le **passé** par rapport au moment où l'on en parle :

a) L'imparfait indique que l'événement n'est **pas achevé** par rapport à un autre qui commence :
*Stéphanie **écoutait** une chanson quand le téléphone sonna.* (Événement inachevé, elle écoutait encore.)

b) Parfois, l'imparfait indique une certaine **durée** de l'événement dans le **passé** :
*Anne-Marie **s'amusait** avec son baladeur.* (Pendant une longue période.)

c) L'imparfait s'emploie aussi pour indiquer la **répétition** d'une action, l'**habitude** :
*Chaque matin, Anne-Christine **écoutait** ses chansons préférées.* (D'une façon habituelle.)

d) L'imparfait désigne un événement **historique** précis qu'il situe dans le temps :
*En 1979 **naissait** le baladeur.* (Événement précis.)

6 Après le ***si*** conditionnel, on emploie l'**imparfait** :

***Si** j'**avais** de l'argent, j'irais en voyage.* **Et non** : **Si j'aurais de l'argent...*
***Si** tu **voulais** étudier, tu réussirais.* **Et non** : **Si tu voudrais étudier...*
***Si** elle **pouvait** aller à Québec, elle serait heureuse.* **Et non** : **Si elle pourrait aller...*
***Si** j'**étais** une musicienne, je jouerais du violon.* **Et non** : **Si je serais...*

7 L'indicatif **passé simple** situe l'action du verbe sur la ligne du temps. Il indique généralement que l'événement a eu lieu dans le **passé**, soit avant le moment présent. Il indique que l'événement est **achevé**, sans insistance sur la durée :

*Gilles Poirier **proposa** le mot* baladeur *à l'Office de la langue française.*

	passé	présent	futur
Ligne du temps	x		→
	proposa		

8 L'**indicatif passé simple** s'emploie peu à l'oral. À l'écrit, le passé simple est le temps du **récit** et s'emploie surtout à la **troisième personne**. Les deux premières personnes du pluriel sont réservées à la langue littéraire :

*L'inventeur du baladeur **naquit** au Japon et **travailla** pour la compagnie Sony.*
*Les Japonais **exportèrent** le baladeur dans tous les pays du monde.*
*Hier, Stéphanie et moi, nous **écoutâmes** ce concert en famille.* (Littéraire.)
*Ta sœur et toi, vous vous **achetâtes** un baladeur.* (Littéraire.)

9 L'**indicatif futur simple** situe l'action du verbe sur la ligne du temps. Il indique généralement que l'événement aura lieu dans l'**avenir**, soit après le moment présent. De plus, à cause du mode indicatif, l'événement est considéré comme **certain**:

*Je **reviendrai** chez moi en écoutant de la musique.*

	passé	présent	**futur**
Ligne du temps	——————	——————	x ——►
			reviendrai

10 L'**indicatif futur simple** a quelques emplois particuliers:

a) Le futur simple s'emploie dans une **phrase impérative** pour atténuer l'ordre:
*Tu **enlèveras** ton baladeur pour aller en vélo.*

b) Le futur simple s'emploie pour rendre une **affirmation** moins sèche:
*Je vous **dirai** bien honnêtement que je n'ai pas de baladeur.*

c) Le futur simple s'emploie pour indiquer une **promesse**, un engagement ferme:
*J'**achèterai** un baladeur dès demain.*

d) Le futur simple s'emploie pour indiquer un événement **passé**. On l'appelle alors le **futur historique**:
*En 1979 naît une invention qui **bouleversera** les habitudes des amateurs de musique.*

JE RETIENS

Le mode indicatif compte quatre temps simples: le présent, l'imparfait, le passé simple et le futur simple.
Le présent indique que l'événement se déroule au moment où l'on parle.
L'imparfait et le passé simple indiquent que l'événement s'est déroulé avant le moment où l'on parle.
Le futur simple indique que l'événement se déroulera après le moment où l'on parle.

13. LES TEMPS COMPOSÉS AU MODE INDICATIF

Les fuseaux horaires

Sandford Fleming

Né en Écosse en 1827, Sandford Fleming s'est établi en Ontario en 1845. Il était arpenteur et ingénieur civil. On lui a confié la mission d'arpenter le parcours du chemin de fer du Canadien Pacifique. Ce chemin de fer devait partir de Montréal et traverser les Rocheuses. Quand il eut accompli sa tâche, Sandford Fleming voulut régler les difficultés de coordination des horaires de trains sur un vaste territoire. C'est pourquoi il a créé un système de fuseaux horaires basé sur les méridiens. Au cours d'une conférence internationale, la qualité de la démonstration et l'éloquence de Fleming ont suscité l'enthousiasme. Sa proposition fut adoptée. Un siècle plus tard, l'heure normale et les fuseaux horaires sont encore utilisés universellement.

J'OBSERVE

À quel temps simple de l'indicatif l'auxiliaire des verbes en couleur est-il conjugué?
L'auxiliaire est conjugué au présent de l'indicatif.

JE REMARQUE

1 Le **mode indicatif** compte **quatre temps composés**: le **passé composé**, le **plus-que-parfait**, le **passé antérieur** et le **futur antérieur**.

2 L'**indicatif passé composé** situe l'action du verbe sur la ligne du temps. Il indique généralement que l'événement s'est déroulé **avant** le moment où l'on parle. Dans la langue courante d'aujourd'hui, le passé composé a tendance à remplacer le passé simple:

*Fleming **s'est établi** en Ontario en 1845.*

	passé	présent	futur
Ligne du temps	—— x ————	————————	————→
	s'est établi		

3 L'**indicatif passé composé** peut avoir des emplois particuliers:

a) Le passé composé indique parfois qu'un événement se déroule **avant** un autre au **présent**:

*Si tu **as traversé** le Canada, tu comprends l'utilité des fuseaux horaires.*

b) Le passé composé indique des événements **historiques**. On l'appelle **passé composé de narration**:

*Fleming **est né** en 1827. Il **s'est établi** en Ontario en 1845. Il **est décédé** en 1915.*

c) Le passé composé peut exprimer un événement **futur**:

*N'ayez crainte, dit Fleming, je **suis arrivé** dans deux jours.*

d) Le passé composé a parfois le sens du **futur** dans une **subordonnée conditionnelle**. Il indique une action qui se passe avant celle de la principale, qui est au futur:

Si vous avez fini plus tôt, vous m'en aviserez, dit Fleming.
(avez fini : sens de fut. — aviserez : fut.)

e) Le passé composé sert souvent à exprimer une **idée générale** à la place du présent. On le rencontre parfois dans les proverbes :

*Qui **a traversé** le Canada en train ou en avion voit l'utilité des fuseaux horaires.*

4 L'**indicatif passé composé** est formé de l'auxiliaire ***être*** ou ***avoir*** au **présent de l'indicatif** et du **participe passé** du **verbe** que l'on **conjugue** :

*Fleming **s'est établi** en Ontario.* (Aux. *être*.)

*Son éloquence et sa personnalité **ont suscité** l'enthousiasme.* (Aux. *avoir*.)

5 L'**indicatif plus-que-parfait** situe l'action du verbe sur la ligne du temps. Il indique généralement que l'événement s'est déroulé dans le **passé**, avant un autre événement passé :

*Il **avait terminé** l'arpentage quand il pensa aux fuseaux horaires.*

	passé		présent	futur
Ligne du temps	—— x ————	y ————————	————————	——→
	avait terminé	*pensa*		

6 L'**indicatif plus-que-parfait** peut avoir des emplois particuliers :

a) Le plus-que-parfait exprime la **répétition** avec un verbe à l'**imparfait** dans la proposition **principale** :

*Lorsque Fleming **avait convoqué** une réunion, il était toujours le premier arrivé.*

b) Le plus-que-parfait s'emploie dans la **subordonnée conditionnelle** avec un verbe au **conditionnel passé** dans la proposition **principale** :

*S'il **avait voulu**, il aurait pu changer le trajet de la voie ferrée.*

c) Le plus-que-parfait exprime parfois le **regret**. Il se trouve souvent alors dans une **phrase exclamative** :

*Ah ! si tu me l'**avais dit** !*

d) Le plus-que-parfait remplace un **passé composé** dans le **style indirect** :

COMPARER :

Fleming déclara à deux reprises : «J'ai conçu les fuseaux horaires.»
(*déclara* : passé s. ; *J'ai conçu* : passé comp.)

Fleming déclara à deux reprises qu'il avait conçu les fuseaux horaires.
(*déclara* : passé s. ; *avait conçu* : p.-q.-p.)

7 L'**indicatif plus-que-parfait** est formé de l'auxiliaire ***être*** ou ***avoir*** à l'**imparfait de l'indicatif** et du **participe passé** du verbe que l'on **conjugue** :

*Il **s'était établi** en Ontario.*

*L'éloquence et la personnalité de Fleming **avaient suscité** l'enthousiasme.*

8 L'**indicatif passé antérieur** situe l'action du verbe sur la ligne du temps. Il indique généralement que l'événement s'est déroulé dans le **passé**, avant un autre événement passé exprimé dans la proposition **principale** :

*Quand Fleming **eut exposé** son projet, le comité l'adopta.*

	passé		présent	futur
Ligne du temps	———— x ————	y ————————	————————	——→
	eut exposé	*adopta*		

9 L'**indicatif passé antérieur** est formé de l'auxiliaire ***être*** ou ***avoir*** au **passé simple de l'indicatif** et du **participe passé** du **verbe** que l'on **conjugue** :

*Lorsqu'il **se fut établi** en Ontario, on lui confia une mission importante.*
*Quand Fleming **eut exposé** son projet, le comité l'adopta.*

10 L'**indicatif futur antérieur** situe l'action du verbe sur la ligne du temps. Il indique généralement que l'événement s'est déroulé **avant** un autre événement situé dans le **futur** :

*Quand il **aura arpenté** le parcours, il rédigera son rapport.*

	passé	présent		**futur**
Ligne du temps	————	————	x ————	y ———→
			aura arpenté	*rédigera*

11 L'**indicatif futur antérieur** peut avoir des emplois particuliers :

a) Le futur antérieur exprime une action **future** qui est considérée comme déjà **terminée** :

*Fleming **aura** bientôt **rédigé** son rapport.*

b) Le futur antérieur exprime parfois des **sentiments** de surprise, de regret, d'indignation, d'ironie… :

*Fleming **aura attendu** si longtemps pour rien !*
*Décidément, tu n'**auras** jamais **réussi** à comprendre les fuseaux horaires !*

12 L'**indicatif futur antérieur** est formé de l'auxiliaire ***être*** ou ***avoir*** au **futur simple de l'indicatif** et du **participe passé** du **verbe** que l'on **conjugue** :

*Lorsque Fleming **se sera établi** en Ontario, on lui confiera une mission importante.*
*Quand Fleming **aura exposé** son projet, le comité l'adoptera.*

JE RETIENS

Le mode indicatif compte quatre temps composés : le passé composé, le plus-que-parfait, le passé antérieur et le futur antérieur.
Le passé composé indique généralement que l'événement s'est déroulé avant le moment où l'on parle.
Le plus-que-parfait indique généralement que l'événement s'est déroulé dans le passé, avant un autre événement passé.
Le passé antérieur indique généralement que l'événement s'est déroulé dans le passé, avant un autre événement passé exprimé dans la proposition principale.
Le futur antérieur indique généralement que l'événement s'est déroulé avant un autre événement situé dans le futur.

14. LA CONCORDANCE DES TEMPS À L'INDICATIF

Dunlop et son vélo

Le pneu de vélo

Vétérinaire écossais établi en Irlande, John Boyd Dunlop souhaite que son fils puisse se promener à vélo en sécurité. Il achète des tubes de caoutchouc gonflables qu'il installe sur les roues de la bicyclette. Les tubes ne s'enlèvent plus : ils sont collés à la jante. Le vétérinaire vient d'inventer le «pneumatique». Il fait breveter son invention et ouvre une usine. L'industrie du pneu est née. En 1891, trois ans après l'invention de Dunlop, les frères Michelin créent en France le pneu amovible. Quatre ans plus tard, on verra la première voiture équipée de pneus Michelin. Dunlop ne s'imaginait sûrement pas que son invention deviendrait aussi populaire.

J'OBSERVE

Quels sont le mode et le temps de chaque verbe en couleur ?

Le verbe *souhaite* est à l'indicatif présent et le verbe *puisse*, au subjonctif présent ; le verbe *s'imaginait* est à l'indicatif imparfait et le verbe *deviendrait*, au conditionnel présent.

JE REMARQUE

1 Dans la phrase complexe comprenant une proposition principale et une proposition subordonnée, il est important de savoir quel **mode** et quel **temps** employer dans les deux propositions. Ce rapport entre le **verbe** de la **principale** et le **verbe** de la **subordonnée** s'appelle la **concordance des temps** :

COMPARER :

Dunlop souhaite que son fils puisse se promener à vélo en sécurité.
souhaite : ind. prés. — puisse : subj. prés.

Dunlop ne s'imaginait pas que son invention deviendrait aussi populaire.
s'imaginait : ind. imp. — deviendrait : cond. prés.

Dunlop voit que son fils se promène à bicyclette.
voit : ind. prés. — se promène : ind. prés.

2 La concordance des temps repose sur trois facteurs :

a) Le **mode** et le **temps** du **verbe** de la proposition **principale** (appelé **verbe principal**) :

Dunlop souhaite que son fils puisse se promener à vélo en sécurité.
souhaite : ind. prés.

Dunlop ne s'imaginait pas que son invention deviendrait aussi populaire.
s'imaginait : ind. imp.

Dunlop voit que son fils se promène à bicyclette.
voit : ind. prés.

b) Le **mode** et le **temps** du **verbe** de la proposition **subordonnée** (appelé **verbe subordonné**) :

Dunlop souhaite que son fils puisse se promener à vélo en sécurité.
subj. prés.

Dunlop ne s'imaginait pas que son invention deviendrait aussi populaire.
cond. prés.

Dunlop voit que son fils se promène à bicyclette.
ind. prés.

c) Le **rapport de temps** entre ces deux verbes. L'action du **verbe subordonné** se passe-t-elle **avant, pendant** ou **après** celle du **verbe principal** ?

Dunlop ***pense*** *que son fils* ***s'est promené*** *à bicyclette.* (Action du verbe subordonné **avant** celle du verbe principal.)

Dunlop ***souhaite*** *que son fils* ***puisse*** *se promener à vélo en sécurité.* (Action du verbe subordonné **pendant** celle du verbe principal.)

Dunlop ne ***s'imaginai****t pas que son invention* ***deviendrait*** *aussi populaire.* (Action du verbe subordonné **après** celle du verbe principal.)

3 Le **verbe principal** est parfois un verbe qui exige l'**indicatif** dans la proposition **subordonnée** :

Dunlop pense que son fils se promènera longtemps à bicyclette.
ind. prés. — ind. fut. s.

DES VERBES QUI EXIGENT L'INDICATIF DANS LA PROPOSITION SUBORDONNÉE				
Sens du verbe principal	**Verbe**			**Exemple**
Opinion (fait certain)	affirmer annoncer apercevoir (s') apprendre assurer avouer	déclarer estimer juger jurer parier présumer	raconter remarquer savoir sentir soutenir voir	*J'****apprends*** *que Dunlop* ***a inventé*** *le pneu.* *Je* ***sais*** *que tu* ***partiras*** *à vélo.* *Elle* ***remarque*** *que tu* ***es revenue*** *très tôt.*

4 Dans la concordance des temps, **deux** combinaisons de **modes** sont possibles lorsque le **verbe subordonné** est à l'**indicatif** :

a) Le **verbe principal** est aussi à l'**indicatif** :

Dunlop pense que son fils pourra se promener en toute sécurité.
ind. prés. — ind. fut. s.

Dunlop disait que son fils se promenait souvent à bicyclette.
ind. imp. — ind. imp.

b) Le **verbe principal** est au **conditionnel** :

Je dirais que tu retrouveras ta bicyclette.
cond. prés. — ind. fut. s.

14. LA CONCORDANCE DES TEMPS À L'INDICATIF

LE VERBE PRINCIPAL EST À L'INDICATIF ET LE VERBE SUBORDONNÉ EST À L'INDICATIF			
Verbe principal à l'indicatif	**L'action du verbe subordonné se passe...**	**Verbe subordonné à l'indicatif**	**Exemple**
Présent	**avant**	Imparfait Passé simple Passé composé Plus-que-parfait	*Je dis que tu* ***lisais****.* *Je dis que tu* ***lus.*** *Je dis que tu* ***as lu.*** *Je dis que tu* ***avais lu****.*
	pendant	Présent	*Je dis que tu* ***lis.***
	après	Futur simple	*Je dis que tu* ***liras.***
	avant (dans le futur)	Futur antérieur	*Je dis que tu* ***auras lu*** *ce livre avant moi.*
Futur	**avant**	Imparfait Passé simple Passé composé Plus-que-parfait	*Je dirai que tu* ***lisais.*** *Je dirai que tu* ***lus****.* *Je dirai que tu* ***as lu****.* *Je dirai que tu* ***avais lu****.*
	pendant	Présent	*Je dirai que tu* ***lis****.*
	après	Futur simple	*Je dirai que tu* ***liras****.*
	avant (dans le futur)	Futur antérieur	*Je dirai que tu* ***auras lu*** *ce livre avant moi.*
Imparfait	**avant**	Plus-que-parfait	*Je croyais que tu* ***avais lu****.*
	pendant	Imparfait	*Je croyais que tu* ***lisais****.*
	après	Futur du passé (conditionnel présent)	*Je croyais que tu* ***lirais*** *ce livre avant les vacances.*

14. LA CONCORDANCE DES TEMPS À L'INDICATIF

LE VERBE PRINCIPAL EST AU CONDITIONNEL ET LE VERBE SUBORDONNÉ EST À L'INDICATIF			
Verbe principal au conditionnel	**L'action du verbe subordonné se passe...**	**Verbe subordonné à l'indicatif**	**Exemple**
Présent	**avant**	Imparfait Passé composé Plus-que-parfait	*Je dirais que tu* ***lisais.*** *Je dirais que tu* ***as lu.*** *Je dirais que tu* ***avais lu.***
	pendant	Présent	*Je dirais que tu* ***lis*** *ce livre en ce moment.*
	après	Futur simple	*Je dirais plutôt que tu* ***liras*** *ce livre demain.*
	avant (dans le futur)	Futur antérieur	*Je dirais que tu* ***auras lu*** *ce livre avant moi.*
Passé	**avant**	Plus-que-parfait	*J'aurais cru que tu* ***avais lu*** *ce livre.*
	pendant	Imparfait	*J'aurais cru que tu* ***lisais*** *ce livre.*
	après	Futur du passé (conditionnel présent)	*J'aurais cru que tu* ***lirais*** *ce livre avant les vacances.*

JE RETIENS

La concordance des temps porte sur trois facteurs : le mode et le temps du verbe de la proposition principale ; le mode et le temps du verbe de la proposition subordonnée ; le rapport de temps entre ces deux verbes, selon que l'action du verbe subordonné se passe avant, pendant ou après celle du verbe principal.
Le verbe subordonné à l'indicatif se met au présent, au futur ou au passé selon que l'action du verbe subordonné se passe avant, pendant ou après celle du verbe principal.

15. LES TEMPS AU MODE SUBJONCTIF

La poubelle de M. Poubelle

La poubelle

À l'école, Eugène Poubelle jouait avec ses camarades sans craindre leurs moqueries à cause de son nom. En serait-il de même aujourd'hui ? Il est permis d'en douter. On est surpris de constater que monsieur Poubelle était un haut fonctionnaire à Paris. Responsable de la santé publique, il s'inquiète que ses concitoyens **se défassent** de leurs ordures en les jetant à la rue. Il veut intervenir avant que la maladie n'**ait fait** trop de ravage dans la population. En 1884, Eugène Poubelle emploie les grands moyens. Il oblige les propriétaires à fournir des contenants à leurs locataires pour déposer leurs déchets domestiques. Le sens de l'humour des Parisiens a fait le reste.

J'OBSERVE

Quel est l'infinitif de chacun des verbes en couleur ?
L'infinitif de chacun des verbes est *se défaire* et *faire*.

JE REMARQUE

1 Le **mode subjonctif** compte **deux temps simples** et **deux temps composés** :

a) Les **temps simples** sont le **présent** et l'**imparfait**.

b) Les **temps composés** sont le **passé** et le **plus-que-parfait**.

2 Le **subjonctif présent** situe l'action du verbe sur la ligne du temps. Il indique généralement que l'action se déroule au moment où l'on parle ou dans l'avenir :

*Je souhaite que tu **lises** maintenant ce texte sur M. Poubelle.*

passé — **présent** — futur
Ligne du temps ———————— x y ————————►
souhaite
lises

*Je souhaite que tu **lises** un jour ce texte sur M. Poubelle.*

passé — présent — **futur**
Ligne du temps ———————— x ———————— y ——►
souhaite — ***lises***

3 Le **subjonctif présent** peut avoir des emplois particuliers :

a) Dans la **phrase simple**, le subjonctif présent remplace l'**impératif présent** pour exprimer l'ordre, le souhait, l'invitation, la consigne, le désir, la prière, le conseil, le regret à la **troisième personne** :

*Qu'il ne **revienne** plus !* (Fait possible, mais incertain. L'action est envisagée seulement dans la pensée.)

b) Dans la **subordonnée**, le subjonctif présent s'emploie lorsque le **verbe** de la **principale** exprime la **volonté**, l'**ordre**, le **souhait**, l'**invitation**, la **consigne**, le **désir**, la **prière**, le **conseil**, le **regret** :

Je souhaite (princ.) *que tous **connaissent** l'origine de la poubelle.* (sub.)

c) Dans la **subordonnée**, le subjonctif présent exprime une action **incertaine**, limitée à la **pensée**, après une **principale** renfermant un verbe d'**opinion** ou de **perception** employé dans la **phrase interrogative** ou à la **forme négative** :

COMPARER :

Jesner ne croit pas que le mot poubelle *vient d'un nom propre.* (Constatation, fait considéré comme **réel**, **certain** : ind.)

Jesner ne croit pas que le mot poubelle *vienne d'un nom propre.* (Fait considéré dans la **pensée**, donc **incertain** : subj.)

d) Dans la **subordonnée**, le subjonctif présent s'emploie après une **principale** renfermant un verbe qui exprime le **doute** ou, parfois, **la négation** :

*Maryse conteste que ce **soit** l'heure des ordures.* (*Conteste*, v. de doute.)

*Maryse nie que ce **soit** l'heure des ordures.* (*Nie*, v. de négation.)

e) Dans la **subordonnée**, le subjonctif présent s'emploie lorsque le verbe de la **principale** exprime un **sentiment** :

*Je crains que M. Poubelle ne **soit** pas apprécié à sa juste valeur.*

f) Dans la **subordonnée**, le subjonctif présent s'emploie lorsque la subordonnée est **complément d'un superlatif** :

*C'est la personne la plus brillante qui **soit**.*

g) Dans la **subordonnée**, le subjonctif présent s'emploie lorsque la **principale** renferme un **verbe impersonnel** exprimant l'**incertitude** :

*Il importe que vous **connaissiez** les détails à ce sujet.*

4 Le **subjonctif passé** situe l'action du verbe sur la ligne du temps. Il indique généralement que l'événement s'est déroulé **avant** le moment présent :

*On est surpris qu'il **ait été** un haut fonctionnaire à Paris.*

	passé	présent	futur
Ligne du temps ———	x	y	———▶
	ait été	*est*	

5 Le **subjonctif passé** peut aussi indiquer, dans la subordonnée, que l'événement s'est déroulé **avant** un **autre événement** :

*Il veut intervenir avant que la maladie n'**ait fait** trop de ravages.*

*Je veux que tu **aies lu** ce texte sur M. Poubelle avant que ta sœur n'arrive.*

6 Le **subjonctif passé** est formé de l'auxiliaire ***être*** ou ***avoir*** au **présent du subjonctif** et du **participe passé** du **verbe** que l'on **conjugue** :

*Que peu de gens **se soient souvenus** d'Eugène Poubelle est sans doute normal.*

*Que la poubelle lui **ait survécu**, c'est mieux pour l'hygiène publique !*

7 Le **subjonctif imparfait** et le **subjonctif plus-que-parfait** ne s'emploient que dans la langue littéraire, particulièrement à cause de certaines formes bizarres. Dans la **langue courante**, on remplace le **subjonctif imparfai**t par le **subjonctif présent** et le **subjonctif plus-que-parfait** par le **subjonctif passé** :

COMPARER :

Je souhaiterais que vous lussiez ce texte. (Subj. imp. : littéraire.)
Je souhaiterais que vous lisiez ce texte. (Subj. prés. : langue courante.)
Je souhaiterais que vous eussiez lu ce texte. (Subj. p.-q.-p. : littéraire.)
Je souhaiterais que vous ayez lu ce texte. (Subj. passé : langue courante.)

JE RETIENS

Le mode subjonctif compte deux temps simples, le présent et l'imparfait, et deux temps composés, le passé et le plus-que-parfait.
Le subjonctif présent indique généralement que l'action se déroule au moment où l'on parle ou dans l'avenir.
Le subjonctif passé indique généralement que l'événement s'est déroulé avant le moment présent.
Le subjonctif imparfait et le subjonctif plus-que-parfait s'emploient surtout dans la langue littéraire, particulièrement à cause de certaines formes bizarres. Dans la langue courante, on les remplace par le subjonctif présent ou le subjonctif passé.

Une fortune est plus à l'abri dans une tête que dans un sac.
Félix Leclerc

16. LA CONCORDANCE DES TEMPS AU SUBJONCTIF

La machine à semer

La révolution agricole n'est survenue qu'aux XVIIIe et XIXe siècles avec la création des premières machines. Ainsi, il semble que l'on doive à Jethro Tull, d'Angleterre, la mécanisation des semailles. Son appareil, tiré par un cheval, répandait la semence de façon régulière et uniforme dans au moins trois sillons à la fois. Avant cela, l'agriculteur ensemençait ses champs à la volée. Lorsqu'il inventa son semoir, en 1701, Jethro Tull avait à peine vingt-sept ans. Et dire que ce fermier inventif avait étudié le droit avant de se consacrer à l'agriculture. On ne doute pas que son invention ait contribué beaucoup au développement des techniques agricoles.

Le semoir

J'OBSERVE

Quels sont le mode et le temps de chaque verbe en couleur ?

Le verbe *semble* est à l'indicatif présent et le verbe *doive*, au subjonctif présent ; le verbe *doute* est à l'indicatif présent et le verbe *ait contribué*, au subjonctif passé.

JE REMARQUE

1 Le **verbe principal** est parfois un verbe qui exige l'emploi du **subjonctif** dans la proposition **subordonnée** :

Jethro Tull demande que sa machine soit perfectionnée.

demande : ind. prés. — soit perfectionnée : subj. passé

DES VERBES QUI EXIGENT LE SUBJONCTIF DANS LA PROPOSITION SUBORDONNÉE				
Sens du verbe principal	**Verbe**			**Exemple**
Volonté (dans la pensée)	consentir défendre demander désirer	exiger ordonner permettre préférer	souhaiter supplier tolérer vouloir	*Je **souhaite** que tu **viennes** avec nous.* *Je **veux** que tu **partes** dès maintenant.*
Sentiment	admirer avoir peur craindre désoler (se)	douter étonner (s') être étonné être heureux	plaindre (se) regretter réjouir (se) souffrir	*Je me **réjouis** que tu **sois** parmi nous.* *Je **crains** que la réunion ne **finisse** trop tard.*
Impersonnel (incertain)	agir (s') convenir être bon être faux	être juste être rare être triste être urgent	être utile falloir importer suffire	*Il **faut** que tu **connaisses** cette invention.* *Il **est** urgent que tu **partes**.*

2 Dans la concordance des temps, **deux** combinaisons des **modes** sont possibles quand le **verbe subordonné** est au **subjonctif** :

a) Le **verbe principal** est à l'**indicatif** :

Il semble que l'on doive à Jethro Tull la mécanisation des semailles.

ind. prés. subj. prés.

b) Le **verbe principal** est au **conditionnel** :

Il semblerait que l'on doive à Jethro Tull la mécanisation des semailles.

cond. prés. subj. prés.

LE VERBE PRINCIPAL EST À L'INDICATIF ET LE VERBE SUBORDONNÉ EST AU SUBJONCTIF			
Verbe principal à l'indicatif	**L'action du verbe subordonné se passe...**	**Verbe subordonné au subjonctif**	**Exemple**
Présent	**avant**	Passé Imparfait (littéraire)	*Je doute qu'elle* ***ait lu*** *ce livre.* *Je doute qu'il* ***lût*** *ce livre.*
	pendant	Présent	*Je m'étonne qu'elle* ***lise*** *ce livre maintenant.*
	après	Présent	*Je m'étonne qu'il* ***lise*** *ce livre demain.*
	avant (dans le futur)	Passé	*Je m'étonne qu'elle* ***ait lu*** *ce livre avant les vacances.*
Imparfait	**avant**	Passé Plus-que-parfait (littéraire)	*Je m'étonnais qu'elle* ***ait*** *déjà* ***lu*** *ce livre.* *Je m'étonnais qu'il* ***eût lu*** *ce livre hier.*
	pendant	Présent Imparfait (littéraire)	*Je voulais qu'elle* ***lise*** *ce livre à ce moment-là.* *Je voulais qu'il* ***lût*** *ce livre à ce moment-là.*
	après	Présent Imparfait (littéraire)	*Je voulais qu'elle* ***soit*** *avec nous désormais.* *Je voulais qu'il* ***fût*** *avec nous désormais.*

16. LA CONCORDANCE DES TEMPS AU SUBJONCTIF

LE VERBE PRINCIPAL EST AU CONDITIONNEL ET LE VERBE SUBORDONNÉ EST AU SUBJONCTIF			
Verbe principal au conditionnel	**L'action du verbe subordonné se passe…**	**Verbe subordonné au subjonctif**	**Exemple**
	avant	Passé Plus-que-parfait (littéraire)	*J'aimerais qu'elle* ***ait*** *déjà* ***lu*** *ce livre.* *J'aimerais qu'il* ***eût*** *déjà* ***lu*** *ce livre.*
Présent	**pendant**	Présent Imparfait (littéraire)	*J'aimerais qu'elle* ***lise*** *ce livre maintenant.* *J'aimerais qu'il* ***lût*** *ce livre maintenant.*
	après	Présent Imparfait (littéraire)	*J'aimerais qu'elle* ***lise*** *ce livre demain.* *J'aimerais qu'il* ***lût*** *ce livre demain.*
	avant	Passé Plus-que-parfait (littéraire)	*J'aurais aimé qu'elle* ***ait*** *déjà* ***lu*** *ce livre.* *J'aurais aimé qu'il* ***eût*** *déjà* ***lu*** *ce livre.*
Passé	**pendant**	Présent Imparfait (littéraire)	*J'aurais aimé qu'elle* ***lise*** *ce livre à ce moment-là.* *J'aurais aimé qu'il* ***lût*** *ce livre à ce moment-là.*
	après	**Présent** **Imparfait** (littéraire)	*J'aurais aimé qu'elle* ***soit*** *avec nous désormais.* *J'aurais aimé qu'il* ***fût*** *avec nous désormais.*

JE RETIENS

Le verbe subordonné au subjonctif se met au présent ou au passé selon que l'action du verbe subordonné se passe avant, pendant ou après celle du verbe principal.

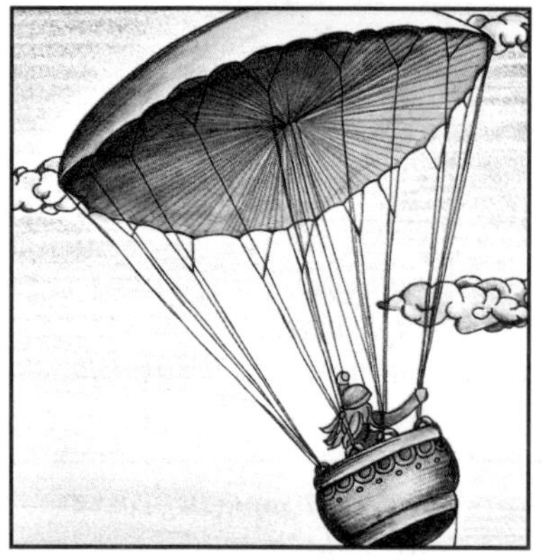
Saut en parachute

L'invention du parachute

C'est à André Jacques Garnerin que reviendrait l'invention du parachute. Garnerin s'intéresse au saut dans le vide vers l'âge de vingt-cinq ans. Prisonnier de guerre en Autriche, il voit là un moyen sécuritaire de s'évader de sa prison. Jusque-là, on avait parachuté des animaux à partir d'un ballon. Garnerin, en 1776, répète cette expérience, mais il souhaiterait ardemment sauter lui-même. Après plusieurs échecs, il réussit enfin. Il se lance d'un ballon, à près de mille mètres de hauteur. Jeanne Geneviève Labrosse, la femme de l'inventeur, fut la première parachutiste de l'histoire.

J'OBSERVE

Quel est l'infinitif de chacun des verbes en couleur ?
L'infinitif de chacun de ces verbes est *revenir* et *souhaiter*.

JE REMARQUE

1 Le **mode conditionnel** compte **un temps simple**, le **présent**, et **un temps composé**, le **passé**.

2 Le **conditionnel présent** s'emploie pour exprimer diverses nuances :

a) Le conditionnel présent exprime une action **future** par rapport à une autre située dans le passé. C'est pourquoi on l'appelle parfois le **futur du passé** :

COMPARER :

Lucie dit qu'elle sautera en parachute. (Ind. fut. s.)

	passé	présent	**futur**
Ligne du temps ———		x	y ——→
		dit	***sautera***

Lucie disait qu'elle sauterait en parachute. (Cond. prés. ou fut. du passé.)

	passé		présent	futur
Ligne du temps ———	x	y	———	——→
	disait	***sauterait***		

b) Le conditionnel présent exprime un événement qui dépend d'une **condition possible** :

Si on comparait un parachute moderne avec celui utilisé par Garnerin, on ***remarquerait*** *une grande évolution.*

c) Le conditionnel présent exprime une **supposition**, une **hypothèse** :

Jeanne Geneviève Labrosse ***serait*** *la première parachutiste.*

d) Le conditionnel présent exprime un **souhait**, un **rêve**, un **désir** :

Soumaly ***aimerait*** *sauter en parachute.*

e) Le conditionnel présent exprime une **affirmation** ou une **interrogation atténuée** :

COMPARER :

Veux-tu sauter en parachute ?

Voudrais-tu sauter en parachute ? (Atténuation.)

3 Le **conditionnel passé** exprime les mêmes nuances que le conditionnel présent :

a) Le conditionnel passé correspond au **futur antérieur du passé**. Sur la ligne du temps, il situe une action **avant** une autre action future par rapport à un événement passé :

COMPARER :

Elle sait que nous serons partis quand elle arrivera. (Ind. fut. ant.)

(*Elle arrivera* est au **futur** par rapport à *elle sait.*)

(*Nous serons partis* est au **passé** par rapport à *elle arrivera.*)

	passé	présent		futur
Ligne du temps	————————	x ———	y ———	z ——→
		sait	***serons partis***	*arrivera*

Elle savait que nous serions partis quand elle arriverait. (Cond. passé.)

(*Elle arriverait* est au **futur** par rapport à *elle savait.*)

(*Nous serions partis* est au **passé** par rapport à *elle arriverait.*)

	passé		présent	futur
Ligne du temps	——— x ———	y ———	————————	z ——→
	savait	***serions partis***		*arriverait*

b) Le conditionnel passé exprime un événement qui dépend d'une **condition possible** :

Si on avait comparé un parachute moderne avec celui utilisé par Garnerin, on ***aurait remarqué*** *une grande évolution.*

c) Le conditionnel passé exprime une **supposition**, une **hypothèse** :

Jeanne Geneviève Labrosse ***aurait été*** *la première parachutiste.*

d) Le conditionnel passé exprime un **souhait**, un **rêve**, un **désir** :

Sereirath ***aurait aimé*** *sauter en parachute.*

e) En **style indirect**, le conditionnel passé remplace le **futur antérieur** :

COMPARER :

Tu affirmes : «J'aurai bientôt réussi mon saut.» (Style direct : fut. ant.)

Tu affirmes que tu aurais bientôt réussi ton saut. (Style indirect : cond. passé.)

JE RETIENS

Le mode conditionnel compte un temps simple, le présent, et un temps composé, le passé.
Le conditionnel présent exprime une action future par rapport à une autre située dans le passé.
Le conditionnel passé situe une action avant une autre action future par rapport à un événement passé.

Les débuts de l'anesthésie

L'anesthésie

De nos jours, le recours à l'anesthésie nous paraît aller de soi. Il n'en était pas de même, au siècle dernier, avant que le docteur Crawford Long ne découvre les propriétés de l'éther. En effet, il observa par hasard que sous l'effet de l'éther, une personne peut tomber ou être frappée sans ressentir aucune douleur. Il en conclut que ce gaz possédait peut-être des propriétés anesthésiantes. En 1842, le médecin persuada un patient, James Venable, qu'il pourrait lui enlever une tumeur sans douleur. Au mois de juillet suivant eut lieu une autre démonstration irréfutable. Sous anesthésie, le médecin amputa alors un orteil à un adolescent. Long n'aurait pas cru que son geste passerait à l'histoire.

J'OBSERVE

Quels sont le mode et le temps de chaque verbe en couleur ?

Le verbe *persuada* est au passé simple et le verbe *pourrait*, au conditionnel présent ; le verbe *aurait cru* est au conditionnel passé et le verbe *passerait*, au conditionnel présent.

JE REMARQUE

1 Dans la concordance des temps, **deux** combinaisons des **modes** sont possibles quand le **verbe subordonné** est au **conditionnel** :

a) Le **verbe principal** est à l'**indicatif** :

Le médecin persuada un patient qu'il pourrait lui enlever une tumeur sans douleur.

persuada : ind. passé s. — pourrait : cond. prés.

b) Le **verbe principal** est aussi au **conditionnel** :

Qui aurait cru que son geste passerait à l'histoire ?

aurait cru : cond. passé — passerait : cond. prés.

LE VERBE PRINCIPAL EST À L'INDICATIF ET LE VERBE SUBORDONNÉ EST AU CONDITIONNEL			
Verbe principal à l'indicatif	**L'action du verbe subordonné se passe…**	**Verbe subordonné au conditionnel**	**Exemple**
Présent	**avant**	Passé	*Je pense que tu* ***aurais lu*** *hier si tu l'avais voulu.*
	pendant	Présent	*Je pense que tu* ***lirais*** *en ce moment si tu le voulais.*
	après	Présent	*Je pense que tu* ***lirais*** *demain si tu le voulais.*

18. LA CONCORDANCE DES TEMPS AU CONDITIONNEL

LE VERBE PRINCIPAL EST À L'INDICATIF ET LE VERBE SUBORDONNÉ EST AU CONDITIONNEL (SUITE)			
Verbe principal à l'indicatif	**L'action du verbe subordonné se passe...**	**Verbe subordonné au conditionnel**	**Exemple**
Imparfait	**avant**	Passé	*Je pensais que tu **aurais** déjà **lu** ce livre.*
	pendant	Présent	*Je pensais que tu **lirais** à ce moment-là.*
	après	Présent	*Je pensais que tu **lirais** ce livre demain.*

LE VERBE PRINCIPAL EST AU CONDITIONNEL ET LE VERBE SUBORDONNÉ EST AU CONDITIONNEL			
Verbe principal au conditionnel	**L'action du verbe subordonné se passe...**	**Verbe subordonné au conditionnel**	**Exemple**
Présent	**avant**	Passé	*Je dirais que tu **aurais lu** si tu l'avais voulu.*
	pendant	Présent	*Je dirais que tu **lirais** en ce moment si tu le voulais.*
	après	Présent	*Je dirais que tu **lirais** demain si tu le voulais.*
Passé	**avant**	Passé	*J'aurais cru que tu **aurais lu** ce livre hier.*
	pendant	Présent Passé	*J'aurais cru que tu **lirais** à ce moment-là.* *J'aurais cru que tu **aurais lu** à ce moment-là.*
	après	Présent Passé	*J'aurais cru que tu **lirais** ce livre demain.* *J'aurais cru que tu **aurais lu** ce livre demain.*

JE RETIENS

Le verbe subordonné au conditionnel se met au présent ou au passé selon que l'action du verbe subordonné se passe avant, pendant ou après celle du verbe principal.

Johannes Gutenberg

L'imprimerie

Voyons un peu cet imprimeur allemand du XVe siècle nommé Johannes Gutenberg. Vers 1440, il met au point sa découverte des caractères d'imprimerie en métal. Il va révolutionner le monde de l'écriture. Quinze ans plus tard, il publie *La Bible* en latin. Il s'agit de la première édition imprimée de ce livre. Croyez-le ou non, *La Bible* constitue le plus grand succès de librairie de tous les temps. Grâce à Gutenberg, le livre est devenu accessible à tous. Acceptez à jamais notre reconnaissance, M. Gutenberg ! Comme beaucoup d'inventions géniales, celle de Gutenberg a changé à jamais le mode de vie des gens. Désormais, la culture est à la portée de tout le monde.

J'OBSERVE

Les verbes en couleur ont-ils un sujet ?
Aucun des trois n'a de sujet.

JE REMARQUE

1 Le **mode impératif** compte **un temps simple**, le **présent**, et **un temps composé**, le **passé**.

2 L'**impératif présent** exprime l'**ordre**, le **souhait**, l'**invitation**, la **consigne**, le **désir**, la **prière**, le **conseil**. L'impératif présent est la forme la plus fréquente de la **phrase impérative** :

Imprimez *ce livre.* (Ordre.)
Acceptez *à jamais notre reconnaissance !* (Une forme de souhait.)
Visitez *l'exposition Gutenberg.* (Une forme d'invitation.)
Voyons *un peu l'histoire de cet imprimeur allemand.* (Une forme de consigne.)
N'imprimez pas *ce livre.* (Défense.)

3 Le verbe à l'impératif n'a **pas de sujet** exprimé :

COMPARER :
Vous regardez le portrait de Gutenberg. (Sujet, *vous* : ind. prés.)
Regardez le portrait de Gutenberg. (Pas de sujet : imp. prés.)

4 Le mode impératif n'utilise que **trois** personnes grammaticales : la **deuxième** personne **du singulier**, la **première** et la **deuxième** personne **du pluriel** :

Regarde *cette photo de l'imprimerie de Gutenberg.* (2e pers. sing.)
Regardons *cette photo de l'imprimerie de Gutenberg.* (1re pers. plur.)
Regardez *cette photo de l'imprimerie de Gutenberg.* (2e pers. plur.)

5 Attention aux verbes ***aller*** et ***s'en aller*** !

a) Pour des motifs d'euphonie, c'est-à-dire de prononciation, on ajoute un *s* devant l'adverbe *y*. On l'unit au verbe par un **trait d'union** :

COMPARER :
Va à l'imprimerie.
Vas-y.

b) Dans ***s'en aller***, le pronom de la troisième personne ***se*** s'élide devant ***en***. C'est la même chose dans le cas du pronom de la deuxième personne :

*Tu **vas** chez l'imprimeur. Tu t'**en vas** chez l'imprimeur.*
Mais : ***Va-t'en** !* (Un trait d'union et une apostrophe. *T'* est pron. pers.)
Mais : *Où **va-t-on** ?* (Deux traits d'union. *T* est euphonique.)

6 Pour des motifs d'euphonie, on ajoute un *-s* devant ***y*** et ***en*** :

COMPARER :
Songe à ton avenir.
À ton avenir, songes-y.

Parle de ton projet.
Parles-en.

7 À l'impératif, le **verbe pronominal** conserve le **pronom complément** en le plaçant **après** le **verbe.** Il s'unit au verbe par un **trait d'union** :

COMPARER :
Tu t'efforces d'imprimer le journal à temps. (Ind. prés. : le pron. compl. *t'* est avant le verbe.)

Efforce-toi d'imprimer le journal à temps. (Imp. prés. : le pron. compl. *toi* est après le verbe, avec trait d'union.)

8 Si le **verbe pronominal** est employé avec le pronom ***en***, à la **deuxième personne du singulier**, on remplace le pronom ***toi*** par le pronom ***t'*** :

COMPARER :
Souviens-toi de cette visite.
Cette visite, souviens-t'en.

9 L'**impératif présent** s'emploie en **style direct**. En **style indirect**, on utilise la **subordonnée infinitive** :

COMPARER :
Je te dis : « Viens au musée avec moi. » (Style direct, imp. prés.)
Je te dis de venir au musée avec moi. (Style indirect, sub. inf. COD.)

10 L'**impératif passé** s'emploie très rarement. Il indique que l'événement évoqué par le verbe à l'impératif est antérieur à un autre moment exprimé :

*Ayez **imprimé** ce document avant mon retour.*

JE RETIENS

Le mode impératif compte un temps simple, le présent, et un temps composé, le passé.
Le mode impératif exprime l'ordre, le souhait, l'invitation, la consigne, le désir, la prière, le conseil, la défense.
Le mode impératif n'a pas de sujet exprimé. Ce mode n'utilise que trois personnes grammaticales : la deuxième personne du singulier, la première et la deuxième personne du pluriel.

20. LES MODES INFINITIF ET PARTICIPE

Avant le stéthoscope

L'auscultation

René Laënnec, médecin français, naquit en 1781, quelques années avant la Révolution française de 1789. Pour entendre les battements du cœur, le médecin d'alors collait son oreille sur la poitrine de la personne. René Laënnec utilisa un jour un cahier de notes roulé en cornet. Il fut surpris du résultat. Ainsi est né le premier stéthoscope, perfectionné par la suite. En plus de l'appareil, le médecin découvrit aussi et popularisa l'auscultation. Ses observations sur les maladies pulmonaires, dont la tuberculose, contribuèrent au progrès de la médecine. À quarante-cinq ans, René Laënnec mourut de la tuberculose, victime de son propre dévouement.

J'OBSERVE

Qu'ont en commun les formes verbales en couleur ?
Elles ne renvoient à aucune personne grammaticale.

JE REMARQUE

1 Les **modes impersonnels** sont les suivants : le **mode infinitif** et le **mode participe**.

2 Le point de vue du **mode infinitif** est, pour ainsi dire, de **nommer l'action** du **verbe** sans la situer dans le temps. L'infinitif est le **nom** du **verbe**. Il sert à désigner le verbe. C'est lui qui porte le **sens** du **verbe** :
*Laënnec commença à **utiliser** un cahier de notes.*

3 La **forme infinitive** s'emploie comme **nom** ou comme **verbe** :
*Son **devoir** est tout tracé.* (Nom précédé du dét. *son*.)
*Laënnec a cru **devoir** recommencer l'expérience.* (V. avec COD, *recommencer*.)

4 Employé comme **nom**, l'infinitif possède les caractéristiques suivantes :

a) L'infinitif remplit les **mêmes fonctions** que le nom ou le groupe nominal. Souvent, on peut même le remplacer par le nom ou le groupe nominal correspondant :
***Soigner** des malades n'est pas de tout repos.* (Inf. sujet du v. *est*.)
***Le soin** des malades n'est pas de tout repos.* (Gr. nom. sujet du v. *est*.)

b) Parfois, l'infinitif est devenu un véritable **nom**. Il est alors précédé d'un déterminant :
*Laënnec n'a pas **le pouvoir** de changer la situation.*

5 Employé comme **verbe**, l'infinitif remplit de nombreux rôles :

a) Dans un **phrase impérative**, il exprime l'**ordre** ou la **défense** :
*Ne pas **toucher** aux éprouvettes.*

b) Dans une **phrase interrogative directe** ou **indirecte**, l'infinitif marque une certaine **hésitation** :
*Que **penser** du stéthoscope de Laënnec ?* (Phrase int. directe.)
*Laënnec se demande quoi **penser**.* (Phrase int. indirecte.)

c) Dans la **phrase complexe**, l'infinitif peut être le **noyau** de la proposition **subordonnée infinitive** :

*Laënnec voit les malades **mourir** de tuberculose.*

princ. sub. inf.

6 Le **mode infinitif** compte un temps simple, le **présent**, et un temps composé, le **passé** :

*Laënnec veut **guérir** ses malades.* (Inf. prés.)
*Laënnec croyait **avoir guéri** cette patiente.* (Inf. passé.)

7 L'**infinitif** peut remplir la plupart des fonctions du nom :

a) L'infinitif peut remplir la fonction de **sujet** :
__Ausculter__ n'était pas facile avec un cornet.

b) L'infinitif peut remplir la fonction de **complément d'objet direct** :
*Ce patient désire **guérir**.*

c) L'infinitif peut remplir la fonction de **complément d'objet indirect** :
*Le malade ne s'attend pas à **mourir**.*

d) L'infinitif peut remplir la fonction d'**attribut du sujet** :
*Son plus grand désir est de **guérir**.*

e) L'infinitif peut remplir la fonction de **complément circonstanciel** :
*Pour **ausculter**, Laënnec invente le stéthoscope.*

f) L'infinitif peut remplir la fonction de **complément du nom** :
*La crainte de **mourir** afflige ce patient.*

g) L'infinitif peut remplir la fonction d'**apposition** :
*Cette patiente n'a qu'un désir, **guérir**.*

h) L'infinitif peut remplir la fonction de **complément du pronom** :
*Le désir de soigner et surtout celui de **guérir** animaient Laënnec.*

i) L'infinitif peut remplir la fonction de **complément de l'adjectif** :
*Le stéthoscope est facile à **utiliser**.*

j) L'infinitif peut remplir la fonction de **complément du comparatif** :
*Prévenir est plus facile que **guérir**.*

8 Le **mode** participe représente, pour ainsi dire, la forme **adjective** du **verbe**. Il compte deux temps, le **présent** et le **passé** :

a) Le **participe présent** est la forme du verbe qui se termine par ***-ant*** :
__Posant__ l'oreille sur sa poitrine, il ausculte sa patiente. (Part. prés.)

b) Le **participe passé** accompagne souvent les auxiliaires ***avoir*** et ***être*** dans la conjugaison du verbe :
*Laënnec a **soigné** plusieurs personnes.* (Part. passé *soigné* avec aux. *avoir*.)
*Ce patient est **entré** dans la salle d'opération.* (Part. passé *entré* avec aux. *être*.)

20. LES MODES INFINITIF ET PARTICIPE

JE RETIENS

Le mode infinitif et le mode participe sont des modes impersonnels.
Le mode infinitif sert à nommer le verbe. Il compte un temps simple, le présent, et un temps composé, le passé. L'infinitif peut remplir la plupart des fonctions du nom.
Le mode participe est la forme adjective du verbe. Il compte deux temps, le présent et le passé.

La lecture est à l'esprit ce que l'exercice est au corps.
Joseph Addison

LE MOT INVARIABLE

1. LES PROPRIÉTÉS DE L'ADVERBE

La traversée

Vers la Nouvelle-France

Traverser l'Atlantique vers la Nouvelle-France, au XVIIe siècle, représentait une aventure **très périlleuse**. Sur les navires, la sécurité et l'hygiène étaient plutôt douteuses. En plus des passagers, la cargaison comprenait souvent des marchandises et, parfois, des animaux pour la colonie. Quand le vent était favorable, le navire quittait prudemment le port et se lançait vers l'inconnu. L'angoisse des voyageurs était grande : combien de temps durerait la traversée ? Faudrait-il affronter les tempêtes, les vents contraires, la famine, la maladie ? Tout à coup, tous ces dangers apparaissaient menaçants. **Très souvent**, chacun se posait la vraie question : «Qui parviendra vivant en terre d'Amérique ?» Personne ne connaissait la réponse.

J'OBSERVE

Le mot *très* apparaît deux fois dans le texte. Le mot qu'il accompagne est-il de la même nature dans les deux cas ?

Non. Le premier *très* accompagne l'adjectif qualificatif *périlleuse* ; le deuxième *très* accompagne l'adverbe *souvent*.

JE REMARQUE

1 Un **mot invariable** qui **modifie** ou **complète le sens** d'un autre mot est un **adverbe** :

COMPARER :

La traversée est une aventure périlleuse.

La traversée est une aventure **très** *périlleuse.* (*Très* est adv. car il modifie le sens de l'adj. qual. *périlleuse*.)

2 L'adverbe n'a **ni genre ni nombre** :

COMPARER :

L'hygiène est **plutôt** *douteuse.*

La sécurité et l'hygiène sont **plutôt** *douteuses.*

3 L'adverbe peut remplir diverses **fonctions** dans la phrase :

a) L'adverbe qui **modifie** ou **complète** le **sens** d'un **verbe** ou de la **phrase** remplit la fonction de **complément circonstanciel** :

Les matelots voyaient ***mal*** *dans la tempête.* (CC du v. *voyaient*.)

b) L'adverbe qui **modifie** ou **complète** le **sens** d'un **nom** remplit la fonction de **complément du nom** :

*Nos ancêtres ont bâti l'Amérique d'****aujourd'hui****.* (Compl. du nom *Amérique*.)

c) L'adverbe qui **modifie** ou **complète** le **sens** d'un **pronom** remplit la fonction de **complément du pronom** :

Ces gens courageux ont tracé le chemin de ceux de ***demain****.* (Compl. du pron. *ceux*.)

d) L'adverbe qui **modifie** ou **complète** le **sens** d'un **adjectif qualificatif** remplit la fonction de **complément de l'adjectif** :

La mer était ***plutôt*** *mauvaise.* (Compl. de l'adj. *mauvaise*.)

e) L'adverbe qui **modifie** ou **complète** le **sens** d'un **autre adverbe** remplit la fonction de **complément de l'adverbe**:
Très souvent, il fallait affronter des tempêtes. (Compl. de l'adv. *souvent.*)

f) L'adverbe qui **suit** un **présentatif** remplit la fonction de **complément du présentatif**:
C'est ***demain*** *que le bateau quittera le port.* (Compl. du présentatif *c'est... que.*)

4 Selon la **forme**, on distingue :

a) L'adverbe **simple**, formé d'**un seul mot** :
Hier, ici, là, ni, oui, parfois, plutôt, prudemment, souvent, très...

b) L'adverbe **composé**, formé de **plusieurs mots**. On l'appelle alors **locution adverbiale** :
En avant, en haut, ne... pas, peu à peu, plus tard, tout à coup, tout de suite...

5 Selon le **sens**, on classe les adverbes comme suit: les adverbes d'**opinion**, les adverbes de **circonstance** et les adverbes de **liaison** :

a) Les adverbes d'**opinion** comprennent l'adverbe d'**affirmation**, l'adverbe de **doute**, l'adverbe de **négation** et l'adverbe **interrogatif** :
«Arriverons-nous bientôt?» demande Olivier à sa mère.
*«****Oui****, Olivier, lui répond sa mère, nous serons en Nouvelle-France dans deux jours.»* (Adv. d'**affirmation**.)
«Nous y serons ***peut-être*** *seulement dans trois jours», ajoute son père.* (Adv. de **doute**.)
«Nous ***n'****arriverons* ***jamais*** *avant deux semaines», réplique son cousin Mathieu, les larmes aux yeux.* (Loc. adv. de **négation**.)
*«****Pourquoi*** *dis-tu une sottise pareille?» lui demande sa mère.* (Adv. **interrogatif**.)

b) Les adverbes de **circonstance** comprennent les adverbes de **temps**, les adverbes de **lieu**, les adverbes de **manière** et les adverbes d'**intensité** ou de **quantité** :
Souvent*, le vent n'était pas favorable.* (Adv. de **temps**.)
Ici et là*, on trouvait des enfants malades.* (Loc. adv. de **lieu**.)
Le navire quittait ***prudemment*** *le port.* (Adv. de **manière**.)
Certains étaient ***plus*** *malades que d'autres.* (Adv. d'**intensité**.)

c) Les adverbes de **liaison** sont des mots de relation qui jouent un rôle de **coordination**. Dans certains ouvrages, on les appelle même «conjonctions de coordination» ou «locutions conjonctives de coordination» :
Le capitaine est malade. ***Cependant****, il ne se décourage pas.* (Adv. de liaison équivalant à la conj. de coord. *mais*.)

JE RETIENS

L'adverbe et la locution adverbiale sont des mots invariables qui modifient le sens d'un autre mot.
Selon le sens, on distingue l'adverbe d'opinion, l'adverbe de circonstance et l'adverbe de liaison.

2. L'ADVERBE D'OPINION

La cérémonie

Les filles du roi

Sous le règne de Louis XIV, la Nouvelle-France connaît des problèmes. Certes, le peuplement de la colonie est une difficulté de taille. Il y a trop d'hommes et pas assez de femmes célibataires. Que fait le roi ? Il décide d'envoyer des filles à marier. Le roi leur fournit une somme d'argent et paie leur voyage. C'est pourquoi on les appelle les filles du roi. En 1665, près d'une centaine d'entre elles émigrent en Nouvelle-France, puis quatre cents par année de 1669 à 1671. Aussitôt arrivées, la plupart sont choisies par les célibataires masculins, habitants ou soldats, et la noce a lieu. Certains ont prétendu que les filles du roi étaient peut-être d'une réputation douteuse. Ils n'ont jamais réussi à en faire la preuve.

J'OBSERVE

Qu'ont en commun les mots en couleur ?
Ce sont tous des mots invariables, des adverbes.

JE REMARQUE

1 L'adverbe qui sert à exprimer plus ou moins clairement un **jugement** sur ce qui est dit est un **adverbe d'opinion**. Cet adverbe est souvent un mot de relation :
Certes, *le peuplement de la colonie est une difficulté de taille.*
Ils ***n'ont jamais*** *réussi à en faire la preuve.*

2 Selon le **sens**, on classe les adverbes d'opinion en quatre groupes :
L'adverbe d'**affirmation**, comme *assurément, certes, oui...*
L'adverbe de **doute**, comme *apparemment, peut-être, sans doute...*
L'adverbe de **négation**, comme *ne, ne... jamais, ne... pas, non...*
L'adverbe **interrogatif**, comme *comment, où, quand...*

3 L'adverbe d'**affirmation** s'emploie dans les cas suivants :
a) Pour **appuyer** un aspect d'une **phrase déclarative** :
Bien sûr, *il y avait peu de femmes célibataires.*
Certes, *le peuplement de la colonie est une difficulté de taille.*

b) En **réponse** à une question dans l'interrogation totale, dans une **phrase non verbale** :
Louis XIV voulait-il favoriser le peuplement de la colonie ? ***Oui***. (Adv., phrase non verbale.)
Les filles du roi vont-elles trouver mari ? ***Assurément***. (Adv., phrase non verbale.)

4 L'**affirmation** se renforce par la **répétition** de l'adverbe ***oui*** ou ***si*** ou par l'emploi de l'adverbe dans une locution :
Tu m'écoutes ? ***Oui, oui***, *je t'écoute.* (Répétition de l'adv., phrase verbale.)
Marie-Soleil est-elle une fille du roi ? ***Bien sûr que oui !*** (Loc. adv., phrase non verbale.)

2. L'ADVERBE D'OPINION

5 L'adverbe de **doute** s'emploie dans les cas suivants :

a) Pour **atténuer** une **affirmation** :

COMPARER :

Aussitôt arrivée, la fille du roi se mariera.

Aussitôt arrivée, la fille du roi se mariera probablement.

b) En **réponse** à une question dans l'interrogation totale, dans une **phrase non verbale** :

*Louis XIV voulait-il favoriser le peuplement de la colonie? **Sans doute**.* (Loc. adv., phrase non verbale.)

*Certains historiens se seraient-ils trompés au sujet des filles du roi? **Peut-être**.* (Adv., phrase non verbale.)

6 L'adverbe de **négation** s'emploie dans les cas suivants :

a) Pour **nier** une **phrase déclarative** :

COMPARER :

Les filles du roi étaient des filles de mauvaise réputation. (Phrase décl. aff.)

Les filles du roi n'étaient pas des filles de mauvaise réputation. (Phrase décl. nég.)

b) En **réponse** à une **question** :

*Nos ancêtres étaient-elles toutes des filles du roi? **Non**, mais beaucoup l'étaient.* (Adv., phrase verbale.)

*As-tu entendu parler des filles du roi? **Jamais**.* (Adv., phrase non verbale.)

7 La **négation** se renforce par la **répétition** de l'adverbe ***non*** ou par l'emploi de l'adverbe dans une locution :

*Ton ancêtre a-t-il épousé une fille du roi? **Non, non**.* (Répétition de l'adv., phrase non verbale.)

*Nos ancêtres étaient-elles toutes des filles du roi? **Bien sûr que non!*** (Loc. adv., phrase non verbale.)

8 L'adverbe de négation ***ne*** est habituellement accompagné d'un autre mot : *ne... pas, ne... jamais, ne... plus...* :

*Il **n'**y avait **pas** assez de filles à marier en Nouvelle-France.*

9 L'adverbe **interrogatif** s'emploie dans l'**interrogation partielle** (qui porte sur un seul élément de la phrase) :

a) Dans l'**interrogation directe**, suivie d'un point d'interrogation :

*D'**où** les filles du roi venaient-elles?*

***Quand** les filles du roi se mariaient-elles?*

b) Dans l'**interrogation indirecte**, sans point d'interrogation :

*Je me demande d'**où** venaient les filles du roi.*

*Je me demande **quand** les filles du roi se mariaient.*

2. L'ADVERBE D'OPINION

QUELQUES ADVERBES ET LOCUTIONS ADVERBIALES D'OPINION			
Sens : affirmation			
assurément	d'accord	naturellement	sans contredit
bien	effectivement	oui	sans faute
bien sûr	en vérité	parfaitement	si
certainement	évidemment	sans aucun doute	sûrement
certes	mais oui	sans conteste	vraiment
Sens : doute			
apparemment	peut-être que	probablement que	sans doute que
peut-être	probablement	sans doute	vraisemblablement
Sens : négation			
aucunement	ne... jamais	ne... point	nullement
jamais	ne... nullement	ne... rien	pas
ne	ne... pas	non	pas du tout
ne... aucunement	ne... personne	non plus	personne
ne... guère	ne... plus	non seulement	rien
Sens : interrogation			
combien	d'où	par où	que
comment	jusqu'à quand	pourquoi	si
depuis quand	où	quand	

JE RETIENS

L'adverbe d'opinion sert à exprimer plus ou moins clairement un jugement sur ce qui est dit.
Parmi les adverbes d'opinion, on distingue l'adverbe d'affirmation, l'adverbe de doute, l'adverbe de négation et l'adverbe interrogatif.

L'accent du pays où l'on est né demeure dans l'esprit et dans le cœur, comme dans le langage.
La Rochefoucauld

3. L'ADVERBE DE CIRCONSTANCE

Le mât du mai

Le premier mai de chaque année, les habitants se rendent très tôt au manoir du seigneur pour la fête du mai. Il s'agit d'une coutume, pratiquée en Nouvelle-France, qui rend hommage au seigneur et à sa famille. On creuse une fosse sur la grève devant le manoir et l'on y plante un sapin dégarni de ses branches, sauf au sommet. C'est ce qu'on appelle le mât du mai. Tous s'amusent follement, à commencer par le seigneur lui-même, à tirer du fusil sur le mât. À la fin du jeu, l'arbre est toujours méconnaissable, noirci par la poudre. La fête ne peut pas prendre fin sans un succulent repas offert par le seigneur et sa femme. Ensuite, chacun retourne chez soi, content.

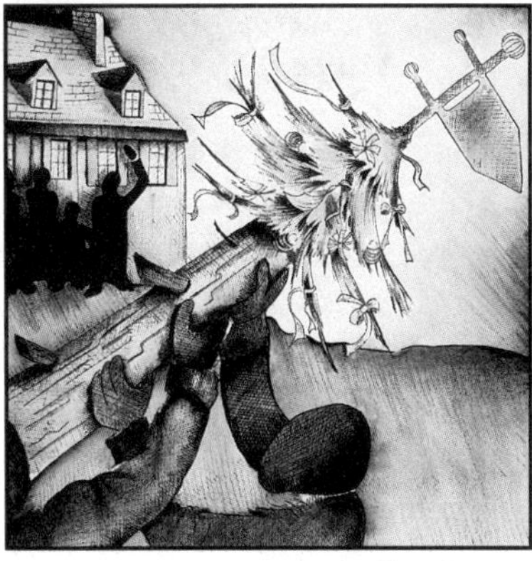
La fête du mai

J'OBSERVE

Qu'y a-t-il de commun entre les mots en couleur *très tôt, toujours* et *ensuite*?
Ils expriment tous une idée de temps. Ce sont des adverbes.

JE REMARQUE

1 L'adverbe qui sert à exprimer les **circonstances** d'un événement est un **adverbe de circonstance**. Traditionnellement, on nomme l'adverbe d'après la circonstance. Ainsi, on distingue l'adverbe de **temps**, l'adverbe de **lieu**, l'adverbe de **manière** et l'adverbe de **quantité** ou d'**intensité** :

Les habitants se rendent ***tôt*** *au manoir.* (Adv. de temps.)
Les enfants s'assoient ***par terre****.* (Loc. adv. de lieu.)
Tous s'amusent ***follement****.* (Adv. de manière.)
La fille du menuisier vise ***très*** *bien.* (Adv. d'intensité.)

2 L'adverbe de **temps** a les propriétés suivantes :

a) L'adverbe de temps indique le **moment**, la **durée**, la **répétition** ou la **succession** des événements :

Hier*, le seigneur et sa femme ont accueilli les colons.* (Moment.)
La visite des colons a duré ***longtemps****.* (Durée.)
Les enfants du seigneur participent ***toujours*** *à la fête.* (Répétition.)

b) L'adverbe de temps répond habituellement à la question ***quand?*** posée **après** le **verbe** :

Hier*, le seigneur a accueilli les colons.* (Le seigneur a accueilli les colons **quand** ? **Hier**.)

c) Parfois, on peut **déplacer** ou **supprimer** l'adverbe de temps sans modifier la structure ni le sens de la phrase. La phrase contient cependant moins de précision:

COMPARER :
Le seigneur a souvent participé au mât du mai.
Souvent, le seigneur a participé au mât du mai.
Le seigneur a participé souvent au mât du mai.
Le seigneur a participé au mât du mai. (Sans adv. de temps, même structure et même sens.)

d) L'adverbe de temps remplit la **fonction** de **complément circonstanciel de temps** du **verbe** :
La visite des colons a duré ***longtemps****.* (CC de temps du v. *a duré.*)

3 L'adverbe de **lieu** a les propriétés suivantes :

a) L'adverbe de lieu **situe** un événement dans l'**espace** : d'où l'on vient, où l'on est, où l'on va :
Les visiteurs arrivent de ***partout****.* (D'où l'on vient.)
Les adultes causent entre eux ***çà et là****.* (Où l'on est.)
Les enfants vont jouer ***alentour****.* (Où l'on va.)

b) L'adverbe de lieu répond habituellement à la question ***où ?*** posée **après** le **verbe** :
Les enfants marchent ***devant****.* (Les enfants marchent **où** ? **Devant**.)

c) Parfois, on **peut déplacer** ou **supprimer** l'adverbe de lieu sans modifier la structure ni le sens de la phrase. Cependant, lorsqu'on supprime l'adverbe, la phrase contient moins de précision :
COMPARER :
Les enfants jouent partout avec le chien.
Partout, les enfants jouent avec le chien.
Les enfants jouent avec le chien partout.
Les enfants jouent avec le chien. (Sans adv. de lieu, même structure et même sens.)

d) L'adverbe de lieu remplit la **fonction** de **complément circonstanciel de lieu** du **verbe** :
Les visiteurs viennent de ***partout****.* (CC de lieu du v. *viennent.*)

4 L'adverbe de **manière** a les propriétés suivantes :

a) L'adverbe de manière exprime la **manière** dont se déroulent des événements :
Le seigneur a accueilli les colons ***chaleureusement****.*
André tire ***mal*** *du mousquet.*

b) L'adverbe de manière répond habituellement à la question ***comment ?*** posée **après** le **verbe** :
Les enfants du seigneur chantent ***faux****.* (Les enfants du seigneur chantent **comment** ? **Faux**.)

c) Parfois, on peut **déplacer** ou **supprimer** l'adverbe de manière sans modifier la structure ni le sens de la phrase. La phrase contient cependant moins de précision :
COMPARER :
Le seigneur a volontiers participé au mât du mai.
Volontiers, le seigneur a participé au mât du mai.
Le seigneur a participé volontiers au mât du mai.
Le seigneur a participé au mât du mai. (Sans adv. de manière, même structure et même sens.)

d) L'adverbe de manière remplit la **fonction** de **complément circonstanciel de manière** du **verbe** :

La femme du seigneur chante ***juste***. (CC de manière du v. *chante*.)

5 L'adverbe de **quantité** a les propriétés suivantes :

a) L'adverbe de quantité indique le **degré** ou l'**intensité** :

Les enfants s'amusent ***beaucoup***. (Intensité.)
Ce sac pèse ***peu***. (Quantité.)

b) L'adverbe de quantité répond habituellement à la question ***combien ?*** ou ***comment ?*** posée **après** le **verbe** :

Les enfants s'amusent ***beaucoup***. (Les enfants s'amusent **comment** ? **Beaucoup**.)
Ce sapin pèse ***peu***. (Ce sapin pèse **combien** ? **Peu**.)

c) Parfois, on **peut déplacer** ou **supprimer** l'adverbe de quantité sans modifier la structure ni le sens de la phrase. Cependant, lorsqu'on supprime l'adverbe, la phrase contient moins de précision :

COMPARER :
Peu à peu, le mât du mai noircit.
Le mât du mai, peu à peu, noircit.
Le mât du mai noircit peu à peu.
Le mât du mai noircit. (Sans adv. de quantité, même structure et même sens.)

d) L'adverbe de quantité remplit la **fonction** de **complément circonstanciel de quantité** du **verbe** :

La fête a coûté ***cher*** *au seigneur.* (CC de quantité du v. *a coûté*.)

6 Certains **adjectifs qualificatifs** servent parfois d'**adverbes**. Ils se comportent alors comme de véritables adverbes et sont **invariables**. On peut toujours les remplacer par un autre adverbe. Les principaux sont *bas, bon, cher, faux, ferme, juste...* :

La fête a coûté ***cher*** *au seigneur.* (*Cher*, adv., est invariable.)
Les fleurs sentent ***bon***. (*Bon*, adv., ne s'accorde pas avec *fleurs*.)

QUELQUES ADVERBES ET LOCUTIONS ADVERBIALES DE CIRCONSTANCE				
Sens : temps				
alors	autrefois	désormais	maintenant	souvent
antérieurement	avant	dorénavant	naguère	tantôt
après	avant-hier	encore	parfois	tard
après-demain	bientôt	enfin	premièrement	tôt
à présent	déjà	ensuite	quand	toujours
aujourd'hui	demain	hier	quelquefois	tout à coup
auparavant	dernièrement	jadis	soudain	tout à l'heure
aussitôt	dès lors	longtemps	sous peu	tout de suite

3. L'ADVERBE DE CIRCONSTANCE

QUELQUES ADVERBES ET LOCUTIONS ADVERBIALES DE CIRCONSTANCE (SUITE)				
Sens : lieu				
à droite	çà et là	dessous	hors	où
à gauche	ci-dessous	dessus	hors d'ici	par derrière
ailleurs	ci-dessus	devant	ici	par devant
alentour	deçà	d'ici	là	par ici
arrière	dedans	d'où	là-bas	partout
au-dedans	dehors	en	là-haut	près
avant	derrière	en arrière	loin	y
Sens : manière				
ainsi	bien	mieux	Ainsi qu'un grand nombre d'adverbes en *-ment,* comme :	
allegro	debout	pêle-mêle	adroitement	
à part	ensemble	petit à petit	doucement	
à reculons	en vain	pis	fortement	
à tâtons	exprès	plutôt	lentement	
à tort	gratis	tour à tour	prudemment	
à tue-tête	incognito	vite	savamment	
au hasard	mal	volontiers		
Sens : quantité ou intensité				
à demi	beaucoup	guère	peu à peu	tant
à moitié	bien	le moins	plus	tellement
à peine	combien	le plus	presque	tout
à peu près	comme	moins	quasi	tout à fait
assez	davantage	pas du tout	quelque	très
autant	environ	peu	si	trop

JE RETIENS

L'adverbe de circonstance sert à exprimer les circonstances d'un événement.
Parmi les adverbes de circonstance, on distingue l'adverbe de temps, l'adverbe de lieu, l'adverbe de manière et l'adverbe de quantité ou d'intensité.
Ils remplissent les fonctions de complément circonstanciel du verbe.

Quels misérables nous serions, si nous n'étions pas fiers de nos ancêtres.

Laure Conan

4. LA FORMATION DES ADVERBES EN -MENT

La traite des fourrures

L'économie de la Nouvelle-France repose particulièrement sur le commerce avec les Amérindiens, appelé la traite des fourrures. Traditionnellement, l'Amérindien est un habile chasseur et il échange ses fourrures avec les Français de la colonie. Ces échanges s'appellent du troc. Contre ces fourrures, l'Amérindien reçoit des couvertures, des fusils, des couteaux, etc. Des canots, lourdement chargés de fourrures, se rendent aux postes de traite: Tadoussac, Québec, Trois-Rivières et Ville-Marie, aujourd'hui Montréal. Souvent, les coureurs des bois vont à la rencontre des Amérindiens pour obtenir leurs fourrures à meilleur compte et les revendre à profit. Les fourrures étaient ensuite exportées en France.

Vers le poste de traite

J'OBSERVE

Si on enlève la finale *-ment* des adverbes en couleur, que reste-t-il?

Il reste des adjectifs qualificatifs: *particulière*, *traditionnelle* et *lourde*.

JE REMARQUE

1 L'**adverbe** en ***-ment*** représente le groupe d'adverbes le plus nombreux. Cet adverbe se forme généralement à partir de l'**adjectif qualificatif correspondant** selon des règles précises :

L'adjectif ***particulier*** a donné l'adverbe ***particulièrement***.

2 L'**adjectif qualificatif masculin** terminé par une **consonne** forme habituellement l'adverbe comme suit:

a) On forme la majorité des adverbes de ce groupe en ajoutant le suffixe ***-ment*** à l'**adjectif féminin correspondant**:

Adjectif masculin	Adjectif féminin	Adverbe
Adroit	*Adroite*	*Adroitement*
Faux	*Fausse*	*Faussement*
Lourd	*Lourde*	*Lourdement*
Nul	*Nulle*	*Nullement*
Vif	*Vive*	*Vivement*
Mais:		
Gentil	*Gentille*	*Gentiment*

b) Par euphonie, la voyelle ***e*** qui termine un certain nombre d'**adjectifs féminins** devient ***é***:

Adjectif masculin	Adjectif féminin	Adverbe
Commun	*Commune*	*Communément*
Confus	*Confuse*	*Confusément*
Obscur	*Obscure*	*Obscurément*
Opportun	*Opportune*	*Opportunément*
Précis	*Précise*	*Précisément*
Profond	*Profonde*	*Profondément*

4. LA FORMATION DES ADVERBES EN -MENT

3 L'**adjectif qualificatif masculin** terminé par une **voyelle** (*e, é, **i*** et ***u***) forme habituellement l'adverbe comme suit :

a) On forme la majorité des adverbes de ce groupe en ajoutant le suffixe ***-ment*** à l'**adjectif masculin correspondant** :

Adjectif masculin	Adverbe
Brave	*Brave**ment***
Joli	*Joli**ment***
Résolu	*Résolu**ment***
Vrai	*Vrai**ment***

Mais :

Gai	*Gai**ement*** ou *ga**îment*** (vieilli)

b) Par euphonie, la voyelle ***e*** qui termine un certain nombre d'**adjectifs masculins** devient ***é*** :

Adjectif masculin	Adverbe
Aveugle	*Aveugl**ément***
Conforme	*Conform**ément***
Énorme	*Énorm**ément***
Immense	*Immens**ément***
Intense	*Intens**ément***
Uniforme	*Uniform**ément***

c) La voyelle ***u*** qui termine un certain nombre d'**adjectifs masculins** devient ***û***. L'accent circonflexe remplace la voyelle ***e*** du **féminin** :

Adjectif masculin	Adverbe
Assidu	*Assid**ûment***
Congru	*Congr**ûment***
Cru	*Cr**ûment***
Dû	*D**ûment***
Goulu	*Goul**ûment***
Indu	*Ind**ûment***

FORMATION DE L'ADVERBE EN *-MENT* À PARTIR DE L'ADJECTIF MASCULIN TERMINÉ PAR UNE VOYELLE					
Adjectif masculin	**Adverbe**	**Adjectif masculin**	**Adverbe**	**Adjectif masculin**	**Adverbe**
absol**u**	absolu**ment**	fragile	fragile**ment**	isolé	isolé**ment**
aisé	aisé**ment**	gauche	gauche**ment**	joli	joli**ment**
brave	brave**ment**	hardi	hardi**ment**	juste	juste**ment**
drôle	drôle**ment**	infini	infini**ment**	poli	poli**ment**
éperd**u**	éperdu**ment**	ingén**u**	ingénu**ment**	résol**u**	résolu**ment**
faible	faible**ment**	inverse	inverse**ment**	vrai	vrai**ment**
aveugle	aveugl**ément**	énorme	énorm**ément**	intense	intens**ément**
conforme	conform**ément**	immense	immens**ément**	uniforme	uniform**ément**
assid**u**	assid**ûment**	cr**u**	cr**ûment**	goul**u**	goul**ûment**
congr**u**	congr**ûment**	dû	d**ûment**	ind**u**	ind**ûment**

4. LA FORMATION DES ADVERBES EN -MENT

4 L'**adjectif qualificatif masculin** terminé par ***-ant*** forme l'adverbe en ***-amment*** :

Adjectif masculin	**Adverbe**
*Abond**ant***	*Abond**amment***
*Bruy**ant***	*Bruy**amment***
*Const**ant***	*Const**amment***
*Élég**ant***	*Élég**amment***
*Suffis**ant***	*Suffis**amment***
*Vaill**ant***	*Vaill**amment***

FORMATION DE L'ADVERBE EN *-AMMENT* À PARTIR DE L'ADJECTIF MASCULIN TERMINÉ PAR *-ANT*			
Adjectif masculin	Adverbe	Adjectif masculin	Adverbe
abond**ant**	abond**amment**	indépend**ant**	indépend**amment**
bienveill**ant**	bienveill**amment**	insuffis**ant**	insuffis**amment**
bruy**ant**	bruy**amment**	pes**ant**	pes**amment**
const**ant**	const**amment**	plais**ant**	plais**amment**
cour**ant**	cour**amment**	puiss**ant**	puiss**amment**
élég**ant**	élég**amment**	sav**ant**	sav**amment**
étonn**ant**	étonn**amment**	suffis**ant**	suffis**amment**
incess**ant**	incess**amment**	vaill**ant**	vaill**amment**

5 Certains **adjectifs qualificatifs masculins** terminés par ***-ent*** forment l'adverbe en ***-emment*** :

Adjectif masculin	**Adverbe**
*Consci**ent***	*Consci**emment***
*Différ**ent***	*Différ**emment***
*Imprud**ent***	*Imprud**emment***
*Intellig**ent***	*Intellig**emment***
*Viol**ent***	*Viol**emment***
Mais :	
Lent	*Lent**ement***
*Prés**ent***	*Présent**ement***
*Véhém**ent***	*Véhément**ement***

FORMATION DE L'ADVERBE EN *-EMMENT* À PARTIR DE L'ADJECTIF MASCULIN TERMINÉ PAR *-ENT*			
Adjectif masculin	Adverbe	Adjectif masculin	Adverbe
appar**ent**	appar**emment**	indiffér**ent**	indiffér**emment**
consci**ent**	consci**emment**	innoc**ent**	innoc**emment**
différ**ent**	différ**emment**	intellig**ent**	intellig**emment**
évid**ent**	évid**emment**	néglig**ent**	néglig**emment**
fréqu**ent**	fréqu**emment**	pati**ent**	pati**emment**
impati**ent**	impati**emment**	précéd**ent**	précéd**emment**
impertin**ent**	impertin**emment**	prud**ent**	prud**emment**
imprud**ent**	imprud**emment**	réc**ent**	réc**emment**
inconsci**ent**	inconsci**emment**	viol**ent**	viol**emment**

4. LA FORMATION DES ADVERBES EN -MENT

6 Cas particuliers d'**adverbes** en ***-ment*** et ***-amment***:

a) Adverbes formés à partir d'un **nom** :

Nom	Adverbe
Bête	*Bête**ment***
Chatte	*Chatte**ment***
Diable	*Diable**ment***
Nuit	*Nuit**amment***

b) Adverbes formés à partir d'un **autre adverbe** :

Adverbe	Adverbe
Comme	*Com**ment***
Quasi	*Quasi**ment***

c) Adverbes formés à partir d'un **participe présent** :

Participe présent	Adverbe
Notant	*Not**amment***
Précipitant	*Précipit**amment***

JE RETIENS

Les adverbes en *-ment* se forment à partir de l'adjectif qualificatif correspondant.
L'adjectif qualificatif terminé par une consonne forme habituellement l'adverbe en ajoutant le suffixe *-ment* à l'adjectif féminin correspondant.
L'adjectif qualificatif masculin terminé par une voyelle (*e, é, i, u*) forme habituellement l'adverbe en ajoutant le suffixe *-ment*.
L'adjectif masculin terminé par *-ant* forme l'adverbe en *-amment*.
Certains adjectifs masculins terminés par *-ent* forment l'adverbe en *-emment*.

Écrire, c'est chercher sa liberté.
Marc Doré

Un lot à défricher

Le nouveau colon vient de recevoir du seigneur un lot, c'est-à-dire une portion de terre qu'il s'engage à cultiver. Toutefois, ce n'est pas demain qu'il pourra songer à la culture de son lot. En effet, sa terre est couverte d'arbres parfois énormes. C'est la forêt. Sa principale tâche sera de défricher une première parcelle de sa terre, puis d'y bâtir une maison temporaire en bois pour y loger sa femme et ses enfants. Défricher, cela veut dire abattre les arbres. Mais cela signifie aussi arracher les souches et rendre la terre cultivable en enlevant les pierres. Ainsi, progressivement, au fil des ans, le minuscule jardin potager du début fera place à une véritable terre cultivée.

Le défricheur

J'OBSERVE

Quelle est la nature des mots en couleur ?
Ce sont tous des adverbes.

JE REMARQUE

1 L'adverbe qui sert à marquer un **lien logique** entre des éléments est un **adverbe de liaison**. C'est un **mot de relation** :
Le colon reçoit une portion de terre qu'il s'engage à cultiver. ***Toutefois****, ce n'est pas demain qu'il pourra songer à la culture de son lot.* (*Toutefois,* adv. de liaison. Il relie ce qui suit à la phrase qui précède.)

2 Le type de lien logique dépend de l'**adverbe** et du **contexte** où il se trouve :

a) Lien de **cause**, avec des adverbes comme *d'ailleurs, de fait, en effet...* :
En effet*, son lot est couvert d'arbres.* (Parce que son lot est couvert d'arbres, le colon ne peut pas le cultiver tout de suite.)

b) Lien de **conséquence**, avec des adverbes comme *ainsi, alors, par conséquent...* :
Le colon veut construire une maison. ***Alors****, il doit défricher.* (Parce qu'il veut construire une maison, le colon doit commencer par défricher son lot.)

c) Lien de **succession** dans le **temps**, avec des adverbes comme *à la fin, de plus...* :
Il doit défricher ***puis*** *construire sa maison.* (La construction viendra après le défrichement.)

d) Lien d'**opposition**, avec des adverbes comme *au contraire, au moins, toutefois...* :
Le colon aimerait cultiver son lot. ***Toutefois****, il devra défricher d'abord.* (Même s'il aimerait cultiver son lot, le colon doit défricher d'abord.)

e) Lien d'**explication**, avec des adverbes comme *à savoir, c'est-à-dire, par exemple...* :
Le colon doit apprendre très vite la technique de l'essouchement, ***c'est-à-dire*** *l'art d'arracher les souches après l'abattage des arbres.* (Ce qui suit l'adv. *c'est-à-dire* explique ce qu'est l'essouchement.)

5. L'ADVERBE DE LIAISON

3 Dans un texte courant, on utilise fréquemment l'adverbe de liaison entre les **phrases** ou les **paragraphes**. On l'appelle parfois **mot lien** ou **mot de relation**. Il sert à marquer les transitions.

QUELQUES ADVERBES ET LOCUTIONS ADVERBIALES DE LIAISON			
Lien de cause			
d'ailleurs	de même	du reste	en effet
de fait	donc	effectivement	par ailleurs
Lien de conséquence			
ainsi	c'est pourquoi	en conséquence	par suite
alors	conséquemment	par conséquent	partant
aussi	donc	pareillement	
Lien de temps			
à la fin	cependant	en plus	premièrement
aussi	de plus	ensuite	puis
au surplus	enfin	mais aussi	somme toute
avant tout	en outre	mais encore	tout d'abord
Lien d'opposition			
au contraire	cependant	en tout cas	pourtant
au moins	d'autre part	néanmoins	sans quoi
aussi bien	du moins	par ailleurs	sinon
autrement	en revanche	par contre	toutefois
Lien d'explication			
ainsi	autant dire	c'est-à-dire	soit
à savoir	autrement dit	par exemple	voire

4 Les adverbes de liaison jouent un **rôle** semblable à celui de la **conjonction de coordination**. Dans certains ouvrages, on les appelle même «conjonctions de coordination» ou «locutions conjonctives de coordination» :

Le colon veut construire sa maison. ***Cependant****, il doit d'abord défricher.*

JE RETIENS

L'adverbe de liaison est un mot de relation qui sert à marquer un lien logique entre des éléments. On l'utilise comme mot lien entre les phrases ou les paragraphes dans un texte courant.

6. LES DEGRÉS DE L'ADVERBE

Le coureur des bois

Le coureur des bois était un aventurier, amateur de grands espaces et de liberté. Il rencontrait les Amérindiens des régions les plus éloignées pour la traite des fourrures. Le coureur des bois de Ville-Marie quittait sa famille à l'automne pour ne revenir qu'au printemps, parfois plus tard. Il parcourait très souvent des centaines de kilomètres en canot, le principal moyen de transport. Des kilos de marchandises d'échange constituaient, avec son fusil et quelques vivres, ses seuls bagages. L'aventurier affrontait les obstacles de toutes sortes: le climat d'abord et, non moins fréquemment, les dangers naturels, comme les rapides et les animaux sauvages.

À l'aventure!

J'OBSERVE

Qu'ont en commun les groupes de mots en couleur?
Ce sont tous des groupes contenant deux adverbes.

JE REMARQUE

1 Comme l'adjectif qualificatif, l'adverbe peut s'employer avec un **indicateur de degré**. On distingue trois degrés de l'adverbe: le **positif**, le **comparatif** et le **superlatif** :

COMPARER :

Le coureur des bois voyageait souvent en canot. (Degré positif, sans marque d'intensité ou de comparaison.)
Le coureur des bois voyageait plus souvent en canot. (Degré compar. de l'adv. *souvent*.)
Le coureur des bois voyageait très souvent en canot. (Degré superl. de l'adv. *souvent*.)

2 Le **degré positif** est plutôt neutre. L'adverbe n'exprime alors aucune nuance particulière :

*Le coureur des bois parcourait **souvent** des centaines de kilomètres.* (Degré positif, sans marque d'intensité ou de comparaison.)

3 Le **degré comparatif** exprime des **nuances** de l'adverbe et établit une forme de **comparaison**. Les nuances du comparatif de l'adverbe sont au nombre de trois :

a) Le **comparatif de supériorité** est marqué le plus souvent par l'adverbe ***plus*** placé **devant l'adverbe** :

COMPARER :

Le coureur des bois parle souvent la langue huronne. (Degré positif.)
Le coureur des bois parle plus souvent la langue huronne. (Compar. de supériorité de l'adv. *souvent*.)

b) Le **comparatif d'égalité** est marqué par l'adverbe ***aussi*** placé **devant l'adverbe** :

COMPARER :

Le coureur des bois parle souvent la langue huronne. (Degré positif.)
Le coureur des bois parle aussi souvent la langue huronne que la langue française. (Compar. d'égalité de l'adv. *souvent*.)

c) Le **comparatif d'infériorité** est marqué par l'adverbe ***moins*** placé **devant** l'**adverbe** :

COMPARER :
Le coureur des bois parle souvent la langue huronne. (Degré positif.)
Le coureur des bois parle moins souvent la langue huronne. (Compar. d'infériorité de l'adv. *souvent.*)

4 Pour exprimer un **haut degré** de l'adverbe, on emploie le **degré superlatif**. Comme pour l'adjectif qualificatif, on distingue deux sortes de superlatifs : le **superlatif absolu** et le **superlatif relatif** :

COMPARER :
L'Amérindien chasse souvent le castor. (Degré positif.)
L'Amérindien chasse très souvent le castor. (Superl. absolu.)
L'Amérindien chasse le plus souvent le castor. (Superl. relatif.)

5 Le **superlatif absolu** exprime un **haut degré**, **sans comparaison**. Il se marque de deux façons :

a) Le superlatif absolu se marque surtout à l'aide d'**adverbes** comme *très, bien...* placés **devant** l'**adverbe** :

COMPARER :
Le canot descend rapidement le courant. (Degré positif.)
Le canot descend très rapidement le courant. (Superl. absolu.)

b) Le superlatif absolu s'exprime aussi parfois par l'ajout d'un **préfixe** comme *extra, super...* :

COMPARER :
Le canot descend vite. (Degré positif.)
Le canot descend supervite. (Superl. absolu.)

6 Le **superlatif relatif** exprime un **haut degré**, **avec comparaison**. Il se marque, comme le comparatif, à l'aide des adverbes ***plus*** et ***moins*** précédés du **déterminant article**. Le superlatif relatif exprime deux nuances de l'adverbe : le **degré de supériorité** et le **degré d'infériorité** :

a) Le **superlatif de supériorité** est marqué par l'adverbe ***plus*** précédé du déterminant article ***le, la*** ou ***les***. Il exprime le **plus haut** degré :

COMPARER :
Il chasse souvent. (Degré positif.)
Il chasse le plus souvent qu'il le peut. (Superl. de supériorité.)

b) Le **superlatif d'infériorité** est marqué par l'adverbe ***moins*** précédé du déterminant article ***le, la*** ou ***les***. Il exprime le **plus bas** degré :

COMPARER :
Le coureur des bois couche souvent à la belle étoile. (Degré positif.)
Le coureur des bois couche le moins souvent possible à la belle étoile. (Superl. d'infériorité.)

6. LES DEGRÉS DE L'ADVERBE

7 Les adverbes suivants ont des formes particulières pour exprimer les degrés :

LES DEGRÉS DE L'ADVERBE *BEAUCOUP*	
Degré	**Exemple**
Positif : *beaucoup*	*Elle chasse* ***beaucoup****.*
Comparatif de supériorité : *plus*	*Elle chasse* ***plus*** *que lui.*
Comparatif d'infériorité : *moins*	*Il chasse* ***moins*** *que toi.*
Superlatif de supériorité : *le plus*	*Elle chasse* ***le plus*** *possible.*
Superlatif d'infériorité : *le moins*	*Il chasse* ***le moins*** *possible.*

LES DEGRÉS DE L'ADVERBE *PEU*	
Degré	**Exemple**
Positif : *peu*	*Elle chasse* ***peu****.*
Comparatif de supériorité : *moins*	*Elle chasse* ***moins*** *que lui.*
Comparatif d'infériorité : *plus*	*Il chasse* ***plus*** *que toi.*
Superlatif de supériorité : *le moins*	*Elle chasse* ***le moins*** *possible.*
Superlatif d'infériorité : *le plus*	*Il chasse* ***le plus*** *possible.*

LES DEGRÉS DE L'ADVERBE *BIEN*	
Degré	**Exemple**
Positif : *bien*	*Il rame* ***bien****.*
Comparatif de supériorité : *mieux*	*Elle rame* ***mieux*** *que moi.*
Comparatif d'infériorité : *moins bien*	*Il rame* ***moins bien*** *que toi.*
Superlatif de supériorité : *le mieux*	*C'est toi qui rame* ***le mieux****.*
Superlatif d'infériorité : *le moins bien*	*C'est moi qui rame* ***le moins bien****.*

LES DEGRÉS DE L'ADVERBE *MAL*	
Degré	**Exemple**
Positif : *mal*	*Il rame* ***mal****.*
Comparatif de supériorité : *plus mal*	*Elle rame* ***plus mal*** *que moi.*
Comparatif d'infériorité : *moins mal*	*Il rame* ***moins mal*** *que toi.*
Superlatif de supériorité : *le plus mal*	*C'est moi qui rame* ***le plus mal****.*
Superlatif d'infériorité : *le moins mal*	*C'est toi qui rame* ***le moins mal****.*

JE RETIENS

Comme l'adjectif qualificatif, l'adverbe peut s'employer avec un indicateur de degré. Il y a trois degrés : le positif, le comparatif et le superlatif. Le comparatif exprime trois nuances de l'adverbe : le comparatif de supériorité, le comparatif d'égalité et le comparatif d'infériorité. On distingue le superlatif absolu, qui n'exprime pas la comparaison, et le superlatif relatif, qui exprime la comparaison. Le superlatif relatif exprime deux nuances de l'adverbe : le superlatif de supériorité et le superlatif d'infériorité.

7. LA PRÉPOSITION

Le charivari

Une coutume de nos ancêtres

Nos ancêtres aimaient la fête. Le charivari en était une manifestation typique. Il s'agissait d'une forme de protestation collective à l'occasion d'un mariage mal accepté par les voisins. C'était le cas quand il y avait une trop grande différence d'âge entre les conjoints ou que l'un des deux se remariait après un deuil jugé trop court. Le charivari consistait en un défilé bruyant de garçons et de filles, jusque sous les fenêtres des nouveaux mariés. Ceux-ci devaient payer une somme d'argent pour obtenir la paix. À défaut de payer, les nouveaux mariés devaient subir plus longtemps le tapage et les chansons d'occasion.

J'OBSERVE

Si on enlève les mots en couleur, qu'arrive-t-il ?
Si on enlève les mots en couleur, les phrases n'ont plus de sens.

JE REMARQUE

1 Le **mot invariable** qui **introduit** un **complément** est une **préposition**. La préposition est un **mot de relation** :
Les nouveaux mariés payaient ***pour*** *obtenir la paix.* (*Obtenir la paix,* CC de but introduit par la prép. *pour.*)
Les garçons et les filles ***du*** *village organisent un charivari.* (*Village,* compl. du nom introduit par la prép. *du.*)

2 La préposition joue un rôle important pour le **sens** de la **phrase**. En changeant de préposition, on peut changer totalement le sens de la phrase :
COMPARER :
Les voisins sont pour le mariage.
Les voisins sont contre le mariage.
Les voisins parlent des nouveaux mariés.
Les voisins parlent contre les nouveaux mariés. (Si on remplace *contre* par *pour, avec, derrière, devant, après* ou *avant,* le sens est différent.)

3 Selon la **forme**, on distingue :
a) La préposition **simple**, formée d'**un seul mot**. Les principales prépositions simples sont *à, après, avant, chez, comme, contre, de, derrière, devant, par, pour, sans, sur...* :
Les nouveaux mariés devaient payer une somme ***d'****argent* ***pour*** *obtenir la paix.*

b) La préposition **composée**, formée de **plusieurs mots**. On l'appelle alors **locution prépositive**. Les principales locutions prépositives sont *afin de, au lieu de, autour de, en face de, grâce à, jusqu'à, jusque dans, loin de...* :
À défaut de *payer, les nouveaux mariés devaient subir le charivari plus longtemps.*

4 Certains **mots invariables** sont **adverbes** s'ils complètent eux-mêmes un **verbe**. Ils sont **prépositions** s'ils introduisent un **complément** :

COMPARER :

Les filles marchent devant. (Adv., CC de lieu du v. *marchent.*)
Les filles marchent devant la charrette. (Prép. qui introduit le compl. *la charrette.*)
Les garçons courent derrière. (Adv., CC de lieu du v. *courent.*)
Les garçons courent derrière la maison. (Prép. qui introduit le compl. *la maison.*)

LES PRINCIPALES PRÉPOSITIONS ET LOCUTIONS PRÉPOSITIVES				
à	au-dedans de	contrairement à	en dépit de	par-dehors
à cause de	au dehors de	contre	en face de	par-delà
à condition de	au-delà de	dans	en faveur de	par-dessous
à côté de	au-dessous de	dans le but de	en travers de	par-dessus
à défaut de	au-dessus de	d'après	entre	par-devant
afin de	au-devant de	de (d')	envers	par manque de
à force de	au haut de	de crainte de	étant donné	parmi
à l'abri de	au lieu de	de façon à	excepté	par rapport à
à la façon de	au milieu de	de la part de	face à	par suite de
à la faveur de	au moyen de	de manière à	faute de	pendant
à la merci de	au pied de	d'entre	grâce à	pour
à la mode de	auprès de	de par	hormis	près de
à l'égard de	au prix de	de peur de	hors	proche de
à l'encontre de	au sujet de	depuis	hors de	quant à
à l'exception de	autour de	derrière	jusqu'à	quitte à
à l'insu de	au travers de	des	jusqu'au	sans
à l'intention de	aux dépens de	devant	jusque	sauf
à moins	aux environs de	du côté de	jusque dans	sauf à
à partir de	avant	durant	le long de	selon
après	avant de	en	loin de	sous
à raison de	avec	en bas de	malgré	suivant
à travers	chez	en deçà de	outre	sur
au bas de	comme	en dedans de	par	vers
au cours de	concernant	en dehors de	par-dedans	vis-à-vis de

JE RETIENS

La préposition et la locution prépositive sont des mots de relation qui introduisent un complément.

8. LA CONJONCTION DE COORDINATION

Un moulin banal

Le moulin à farine

Parmi les obligations du seigneur, on trouve celle de construire un manoir et un moulin à farine. Le seigneur habitait le manoir avec sa famille. Le moulin s'appelait «moulin banal», car il était mis à la disposition de tous les habitants qui cultivaient une terre de la seigneurie. Habituellement, le moulin banal était situé à peu près au milieu de la seigneurie ou sur le domaine du seigneur. L'habitant y faisait moudre son blé et laissait au seigneur quelques sacs de farine pour payer l'usage du moulin. De cette façon, le seigneur s'assurait un certain revenu qui lui permettait de vivre, mais pas toujours richement.

J'OBSERVE

Quelle est la fonction des groupes nominaux *un manoir* et *un moulin à farine*?
Les deux groupes sont compléments d'objet direct du verbe *construire*.

JE REMARQUE

1 Le **mot invariable** qui **unit** des **éléments semblables** dans la phrase s'appelle une **conjonction de coordination**. C'est un **mot de relation**:

a) La conjonction de coordination unit **deux mots semblables**, c'est-à-dire des mots (noms, adjectifs, adverbes...) qui ont généralement la **même nature** et la **même fonction** :
Pierre **et** *Dahlia vont moudre leur blé au moulin banal.* (La conj. *et* unit les noms **sujets** *Pierre* et *Dahlia*.)
L'habitant ira au moulin avec Jacques **ou** *Anne.* (La conj. *ou* unit les noms **compl.** *Jacques* et *Anne*.)

b) La conjonction de coordination unit **deux groupes de mots semblables**, c'est-à-dire des groupes de mots qui ont habituellement la **même nature** et la **même fonction** :
Le seigneur fera construire un grand manoir **ou** *un petit moulin.* (La conj. *ou* unit les gr. nom. **COD** *un grand manoir* et *un petit moulin*.)

c) La conjonction de coordination unit parfois **deux mots** ou **deux groupes de mots équivalents**, mais de **natures différentes**, comme un nom et un pronom de **même fonction**, un adjectif épithète et une proposition subordonnée relative se rapportant au même nom:
COMPARER :
Le meunier et sa fille accueillent les colons. (*Et* unit deux gr. nom. sujets.)
Sa fille et lui accueillent les colons. (*Et* unit un gr. nom. sujet et un pron. pers. sujet.)
Un moulin malpropre et délabré n'attire pas les colons. (*Et* unit deux adj. épith. du nom *moulin*.)
Un moulin malpropre et qui tombe en ruines n'attire pas les colons. (*Et* unit un adj. épith. du nom *moulin* et une sub. rel. compl. du nom *moulin*.)
Un moulin malpropre et en ruines n'attire pas les colons. (*Et* unit un adj. épith. du nom *moulin* et un gr. nom. compl. du nom *moulin*.)

d) La conjonction de coordination unit **deux propositions de même nature**, c'est-à-dire deux indépendantes, deux principales ou deux subordonnées de **même fonction** :

Le meunier est couvert de farine, ***car*** *il moud le blé depuis le lever du soleil.*
1re prop. ind. : *Le meunier est couvert de farine* ;
2e prop. ind. : *car il moud le blé depuis le lever du soleil.*

Elle a dit qu'elle a fait du pain ***et*** *elle espère que ses invités l'aimeront.*
1re prop. princ. : *Elle a dit* ;
2e prop. princ. : *et elle espère.*

Le contrat oblige le seigneur à bâtir un moulin ***et*** *à le destiner aux habitants.*
1re prop. sub. inf. : *à bâtir un moulin* ;
2e prop. sub. inf. : *et à le destiner aux habitants.*

Quand tu iras au moulin ***et*** *que tu verras le meunier, dis-lui que je veux le voir.*
1re prop. sub. : *Quand tu iras au moulin* (CC de temps du v. *dis*) ;
2e prop. sub. : *et que tu verras le meunier* (CC de temps du v. *dis*).

e) La conjonction de coordination unit aussi une proposition **principale** et une proposition **indépendante** :

Le seigneur construit un moulin ***et*** *dit à Louis qu'il peut s'en servir.*
Prop. ind. : *Le seigneur construit un moulin* ;
prop. princ. : *et dit à Louis.*

2 Selon la **forme**, on distingue :

a) La conjonction de coordination **simple**, formée d'**un seul mot**. Les principales conjonctions de coordination simples sont :

Car, donc, et, mais, ni, or, ou...

b) La conjonction de coordination **composée**, formée de **plusieurs mots**. On l'appelle alors **locution conjonctive de coordination**. Les principales locutions conjonctives de coordination sont :

Ainsi que, aussi bien que, de même que, non moins que, ou bien...

3 Les **adverbes de liaison** jouent le rôle d'une **conjonction de coordination**. Dans certains ouvrages, on les appelle même «conjonctions de coordination» ou «locutions conjonctives de coordination» : *au contraire, cependant, en effet, tout de même...* :

Le moulin est loin. Il est ***tout de même*** *accessible.*

JE RETIENS

La conjonction et la locution conjonctive de coordination sont des mots de relation qui unissent des éléments semblables dans une phrase.
Elles peuvent unir des mots ou des groupes de mots de même nature et de même fonction.
Elles unissent parfois deux mots ou deux groupes de mots de même fonction, mais de natures différentes.
Elles servent également à joindre deux propositions de même nature.

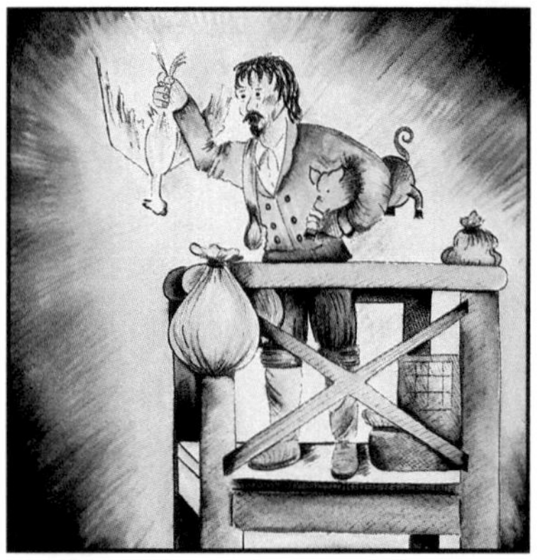
Le crieur public

La criée en Nouvelle-France

Après la messe du dimanche a lieu la criée. La coutume de l'époque veut qu'un paroissien à la voix puissante annonce les messages officiels. Ce crieur public est connu de tous parce qu'il a un langage coloré, surtout à l'occasion d'une vente aux enchères. La criée la plus attendue est celle du premier dimanche de novembre: la criée pour les âmes. Ce jour-là, chaque paroissien apporte quelque chose: des fruits, des légumes, un vêtement, une pièce d'étoffe, une poule, un cochon, etc. Tout est vendu aux enchères, de sorte que l'on recueille souvent une somme intéressante. Cet argent servira à «faire chanter des messes» pour le repos de l'âme des paroissiens décédés.

J'OBSERVE

Si on enlève les mots en couleur qu'arrive-t-il?
Le sens du texte devient beaucoup moins clair et la syntaxe de la phrase est incorrecte.

JE REMARQUE

1 On sait que la conjonction de coordination peut unir, entre autres, deux propositions semblables qui ne dépendent pas l'une de l'autre:
Après la messe, on sort de l'église ***et*** *l'on se rend à la criée.*
L'habitant dépose ses légumes sur la tribune ***ou*** *les remet au crieur.*

2 La conjonction qui unit une proposition **subordonnée** à une **autre proposition** dont elle **dépend** est une **conjonction de subordination**. C'est un **mot de relation**:

a) La conjonction de subordination unit une proposition **subordonnée** à une proposition **principale** :
Le crieur fait rire son auditoire ***quand*** *il saisit le petit cochon par les pattes.*
princc. — sub.
Le fils Colin a laissé échapper la poule ***lorsqu'****il est arrivé près de la tribune.*
princ. — sub.

b) La conjonction de subordination unit une proposition **subordonnée** à une **autre** proposition **subordonnée** dont elle **dépend** :
Anne-Christine dit qu'elle a bien ri ***quand*** *le crieur est tombé avec le cochon.*
Prop. princ.: *Anne-Christine dit;*
1re prop. sub.: *qu'elle a bien ri* (COD du v. *dit*);
2e prop. sub.: *quand le crieur est tombé avec le cochon* (CC de temps du v. *a ri*).

3 Selon la **forme**, on distingue:

a) La conjonction de subordination **simple**, formée d'**un seul mot** : *comme, lorsque, puisque, quand, que, si...* :
Le curé du village trouve ***que*** *la criée a été très profitable cette année.*
On ne sait pas encore ***si*** *des femmes ont fait la criée.*

b) La conjonction de subordination **composée**, formée de **plusieurs mots.** On l'appelle alors **locution conjonctive de subordination**. Ces locutions comprennent très souvent la conjonction ***que***: *afin que, avant que, bien que, dès que, parce que...* :

__Avant que__ la messe ne soit finie, le crieur était déjà sur sa tribune.
Les enfants assistent à la criée __parce que__ le crieur est très drôle.

4 La conjonction ***que*** remplace n'importe quelle **conjonction** ou **locution conjonctive** que l'on ne veut pas répéter :

COMPARER :

Lorsque le crieur arrive, lorsqu'il monte sur l'estrade et lorsqu'il annonce la criée, la foule s'approche de lui.
Lorsque le crieur arrive, qu'il monte sur l'estrade et qu'il annonce la criée, la foule s'approche de lui.
Puisque la foule était nombreuse et puisque les ventes ont été fructueuses, les revenus de la criée sont plus intéressants pour la paroisse.
Puisque la foule était nombreuse et que les ventes ont été fructueuses, les revenus de la criée sont plus intéressants pour la paroisse.

5 La conjonction ***que*** **s'élide** devant une **voyelle** ou un ***h*** **muet** :

COMPARER :

Il faut que tu apportes des fruits.
Il faut qu'elle apporte des fruits.
Il faut qu'Hélène apporte des fruits.

6 Attention à une incorrection fréquente !

a) La locution conjonctive ***après que*** est **toujours** suivie de l'**indicatif** :

__Après que__ le crieur leur __eut défendu__ de le faire, les enfants ne jouaient plus sur l'estrade.
Et non : *Après que le crieur leur *ait défendu...*

b) La locution conjonctive ***avant que*** est **toujours** suivie du **subjonctif** :

__Avant que__ le crieur ne leur __défende__ de le faire, les enfants jouaient sur l'estrade.
Et non : *Avant que le crieur ne leur *défend...*

LES PRINCIPALES CONJONCTIONS ET LOCUTIONS CONJONCTIVES DE SUBORDINATION			
Sens : but			
afin que	de façon que	de peur que	que
de crainte que	de manière que	pour que	
Sens : cause			
alors que	du fait que	non que	que
attendu que	du moment que	parce que	sous prétexte que
comme	étant donné que	puisque	vu que

LES PRINCIPALES CONJONCTIONS ET LOCUTIONS CONJONCTIVES DE SUBORDINATION (SUITE)			
Sens : comparaison			
à mesure que	comme	moins que	que
aussi que	dans la mesure où	non moins que	selon que
autant que	d'autant plus que	plus que	suivant que
autrement que	de même que	plutôt que	tel que
Sens : condition			
à condition que	au cas où	quand	si ce n'est que
alors que	même si	que	soit que
à moins que	moyennant que	selon que	suivant que
à supposer que	pourvu que	si	supposé que
Sens : conséquence			
assez pour que	de manière que	pour que	si... que
à tel point que	de sorte que	que	tant que
au point que	de telle sorte que	sans que	tellement que
de façon que	en sorte que	si bien que	tel que
Sens : opposition			
alors que	encore que	quand	sans que
au lieu que	malgré que	que	si
bien que	même si	quelque... que	tandis que
en admettant que	pendant que	quoique	tout... que
Sens : temps			
alors que	avant que	d'ici à ce que	pendant que
à mesure que	chaque fois que	jusqu'à ce que	quand
après que	comme	le plus tôt que	que
au moment où	depuis que	lorsque	sitôt que
aussitôt que	dès que	maintenant que	tandis que

JE RETIENS

La conjonction et la locution conjonctive de subordination sont des mots de relation qui unissent une proposition subordonnée à une autre proposition dont elle dépend.

Les mots : la monnaie d'une phrase. Il ne faut pas que ça encombre. On a toujours trop de monnaie.
Jules Renard

10. L'INTERJECTION

La femme en Nouvelle-France

En Nouvelle-France, la place de la femme est de première importance. Hélas ! on a trop souvent oublié cela dans nos livres d'histoire ! Son ardeur et son énergie favorisent au plus haut point le développement agricole, souvent en l'absence du mari, parti à la guerre. Les voyageurs vantent les qualités de la Canadienne, comme on la nomme alors. Fréquemment plus instruite que son mari, elle est belle, vigoureuse et vaillante. On la trouve également spirituelle et moqueuse. Attention ! elle se révèle parfois contestataire ! Même si l'histoire traditionnelle lui attribue un rôle plus effacé, son influence historique déterminante ne fait pas de doute aujourd'hui.

La femme aux champs

J'OBSERVE

Si on enlève les mots suivis d'un point d'exclamation, qu'arrive-t-il au texte ?
Le texte n'est plus aussi expressif.

JE REMARQUE

1 Un **mot invariable** qui exprime un **sentiment** ou une **émotion** plus ou moins intenses, ou encore une **réaction** plutôt vive, est une **interjection**. L'interjection est toujours suivie d'un **point d'exclamation** :

__Hélas !__ on a trop souvent oublié la femme dans nos livres d'histoire !

2 L'interjection s'emploie surtout dans les **dialogues** où l'intonation joue un rôle important. On l'emploie aussi dans le **discours expressif** :

__Bravo !__ dit la paysanne à François. Mon fils, tu deviens aussi habile que ta mère !

3 Selon la **forme**, on distingue :

a) L'interjection **simple**, formée d'**un seul mot** :

Oh ! Bravo ! Hélas ! Zut !

b) L'interjection **composée**, formée de **plusieurs mots**, appelée **locution interjective** :

Bonté divine ! Au secours ! Tonnerre de Brest ! Eh bien !

4 L'interjection qui **imite** un **bruit** ou un **cri** est une **onomatopée**. Dans les bandes dessinées, on trouve à profusion l'**interjection** et l'**onomatopée** pour créer des effets comiques et expressifs :

a) Imitation des bruits :

Boum ! Clic ! Miam-miam ! Tic-tac ! Glouglou ! Ding ! dong !

b) Imitation de cris :

Cocorico ! Hi-han ! Miaou ! Bê... ! Aïe !

5 À l'occasion, un mot change de nature et s'emploie comme interjection :

a) Noms devenus interjections :

Attention ! Mon Dieu ! Silence ! Diable ! Malheur !

b) Adjectifs qualificatifs devenus interjections :
Doux, doux ! Bon ! Mince alors ! Chic !

c) Verbes devenus interjections :
Allons donc ! Tiens, tiens ! Voyons !

d) Adverbes devenus interjections :
Très bien ! Debout ! Assez !

6 Souvent, l'interjection constitue une **phrase** à elle seule. Le mot qui la suit commence alors par une lettre **majuscule** :
Hourra *! C'est Noémie qui est la championne !*

7 L'interjection ne remplit **aucune fonction** grammaticale dans la phrase. Elle joue seulement un **rôle expressif**.

LES NUANCES DE L'INTERJECTION ET DE LA LOCUTION INTERJECTIVE				
Sens : admiration				
Ah ! Bonté divine ! Bravo !	Eh ! Grands dieux ! Hé !	Hé bien ! Hein ! Hourra !	Juste ciel ! Oh ! Parfait !	Par exemple ! Pas possible ! Quoi !
Sens : appel				
À l'aide ! Allô !	Attention ! Au feu !	Au secours ! Mon Dieu !	Ohé ! Pitié !	Psst ! Salut !
Sens : déception				
Aie ! Bah !	Bon sang ! Dommage !	Flûte ! Hélas !	Malheur ! Mince alors !	Non ! Zut !
Sens : ordre				
Allez ! Arrêtez ! Arrière !	Assez ! Attention ! Courage !	Debout ! En avant ! La paix !	Minute ! Patience ! Rideau !	Silence ! Suffit ! Vite !
Sens : surprise				
Aïe ! Bonté divine !	Ciel ! Diable !	Hé bien ! Incroyable !	Miséricorde ! Par exemple !	Pas possible ! Quoi !

JE RETIENS

L'interjection est un mot invariable qui exprime un sentiment, une émotion. Elle s'emploie surtout dans les dialogues et les discours expressifs.
L'interjection est suivie d'un point d'exclamation.
L'interjection ne remplit aucune fonction grammaticale dans la phrase.

LA PONCTUATION
ET LES SIGNES ORTHOGRAPHIQUES

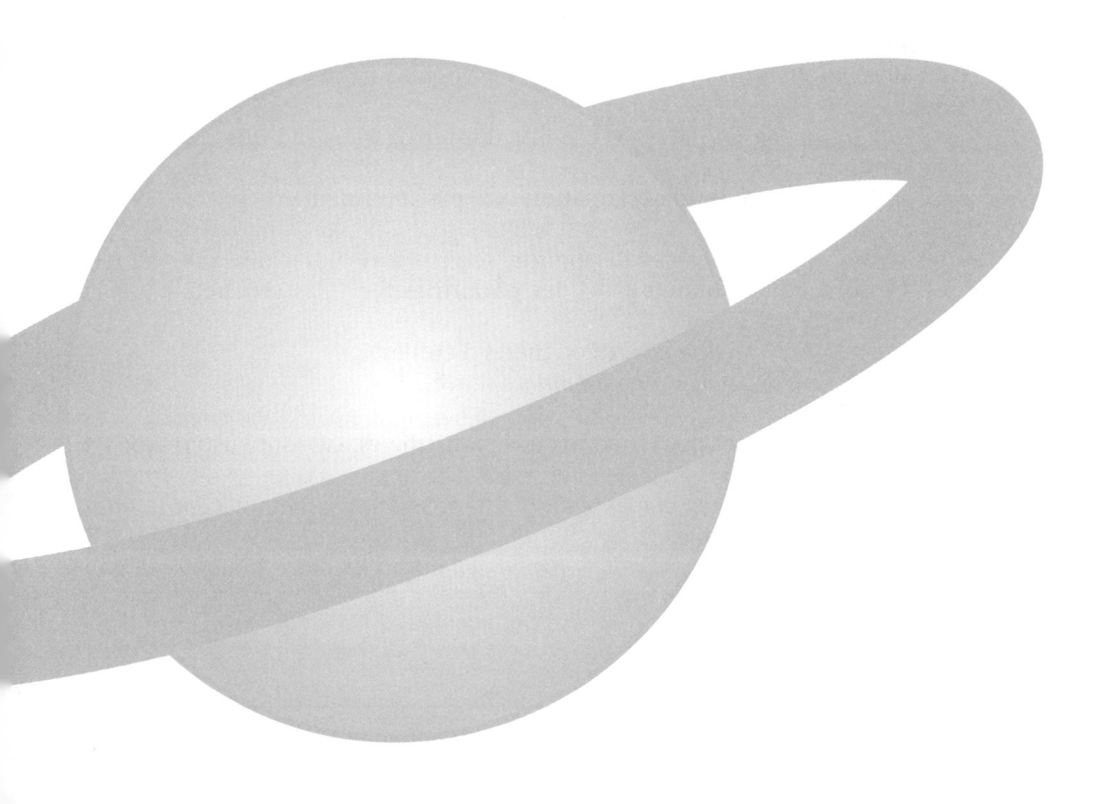

1. LA PONCTUATION

Hubert Reeves

Le poète des étoiles

Hubert Reeves est d'origine montréalaise. Astrophysicien de renommée internationale, Hubert Reeves a été conseiller scientifique auprès de la NASA. Aujourd'hui, il poursuit ses recherches au Centre national de la recherche scientifique de France. Est-il un savant ou un poète ? L'un et l'autre ! Comme cet homme de science sait parler des étoiles et des planètes ! Son livre, *Poussières d'étoiles*, est à la fois un ouvrage rigoureusement scientifique et un poème sur le cosmos. Le savant entraîne ses lecteurs d'étoiles en galaxies. Le poète explique l'espace et les planètes avec la fascination des grands-parents qui racontent une histoire. Hubert Reeves transmet à ses lecteurs la passion qui l'anime.

J'OBSERVE

Est-ce que toutes les phrases se terminent par le même signe de ponctuation ?
Non. La plupart des phrases se terminent par un point (.). Mais une phrase se termine par un point d'interrogation (?), alors que deux autres se terminent par un point d'exclamation (!).

JE REMARQUE

1 La **ponctuation** est un **code de signes** employés dans la **langue écrite**. Certains signes servent surtout à marquer les **pauses**, le **rythme** de la phrase. Ce sont la **virgule** (,), le **point** (.), le **point d'interrogation** (?), le **point d'exclamation** (!), les **points de suspension** (...), le **deux-points** (:) et le **point-virgule** (;) :

Né à Montréal, Hubert Reeves vit en France. (La virgule marque une pause devant le sujet.)

Est-il un savant ou un poète ? (Le point d'interrogation indique qu'on pose une question.)

L'un et l'autre ! (Le point d'exclamation marque l'étonnement.)

2 D'autres signes, qui ne sont pas des points, servent à encadrer des mots ou des phrases. Ce sont les **guillemets** (« »), les **parenthèses** ( ), les **crochets** [ ] et le **tiret** (—) :

Huguette m'a dit: «Tu devrais lire Poussières d'étoiles*».*

Les galaxies (amas d'étoiles) ont des formes variées.

3 D'autres signes encore ont des fonctions très particulières. Ce sont l'**astérisque** (*) et la **barre oblique** (/) :

*Il était en compagnie de la marquise de ****. (Les astérisques remplacent le nom qu'on ne veut pas dévoiler.)

Le colloque portera sur les relations parents/enfants. (La barre oblique signifie «entre les parents et les enfants».)

JE RETIENS

La ponctuation est un code de signes employés dans la langue écrite.

2. LES DIVERS TYPES DE POINTS

La Grande Ourse

La disposition des sept étoiles les plus brillantes de la constellation de la Grande Ourse lui a valu de nombreux noms au cours des siècles. Les Grecs y ont reconnu la princesse Callisto changée en ourse. De nos jours, on y voit plutôt une casserole ou un chariot. D'où son nom de Grand Chariot. La Petite Ourse, avec son étoile Polaire, ressemble beaucoup à sa voisine, mais en format réduit. La nuit, par temps clair, on distingue nettement ces deux constellations à l'œil nu. Avant l'invention des appareils modernes, seules les étoiles guidaient les navigateurs.

La Grande Ourse de l'Antiquité

J'OBSERVE

Quel signe de ponctuation termine chaque phrase ?
Chaque phrase se termine par un point (.).

JE REMARQUE

1 Le **point** (.) s'emploie dans trois cas distincts :

a) Le point **termine** la phrase **déclarative**, la phrase **impérative** et la phrase **interrogative indirecte** :
La Grande Ourse compte sept étoiles. (Phrase décl.)
Regarde l'étoile Polaire. (Phrase imp.)
Je me demande si tu as vu la Grande Ourse. (Phrase int. indirecte.)

b) Le point **termine** une **abréviation** qui ne comprend pas la dernière lettre du mot abrégé :
M. Reeves est un grand savant. (*M.*, abréviation de *monsieur*.)

2 Le **point d'interrogation** (?) s'emploie dans deux contextes particuliers :

a) Le point d'interrogation **termine** la phrase **interrogative directe**. Si la phrase est **suivie** d'une proposition **incise**, le point d'interrogation se place **avant** l'**incise** :
As-tu vu la Grande Ourse ? (Phrase int. directe, avec point d'interrogation.)
«Vous avez trouvé le Petit Chariot ?» demande l'enseignante. (Phrase int. directe, avec point d'interrogation.)

b) Employé **entre parenthèses**, le point d'interrogation indique qu'on **met en doute** la pertinence ou l'exactitude de ce qui précède :
Cette maison vaut deux millions (?) de dollars.

3 Le **point d'exclamation** (!) s'emploie dans les cas suivants :

a) Le point d'exclamation **termine** une phrase **exclamative**. Si la phrase est suivie d'une proposition **incise**, le point d'exclamation se place **avant** l'**incise** :
Comme l'étoile Polaire est brillante ce soir ! (Phrase excl.)
«Quelle étoile magnifique !» dit Madeleine. (Phrase excl.)

b) Le point d'exclamation **suit** une **interjection**. Si l'on répète l'interjection, on place le point d'exclamation **après** la **dernière interjection** :
*As-tu trouvé la constellation **?** Hélas ! non !*
Tiens, tiens, tiens ! Tu t'intéresses à l'astronomie maintenant?

c) Si la phrase commence par une **interjection**, accompagnée normalement d'un point d'exclamation, on répète le point d'exclamation à la **fin** de la **phrase** :
Hélas ! je n'ai pas pu observer le Grand Chariot !

d) Si le point d'exclamation se trouve à l'**intérieur** de la **phrase**, le mot qui suit commence par une **lettre minuscule** :
*L'astronomie, hélas ! **n'**est pas connue comme elle le devrait.*

4 Les **points de suspension** (...), toujours au nombre de **trois**, s'emploient dans les cas suivants :

a) Les points de suspension indiquent que la **phrase** est **interrompue** avant d'être terminée; ils supposent une suite sous-entendue. La phrase qui suit commence alors par une lettre **majuscule** :
*Je voulais vous dire... **A**h! laissez faire!*

b) Les points de suspension marquent l'**interruption** d'une **énumération** :
Il décrit les étoiles, les constellations, les galaxies... comme un poète.

c) Pour marquer une **coupure** dans une **citation**, les points de suspension sont placés **entre crochets**:
«Jaune et triomphante le jour [...] l'image du soleil fait partie de nos réalités familières.» (Hubert Reeves, *Poussières d'étoiles*.)

d) Les points de suspension marquent un **silence** dans un **dialogue** :
— As-tu observé la Petite Ourse?
— ...
— Tu ne me réponds pas?

e) L'abréviation ***etc.*** a le même sens que les points de suspension. Les deux, signifiant «et le reste», ne **s'emploient** donc **pas** côte à côte :
COMPARER :
Elle a parlé des étoiles, des constellations, des galaxies, etc.
Elle a parlé des étoiles, des constellations, des galaxies...

JE RETIENS

Le point termine la phrase déclarative, la phrase impérative et la phrase interrogative indirecte.
Le point d'interrogation termine la phrase interrogative directe.
Le point d'exclamation termine la phrase exclamative.
Les points de suspension marquent, entre autres, une interruption de la phrase ou d'une énumération.

La mesure de l'Univers

Les dimensions de l'Univers échappent à notre imagination. Les unités de mesure traditionnelles, comme celles du système métrique, sont absolument inutilisables pour mesurer de telles distances. En astronomie, on se sert plutôt de l'année-lumière. L'année-lumière désigne la distance que parcourt la lumière en un an, à la vitesse de trois cent mille kilomètres à la seconde, soit dix mille milliards de kilomètres. Autrement dit, quand on perçoit, avec un télescope puissant, la lumière provenant d'un groupe d'étoiles situé à deux millions d'années-lumière, on voit ce groupe d'étoiles tel qu'il était il y a deux millions d'années et non dans son état actuel. C'est donc dire que la vie humaine est très courte à l'échelle de l'Univers !

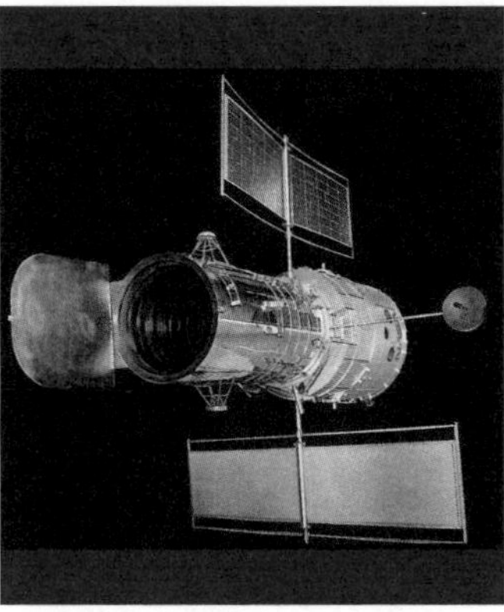

Le télescope Hubble

J'OBSERVE

Si on lit le texte à haute voix, qu'arrive-t-il lorsqu'on voit une virgule ?
À la virgule, on fait une pause plus ou moins longue.

JE REMARQUE

1 La **virgule** (,) est le signe de ponctuation dont l'usage est le plus **fréquent**. Elle s'emploie dans des cas très divers.

2 La virgule **sépare** des **éléments semblables** dans la phrase :

a) Dans une phrase, la virgule **sépare** des **mots** ou des **groupes de mots** de **même nature** et de **même fonction** faisant partie d'une **énumération** :
Les constellations, les étoiles, les galaxies, les planètes, tout cela me fascine. (Énumération de sujets.)
Tu observes la Grande Ourse, la Petite Ourse et l'étoile Polaire. (Énumération de COD.)
Luc admire les photos récentes de Mercure, de Vénus, de Saturne et d'Uranus. (Énumération de compl. du nom.)

b) Dans une phrase complexe, la virgule **sépare** des **propositions semblables** juxtaposées :
Dahlia consulte un livre d'astronomie, calcule les distances, informe ses camarades de classe. (Énumération de trois prop. ind.)
Quand j'ai vu cette étoile, quand j'ai aperçu Mars, quand j'ai entrevu l'anneau de Saturne, j'étais émerveillée. (Énumération de trois prop. sub.)

c) Généralement, on **n'emploie pas** de **virgule** dans une énumération **devant** les conjonctions ***et***, ***ou*** et ***ni*** employées moins de trois fois :
COMPARER :
Yves affirme qu'il n'a jamais vu ni Vénus ni Mars.
Yves affirme qu'il n'a jamais vu ni Mercure, ni Vénus, ni Mars.

3 La virgule **sépare** des **éléments** de **natures** ou de **fonctions différentes** :

a) La virgule met un groupe **en évidence** dans la phrase, souvent en le déplaçant en **tête de phrase** :

COMPARER :

Lisette a rencontré Samuel à l'observatoire.
À l'observatoire, Lisette a rencontré Samuel.

b) Généralement, le **complément circonstanciel court** placé en **tête de phrase** ne **se sépare pas** du reste de la phrase par une virgule :

COMPARER :

Hier nous sommes allés au Planétarium. (Hier, CC court.)
Avant-hier soir, nous sommes allés au Planétarium. (*Avant-hier soir,* CC long.)

c) Généralement, le **complément circonstanciel** placé en **tête de phrase** avec **inversion** du **sujet** ne se **sépare pas** du reste de la phrase par une virgule :

COMPARER :

Dans le ciel clair et sans nuage resplendit la pleine lune. (Sans virgule, avec inversion du sujet.)
Dans le ciel clair et sans nuage, la pleine lune resplendit. (Avec virgule, sans inversion du sujet.)

d) La virgule **sépare** du reste de la phrase le mot en **apposition** ou le mot en **apostrophe** :

*L'année-lumière, **unité de mesure en astronomie**, sert à désigner de très grandes distances.* (Gr. nom. en apposition, entre virgules.)
*Je t'affirme, **chère Anne-Christine**, que l'astronomie te passionnera un jour.* (Gr. nom. en apostrophe, entre virgules.)

e) La virgule **ne sépare jamais** le **sujet** de son **verbe** :

Les galaxies comptent des milliards et des milliards d'étoiles. (Sans virgule.)
Mais : *Les galaxies, fort nombreuses, comptent des milliards et des milliards d'étoiles.* (Virgules pour encadrer une explication.)

f) La virgule s'emploie **devant *mais*** placé entre **deux propositions** :

*Hubert Reeves donnera une conférence, **mais** il ne parlera pas d'astronomie.*

g) La virgule peut s'employer aussi **après *mais*** si la deuxième proposition commence par un **complément circonstanciel** :

*Hubert Reeves donnera une conférence, **mais**, demain soir, il ne parlera pas d'astronomie.* (*Demain soir,* CC de temps.)

h) La virgule **ne s'emploie pas avec *mais*** placé entre **deux mots** de **même fonction** :

*Hubert Reeves ne parlera pas d'astronomie **mais** d'écologie.*

i) La virgule **sépare** la proposition **incise** du reste de la phrase :

La Voie lactée, dit-il, est la galaxie dont le système solaire fait partie.

j) La virgule **remplace** un **mot** qu'on omet de répéter. Elle marque ce qu'on appelle une **ellipse** :

Marie-Siegfried préfère la physique, Geneviève, l'astronomie. (La deuxième virgule remplace le v. *préfère*.)

k) À l'occasion, la présence de la virgule marque une **différence de sens** :

COMPARER :

Éric, lui, a parlé de galaxies. (Avec virgules.)
Éric lui a parlé de galaxies. (Sans virgules.)

l) Dans la **correspondance**, on met une virgule **après** le **nom de ville** précédant la date :

Matane, le 18 octobre 1994 (Virgule après le nom de ville.)
Le mardi 23 novembre 1994 (Sans ponctuation.)

m) Dans la **correspondance**, on met une virgule **après** la **formule d'appel** :

Chère Denise,

n) Généralement, on ne met pas de virgule après la conjonction **or**. La virgule est présente seulement lorsque la conjonction **or** est suivie d'un complément mis en relief en début de phrase et lui-même placé entre virgules:

COMPARER :

Je devais assister à une causerie d'Hubert Reeves. ***Or*** *elle a été annulée.*
Je devais assister à une causerie d'Hubert Reeves. ***Or****, selon le journal, elle a été annulée.*

JE RETIENS

La virgule est le signe de ponctuation le plus employé. Elle marque généralement une pause à la lecture à haute voix et sert à séparer les éléments dans la phrase pour en faciliter la compréhension.
L'emploi de la virgule obéit à un ensemble de règles qu'il faut respecter.

Ce que tu écris est ce qui te ressemble le mieux.
Proverbe arabe

4. LE POINT-VIRGULE ET LE DEUX-POINTS

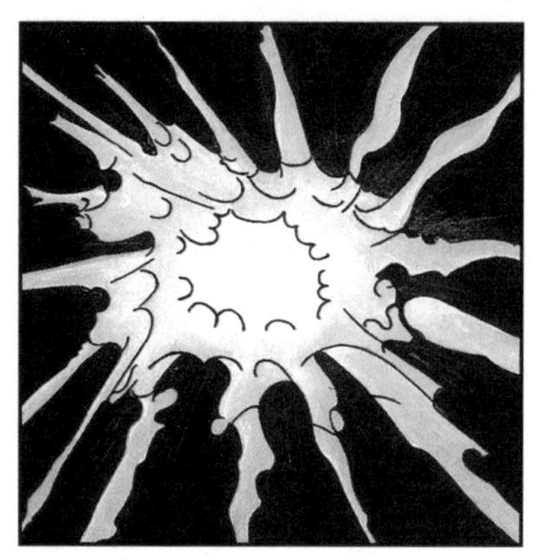

Le big-bang

L'origine de l'Univers

Les scientifiques ont toujours tenté d'expliquer comment est né l'Univers. Toutes sortes de théories ont été avancées. Certaines d'entre elles nous paraissent aujourd'hui plus ou moins farfelues ; d'autres piquent notre curiosité. L'une des plus fascinantes est celle du big-bang : l'Univers serait né, il y a environ quinze milliards d'années, à l'occasion d'une formidable explosion. Le nom de cette théorie évoque, en anglais, le bruit de l'explosion. Depuis ce temps, l'Univers continue de grandir. Son étendue actuelle se mesure en dizaines de milliards d'années-lumière ; la planète Terre représente une poussière dans cet ensemble gigantesque.

J'OBSERVE

Dans la phrase en couleur qui contient un point-virgule, aurait-il été possible d'employer le point à la place du point-virgule ?

Oui. Mais on aurait eu alors deux phrases distinctes commençant chacune par une majuscule.

JE REMARQUE

1 Le **point-virgule** (;) joue plusieurs rôles particuliers dans la phrase :

a) À l'oral, le point-virgule marque une **pause plus longue** que la **virgule**, mais **plus courte** que celle qu'indique le **point** :

COMPARER :

L'astronome s'approche du télescope, elle regarde dans le ciel et voit une étoile.
L'astronome s'approche du télescope ; elle regarde dans le ciel et voit une étoile.

b) Le point-virgule **joint** souvent **deux phrases** et indique qu'elles sont **unies** par le **sens**. Ces phrases deviennent des propositions. On pourrait alors remplacer le point-virgule par une **conjonction** : *car, mais, puisque...* :

COMPARER :

Certaines théories paraissent farfelues. D'autres piquent la curiosité.
Certaines théories paraissent farfelues, mais d'autres piquent la curiosité.
Certaines théories paraissent farfelues ; d'autres piquent la curiosité.

c) Le point-virgule peut **relier** des **éléments** contenant une **ellipse**, c'est-à-dire un mot non répété. Il dispense parfois de répéter une virgule :

Charles et Isabelle parlent du big-bang ; François et Danielle, du système solaire ; Miguel et Lisette, d'astrologie. (Le point-virgule relie des éléments contenant une ellipse.)

Suzie ne croit pas à l'astrologie ni aux astrologues ; elle trouve que ce n'est pas sérieux. (Le point-virgule remplace une virgule.)

d) Dans une **énumération**, surtout si les éléments sont présentés avec alinéa, le point-virgule **remplace** la **virgule** en fin de ligne :

Voici quelques-uns des sujets traités dans cet ouvrage de référence :
— l'Univers, son origine et son étendue ;
— les étoiles, les constellations et les galaxies ;
— le système solaire et les planètes.

e) Le point-virgule est **toujours suivi** d'une **lettre minuscule** :
*Certaines théories nous paraissent farfelues ; **d'**autres piquent la curiosité.*

2 Le **deux-points** (:) s'emploie dans des cas bien précis :

a) Le deux-points **annonce** une **explication** :
L'une des théories les plus fascinantes est celle du big-bang : l'Univers serait né, il y a plus de quinze milliards d'années, à l'occasion d'une formidable explosion.

b) Le deux-points **annonce** une **énumération** :
Les planètes du système solaire sont : Mercure, Vénus, la Terre, Mars, Jupiter, Saturne, Uranus, Neptune et Pluton.
L'astronomie cache encore plusieurs mystères pour M. Tout-le-Monde : les comètes, les astéroïdes, les satellites, les trous noirs, pour ne nommer que ceux-là.

c) Le deux-points **annonce** une **citation**, celle des paroles de quelqu'un ou celle d'un auteur. La **citation** se place toujours **entre guillemets** :
Raymond demande à Jeannette : «As-tu entendu parler du big-bang ?»
Hubert Reeves écrit : «L'idée que les étoiles ont une vie, qu'elles naissent et meurent, est relativement nouvelle pour l'humanité». (Hubert Reeves, *Poussières d'étoiles.*)

d) Le deux-points est **suivi** d'une **lettre majuscule après** les **guillemets** d'une **citation** :
Anick demande à Pierre : «As-tu assisté à la conférence d'Hubert Reeves ?»

JE RETIENS

Le point-virgule marque une pause et sert à joindre deux phrases en indiquant qu'elles sont unies par le sens. Il dispense parfois de répéter une virgule.
Le deux-points annonce une explication, une énumération ou une citation.

La Voie lactée

Étoiles et galaxies

L'Univers compte un nombre incalculable d'étoiles. Cependant, les étoiles ne sont pas isolées, mais en groupes, appelés «galaxies». Il existe des milliards de galaxies qui comprennent chacune des centaines de milliards d'étoiles. Certaines galaxies présentent une forme particulière. Ainsi, la Voie lactée (notre système solaire en fait partie) ressemble à un disque dont le centre est bombé. Elle mesurerait cent mille années-lumière de diamètre. Elle compte près de deux cents milliards d'étoiles, disposées en une énorme spirale. Le système solaire se situe à l'une des extrémités de la galaxie.

J'OBSERVE

Qu'ont en commun les guillemets et les parenthèses ?
Les guillemets et les parenthèses se présentent en paires; par exemple, on ouvre et on ferme les guillemets.

JE REMARQUE

1 Certains signes de ponctuation servent à **encadrer** ou à **isoler** des parties de phrase. Ce sont les **guillemets**, les **parenthèses**, les **crochets** et le **tiret**.

2 Les **guillemets** (« »), inventés en 1677 par l'imprimeur Guillaume, servent à plusieurs usages dans la langue écrite. Ils se présentent toujours **en paires** :

a) Les guillemets **précèdent** et **suivent** une **citation** :
«Le soleil, dit Miguel, est une petite étoile de la Voie lactée.» (Citation des paroles de Miguel.)
«Cette obscure clarté qui tombe des étoiles.» (Citation de Pierre Corneille.)

b) Les guillemets s'emploient au **début** et à la **fin** d'un **dialogue**. Le tiret qui se place au début de chaque alinéa indique le changement d'interlocuteur :
En sortant du planétarium, les élèves parlent de constellations :
«J'ai beaucoup aimé le Centaure.
— Pour moi, la plus belle, c'est Andromède.
— Ma préférée, c'est Pégase.»

c) Les guillemets s'emploient pour attirer l'**attention** sur un mot :
Les étoiles en amas sont appelées «galaxies».
Notre galaxie se nomme la «Voie lactée».

d) Les guillemets encadrent parfois un mot **étranger**, un mot de la **langue populaire** ou un mot employé dans un **sens inhabituel** :
Les «earth-grazers» sont des astéroïdes qui peuvent frôler la Terre. (Emploi d'un mot étranger.)
L'astronomie, je trouve ça «débile». (Emploi d'un mot de la langue populaire.)
Les galaxies, c'est vraiment tout un «monde». (Sens inhabituel du mot *monde* : «domaine de connaissances».)

e) Les guillemets marquent parfois l'**ironie**, c'est-à-dire qu'ils indiquent qu'on n'est pas d'accord avec ce qui est dit ou qu'on n'est pas sûr de l'être :

Quand il commence à parler de ses «théories»... !

f) Les guillemets ne sont pas les mêmes en français et en anglais. En **français**, on emploie la forme « » et, en **anglais**, la forme " ". En français, les guillemets anglais s'utilisent seulement à l'intérieur d'une phrase déjà entre guillemets :

COMPARER :

Le professeur explique : «Le mot "galaxie" désigne un amas d'étoiles». (Utilisation des deux formes de guillemets.)

Le professeur explique : «L'astronomie est l'étude des astres». (Utilisation des guillemets français seulement.)

3 Les **parenthèses** ( ) se présentent toujours **en paires** et servent dans les cas suivants :

a) Les parenthèses permettent d'**insérer** dans la phrase des **explications** utiles :

La Voie lactée (notre galaxie) a la forme d'une spirale.

b) Les parenthèses **encadrent** le mot latin ***sic*** et indiquent que la citation comporte une erreur et qu'elle est rapportée telle quelle :

*Le journaliste a écrit : «Les galaxie (**sic**) comptent des milliards d'étoiles».*

4 Les **crochets** [ ] se présentent **en paires** et s'emploient surtout dans les cas suivants :

a) Les crochets permettent d'**insérer** une **explication** dans un élément déjà entre parenthèses :

Au mont Mégantic (situé dans l'Estrie [anciens Cantons de l'Est], près de la frontière), un observatoire accueille les astronomes amateurs.

b) Les crochets s'emploient avec les **points de suspension** pour marquer une **coupure** dans une **citation** :

«C'est Galilée qui, le premier, a regardé le ciel avec une lunette astronomique. [...] Cela se passe en 1609.» (Hubert Reeves, *Poussières d'étoiles*.)

c) Les crochets **encadrent** la **notation** en alphabet phonétique international (API) :

Le mot galaxie *se prononce* [galaksi].

5 Le **tiret** (—) remplit deux rôles :

a) Dans une phrase, le tiret **remplace** parfois les **parenthèses** pour **encadrer** une **explication** :

Les galaxies — il en existe des milliers, peut-être des millions — sont des amas d'étoiles.

b) Dans un **dialogue**, le tiret se place au **début** de chaque **alinéa** et indique un changement d'interlocuteur :

— *As-tu vu le documentaire à la télé hier soir ?*
— *Non. J'ai regardé le match de hockey avec ma sœur.*
— *C'est dommage ! Il y avait un documentaire sur la Voie lactée.*
— *Tu aurais dû m'appeler !*

c) Dans une **énumération** avec **alinéa**, le tiret précède chaque élément énuméré :

Dans cet ouvrage, on aborde les sujets suivants :
— *les étoiles ;*
— *les constellations ;*
— *les galaxies ;*
— *les nébuleuses.*

6 L'**astérisque** (*) remplit principalement les rôles suivants :

a) Dans certains ouvrages, dictionnaires ou encyclopédies, l'astérisque, placé à la **fin** d'un **mot**, indique un **renvoi** à ce mot :

*Galilée a poussé plus loin les recherches de Copernic**. (Signifie : «Voir le mot *Copernic*».)

b) Dans un texte, l'astérisque sert parfois de **signe d'appel** pour une note explicative en bas de page :

Les galaxies * *comptent des milliards d'étoiles.* (L'astérisque marque le renvoi à la note en bas de page : **La Voie lactée est l'une des nombreuses galaxies.*)

c) Dans plusieurs ouvrages portant sur la langue, l'astérisque placé **devant** un **mot** désigne une **forme fautive** :

*Les étoiles *et/ou les galaxies...* (La forme *et/ou* est un anglicisme. En français, il suffit le plus souvent d'employer simplement *ou*.)

d) Les astérisques ou les points de suspension s'emploient pour **remplacer** un **mot**, un **nom propre** qu'on préfère ne pas écrire :

*En approchant de Québec, l'homme de science, M.***, est devenu nerveux.* (Nom propre non précisé.)

7 La **barre oblique** (/) sert à quelques rares usages :

a) La barre oblique indique parfois une **opposition** :

L'opposition singulier/pluriel respecte des règles précises.
Les bonnes relations parents/enfants créent des liens durables. (Pour «les relations entre les parents et les enfants».)

b) La barre oblique s'emploie dans l'écriture des **unités de mesure abrégées** ou des **fractions** :

Ici, ce produit se vend 15,00 $/kg. (Pour «quinze dollars le kilogramme».)
Sur l'autoroute, il roule à 100 km/h. (Pour «cent kilomètres par heure».)
Elle a parcouru la distance en 12/100 de seconde. (Pour «douze centièmes de seconde».)

JE RETIENS

Les guillemets servent généralement à encadrer une citation.
Les parenthèses, les crochets et le tiret s'emploient, entre autres, pour insérer une explication à l'intérieur d'une phrase.
L'astérisque s'emploie, entre autres, pour indiquer un renvoi.
La barre oblique sert surtout à marquer une opposition et à l'écriture des unités de mesure abrégées et des fractions.

Le système solaire

Notre système solaire comprend neuf planètes qui tournent sur elles-mêmes et qui se déplacent autour du Soleil sur des orbites différentes. La plus petite et la plus rapprochée du Soleil se nomme Mercure et la plus grosse, Jupiter. Toutes les planètes tournent autour du Soleil dans le même sens, soit de l'ouest vers l'est. Ce mouvement s'appelle «révolution». La révolution de la Terre se fait en une année; celle de Pluton s'effectue en 247 ans et 249 jours. Les planètes ont aussi un mouvement de rotation: elles tournent sur elles-mêmes. Seules Vénus et Uranus tournent à l'envers des autres planètes.

La planète Jupiter

J'OBSERVE

Qu'ont en commun les voyelles en couleur?
Elles ont toutes la même prononciation.

JE REMARQUE

1 Les signes orthographiques sont généralement des marques que l'on ajoute à certaines lettres pour en préciser, par exemple, la prononciation:
Notre planète fait partie du système solaire. (Le signe orthographique sur le *e* de *planète* et de *système* indique la prononciation [ɛ].)

2 Les signes orthographiques comprennent les **accents**, l'**apostrophe**, la **cédille**, le **tréma** et le **trait d'union**:

a) L'emploi des accents, de l'apostrophe et du trait d'union est fréquent:
Hélène connaît bien le système solaire.
Les planètes tournent sur elles-mêmes; c'est la rotation.

b) L'emploi de la cédille et du tréma est plus limité:
Les filles et les garçons s'avançaient lentement pour mieux voir la photo de Jupiter.
Une astronome haïtienne nous a parlé des astéroïdes et de l'étoile de Noël.

JE RETIENS

Les accents, l'apostrophe, la cédille, le tréma et le trait d'union sont des signes orthographiques.
Les signes orthographiques sont généralement des marques qui indiquent, entre autres, la prononciation de certaines lettres.

7. L'ACCENT AIGU

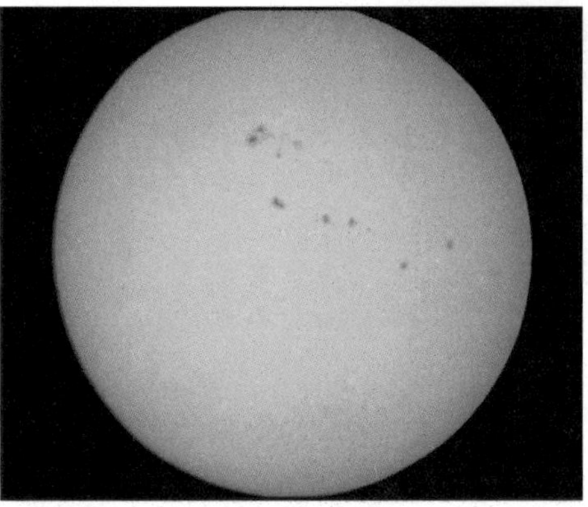
Le Soleil

Le Soleil, une étoile

On a trop souvent tendance à oublier que le Soleil n'est qu'une étoile moyenne parmi des milliards d'autres. Si elle nous paraît si grosse, c'est parce que cette étoile est la plus près de nous, soit à près de 150 millions de kilomètres. Le centre du Soleil est un extraordinaire réservoir d'énergie. Ses réactions nucléaires constantes expliquent, pour une bonne part, que cette étoile éclaire la Terre depuis des milliards d'années. De tout temps, le Soleil a été l'objet de cultes religieux. L'Égypte ancienne en a fait un dieu. Les Incas et les Aztèques d'Amérique le vénéraient et le priaient.

J'OBSERVE

Qu'ont en commun les voyelles en couleur ?
Elles ont toutes la même prononciation.

JE REMARQUE

1 Il y a trois accents en français: l'**accent aigu** (´), l'**accent grave** (`) et l'**accent circonflexe** (^). L'usage au Québec veut que les accents se placent sur les **lettres majuscules**, même en début de phrase :

Étudier l'astronomie est un passe-temps agréable.
Ô Soleil, astre majestueux !

2 L'**accent aigu** (´) ne se place que sur la voyelle ***e*** et donne la graphie ***é*** qui se prononce généralement [e] :

Cette étoile est un réservoir d'énergie.
André a toujours été intéressé par les découvertes scientifiques.

3 Toutefois, dans certains mots, la graphie ***é*** se prononce [ɛ] comme la graphie ***è*** :

Dans les mots *allégement*, *céleri* et *crémerie*, le ***é*** se prononce [ɛ] comme la graphie ***è***.

4 Dans beaucoup de mots, la voyelle ***e*** se prononce [e] comme la graphie ***é***, même si elle n'a pas d'accent aigu. C'est le cas de toutes les voyelles en couleur dans les exemples qui suivent :

*Assener, féerique, revolver, edelweiss, ressusciter, danger, descendre, pie**d**, clef...*
Vous irez chez Louis pour visiter son observatoire.

JE RETIENS

L'accent aigu ne se place que sur la voyelle *e* et donne la graphie *é* qui se prononce généralement [e].

8. L'ACCENT GRAVE

La planète bleue

La Terre vue de l'espace

À l'échelle de l'Univers, la Terre n'est qu'une planète minuscule. Vue de la Lune ou de l'espace par les astronautes, notre planète se présente comme une boule bleue, fortement éclairée par le Soleil. La Terre est vieille de quatre milliards et demi d'années. Elle est à la fois vivante et porteuse de vie. Les phénomènes naturels, comme les éruptions volcaniques, les tremblements de terre et la dérive des continents, montrent que la Terre évolue constamment. Notre planète est la seule connue où se trouvent des êtres vivants. Hélas! nous n'avons pas toujours su la protéger! Cette négligence fait en sorte que la planète bleue est en danger. À nous d'y voir!

J'OBSERVE

Quelles sont les lettres sur lesquelles se trouve un accent grave?

Ce sont les voyelles *e*, *a* et *u* dans les mots: *planète*, *phénomènes*, *à* et *où*.

JE REMARQUE

1 L'**accent grave** (`) se place surtout sur la voyelle ***e***, mais on le rencontre souvent sur la voyelle ***a*** et, rarement, sur la voyelle ***u***:

D'où elle est, l'astronaute voit déjà très bien la planète Terre.

2 L'accent grave se place le plus souvent sur la voyelle ***e*** et donne la graphie ***è*** qui se prononce généralement [ɛ]:

a) L'accent grave indique alors que la voyelle ***e*** se prononce comme dans le mot *planète*:

On appelle la Terre la planète bleue.
Priscillia achète un télescope à son père et à sa mère.

b) L'accent grave sur le ***e*** sert parfois **à distinguer** des **homophones** : *des* et *dès*; *près* et *prêt*. Voir *Le tableau des homophones*, aux pages 378 à 386.

3 Dans beaucoup de mots, la voyelle ***e*** se prononce [ɛ] comme la graphie ***è***, même si elle n'a pas d'accent grave:

a) Quand la voyelle ***e*** est suivie d'une **consonne double** (*ll, nn, rr, tt...*):

La Terre est minuscule à l'échelle de l'Univers.
Les écologistes nous apprennent que cette planète est en danger.

b) Quand la voyelle ***e*** est suivie de **deux consonnes** dont la **première** est **articulée** (*rm, sp, ct...*):

Nous tenons fermement à protéger la planète.
Vous respectez l'environnement.

c) Quand la voyelle ***e*** est suivie d'une **consonne articulée** en **syllabe finale**:

Le chef de l'équipe scrute le ciel.
Ces gens parlent de l'avenir sur un ton sec et amer.

d) Dans les finales en ***ect*** et ***et*** :
Michel a présenté un tableau complet d'un aspect important pour l'écologie.

4 L'accent grave se rencontre assez souvent sur la voyelle ***a*** :

a) Parfois, l'accent grave sert à **distinguer** des **homophones** : *a, as* et *à ; ça, çà* et *sa ; la, là, l'a* et *l'as*. Voir *Le tableau des homophones,* aux pages 378 à 386.

b) Plusieurs mots plus ou moins fréquents se terminent par ***à*** :
Au-delà, déjà, en-deçà, voilà...
Mais : *cel**a*** (sans accent).

5 L'accent grave sur la voyelle ***u*** ne sert qu'à **distinguer** les **homophones** *ou* et *où*. Voir *Le tableau des homophones,* aux pages 378 à 386.

JE RETIENS

L'accent grave se place surtout sur la voyelle *e* et donne la graphie *è* qui se prononce généralement [ε].
On trouve aussi l'accent grave sur les voyelles *a* et *u*. Il permet alors de distinguer des homophones.

La première qualité du style, c'est la clarté.
Aristote

9. L'ACCENT CIRCONFLEXE

Les constellations

De tout temps, les étoiles ont émerveillé les habitants de la Terre. Sur l'eau, elles ont longtemps été les seuls guides des navigateurs. En scrutant le ciel, certains ont cru y reconnaître des formes en reliant les étoiles entre elles. Ce sont les constellations. Au cours des siècles, les gens se sont même amusés à nommer ces groupes. Ainsi, l'imagination populaire distingue la Grande Ourse et la Petite Ourse, appelées aussi Grand Chaudron et Petit Chaudron. Certaines constellations rappellent la mythologie, comme Orion ou le Centaure.

Le Grand Chaudron

J'OBSERVE

Qu'est-ce que les lettres en couleur ont en commun ?
Elles ont un accent circonflexe.

JE REMARQUE

1 On trouve l'**accent circonflexe** (^) sur les voyelles ***a***, ***e***, ***i***, ***o*** et ***u*** :
Même à l'œil nu, l'astronome est sûr que la Lune paraîtra plutôt pâle.

2 Le plus souvent, l'accent circonflexe représente un ancien *s*, d'origine latine :
Le mot latin *pasta* a donné d'abord *paste*, puis *pâte*.
Le mot latin *testa* a donné d'abord *teste*, puis *tête*.
Ainsi, *hôtel* vient de ***hostel*** et *même* vient de ***mesme***.
On retrouve l'ancienne forme du mot *île* dans les noms propres suivants : ***I**sle-aux-Coudres,* ***I**sle-Verte* et ***I**sle-aux-Grues.*

3 L'accent circonflexe permet de **distinguer** de nombreux **homophones** : *cru* et *crû ; mur* et *mûr ; près* et *prêt ; sur* et *sûr*. Voir *Le tableau des homophones,* aux pages 378 à 386.

4 L'accent circonflexe est souvent présent dans la **conjugaison** :

a) Les verbes en ***-aître*** et en ***-oître*** conservent l'accent circonflexe sur le ***i*** **devant** le ***t*** de l'**infinitif** :

COMPARER :
Elle connaît toutes les constellations. (Le *i* conserve l'accent circonflexe car le *t* est celui de la terminaison de l'**infinitif**.)
Elle connaissait toutes les constellations. (Il n'y a pas d'accent circonflexe sur le *i* car le *t* est celui de la terminaison de l'**imparfait**.)

b) Le verbe *croître* conserve l'accent circonflexe sur le ***i*** non seulement **devant** le ***t*** de l'**infinitif** mais aussi chaque fois qu'il peut être confondu avec une forme semblable du verbe *croire* :

COMPARER :
Je croîs en sagesse. (V. *croître,* ind. prés., 1re pers. sing.)
Je crois en cette astronome. (V. *croire,* ind. prés., 1re pers. sing.)

c) Les verbes *plaire, déplaire* et *se complaire* prennent l'accent circonflexe sur le ***i*** **devant** le ***t*** de la **troisième** personne du **singulier** de l'**indicatif présent** :

COMPARER :

Il se plaît à regarder les étoiles. (V. *plaire,* ind. prés., 3e pers. sing.)
Je me plais à regarder les étoiles. (V. *plaire,* ind. prés., 1re pers. sing.)
Ce nuage me déplaît beaucoup. (V. *déplaire,* ind. prés., 3e pers. sing.)
Tu ne me déplais pas. (V. *déplaire,* ind. prés., 2e pers. sing.)
Elle se complaît à admirer le ciel. (V. *complaire,* ind. prés., 3e pers. sing.)
Je me complais à admirer le ciel. (V. *complaire,* ind. prés., 1re pers. sing.)

d) Au **passé simple** de l'**indicatif** (employé surtout en langue littéraire), à la **première** et à la **deuxième** personne du **pluriel**, la **voyelle** qui **précède** la **syllabe finale** prend l'accent circonflexe :

Nous fûmes absents pendant deux jours.
On me dit que, jadis, vous vous aimâtes passionnément.
Mais : *Je **fus**, tu **fus**, il **fut*** ne prennent jamais l'accent circonflexe.

e) Au **subjonctif imparfait** (employé surtout en langue littéraire), à la **troisième** personne du **singulier**, la **dernière voyelle** de la **syllabe finale** prend l'accent circonflexe :

Il fallut qu'il revînt au Planétarium pour qu'on appréciât sa compétence.

5 Attention ! Plusieurs mots ont un accent circonflexe que leurs dérivés n'ont pas :

Avec accent	**Sans accent**	**Avec accent**	**Sans accent**
Arôme	*Aromatiser*	*Infâme*	*Infamie*
Fantôme	*Fantomatique*	*Jeûne*	*Déjeuner*
Grâce	*Gracier*	*Pôle*	*Polariser*
Impôt	*Imposer*	*Râteau*	*Ratisser*

6 Gare aux ressemblances ! Dans le doute, il est plus prudent de consulter le dictionnaire :

Avec accent	**Sans accent**	**Avec accent**	**Sans accent**
Abîme	*Cime*	*Bâton*	*Bateau*
Assidûment	*Éperdument*	*Câbler*	*Accabler*
Bâcler	*Racler*	*Flûte*	*Chute*

JE RETIENS

On trouve l'accent circonflexe sur les voyelles *a, e, i, o* et *u*. Il sert souvent à distinguer des homophones, par exemple : *cru* et *crû, mur* et *mûr, sur* et *sûr*.

L'éclipse de Soleil

L'éclipse de Soleil est un phénomène spectaculaire. Elle se produit lorsque la Lune, dans son mouvement autour de la Terre, passe entre le Soleil et la Terre. Pendant quelques minutes, on voit le disque noir de la Lune se déplacer devant le Soleil. Lors d'une éclipse totale, on ne distingue que la couronne extérieure du Soleil. Sur la Terre, la zone de l'éclipse est jetée dans l'obscurité. Pour que l'éclipse soit totale, la Terre, la Lune et le Soleil doivent être alignés. Sinon, on parle d'éclipse partielle, car le Soleil n'est pas caché entièrement. Les éclipses de Soleil semaient la panique chez les anciens. On croyait qu'un dieu maléfique avait dévoré le Soleil.

Une éclipse totale

J'OBSERVE

L'apostrophe remplace-t-elle la même voyelle dans les mots en couleur ?

Non. Dans *l'éclipse*, l'apostrophe remplace un *a* (*l'éclipse* pour **la éclipse*) ; dans *d'une*, elle remplace un *e* (*d'une* pour **de une*).

JE REMARQUE

1 L'**apostrophe** s'emploie pour **empêcher** la **rencontre** de **deux voyelles**. La première des deux se remplace par l'apostrophe. C'est ce qu'on appelle l'**élision** :

a) L'élision a lieu **devant** le ***h* muet**, mais **non devant** le ***h* aspiré** :

L'homme préhistorique craignait l'éclipse. (Le *h* est muet.)
Mais : *Seul **le h**alo solaire apparaît sur cette photo.* (Le *h* est aspiré.)

b) La conjonction ***si*** ne **s'élide** que **devant** le pronom ***il*** :

*Je me demande **s'il** y aura une éclipse de Soleil bientôt.*
Mais : *Je me demande **si** elle aura lieu bientôt.*

c) Le mot ***presque*** ne **s'élide** que dans ***presqu'île*** :

*J'ai visité la **presqu'île** de la Gaspésie.*
Mais : *Il nous a **presque** épouvantés avec cette histoire.*

2 La **cédille** est un signe orthographique que l'on place **sous** la consonne ***c*** **devant** les voyelles ***a***, ***o*** et ***u***, pour indiquer que le ***c*** se prononce [s] :

COMPARER :

Elle avance...	*Elle avançait...*	*Nous avançons...*
Il reçut...	*Il reçoit...*	*Nous recevons...*

3 Le **tréma** est un signe orthographique représenté par **deux points juxtaposés**. Il se place sur les voyelles ***e***, ***i*** et ***u*** qui **suivent** une **autre voyelle** pour indiquer que les deux voyelles se **prononcent séparément**. Le tréma se place généralement sur la **deuxième voyelle** :

Un savant d'Israël est venu observer l'éclipse.
Cette mosaïque représente le Soleil.
Ton explication de l'éclipse est ambiguë.

4 Le **trait d'union** sert à divers usages :

a) Le trait d'union s'emploie pour **relier** les **mots composés**. Il indique qu'il s'agit d'un seul mot :

Aigre-doux *Chef-d'œuvre*
Arc-en-ciel *Gratte-ciel*

b) Le trait d'union s'emploie dans un grand nombre de **locutions** :

Avant-hier *Au-dessous*
Ci-dessus *Là-bas*

c) Le trait d'union **unit** le **verbe** et le ou les **pronoms personnels** qui le suivent immédiatement :

*Cette éclipse, dit-**elle**, est spectaculaire.*
*Laissez-**nous** admirer l'éclipse.*
*Prête-**le-moi**.* **Ou** : *Prête-**moi-le**.*

d) Le trait d'union s'emploie dans les noms **propres** de personnes désignant des monuments, des rues, des établissements. Le trait d'union ne s'emploie pas s'il s'agit de la personne elle-même :

Le pont Pierre-Laporte ; l'école Pierre-Laporte ; la rue Pierre-Laporte.
Mais : *Le ministre Pierre Laporte* (la personne elle-même : sans trait d'union).

e) Le trait d'union s'emploie **entre** le mot ***saint*** ou ***sainte*** et le **nom** qui **suit**, s'il n'est pas question de la personne elle-même. L'abréviation ne s'emploie que si le manque d'espace l'exige (sur un panneau indicateur, un calendrier, etc.) :

La rue Saint-André ; l'école Saint-André.
Mais : *L'apôtre saint André* (la personne elle-même).
L'île Sainte-Hélène ; l'école Sainte-Hélène.
Mais : *La fête de sainte Hélène* (la personne elle-même).

f) Le trait d'union s'emploie en **bout de ligne** pour indiquer la **coupure** d'un mot dont la fin est rejetée à la ligne suivante :

Le spectacle de cette éclipse, que ma sœur et moi voyions pour la pre-
mière fois, était si impressionnant que nous en étions tout bouleversés.

JE RETIENS

L'apostrophe s'emploie pour empêcher la rencontre de deux voyelles.
La cédille se place sous la consonne *c* (*ç*) devant les voyelles *a*, *o* et *u* pour indiquer que le *c* se prononce [s].
Le tréma se place sur les voyelles *e*, *i* et *u* qui suivent une autre voyelle pour indiquer que les deux voyelles se prononcent séparément.
Le trait d'union s'emploie, entre autres, pour relier les mots composés.

11. L'EMPLOI DE LA MAJUSCULE

Les extraterrestres

Une question se pose : «Les extraterrestres existent-ils ?» Pendant longtemps, on les a nommés Martiens, parce que l'on croyait que la vie sur Mars était possible. Mais les scientifiques ont clairement démontré que les conditions de vie, telles que nous les connaissons sur la Terre, ne se retrouvent sur aucune autre planète du système solaire. Ne serait-il pas un peu prétentieux d'affirmer qu'il n'y a pas de vie ailleurs ? Dans l'une des milliards de galaxies de l'Univers, se trouverait-il quelque part un autre système solaire et une autre planète présentant une forme de vie semblable à la nôtre ? Et, pourquoi pas, supérieure? Nous plongeons en pleine science-fiction !

Un extraterrestre

J'OBSERVE

Les lettres majuscules en couleur se trouvent-elles toujours au début d'une phrase ?
Non. Certaines sont à l'intérieur de la phrase.

JE REMARQUE

1 L'emploi de la **majuscule** répond à un certain nombre de règles. Ces règles touchent particulièrement la **phrase**, les **noms propres**, les **titres** et les **abréviations** :

J'irais à l'observatoire avec Lucie.
M. le Président, les membres de la NASA vous remercient.

2 Les règles d'emploi de la majuscule dans la phrase sont les suivantes :

a) La phrase commence **toujours** par une majuscule :
Nous plongeons en pleine science-fiction.

b) On emploie la majuscule après un **point**, un **point d'interrogation**, un **point d'exclamation** et les **points de suspension** qui terminent une phrase :
Les extraterrestres existent-ils ? Beaucoup de gens le croient.
Quel spectacle ! C'est incroyable !
Je voulais vous dire... Ah ! oubliez tout ça !

c) Après le **deux-points** et l'ouverture des **guillemets**, la première lettre d'une **citation** est une majuscule :
Jacques demande à Miguel : «Crois-tu aux extraterrestres ?»

d) La **première lettre** de **chaque vers** d'un poème est habituellement une majuscule :
Ah ! comme la neige a neigé !
Ma vitre est un jardin de givre. (Émile Nelligan, *Soir d'hiver*.)

e) Dans un **dialogue**, après le **tiret**, la phrase commence par une majuscule :
— *Crois-tu aux extraterrestres ?*
— *Je pense que leur existence n'est pas impossible.*
— *Tu me surprends !*

3 Les règles d'emploi de la majuscule dans les **noms propres** sont les suivantes :

a) Un nom propre désignant une **personne**, un **peuple**, un **habitant**, une **divinité** et même un **animal** commence par une majuscule :

André Turcotte, dit le Dédé, a vu une étoile au télescope. (Trois noms propres désignant une personne.)
Mars et Jupiter étaient des dieux chez les Romains. (Deux noms propres désignant chacun un dieu et un autre désignant un peuple.)
Mon chien Fido n'aime pas la souris Miquette. (Deux noms propres désignant des animaux.)

b) Un nom désignant un **lieu** (continent, pays, ville, cours d'eau, montagne, rue...), un **astre** (planète, étoile, constellation...), un **véhicule** ou un **monument** commence par une majuscule :

Granby est une belle ville du Québec, dans la région de l'Estrie.
En Europe, Nicole a vu la Seine, à Paris, puis elle a visité la Belgique.
Avec ma vieille Ford, j'ai contourné le mont Saint-Bruno pour atteindre l'autoroute Jean-Lesage.

c) Les **raisons sociales** (commerce, institution, parti politique...) et les **événements historiques** (époque, fête religieuse ou civile...) s'écrivent avec une majuscule :

La Société Saint-Jean-Baptiste organise le défilé de la Saint-Jean à Montréal.
Au Moyen Âge et à la Renaissance, on ne pensait pas aux extraterrestres.

4 Les règles d'emploi de la majuscule dans les **titres** sont les suivantes :

a) Le titre d'une **œuvre** (livre, article, tableau...) et le nom d'un **périodique** (revue, journal, magazine...) commencent par une majuscule :

J'ai lu la critique du film Le Parc Jurassique, *de Spielberg, dans* Le Devoir.

b) L'**adjectif qualificatif** placé **avant** le **nom** dans un **titre d'œuvre** prend généralement la majuscule :

COMPARER :

J'ai lu Les Grands Astronomes d'aujourd'hui. (Majuscule à *Grands*, placé avant le nom *Astronomes*.)
As-tu consulté l'ouvrage Les Étoiles filantes*?* (Minuscule à *filantes*, placé après le nom *Étoiles*.)

c) Le **titre honorifique** ou de **fonction** prend la majuscule seulement lorsqu'on s'adresse à la personne elle-même et ne s'abrège pas.

COMPARER :

Veuillez agréer, Monsieur le Maire, l'expression de mes sentiments distingués.
Le maire a été ovationné par l'assistance.
La première ministre a fait un beau discours.
Agréez, Monsieur le premier ministre, l'expression...

d) Le mot ***ministère*** prend la **minuscule** et le ou les **noms** qui **suivent** prennent la **majuscule** :

Le ministère de la Santé et des Services sociaux.
Le ministère de l'Éducation.

5 Les règles d'emploi de la majuscule dans les **abréviations** sont les suivantes :

a) Les **sigles** et les **acronymes** s'écrivent en majuscules :

L'ONU et l'OTAN sont des organismes internationaux.

b) Certaines abréviations prennent la majuscule :

M. pour *monsieur*, *Mme* ou *M*[me] pour *madame.*

6 On emploie la **minuscule** dans les cas suivants :

a) Pour le nom des **jours** de la semaine et des **mois** de l'année, l'emploi de la majuscule est un anglicisme :

Le mardi 24 février 1994, mon voisin prétend avoir vu un ovni.

b) On emploie la **minuscule** avec l'**adjectif** désignant la **nationalité** et le **nom** désignant la **langue** :

COMPARER :

Mes voisins sont des Grecs et des Haïtiens. (Noms propres de peuples.)
Maria est d'origine portugaise et parle français. (Adj. de nationalité et nom de langue.)

c) Le mot ***saint*** prend la **minuscule** s'il désigne la **personne** :

L'apôtre saint Pierre est le patron de la paroisse Saint-Pierre.

7 Il existe certaines conventions dans la **correspondance** qu'il importe de respecter. On s'en tient ici aux règles concernant la **suscription**, c'est-à-dire tous les éléments qui servent à désigner le **destinataire** et la **destination** de la lettre.

a) La **suscription** apparaît sur l'**enveloppe** et au **début** de la **lettre** :

Madame Émilie Lusignant
5428, rue Saint-Hubert
Montréal (Québec)
H3L 2X4

b) Il n'y a **pas** de **ponctuation** à la **fin** de chaque **ligne** de la suscription.

8 Certaines règles régissent la façon de désigner la personne à qui l'on écrit, appelée **destinataire** :

a) Le **titre** du destinataire (*Monsieur* ou *Madame*), suivi du nom, s'écrit **au long** et commence par une **majuscule** :

Monsieur Lucien Trépanier *Madame Carole Guy*

b) Le **prénom** du destinataire s'écrit **au long** ou **en abrégé** (première lettre majuscule suivie d'un point). Le **nom** n'est **jamais abrégé** :

Monsieur ***Guy*** *Saint-Luc* *Monsieur G. Saint-Luc* (**et non** **St-Luc*)
Madame ***Hélène*** *Lépine* *Madame H. Lépine*

9 La **destination** comporte tous les renseignements concernant l'**adresse** du destinataire. Les principales règles d'écriture de l'adresse sont les suivantes :

a) Le **numéro** est suivi d'un **nom générique** : *allée, avenue, boulevard, carrefour, chemin, côte, croissant, mail, montée, passage, place, quai, rond-point, route, rue, ruelle, traverse...* Le nom générique s'appelle **odonyme.** L'odonyme s'écrit habituellement en **minuscules.** On peut l'abréger si l'espace l'exige :

234, ***rue*** *Meunier* (et non *234, *Meunier*)
432, ***boulevard*** *Laurier* (ou *432, boul. Laurier*)

b) Lorsque l'odonyme est désigné par un **numéro**, les mots *rue, avenue...* s'écrivent avec la **majuscule, sans abréviation** :
567, 24e Avenue (et non *567, 24e *Av.*)
511, 3e Rang

c) Si le nom est composé de **plusieurs éléments**, ceux-ci sont unis par un **trait d'union** :
800, boul. Henri-Bourassa *758, av. Sir-George-Étienne-Cartier*

d) La mention du **point cardinal** s'écrit **au long** après le nom de la rue et prend une **majuscule** :
897, boul. Henri-Bourassa Ouest

e) Le **numéro** de l'**appartement** s'écrit sur la même ligne que le nom de la rue et est séparé de lui par une **virgule**. Le mot *appartement* s'abrège en *app.* Le numéro n'est jamais précédé du signe # :
356, côte Dupré, ***app.*** *25* (**et non** *356, côte Dupré, *#25*)

f) On écrit le nom de la **ville** en **toutes lettres** en majuscule et minuscules ou tout en majuscules :
Gaspé (ou *GASPÉ*)

g) Le nom de la **province** s'écrit habituellement **au long**, entre parenthèses, à droite du nom de la ville :
*Deschaillons-sur-Saint-Laurent (**Québec**)*
(L'abréviation *QC* ne s'emploie que lorsque l'espace est restreint.)

h) Le **code postal** s'écrit en **majuscules** et figure obligatoirement sur une ligne distincte, sans ponctuation :
H3L 2V9

i) Le nom du **pays** n'apparaît que si la lettre est destinée à l'étranger. On l'écrit alors sur une ligne distincte en majuscule et minuscules ou tout en majuscules. On peut ou non le souligner.

j) Pour connaître l'abréviation de certains odonymes, voir la liste des abréviations les plus courantes, à la page 388.

JE RETIENS

La majuscule s'emploie au début d'une phrase ou d'une citation.
La majuscule s'emploie aussi dans les noms propres désignant des personnes, des lieux, des titres...
Dans la correspondance, l'emploi de la majuscule suit des règles conventionnelles.

L'ACCORD GRAMMATICAL

1. LA RÈGLE GÉNÉRALE DE LA FORMATION DU FÉMININ

Jean Duceppe

Jean Duceppe, le comédien du peuple

Jean Duceppe a vécu pour le théâtre. À la scène, à la radio, à la télé ou au cinéma, il incarne des personnages marquants. Ami de tous, Jean Duceppe est un homme vrai, tant dans la vie que dans son métier. Il dirige avec bonheur sa propre compagnie de théâtre où l'accueil populaire ne lui fera jamais défaut. Deux grands rôles ont particulièrement contribué au succès de ce comédien exceptionnel. Ce fut celui du commis, dans *La Mort d'un commis voyageur*, et celui de Maurice Duplessis, dans *Charbonneau et le chef*. Homme du peuple, Jean Duceppe demeure très près de son public, qui regrette son départ, le 7 décembre 1990, lorsqu'il est emporté par le diabète. Il est alors âgé de 67 ans.

J'OBSERVE

Supposons que l'on remplace *Jean Duceppe* par *Louise Dupont*, qu'arrive-t-il aux mots en couleur ?

Ils s'écrivent au féminin, de la façon suivante : *amie* et *vraie*.

JE REMARQUE

1 Le **nom** et l'**adjectif qualificatif** ont un **genre** : ils sont **masculins** ou **féminins**. L'**adjectif qualificatif** prend le **genre** du **nom** auquel il se rapporte :

*Jean Duceppe est un **comédien exceptionnel**.* (*Comédien,* nom masc. ; *exceptionnel,* adj. masc.)

*Louise Dupont est une **comédienne exceptionnelle**.* (*Comédienne,* nom fém. ; *exceptionnelle,* adj. fém.)

2 En général, on forme le **féminin** des **noms** et des **adjectifs qualificatifs** en **ajoutant** simplement un ***e*** au **masculin** :

Nom masculin	**Nom féminin**
Un avocat	*Une avocate*
Un allié	*Une alliée*
Un ami	*Une amie*
Un étudiant	*Une étudiante*
Un marchand	*Une marchande*
Un voisin	*Une voisine*

Adjectif masculin	**Adjectif féminin**
Un feu ardent	*Une flamme ardente*
Un chapeau bleu	*Une robe bleue*
Un air ingénu	*Une allure ingénue*
Un enfant menu	*Une personne menue*
Un calcul précis	*Une réponse précise*
Un homme vrai	*Une femme vraie*

L'Office de la langue française suggère les formes féminines *une agente, une lieutenante, une magistrate, une savante* et *une sergente* pour les noms *agent, lieutenant, magistrat, savant* et *sergent,* traditionnellement masculins.

1. LA RÈGLE GÉNÉRALE DE LA FORMATION DU FÉMININ

3 Les mots terminés par une **voyelle** au **masculin** se prononcent de la même façon aux deux genres :

Mot masculin	**Mot féminin**
Un ami âgé	*Une amie âgée*
Un apprenti têtu	*Une apprentie têtue*
Un délégué convaincu	*Une déléguée convaincue*

4 Les **adjectifs qualificatifs** qui ont **une seule forme** pour les **deux genres** sont des **adjectifs épicènes**. Leur genre est précisé soit par le nom, soit par le contexte. On en distingue deux groupes :

a) Tous les adjectifs qui se terminent par ***e*** au **masculin** et au **féminin** :

Jean Duceppe est un comédien ***habile****.* (*Habile,* adj. masc. Genre précisé par le nom masc. *comédien.*)

Louise Dupont est une comédienne ***habile****.* (*Habile,* adj. fém. Genre précisé par le nom fém. *comédienne.*)

b) Un certain nombre d'adjectifs qui ne se terminent pas par *e*, mais qui conservent la **même forme** au **masculin** et au **féminin** :

Ce comédien porte un costume ***kaki****.* (*Kaki,* adj. masc. Genre précisé par le nom masc. *costume.*)

Cette comédienne porte une robe ***kaki****.* (*Kaki,* adj. fém. Genre précisé par le nom fém. *robe.*)

DES ADJECTIFS QUALIFICATIFS ÉPICÈNES				
angora	chic	mohawk	rosat	standard
attikamek	kaki	rococo	snob	vermillon

Ainsi que tous les adjectifs qui se terminent par *e* au masculin et au féminin.

5 Les **noms** qui ont **une seule forme** pour les **deux genres** sont des **noms épicènes**. Leur genre est précisé soit par le déterminant, soit par le contexte. On en distingue deux groupes :

a) Quelques noms qui se terminent par ***e*** au **masculin** et au **féminin** :

Ce théâtre est la création d'un ***artiste*** *bien connu.* (*Artiste,* nom masc. Genre précisé par le dét. art. masc. *un.*)

Ce théâtre est la création d'une ***artiste*** *bien connue.* (*Artiste,* nom fém. Genre précisé par le dét. art. fém. *une.*)

b) Un certain nombre de noms qui ne se terminent pas par *e*, mais qui conservent la **même forme** au **masculin** et au **féminin** :

Ce comédien joue le rôle d'un ***enfant*** *pauvre.* (*Enfant,* nom masc. Genre précisé par le dét. art. masc. *un.*)

Cette comédienne joue le rôle d'une ***enfant*** *pauvre.* (*Enfant,* nom fém. Genre précisé par le dét. art. fém. *une.*)

L'Office de la langue française suggère que certains noms traditionnellement masculins soient épicènes. Ces noms apparaissent dans le tableau à la page suivante suivis du signe • : ***un*** *mannequin* ou ***une*** *mannequin*•.

DES NOMS ÉPICÈNES				
Un ou **une**...				
agronome	camelot•	élève	mannequin•	pilote•
arbitre•	chef•	enfant	manœuvre•	poète•
archéologue	clown•	géologue	marin•	radiologue
archiviste	commis•	géomètre	matelot•	reporter•
artiste	commissaire	guide	médecin•	secrétaire
astronome	contribuable	journaliste	ministre•	substitut•
Attikamek	coroner•	juge•	modiste	téléphoniste
biologiste	dentiste	juriste	Mohawk	témoin•
botaniste	détective•	locataire	notaire•	universitaire
cadre•	diplomate	machiniste	peintre•	voyagiste•

6 Attention ! Le mot ***esquimau***, employé comme **nom**, désignait auparavant le peuple autochtone du Grand Nord. Comme **adjectif qualificatif**, il qualifiait ce qui est relié à ce peuple. Aujourd'hui, le mot *esquimau* n'est presque plus utilisé chez nous, car il a un sens péjoratif aux yeux des autochtones. Il a été remplacé par le mot ***inuit***. L'Office de la langue française[1] recommande désormais de régulariser le genre et le nombre du nom et de l'adjectif qualificatif *inuit* de la façon suivante :

a) Le **nom** a une forme pour chaque **genre** et varie en **nombre** :

Nom masculin	**Nom féminin**
Un Inuit	*Une Inuite*
Des Inuits	*Des Inuites*

b) L'**adjectif qualificatif** a une forme pour chaque **genre** et varie en **nombre** :

Adjectif masculin	**Adjectif féminin**
Le peuple inuit	*Une coutume inuite*
Les artisans inuits	*Des sculptures inuites*

c) La forme *Inuk* n'est plus employée.

d) La langue parlée par les Inuits s'appelle ***inuktitut***. Le mot est **masculin** et **invariable**.

JE RETIENS

Généralement, on forme le féminin des noms et des adjectifs qualificatifs en ajoutant un *e* au masculin.
Certains noms et adjectifs qualificatifs sont épicènes; ils n'ont qu'une forme au masculin et au féminin.

1. La recommandation du 13 novembre 1992 de l'Office de la langue française annule celle du 19 janvier 1980. L'Office recommandait alors que le mot *inuit* soit invariable. C'est sur cette recommandation de 1980 que s'appuient *Le Petit Robert*, édition 1993, *Le Petit Larousse illustré*, édition 1994, ainsi que le *Multidictionnaire*, édition 1993.

2. LE FÉMININ DES NOMS DÉSIGNANT DES PERSONNES

Florence Nightingale

La célèbre infirmière britannique Florence Nightingale doit son prénom à la ville de Florence, en Italie, où elle est née le 12 mai 1820. À seize ans, Florence veut se consacrer au soin des malades. Malgré l'opposition de sa famille, elle persiste dans sa décision. Elle consacre sa vie à soigner les blessés de guerre et les malades. Peu soutenue par les fonctionnaires, ministres, directeurs de services du gouvernement de son pays, Florence Nightingale lutte pour améliorer les conditions d'hygiène et les services hospitaliers. Son ardeur suscite l'admiration de tous, même en dehors de l'Angleterre. Florence Nightingale est décédée le 13 août 1910.

Florence Nightingale

J'OBSERVE

Que désignent les noms en couleur ?
Ces noms désignent des personnes.

JE REMARQUE

1 La formation du féminin des noms et des adjectifs qualificatifs s'appuie sur un certain nombre de règles. Chacune d'elles s'applique aussi à plusieurs noms désignant des personnes comme, entre autres, les titres, les fonctions et les métiers.

2 Dans la plupart des pays francophones, plusieurs **noms** désignant des **fonctions** ou des **métiers** habituellement exercés par des hommes ne s'emploient qu'au **masculin**. Pour marquer le **féminin**, on ajoute le nom ***femme*** ou l'adjectif ***féminin*** à côté du nom masculin :

COMPARER :
Un médecin a soigné ce blessé de guerre.
Une femme médecin a soigné ce blessé de guerre.

3 L'évolution sociale a favorisé l'emploi au féminin d'un bon nombre de ces noms. Ces emplois ont habituellement suivi les mêmes règles de formation du féminin que les autres noms :

Ajout d'un *e* au masculin : *un avocat, une avocat**e** ; un artisan, une artisan**e**...*
Forme féminine régulière : *un chirurgien, une chirurgi**enne**...*
Forme épicène : ***un*** ou ***une*** *astronome ;* ***un*** ou ***une*** *psychologue...*

4 La tendance à féminiser les titres de fonction a pris plus d'importance au cours des dernières années. Elle s'est manifestée surtout au Québec, en Suisse et en Belgique. L'emploi du féminin veut marquer l'insistance sur la personne ; celui du masculin met l'accent sur le poste :

COMPARER :
Au Québec, en Suisse et en Belgique : *Pauline Dupont est promue directrice de service.*
Ailleurs dans la francophonie : *Pauline Dupont est promue directeur de service.* (Au poste de...)

2. LE FÉMININ DES NOMS DÉSIGNANT DES PERSONNES

5 Trois brochures[1] proposent l'emploi de formes féminines pour désigner des personnes. Dans chaque cas, on y suggère des formes féminines qui sont conformes aux règles habituelles de la formation du féminin. Toutefois, il importe de savoir, d'une part, que ces noms féminins n'apparaissent pas encore dans les dictionnaires les plus courants. D'autre part, on trouve parfois dans les brochures des propositions divergentes :

Les noms *auteur, écrivain, médecin, professeur...* sont masculins dans *Le Petit Robert,* édition 1993, et dans *Le Petit Larousse illustré 1994*. L'Office de la langue française propose les formes féminines suivantes : ***une** auteure, **une** écrivaine, **une** médecin, **une** professeure...*

Le Service de la langue française de Belgique propose : ***une** auteur, **une** écrivain, **une** médecin, **une** professeur...*

6 Par ailleurs, l'Office de la langue française suggère l'emploi de plusieurs noms féminins déjà existants auxquels elle ajoute un nouveau sens :

Dans plusieurs dictionnaires, le nom *pompière* désigne une personne qui fait des retouches chez un tailleur. L'Office de la langue française lui ajoute le sens de «femme qui combat les incendies».

7 L'emploi des formes féminines recommandées par l'Office de la langue française demeure facultatif. Dans les leçons qui suivent, on distinguera, au besoin, les formes traditionnelles et les formes proposées par l'Office de la langue française :

Formes traditionnelles :

Un auteur, un consul, un médecin, un professeur...

*Un auteur **féminin**, une **femme** consul, une **femme** médecin, un professeur **féminin**...*

Formes proposées :

***Une** auteure, **une** consule, **une** médecin, **une** professeure.*

JE RETIENS

Au Québec, en Suisse et en Belgique, on a tendance à féminiser les titres de fonction. Les formes proposées alors respectent les règles habituelles de la formation du féminin.
L'emploi de ces formes nouvelles demeure facultatif.

1. Monique Biron, *Au féminin : guide de féminisation des titres de fonction et des textes,* «Guides de l'Office de la langue française», Québec, Éd. Les Publications du Québec, 1991, 34 p.

Dictionnaire féminin-masculin des professions : titres et fonctions électives, Genève, Suisse, Bureau de l'égalité des droits entre homme et femme, 1990, 224 p.

Mettre au féminin : guide de féminisation des noms de métier, fonction, grade ou titre, Communauté française de Belgique, Conseil supérieur de la langue française, Bruxelles, Belgique, Service de la langue française, 1994, 72 p.

3. LE FÉMININ DES NOMS ET DES ADJECTIFS EN -S ET -X

Martin Luther King

Pasteur noir en Alabama, aux États-Unis, Martin Luther King est victime de basse discrimination. Il décide de travailler à la défense des droits des Noirs et choisit la non-violence. Il organise de nombreuses manifestations pacifiques dont on parle même hors de son pays. Le 4 avril 1968, Martin Luther King est assassiné pendant l'un de ses discours enflammés. Quatre ans plus tôt, il avait reçu le fameux prix Nobel de la paix. Toute sa vie, Martin Luther King, soutenu par sa femme Coretta, avait dénoncé les faux arguments de ses adversaires. Dans le monde entier, Martin Luther King est devenu le symbole de la lutte des Noirs pour la reconnaissance de leurs droits. Sa femme Coretta a poursuivi son combat.

Martin Luther King

J'OBSERVE

Quel est le genre des mots en couleur ?

Les adjectifs qualificatifs *basse* et *nombreuses* sont au féminin ; les adjectifs qualificatifs *fameux* et *faux* sont au masculin.

JE REMARQUE

1 Les **noms** et les **adjectifs qualificatifs** en *-s* forment leur **féminin** en *-sse* ou en *-se* :

a) Les mots *bas, épais, exprès, gras, gros* et *métis* forment leur féminin en **doublant** la consonne ***s*** devant le ***e*** du **féminin** :

*Cet homme métis et cette femme **métisse** ont participé à la manifestation pacifique.*

b) Tous les autres **noms** et **adjectifs qualificatifs** en *-s* forment leur féminin en **ajoutant** un ***e*** au **masculin** :

Nom masculin	**Nom féminin**
Un Abénaquis	*Une Abénaquise*
Un Montréalais	*Une Montréalaise*
Un Québécois	*Une Québécoise*

Adjectif masculin	**Adjectif féminin**
Un village abénaquis	*Une coutume abénaquise*
Un propos confus	*Une idée confuse*
Un homme courtois	*Une femme courtoise*

L'Office de la langue française suggère que le nom *commis*, traditionnellement masculin, soit épicène : ***un*** ou ***une*** *commis*.

2 Les **noms** et les **adjectifs qualificatifs** en *-x* forment leur **féminin** en *-sse* ou en *-se* :

a) Les mots *faux* et *roux* forment leur féminin en **changeant** *-x* en *-sse* :

Faire un faux serment.
*Faire une **fausse** promesse.*
Avoir les cheveux roux.
*Avoir une chevelure **rousse**.*

b) Tous les autres **noms** et **adjectifs qualificatifs** en *-x* forment leur féminin en **changeant** *-x* en *-se* :

Nom masculin	Nom féminin
Un amoureux	*Une amoureuse*
Un bienheureux	*Une bienheureuse*
Un époux	*Une épouse*

Adjectif masculin	Adjectif féminin
Un plan audacieux	*Une lutte audacieuse*
Un enfant heureux	*Une enfance heureuse*
Un concurrent jaloux	*Une personne jalouse*

c) Deux adjectifs qualificatifs ont une forme différente pour chaque genre. Ce sont *doux* et *vieux* :

Adjectif masculin	Adjectif féminin
Un homme ***doux***	*Une femme* ***douce***
Un ***vieux*** *livre*	*Une* ***vieille*** *voiture*

JE RETIENS

Les mots *bas, épais, exprès, gras, gros* et *métis* forment leur féminin en doublant la consonne *s* devant le *e* du féminin. Tous les autres noms et adjectifs qualificatifs en *-s* forment leur féminin en ajoutant un *e* au masculin.
Les mots *faux* et *roux* forment leur féminin en changeant *-x* en *-sse*. Tous les autres noms et adjectifs qualificatifs en *-x* forment leur féminin en changeant *-x* en *-se*.

En nommant les choses, souvent on les appelle...
Hubert Aquin

4. LE FÉMININ DES NOMS ET DES ADJECTIFS EN -ER

Mère Teresa

D'origine albanaise, Mère Teresa travaille auprès des pauvres de l'Inde depuis 1948. Attirée vers ceux que la société rejette, elle répond à leur besoin premier, l'amour. À Calcutta, les gens démunis dorment sur les trottoirs, l'estomac vide. Souvent, au matin, on les trouve morts. L'action de Mère Teresa est exemplaire. D'autres personnes se joignent à elle. Mère Teresa forme avec quelques femmes le groupe des Missionnaires de la Charité. Elles vivent avec les pauvres et mangent comme eux. Leur but, c'est de permettre aux plus pauvres parmi les pauvres de retrouver la dignité et l'espérance. Mère Teresa n'est pas seulement conseillère, elle prend soin des miséreux. En 1979, elle a reçu le prix Nobel de la paix.

Mère Teresa

J'OBSERVE

Quelle différence y a-t-il dans la terminaison des deux mots en couleur ?

L'adjectif *premier* se termine par *-er* ; le nom *conseillère* se termine par *-ère*.

JE REMARQUE

1 Tous les **noms** et **adjectifs qualificatifs** en ***-er*** forment leur **féminin** en **changeant *-er*** en ***-ère*** :

Nom masculin	**Nom féminin**
*Un aventur**ier***	*Une aventur**ière***
*Un couturi**er***	*Une couturi**ère***
*Un sorci**er***	*Une sorci**ère***

Adjectif masculin	**Adjectif féminin**
*Un ami ch**er***	*Une personne ch**ère***
*Un produit étrang**er***	*Une langue étrang**ère***
*Un premi**er** pas*	*Une premi**ère** rencontre*

2 Sur ce modèle, l'Office de la langue française suggère la forme féminine en ***-ère*** pour les noms suivants traditionnellement masculins :

DES FORMES FÉMININES EN *-ÈRE* PROPOSÉES PAR L'OFFICE DE LA LANGUE FRANÇAISE

Nom masculin	Nom féminin	Nom masculin	Nom féminin	Nom masculin	Nom féminin
armur**ier**	armur**ière**	charpent**ier**	charpent**ière**	plomb**ier**	plomb**ière**
banqu**ier**	banqu**ière**	ferblant**ier**	ferblant**ière**	polic**ier**	polic**ière**
bâtonn**ier**	bâtonn**ière**	financ**ier**	financ**ière**	pomp**ier**	pomp**ière**
bott**ier**	bott**ière**	huiss**ier**	huiss**ière**	serrur**ier**	serrur**ière**
brigad**ier**	brigad**ière**	menuis**ier**	menuis**ière**		

4. LE FÉMININ DES NOMS ET DES ADJECTIFS EN -ER

3 Contrairement aux autres adjectifs qualificatifs en ***-er,*** les adjectifs *amer, cher* et *fier* se prononcent de la même façon aux deux genres :

Adjectif masculin	**Adjectif féminin**
*Un fruit am**er***	*Une déception am**ère***
*Un être ch**er***	*Une amie ch**ère***
*Un garçon fi**er***	*Une femme fi**ère***

4 Attention à deux erreurs fréquentes !

a) L'adjectif qualificatif ***pécuniaire*** n'a qu'**une forme** aux **deux genres**. La forme **pécunier* n'existe pas. Cependant, l'adjectif qualificatif *financier* fait *financière* au féminin :

COMPARER :

Un avantage pécuniaire	*Une situation pécuniaire difficile*
Des problèmes pécuniaires	*Des situations pécuniaires difficiles*
Un problème financier	*Une difficulté financière*

b) Le nom ***pénitencier*** ne s'emploie que pour désigner l'**établissement**. L'adjectif qualificatif **pénitencière* n'existe pas :

*Le criminel est incarcéré au **pénitencier** fédéral.*

c) L'**adjectif qualificatif** correspondant est ***pénitentiaire***, qui a la même forme aux deux genres :

*Le système **pénitentiaire***	**Et non** : *Le système *pénitencier*
*L'administration **pénitentiaire***	**Et non** : *L'administration *pénitencière*

JE RETIENS

Tous les noms et adjectifs qualificatifs en *-er* forment leur féminin en changeant *-er* en *-ère.*

L'importance d'un mot, c'est ce qu'il signifie.
Claire Martin

5. LE FÉMININ DES NOMS ET DES ADJECTIFS EN -EUR

Paul de Chomedey de Maisonneuve

En 1640, Paul de Chomedey de Maisonneuve a trente-huit ans. Son ami, Jérôme Le Royer de La Dauversière, lui confie la direction du groupe des fondateurs et fondatrices de Ville-Marie, aujourd'hui Montréal. Il doit y établir une mission pour la conversion des Amérindiens. Même s'il se fait conseiller d'abandonner son projet et de choisir une région plus sûre, Maisonneuve fait fi du danger et, à la mi-mai 1642, débarque sur l'île de Montréal. Convaincu que le peuplement de Ville-Marie en assurera la survie, il déploie toute son énergie pour y amener des colons français. Pendant une vingtaine d'années, il se dévoue au bien-être de la colonie. Des conflits politiques majeurs le font rappeler en France, où il meurt le 9 septembre 1676.

Paul de Chomedey de Maisonneuve

J'OBSERVE

Les mots en couleur ont-ils la même forme si on les met au féminin ?

Non. Ils ont chacun une forme différente : *fondateurs* fait *fondatrices* et *majeurs* fait *majeures*.

JE REMARQUE

1 Certains **noms** et **adjectifs qualificatifs** en ***-eur*** suivent la règle générale. Ils forment leur **féminin** en **ajoutant** un ***e*** au **masculin** :

*Le supéri**eur** et la supéri**eure** réunissent les missionnaires.*

*Le père supéri**eur** et la mère supéri**eure** rencontrent les élèves.*

L'Office de la langue française suggère des formes féminines pour certains noms traditionnellement masculins. Ces noms apparaissent dans le tableau ci-dessous, suivis du signe • : *un aut**eur**, une aut**eure**•.*

DES NOMS ET DES ADJECTIFS QUALIFICATIFS EN *-EUR* DONT LE FÉMININ EST EN *-EURE*					
Nom masculin	féminin	**Nom** masculin	féminin	**Nom** masculin	féminin
assess**eur**	assess**eure**•	inféri**eur**	inféri**eure**	procur**eur**	procur**eure**•
assur**eur**	assur**eure**•	ingéni**eur**	ingéni**eure**•	profess**eur**	profess**eure**•
aut**eur**	aut**eure**•	min**eur**	min**eure**	sculpt**eur**	sculpt**eure**•
doct**eur**	doct**eure**•	past**eur**	past**eure**•	success**eur**	success**eure**•
gouvern**eur**	gouvern**eure**•	pri**eur**	pri**eure**	supéri**eur**	supéri**eure**
Adjectif masculin	féminin	**Adjectif** masculin	féminin	**Adjectif** masculin	féminin
antéri**eur**	antéri**eure**	intéri**eur**	intéri**eure**	postéri**eur**	postéri**eure**
extéri**eur**	extéri**eure**	maj**eur**	maj**eure**	supéri**eur**	supéri**eure**
inféri**eur**	inféri**eure**	meill**eur**	meill**eure**	ultéri**eur**	ultéri**eure**

5. LE FÉMININ DES NOMS ET DES ADJECTIFS EN -EUR

2 Certains **noms** et **adjectifs qualificatifs** en ***-eur*** forment leur **féminin** en **changeant *-eur*** en ***-euse*** :

*Cet Amérindien est un habile nag**eur**.*
*Cette Amérindienne est une superbe nag**euse**.*
*Maisonneuve fit un discours louang**eur** au sujet de sa mission.*
*Jeanne Mance fit une remarque louang**euse** à l'infirmière.*

L'Office de la langue française suggère des formes féminines pour certains noms traditionnellement masculins. Ces noms apparaissent dans le tableau ci-dessous, suivis du signe • : *un arpent**eur**, une arpent**euse***•.

DES NOMS ET DES ADJECTIFS QUALIFICATIFS EN *-EUR* DONT LE FÉMININ EST EN *-EUSE*					
Nom		**Nom**		**Nom**	
masculin	**féminin**	**masculin**	**féminin**	**masculin**	**féminin**
achet**eur**	achet**euse**	danseur	dans**euse**	régiss**eur**	régiss**euse**•
annonc**eur**	annonc**euse**	décroch**eur**	décroch**euse**	révis**eur**	révis**euse**•
arpent**eur**	arpent**euse**•	diffus**eur**	diffus**euse**	sauvet**eur**	sauvet**euse**•
bricol**eur**	bricol**euse**	grav**eur**	grav**euse**	soign**eur**	soign**euse**•
camionn**eur**	camionn**euse**•	imprim**eur**	imprim**euse**•	supervis**eur**	supervis**euse**•
chauff**eur**	chauff**euse**	lamin**eur**	lamin**euse**•	trait**eur**	trait**euse**•
chôm**eur**	chôm**euse**	lutt**eur**	lutt**euse**	trapp**eur**	trapp**euse**•
couvr**eur**	couvr**euse**•	nag**eur**	nag**euse**	voyag**eur**	voyag**euse**
Adjectif		**Adjectif**		**Adjectif**	
masculin	**féminin**	**masculin**	**féminin**	**masculin**	**féminin**
accapar**eur**	accapar**euse**	enjôl**eur**	enjôl**euse**	ment**eur**	ment**euse**
cajol**eur**	cajol**euse**	frond**eur**	frond**euse**	tapag**eur**	tapag**euse**
charm**eur**	charm**euse**	louang**eur**	louang**euse**	tromp**eur**	tromp**euse**

3 Pour quelques noms en ***-eur***, le Service de la langue française de Belgique a proposé une forme différente de celle de l'Office de la langue française du Québec. Dans quelques années, on saura quelles formes l'usage aura retenues :

a) En Belgique, on a préféré la forme épicène à celle en ***-eure***, proposée au Québec :
   Un ou ***une*** *assesseur;* ***un*** ou ***une*** *auteur;* ***un*** ou ***une*** *docteur;* ***un*** ou ***une*** *gouverneur;* ***un*** ou ***une*** *ingénieur;* ***un*** ou ***une*** *pasteur;* ***un*** ou ***une*** *procureur;* ***un*** ou ***une*** *professeur.*

b) En Belgique, on a préféré des formes féminines différentes de celles proposées par l'Office de la langue française :
   Formes épicènes proposées au Québec : ***un*** ou ***une*** *commis;* ***un*** ou ***une*** *matelot.*
   Formes retenues en Belgique : ***un*** *commis,* ***une*** *commise;* ***un*** *matelot,* ***une*** *matelote.*
   Formes particulières adoptées en Belgique : ***un*** ou ***une*** *chiropracteur* (au lieu de *chiropraticien, chiropraticienne*) ; ***un*** ou ***une*** *oiseleur;* ***un*** ou ***une*** *clerc* ou encore, ***une*** *cler**que**;* ***un*** *cuistot* ou ***une*** *cuistote.*

5. LE FÉMININ DES NOMS ET DES ADJECTIFS EN -EUR

4 Certains **noms** et **adjectifs qualificatifs** en ***-eur*** forment leur **féminin** en **changeant *-eur*** en ***-rice*** :

*On lui confie la direction du groupe des fondat**eurs** et fondat**rices** de Ville-Marie.*

L'Office de la langue française suggère des formes féminines pour certains noms traditionnellement masculins. Ces noms apparaissent dans le tableau ci-dessous, suivis du signe • : *un amat**eur**, une amat**rice**•.*

DES NOMS ET DES ADJECTIFS QUALIFICATIFS EN *-EUR* DONT LE FÉMININ EST EN *-RICE*					
Nom		**Nom**		**Nom**	
masculin	**féminin**	**masculin**	**féminin**	**masculin**	**féminin**
amat**eur**	amat**rice**•	évaluat**eur**	évaluat**rice**•	malfait**eur**	malfait**rice**•
aviat**eur**	aviat**rice**	fondat**eur**	fondat**rice**	sénat**eur**	sénat**rice**•
conduct**eur**	conduct**rice**	indicat**eur**	indicat**rice**•	réalisat**eur**	réalisat**rice**
estimat**eur**	estimat**rice**•	instruct**eur**	instruct**rice**•	tut**eur**	tut**rice**
Adjectif		**Adjectif**		**Adjectif**	
masculin	**féminin**	**masculin**	**féminin**	**masculin**	**féminin**
accusat**eur**	accusat**rice**	créat**eur**	créat**rice**	format**eur**	format**rice**
consolat**eur**	consolat**rice**	émett**eur**	émett**rice**	provocat**eur**	provocat**rice**

5 Quelques **noms** ou **adjectifs qualificatifs** en ***-eur*** forment leur **féminin** en **changeant *-eur*** en ***-eresse***. Ce sont *demandeur, enchanteur, pêcheur* et *vengeur* :

*Ville-Marie offre un site enchant**eur**.*
*Ville-Marie est devenue une ville enchant**eresse**.*

6 Les adjectifs qualificatifs ***vainqueur*** et ***sauveur*** n'ont **pas** de **féminin**. Pour *vainqueur*, on emprunte le féminin de l'adjectif *victorieux* ; pour *sauveur*, on emploie un mot littéraire, *salvatrice* :

Adjectif masculin	**Adjectif féminin**
*Un but **vainqueur***	*Une équipe **victorieuse*** (fém. de *victorieux*)
*Un acte **sauveur***	*Une parole **salvatrice*** (fém. de *salvateur*)

L'Office de la langue française suggère que le nom *vainqueur*, traditionnellement masculin, soit épicène : ***un*** ou ***une*** *vainqueur.*

7 Certains **noms** en ***-eur*** désignant des personnes n'ont **pas** de forme **féminine** : ***agresseur, déserteur, imposteur, oppresseur, possesseur, précurseur***... :

*Cet homme a été un **précurseur** dans le domaine des sciences.*
*Cette femme a été un **précurseur** dans le domaine des sciences.*

JE RETIENS

Certains noms et adjectifs qualificatifs en *-eur* forment leur féminin en ajoutant un *e* au masculin.
D'autres noms et adjectifs qualificatifs en *-eur* forment leur féminin en changeant *-eur* en *-euse*, en *-rice* ou en *-eresse*.

6. LE FÉMININ DES NOMS ET DES ADJECTIFS EN -L, -EAU ET -OU

Sir Wilfrid Laurier

Sir Wilfrid Laurier

Wilfrid Laurier est avocat quand il se lance en politique. De 1871 à 1874, il est député libéral à l'Assemblée législative du Québec. À compter de 1874, il poursuit sa carrière au gouvernement fédéral. Élu chef de la formation libérale, il connaîtra, pendant près d'une vingtaine d'années, la difficulté réelle de diriger l'opposition à Ottawa. En 1896, Wilfrid Laurier devient premier ministre du Canada, un réel exploit pour un Canadien français. Il s'y maintiendra pendant quinze ans. Curieusement, les problèmes qu'il affronte sont ceux d'aujourd'hui : immigration, libre-échange, autonomie des provinces, etc. Wilfrid Laurier a servi son pays pendant plus de quarante-cinq ans.

J'OBSERVE

Dans le texte, les mots en couleur forment-ils leur féminin de la même façon ?
Non. Le mot en *-al* forme son féminin en *-ale* : *(libéral, libérale)* ; le mot en *-el* forme son féminin en *-elle* : *(réel, réelle)*.

JE REMARQUE

1 Les mots qui se terminent par la consonne ***-l*** sont surtout des adjectifs qualificatifs. On rencontre quelques noms qui se terminent par *-l*. Ce sont le plus souvent des adjectifs qualificatifs employés comme noms :

COMPARER :
Wilfrid Laurier était chef du Parti libéral. (Adj. qual.)
Laurier fut un libéral convaincu. (Adj. qual. employé comme nom.)
Jeanne a été candidate libérale. (Adj. qual.)
Jeanne est une libérale convaincue. (Adj. qual. employé comme nom.)

2 Les **noms** et les **adjectifs qualificatifs** en ***-l*** forment leur **féminin** en ***-le*** ou en ***-elle*** :

a) Tous les **noms** ou **adjectifs qualificatifs** en ***-al***, ***-ol*** et ***-il*** forment leur féminin en **ajoutant** un ***e*** au **masculin** :

Nom masculin	**Nom féminin**
*Un libér**al***	*Une libér**ale***
*Un Espagn**ol***	*Une Espagn**ole***
*Un civ**il***	*Une civ**ile***

Adjectif masculin	**Adjectif féminin**
*Un foyer monoparent**al***	*Une famille monoparent**ale***
*Un navire espagn**ol***	*Une chanson espagn**ole***
*Un argument subt**il***	*Une remarque subt**ile***

Mais : *Gent**il*** fait *gent**ille***.

L'Office de la langue française suggère les formes féminines *une amirale, une caporale* et *une générale* pour les noms *amiral, caporal* et *général,* traditionnellement masculins.

b) Tous les **noms** et **adjectifs qualificatifs** en ***-el*** et en ***-eil*** forment leur féminin en **doublant** la consonne ***l*** devant le ***e*** du **féminin** :

Mot masculin	**Mot féminin**
*Un professionn**el***	*Une professionn**elle***
*Un ennemi cru**el***	*Une réalité cru**elle***
*Un fruit verm**eil***	*Une bouche verm**eille***

L'Office de la langue française suggère les formes féminines *une colonelle* et *une industrielle* pour les noms *colonnel* et *industriel*, traditionnellement masculins.

3 Attention à l'orthographe !

Office	*Officiel*	**Mais** :	*Confidence*	*Confiden**t**iel*
Artifice	*Artificiel*		*Démence*	*Démen**t**iel*
Circonstance	*Circonstanciel*		*Essence*	*Essen**t**iel*
Superficie	*Superficiel*		*Présidence*	*Présiden**t**iel*

4 Tous les **noms** et **adjectifs qualificatifs** en ***-eau*** forment leur **féminin** en **changeant *-eau*** en ***-elle*** :

Nom masculin	**Nom féminin**
*Un cham**eau***	*Une cham**elle***
*Un jum**eau***	*Une jum**elle***
Adjectif masculin	**Adjectif féminin**
*Un **beau** présent*	*Une **belle** surprise*
*Un **nouveau** chant*	*Une **nouvelle** chanson*

5 Les mots *fou* et *mou* font, au féminin, *folle* et *molle*, sur les masculins anciens, *fol* et *mol* :

Mot masculin	**Mot féminin**
*Un monde **fou***	*Une course **folle***
*Un caractère **mou***	*Une tige **molle***

6 Devant un mot **masculin** commençant par une **voyelle** ou un ***h* muet**, les adjectifs qualificatifs suivants : *beau, nouveau, fou, mou* et *vieux,* se remplacent par le masculin ancien correspondant : *bel, nouvel, fol, mol* et *vieil* :

Adjectif masculin	**Forme ancienne**
*Un **beau** garçon*	*Un **bel** homme*
*Un **nouveau** venu*	*Un **nouvel** arrivé*
*Un amour **fou***	*Un **fol** amour*
*Un arbre **vieux***	*Un **vieil** arbre*

JE RETIENS

Tous les noms et adjectifs qualificatifs en *-al, -ol* et *-il* (sauf *gentil*) forment leur féminin en ajoutant un *e* au masculin.
Tous les noms et adjectifs qualificatifs en *-el* et en *-eil* forment leur féminin en doublant la consonne *l* devant le *e* du féminin.
Tous les noms et adjectifs qualificatifs en *-eau* forment leur féminin en changeant *-eau* en *-elle.*

Denise Pelletier

Denise Pelletier

Denise Pelletier est originaire de la région des Laurentides. Comme son frère, Gilles, elle suit des cours de théâtre avec Sita Riddez. Denise Pelletier, tout au long de sa carrière, s'est révélée non seulement une bonne mais une extraordinaire comédienne. Elle a tenu de nombreux rôles d'une façon magistrale, à la scène, à la radio et à la télévision. Son jeu exceptionnel dans le rôle titre de *Mère Courage* de Brecht a été l'un des sommets de sa carrière. Denise Pelletier est décédée en 1976. À Montréal, une école primaire porte son nom, ainsi qu'une salle de spectacle, celle de la Nouvelle Compagnie théâtrale, fondée par Gilles Pelletier, Françoise Graton et Georges Groulx. Cette compagnie vise à initier au théâtre le public étudiant.

J'OBSERVE

Si l'on remplace *Denise* par *Gilles*, dans la troisième phrase, qu'arrive-t-il aux mots en couleur ?

Les deux mots s'écrivent au masculin : *bon* et *comédien.*

JE REMARQUE

1 Les **noms** et les **adjectifs qualificatifs** en ***-an***, ***-ain*** et ***-in*** suivent la règle générale. Ils forment leur **féminin** en ajoutant un ***e*** au **masculin** :

a) Les **noms** et les **adjectifs qualificatifs** en ***-an*** forment leur féminin en ***-ane*** :

Nom masculin	**Nom féminin**
*Un anglic**an***	*Une anglic**ane***
*Un artis**an***	*Une artis**ane***

Adjectif masculin	**Adjectif féminin**
*Un pays musulm**an***	*Une ville musulm**ane***
*Un journal partis**an***	*Une revue partis**ane***

Mais : *J**ean*** fait *J**eanne*** et *pays**an*** fait *pays**anne**.*

Le nom ***tyran*** n'a **pas** de **féminin**. Attention à l'orthographe : *tyra**nn**ie.*

b) Les **noms** et les **adjectifs qualificatifs** en ***-ain*** forment leur féminin en ***-aine*** :

Nom masculin	**Nom féminin**
*Un Améric**ain***	*Une Améric**aine***
*Un souver**ain***	*Une souver**aine***

Adjectif masculin	**Adjectif féminin**
*Un jourproch**ain***	*Une année proch**aine***
*Un monde urb**ain***	*Une vie urb**aine***

Mais : *Cop**ain*** fait *cop**ine*** et *sacrist**ain*** fait *sacrist**ine**.*

L'Office de la langue française suggère la forme féminine *une écrivaine* pour le nom *écrivain*, traditionnellement masculin.

c) Les **noms** et les **adjectifs qualificatifs** en ***-in*** forment leur féminin en ***-ine***:

Nom masculin	**Nom féminin**
Un cousin	*Une cousine*
Un gamin	*Une gamine*
Adjectif masculin	**Adjectif féminin**
Un pays alpin	*Une végétation alpine*
Un dessin enfantin	*Une image enfantine*

Mais: *Bénin* fait *bénigne* et *malin* fait *maligne.*

2 Attention! L'adjectif ***marine***, désignant la couleur, est **toujours invariable**. Ce n'est pas le féminin de l'adjectif *marin*. L'adjectif *marin* ne s'emploie pas pour désigner une couleur, mais seulement au sens de «qui se rapporte à la mer»:

COMPARER:

L'air marin	*La brise marine*
Des complets marine	*Des robes bleu marine*

3 Les **noms** et les **adjectifs qualificatifs** en ***-en*** et ***-on*** forment leur **féminin** en **doublant** la consonne ***n*** devant le ***e*** du **féminin**:

a) Les **noms** et les **adjectifs qualificatifs** en ***-en*** forment leur féminin en ***-enne***:

Nom masculin	**Nom féminin**
Un citoyen	*Une citoyenne*
Un électricien	*Une électricienne*
Adjectif masculin	**Adjectif féminin**
Un mets acadien	*Une romancière acadienne*
Un repas quotidien	*Une tâche quotidienne*

b) Les **noms** et les **adjectifs qualificatifs** en ***-on*** forment leur féminin en ***-onne***:

Nom masculin	**Nom féminin**
Un Beauceron	*Une Beauceronne*
Un champion	*Une championne*
Adjectif masculin	**Adjectif féminin**
Un bon comédien	*Une bonne comédienne*
Un ancêtre breton	*Une crêpe bretonne*

Mais: *Démon* fait *démone*, *mormon* fait *mormone* et *Simon* fait *Simone.*
Mais: *Simonne Monet-Chartrand, qui a écrit* Ma vie comme rivière, *aimait le théâtre.*

On peut aussi écrire: *une coutume lapone* ou *laponne*; *une chanson lettone* ou *lettonne*; *une ville nippone* ou *nipponne.*

L'Office de la langue française suggère les formes féminines *une forgeronne* et *une maçonne* pour les noms *forgeron* et *maçon*, traditionnellement masculins.

JE RETIENS

Les noms et les adjectifs qualificatifs en *-an*, *-ain* et *-in* forment leur féminin en ajoutant un *e* au masculin, sauf *Jean*, *paysan*, *copain*, *sacristain*, *bénin* et *malin*.
Les noms et les adjectifs qualificatifs en *-en* et *-on* forment leur féminin en doublant la consonne *n* devant le *e* du féminin, sauf *démon*, *mormon* et *Simon*.

Samuel de Champlain

Samuel de Champlain

Samuel de Champlain est un explorateur et cartographe français. Après une première mission en Acadie, il fonde la ville de Québec en 1608. Champlain voit loin. Son rêve secret, c'est d'établir une grande colonie française sur les bords du Saint-Laurent. Il pratique le commerce des fourrures avec les Amérindiens et fait tous les efforts pour convaincre le roi de France d'envoyer des colons en Amérique. Sa tentative n'est pas un succès complet. L'histoire l'a appelé, à juste titre, le Père de la Nouvelle-France. Samuel de Champlain est mort à Québec, le jour de Noël 1635.

J'OBSERVE

Si l'on remplace les noms masculins *rêve* et *succès* par les noms féminins *idée* et *réussite*, qu'arrive-t-il aux mots en couleur ?

Les adjectifs qualificatifs *secret* et *complet* s'écrivent *secrète* et *complète*.

JE REMARQUE

1 Tous les **noms** et **adjectifs qualificatifs** en ***-at*** forment leur **féminin** en **ajoutant** un ***e*** au **masculin** :

Nom masculin	**Nom féminin**
*Un avoc**at***	*Une avoc**ate***
*Un candid**at***	*Une candid**ate***
*Un lauré**at***	*Une lauré**ate***

Adjectif masculin	**Adjectif féminin**
*Un miroir délic**at***	*Une mission délic**ate***
*Un travail ingr**at***	*Une tâche ingr**ate***
*Un papier m**at***	*Une couleur m**ate***

Mais : *Ch**at*** fait *ch**atte***. Attention à l'orthographe : *ch**at**on*.

2 Les **noms** et les **adjectifs qualificatifs** en ***-ot*** forment leur **féminin** en ***-otte*** ou en ***-ote*** :

a) Les mots *bellot, boulot, Charlot, jeunot, linot, maigriot, pâlot, sot* et *vieillot* forment leur **féminin** en **doublant** la consonne ***t*** devant le ***e*** du **féminin** :

*Un air vieill**ot**, une chanson vieill**otte**.*

b) Tous les autres **noms** et **adjectifs qualificatifs** en ***-ot*** forment leur féminin en **ajoutant** un ***e*** au **masculin** :

Nom masculin	**Nom féminin**
*Un huguen**ot***	*Une huguen**ote***
*Un idi**ot***	*Une idi**ote***
*Un manch**ot***	*Une manch**ote***

Adjectif masculin	**Adjectif féminin**
*Un individu big**ot***	*Une personne big**ote***
*Un homme dév**ot***	*Une femme dév**ote***
*Un personnage idi**ot***	*Une situation idi**ote***

8. LE FÉMININ DES NOMS ET DES ADJECTIFS EN -T

L'Office de la langue française suggère que les noms, traditionnellement masculins, *camelot* et *matelot* soient épicènes : ***un*** ou ***une*** *camelot* ; ***un*** ou ***une*** *matelot.*

3 Les **noms** et les **adjectifs qualificatifs** en ***-et*** forment leur **féminin** en ***-ète*** ou en ***-ette*** :

a) Les mots *complet, incomplet, concret, désuet, discret, indiscret, inquiet, préfet, replet* et *secret* forment leur féminin en **changeant *-et*** en ***-ète*** :
*Un voyageur discr**et**, une voyageuse discr**ète**.*

b) Tous les autres **noms** et **adjectifs qualificatifs** en *-et* forment leur féminin en **doublant** la consonne ***t*** devant le ***e*** du **féminin** :

Nom masculin	Nom féminin
*Un cad**et***	*Une cad**ette***
*Un poul**et***	*Une poul**ette***
Adjectif masculin	**Adjectif féminin**
*Un fruit aigrel**et***	*Une sauce aigrel**ette***
*Un garçon coqu**et***	*Une fille coqu**ette***
*Un enfant rondel**et***	*Une somme rondel**ette***

JE RETIENS

Tous les noms et les adjectifs qualificatifs en *-at* forment leur féminin en ajoutant un *e* au masculin. Mais : *chat* fait *chatte.*
Les mots *bellot, boulot, Charlot, jeunot, linot, maigriot, pâlot, sot* et *vieillot* forment leur féminin en doublant la consonne *t* devant le *e* du féminin. Tous les autres noms et adjectifs qualificatifs en *-ot* forment leur féminin en ajoutant un *e* au masculin.
Les mots *complet, incomplet, concret, désuet, discret, indiscret, inquiet, préfet, replet* et *secret* forment leur féminin en changeant *-et* en *-ète*. Tous les autres noms et adjectifs qualificatifs en *-et* forment leur féminin en doublant la consonne *t* devant le *e* du féminin.

...je jalouse les mots des autres [...]
Chaque auteur en possède un sac de
loto avec lequel il faudra qu'il gagne.
Jean Cocteau

9. LE FÉMININ DES NOMS ET DES ADJECTIFS EN -C, -F ET -G

Claude Saint-Jean

Claude Saint-Jean

Claude Saint-Jean, à quinze ans, apprend qu'il vivra jusqu'à la fin de sa vie avec l'ataxie de Friedreich. Cette maladie incurable s'attaque au système nerveux, rend la marche et l'élocution de plus en plus difficiles. Après une période de grand désespoir, Claude Saint-Jean décide de se renseigner. Franc et direct, il pose des questions, pour apprendre que la recherche médicale est à peu près inexistante en ce domaine. Il fonde alors l'Association canadienne de l'Ataxie de Friedreich, pour recueillir des fonds et aider les personnes atteintes comme lui. Sans être naïf, Claude Saint-Jean conserve l'espoir qu'un jour la recherche atteindra son but.

J'OBSERVE

Qu'ont en commun les mots en couleur ?

Ce sont des mots masculins terminés par une consonne.

JE REMARQUE

1 Quelques **noms** et **adjectifs qualificatifs** terminés par une **consonne** forment leur **féminin** d'une façon qui leur est propre.

2 Certains **noms** et **adjectifs qualificatifs** en *-c* forment leur **féminin** en ***-che*** ou en ***-que*** :

a) Quelques **noms** et **adjectifs qualificatifs** en *-c* forment leur féminin en **changeant** *-c* en ***-che*** :

Nom masculin	**Nom féminin**
Un Blanc	*Une Blan**che***
Adjectif masculin	**Adjectif féminin**
Un regard franc	*Une femme fran**che***
Un bois sec	*Une branche sè**che***

b) Quelques **noms** et **adjectifs qualificatifs** en *-c* forment leur féminin en **changeant** *-c* en ***-que*** :

Nom masculin	**Nom féminin**
Un Franc	*Une Fran**que***
Un Micmac	*Une Micma**que***
Un Turc	*Une Tur**que***
Adjectif masculin	**Adjectif féminin**
Un village micmac	*Une coutume micma**que***
Un service public	*Une école publi**que***

Mais : *Grec* fait *gre**cque**.*

Le nom *laïc* a pour féminin *laïque*. Cependant, la forme *laïque* s'emploie de plus en plus aux deux genres, comme adjectif ou comme nom.

L'Office de la langue française suggère la forme féminine *une syndique* pour le nom *syndic*, traditionnellement masculin.

3 Les **noms** et les **adjectifs qualificatifs** qui se terminent par *-f* forment leur **féminin** en **changeant** *-f* en *-ve* :

Nom masculin	**Nom féminin**
Un Juif	*Une Juive*
Un veuf	*Une veuve*

Adjectif masculin	**Adjectif féminin**
Un enfant naïf	*Une pensée naïve*
Un discours bref	*Une réponse brève*

4 Les adjectifs qualificatifs ***long*** et ***oblong*** forment leur **féminin** en ***-gue*** :

Adjectif masculin	**Adjectif féminin**
Un long voyage	*Une lon**gue** randonnée*
Un fruit oblong	*Une citrouille oblon**gue***

5 Les **adjectifs qualificatifs** qui se terminent par ***-gu*** prennent un **tréma** (¨) sur le ***e*** muet du **féminin** :

Adjectif masculin	**Adjectif féminin**
*Un son ai**gu***	*Une voix ai**guë***
*Un discours ambi**gu***	*Une parole ambi**guë***

JE RETIENS

Les noms et les adjectifs qualificatifs en *-c* forment leur féminin en *-che* ou en *-que*.
Les noms et les adjectifs qualificatifs en *-f* forment leur féminin en changeant *-f* en *-ve*.
Les adjectifs qualificatifs *long* et *oblong* forment leur féminin en *-gue*.
Les adjectifs qualificatifs qui se terminent par *-gu* forment leur féminin en *-guë*. Ils prennent un tréma sur le *e* muet du féminin.

Un étranger qui parle ma langue m'est plus cher qu'un compatriote qui l'ignore.

Proverbe kurde

10. LES MOTS QUI ONT UNE FORME PARTICULIÈRE AU FÉMININ

René Lévesque

René Lévesque

Avant de devenir premier ministre du Québec, René Lévesque s'est fait connaître comme journaliste. Il a exercé son métier à la radio, dans la presse écrite et à la télévision, où sa popularité de vulgarisateur a été remarquable. Il est entré en politique en 1960, comme député libéral, puis comme ministre. Pendant six ans, il fut l'un des hommes forts du gouvernement de la Révolution tranquille. Devenu, quelques années plus tard, chef du Parti québécois, il prône la souveraineté du Québec. Élu premier ministre en 1976, **monsieur** Lévesque s'est révélé un **homme** d'État de grande envergure. Même ses adversaires politiques le reconnaissent. Décédé le 1er novembre 1987, René Lévesque demeure l'une des plus glorieuses figures de notre histoire.

J'OBSERVE

Quel est le féminin des noms en couleur ?

Le féminin du nom *monsieur* est *madame*, celui du nom *homme* est *femme*.

JE REMARQUE

1 Plusieurs noms ont une forme différente pour chaque genre. Il s'agit de mots tout à fait distincts, n'ayant parfois aucune ressemblance :

Nom masculin	Nom féminin
Un empereur	*Une impératrice*
Un frère	*Une sœur*
Un garçon	*Une fille*
Un gendre	*Une bru*
Un homme	*Une femme*
Un monsieur	*Une dame*
Un oncle	*Une tante*

2 Cependant, certains noms et adjectifs qualificatifs ont une terminaison particulière au féminin, mais conservent le même radical :

Nom masculin	Nom féminin
Un fils	*Une fille*
Un héros	*Une héroïne*
Un loup	*Une louve*
Un tsar	*Une tsarine*

Adjectif masculin	Adjectif féminin
Un animal favori	*Une plante favorite*
Un jour frais	*Une journée fraîche*

JE RETIENS

Certains noms et adjectifs qualificatifs ont une forme différente pour chaque genre. D'autres ont une forme particulière au féminin, mais conservent le radical du masculin.

11. LA FÉMINISATION DES TEXTES

Alphonse Desjardins

Le Mouvement Desjardins, dont le chiffre d'affaires dépasse les cinquante milliards de dollars, a été fondé par Alphonse Desjardins, au début du XXe siècle. D'origine modeste, Alphonse Desjardins voulait aider les petites épargnantes et les petits épargnants boudés par les banques. La première caisse populaire s'ouvre à Lévis, non loin de Québec, et est basée sur l'idée de la coopérative. Aujourd'hui, on compte plus de mille cinq cents caisses. Les sommes modiques déposées à la caisse ont fructifié, pour atteindre le montant colossal que l'on connaît. Alphonse Desjardins s'est éteint en 1920, mais sa mémoire demeure. Son œuvre est devenue la plus grande réalisation financière de chez nous. Les Québécoises et les Québécois en sont fiers.

Alphonse Desjardins

J'OBSERVE

Qu'ont en commun les expressions en couleur ?
Elles emploient côte à côte le masculin et le féminin.

JE REMARQUE

1 Dans le guide intitulé *Au féminin*, l'Office de la langue française propose, à titre indicatif, des procédés de féminisation des textes qui respectent les exigences grammaticales et celles de la clarté. Les paragraphes qui suivent s'en inspirent.

2 Posons au préalable que, «pour l'Office de la langue française, la féminisation des textes demeure toujours facultative». C'est donc dire que l'emploi du masculin au sens général, incluant le féminin, est toujours grammaticalement correct. D'où la note souvent inscrite dans certains ouvrages : «L'emploi du masculin dans le cas des personnes désigne les hommes et les femmes».

3 Le premier procédé de féminisation des textes consiste à écrire au long les formes masculine et féminine. On ne doit pas utiliser les formes incomplètes, car elles sont non grammaticales et rendent le texte illisible.

Forme correcte :
Les écolières et les écoliers ont été invités à la caisse populaire.

Mais non :
**Les écolier(ère)s ont été invité(e)s à la caisse populaire.*
**Les écolier/ère/s ont été invité/e/s à la caisse populaire.*
**Les écolier-ère-s ont été invité-e-s à la caisse populaire.*
**Les écolier,ère,s ont été invité,e,s à la caisse populaire.*

4 On peut recourir à des procédés qui permettent d'alléger le texte :

a) On ne répète pas le déterminant ou l'adjectif épithète devant les deux formes à moins que cela ne rende le message ambigu :

Formes correctes :
Les meilleurs musiciens participent au concours.
Les meilleures musiciennes et les meilleurs musiciens participent au concours.
***Les meilleurs musiciens et musiciennes** participent au concours.*

b) On utilise l'ellipse si cela ne rend pas le message ambigu :

Formes correctes :

La caisse demande un gardien de sécurité. (Le masc. est employé pour désigner le masc. et le fém.)

La caisse demande un gardien de sécurité ou une gardienne de sécurité. (Les formes masc. et fém. sont employées sans ellipse.)

La caisse demande ***un gardien ou une gardienne de sécurité****.* (Ellipse.)

c) On n'utilise pas l'ellipse pour un nom composé uni par un trait d'union, ni pour un titre formé d'un nom et d'un adjectif :

Formes correctes :

La caisse recherche un avocat-conseil ou une avocate-conseil.

La caisse demande un directeur général ou une directrice générale.

Mais non :

**La caisse recherche un avocat ou une avocate-conseil.* (Message ambigu.)

**La caisse demande une directrice ou un directeur général.* (Message ambigu.)

d) On coordonne les déterminants sans répéter le nom épicène :

Formes correctes :

Cette équipe sera dirigée par un élève de 5e secondaire.

Cette équipe sera dirigée par un élève ou une élève de 5e secondaire.

Cette équipe sera dirigée par ***un ou une élève*** *de 5e secondaire.*

e) On utilise un pronom de rappel masculin :

Les clients et les clientes de la caisse mettent leur compte à jour chaque mois. ***Ils*** *se présentent alors au comptoir à cette fin.*

5 Certaines règles grammaticales doivent être respectées :

a) L'**adjectif qualificatif** ou le **participe passé** qui s'accordent avec les deux noms de genres différents se mettent au **masculin** :

Formes correctes :

*Les clients de la caisse ont été convoq****ués*** *à une réunion.*

Les clientes et les clients de la caisse ont été ***convoqués*** *à une réunion.*

Les clientes et clients de la caisse ont été ***convoqués*** *à une réunion.*

b) Lorsque les noms de genres différents sont accompagnés d'un adjectif qualificatif ou d'un participe passé, on place le **nom masculin** le **plus près** du **mot à accorder** :

Forme correcte :

Les clientes et les ***clients*** *sont convoq****ués*** *à une réunion.*

Mais non :

Les clients et les clientes sont convoq**ués*** *à une réunion.*

6 Le recours aux termes génériques, désignant indifféremment des hommes ou des femmes, permet d'éviter l'utilisation des deux genres :

Les ***clientes*** *et les* ***clients*** *de la caisse sont convoqués à une réunion.*

La ***clientèle*** *de la caisse est convoquée à une réunion.*

11. LA FÉMINISATION DES TEXTES

JE RETIENS

La féminisation des textes est facultative. Si l'on y a recours, il faut s'assurer avant tout que la clarté du message et la qualité de la langue sont respectées.

Les mots possèdent... ce prodigieux pouvoir de rapprocher et de confronter ce qui sans eux resterait épars... Une épingle, un cortège, une ligne d'autobus, un complot, un clown, un chat.

Claude Simon

12. LA RÈGLE GÉNÉRALE DE LA FORMATION DU PLURIEL

Justine Lacoste-Beaubien

Justine Lacoste-Beaubien

L'hôpital Sainte-Justine est bien connu au Québec. Sa fondatrice est Justine Lacoste-Beaubien, cinquième enfant d'une famille de treize. Justine Lacoste adorait les enfants et acceptait mal qu'ils soient refusés dans les hôpitaux, comme cela se passait au XIXe siècle. À l'époque, les conditions d'hygiène et la pauvreté exposaient souvent les enfants à diverses maladies. En 1908, Justine Lacoste organisa une vaste campagne de financement pour la construction d'un véritable hôpital spécialisé. En 1967, quand la fondatrice est décédée, à l'âge de 89 ans, elle laissait une institution moderne et renommée. Grâce à son travail inlassable, tous les enfants ont eu accès aux soins de santé.

J'OBSERVE

Les mots en couleur forment-ils leur pluriel de la même façon ?

Non. Au pluriel, le nom *hôpital* fait *hôpitaux,* et le nom *enfant* fait *enfants.*

JE REMARQUE

1 Le **nom** et l'**adjectif qualificatif** ont un **nombre** : ils sont au **singulier** ou au **pluriel.** L'**adjectif qualificatif** prend le **nombre** du **nom** auquel il se rapporte :

Elle s'occupe d'un ***enfant malade.*** (*Enfant,* nom sing. ; *malade,* adj. sing.)
Elle s'occupe des ***enfants malades.*** (*Enfants,* nom plur. ; *malades,* adj. plur.)

2 En général, on forme le **pluriel** des **noms** et des **adjectifs qualificatifs** en **ajoutant** simplement un *s* au **singulier** :

Nom singulier	**Nom pluriel**
Un gardien	*Des gardiens*
Une histoire	*Des histoires*
Adjectif singulier	**Adjectif pluriel**
Une aventure vraie	*Des histoires vraies*
Une bénévole dévouée	*Des infirmières dévouées*

3 Les **noms** et les **adjectifs qualificatifs** qui se terminent déjà par *-s, -x* ou *-z* ne **changent pas** au **pluriel** :

Mot singulier	**Mot pluriel**
Un bras	*Des bras*
Une noix	*Des noix*
Un nez	*Des nez*

JE RETIENS

En général, on forme le pluriel des noms et des adjectifs qualificatifs en ajoutant un *s* au singulier.

13. LE PLURIEL DES NOMS ET DES ADJECTIFS EN -EU, -AU, -EAU ET -OU

Henri Dunant

Henri[1] Dunant est d'origine suisse. Il est né à Genève, la capitale, en 1828, d'une famille protestante profondément religieuse. Témoin du fléau de la guerre, il est scandalisé par les conditions atroces dans lesquelles sont soignés les blessés. Dunant fait le vœu de remédier à la situation. Après la guerre, il convainc les gouvernements européens de créer un organisme de secours aux blessés de guerre. La Croix-Rouge internationale est née. L'emblème de cet organisme est constitué des couleurs du drapeau suisse inversées. Henri Dunant connaît par la suite des ennuis financiers et sa réputation en est ternie. Réhabilité, il reçoit le premier prix Nobel de la paix, en 1901.

Henri Dunant

J'OBSERVE

Quelle serait la forme des mots en couleur au pluriel ?

Les trois mots prennent un *x* au pluriel : *fléaux, vœux* et *drapeaux.*

JE REMARQUE

1 Les **noms** et les **adjectifs qualificatifs** en ***-eu*** forment leur **pluriel** en -*s* ou en -*x* :

a) Les mots *pneu, bleu* et *émeu* forment leur pluriel en **ajoutant** un *s* au **singulier** :

Nom singulier	**Nom pluriel**
*Un pn**eu***	*Des pn**eus***
*Un ém**eu***	*Des ém**eus***
Adjectif singulier	**Adjectif pluriel**
*Un complet bl**eu***	*Des complets bl**eus***

b) Tous les autres **noms** et **adjectifs qualificatifs** en ***-eu*** forment leur pluriel en **ajoutant** un *x* au **singulier** :

Nom singulier	**Nom pluriel**
*Un adi**eu***	*Des adi**eux***
*Un vo**eu***	*Des vo**eux***
Adjectif singulier	**Adjectif pluriel**
*Le peuple hébr**eu***	*Des chants hébr**eux***

2 Les **noms** en ***-au*** forment leur **pluriel** en -*s* ou en -*x* :

a) Les **noms** *landau* et *sarrau* forment leur **pluriel** en **ajoutant** un *s* au **singulier** :

Nom singulier	**Nom pluriel**
*Un land**au***	*Des land**aus***
*Un sarr**au***	*Des sarr**aus***

1. Baptisé *Henri*, Dunant opta plus tard pour l'orthographe anglaise de son prénom, *Henry*.

b) Tous les autres **noms** en ***-au*** forment leur **pluriel** en **ajoutant** un ***x*** au **singulier**:

Nom singulier	Nom pluriel
*Un boy**au***	*Des boy**aux***
*Un flé**au***	*Des flé**aux***

3 Tous les **noms** et les **adjectifs qualificatifs** en ***-eau*** forment leur **pluriel** en **ajoutant** un ***x*** au **singulier**:

Nom singulier	Nom pluriel
*Un bur**eau***	*Des bur**eaux***
*Un drap**eau***	*Des drap**eaux***
Adjectif singulier	**Adjectif pluriel**
*Un **beau** pays*	*De **beaux** pays*
*Un nouv**eau** venu*	*Des nouv**eaux** venus*

4 Les **noms** et les **adjectifs qualificatifs** en ***-ou*** forment leur **pluriel** en ***-x*** ou en ***-s***:

a) Les noms *bijou, caillou, chou, genou, hibou, joujou* et *pou* forment leur pluriel en **ajoutant** un ***x*** au **singulier**:

*Un bij**ou**, des bij**oux**.*

b) Tous les autres **noms** et **adjectifs qualificatifs** en ***-ou*** forment leur pluriel en **ajoutant** un ***s*** au **singulier**:

Nom singulier	Nom pluriel
*Un cl**ou***	*Des cl**ous***
*Un kangour**ou***	*Des kangour**ous***
Adjectif singulier	**Adjectif pluriel**
*Un plaisir **fou***	*Des jeux **fous***
*Un sujet tab**ou***	*Des livres tab**ous***

JE RETIENS

Les mots *pneu, bleu* et *émeu* forment leur pluriel en ajoutant un *s* au singulier. Tous les autres noms et adjectifs qualificatifs en *-eu* forment leur pluriel en ajoutant un *x* au singulier.
Les noms *landau* et *sarrau* forment leur pluriel en ajoutant un *s* au singulier. Tous les autres noms en *-au* forment leur pluriel en ajoutant un *x* au singulier.
Les noms *bijou, caillou, chou, genou, hibou, joujou* et *pou* forment leur pluriel en ajoutant un *x* au singulier. Tous les autres noms et adjectifs qualificatifs en *-ou* forment leur pluriel en ajoutant un *s* au singulier.

14. LE PLURIEL DES NOMS ET DES ADJECTIFS EN -AL ET -AIL

Helen Keller

C'est à Tuscumbia, aux États-Unis, que naît Helen Keller, le 27 juin 1880. À dix-huit mois, elle devient sourde, muette et aveugle à la suite d'une très forte fièvre. Malgré tout, Helen apprendra à communiquer, poursuivra des études avancées et écrira de nombreux livres. À sa mort, survenue le 1er juin 1968, elle aura parcouru le monde et reçu tous les honneurs. Helen Keller a fait la preuve, d'une façon éloquente, qu'une personne handicapée peut réussir, par des efforts colossaux, à réaliser des projets extraordinaires. La persévérance constitue l'un des atouts principaux qui expliquent les résultats qu'elle a obtenus.

Helen Keller

J'OBSERVE

Comment les mots en couleur s'écriraient-ils au singulier ?

Les adjectifs *colossaux* et *principaux* s'écriraient *colossal* et *principal.*

JE REMARQUE

1 Les **noms** et les **adjectifs qualificatifs** en ***-al*** forment leur **pluriel** en ***-als*** ou en ***-aux*** :

a) Quelques **noms** et **adjectifs qualificatifs** en ***-al*** forment leur pluriel en **ajoutant** un *s* au **singulier** :

LES NOMS ET LES ADJECTIFS QUALIFICATIFS EN -*AL* DONT LE PLURIEL EST EN -*ALS*					
Nom		**Nom**		**Nom**	
singulier	**pluriel**	**singulier**	**pluriel**	**singulier**	**pluriel**
bal	bals	cérémonial	cérémonials	pal	pals
barbital	barbitals	chacal	chacals	récital	récitals
cal	cals	choral	chorals	régal	régals
carnaval	carnavals	festival	festivals	pascal	pascals
Adjectif		**Adjectif**		**Adjectif**	
singulier	**pluriel**	**singulier**	**pluriel**	**singulier**	**pluriel**
banal	banals	fatal	fatals	naval	navals
bancal	bancals	natal	natals		

b) Tous les autres **noms** et **adjectifs qualificatifs** en ***-al*** forment leur pluriel en **changeant** ***-al*** en ***-aux*** :

Nom singulier	**Nom pluriel**
*Un anim**al***	*Des anim**aux***
*Un chev**al***	*Des chev**aux***
Adjectif singulier	**Adjectif pluriel**
*Un projet coloss**al***	*Des monuments coloss**aux***
*L'amour famili**al***	*Les plaisirs famili**aux***

14. LE PLURIEL DES NOMS ET DES ADJECTIFS EN -AL ET -AIL

2 L'usage hésite encore sur le pluriel de certains mots en *-al*. On rencontre donc les deux formes, *-als* ou *-aux*, pour les mots suivants : *final, glacial, idéal, marial, post-natal* et *prénatal* :

COMPARER :
Helen Keller nourrit de grands idéals.
Helen Keller nourrit de grands idéaux.
Helen Keller a réussi les examens finals.
Helen Keller a réussi les examens finaux.

3 Attention ! Aucun mot en ***-aux*** au **pluriel** ne prend un ***e*** devant le ***a*** s'il provient d'un mot en ***-al*** au **singulier** :

COMPARER :
Des journaux (mot en *-al* au sing.)
Des drapeaux (mot en *-eau* au sing.)

4 Les **noms** en ***-ail*** forment leur **pluriel** en ***-aux*** ou en ***-ails.*** Il n'y a pas d'adjectifs qualificatifs en *-ail* :

a) Les **noms** *bail, corail, émail, fermail, soupirail, travail, vantail, ventail* et *vitrail* forment leur pluriel en **changeant *-ail*** en ***-aux*** :
*Un b**ail**, des b**aux**.*

b) Tous les autres **noms** en ***-ail*** forment leur pluriel en **ajoutant** un ***s*** au **singulier** :

Nom singulier	Nom pluriel
*Un chand**ail***	*Des chand**ails***
*Un évent**ail***	*Des évent**ails***

5 Trois noms en ***-l*** ont **deux formes** au **pluriel** : *aïeul, ciel* et *œil.* Chaque forme a un **sens distinct** :

*Ses **aïeuls** sont décédés.* (Grands-pères.)
*Ses **aïeules** sont vivantes.* (Grands-mères.)
*Ses **aïeux** viennent d'Europe.* (Ancêtres.)

*Les **ciels** de ce tableau sont sombres.* (Peinture.)
*Les **cieux** nous sont favorables.* (Religion.)

*Isabelle a des **yeux** de chat.* (Organe de la vue.)
*Isabelle a reçu un collier d'**œils**-de-chat.* (Pierres fines.)
*Ce sont des **œils**-de-boeuf.* (Petites fenêtres rondes.)
*On fait des clins d'**œil*** (ou *des clins d'**yeux***).

JE RETIENS

Les mots *bal, barbital, cal, carnaval, cérémonial, chacal, choral, festival, pal, récital, régal, pascal, banal, bancal, fatal, natal* et *naval* forment leur pluriel en ajoutant un *s* au singulier. Tous les autres noms et adjectifs qualificatifs en *-al* forment leur pluriel en changeant *-al* en *-aux.*
Les noms *bail, corail, émail, fermail, soupirail, travail, vantail, ventail* et *vitrail* forment leur pluriel en changeant *-ail* en *-aux.* Tous les autres noms en *-ail* forment leur pluriel en ajoutant un *-s* au singulier.

15. LE PLURIEL DES NOMS PROPRES ET DES NOMS ÉTRANGERS

Le Mahatma Gandhi

Le Mahatma Gandhi

Les Gandhi sont à l'Inde ce que les King sont aux États-Unis, des apôtres de la non-violence. Toute sa vie, Ganghi a lutté contre les injustices sociales, tant dans son pays qu'à l'étranger. Homme politique influent en Inde, alors colonie de l'Angleterre, il a cherché à libérer sa patrie. Son action lui a souvent fait connaître la prison, mais il persista dans sa lutte. Les conflits religieux faisaient des ravages en Inde. Gandhi a décidé d'entreprendre un long jeûne pour le rétablissement de la paix. Il a eu gain de cause. Le 30 janvier 1948, Gandhi est assassiné par un extrémiste hindou. Depuis ce temps, le nom de Gandhi est symbole de paix.

J'OBSERVE

Les mots en couleur prennent-ils tous la marque du pluriel ?

Non. Seul le nom *États-Unis* prend la marque du pluriel.

JE REMARQUE

1 En général, le **nom propre** désignant une **personne** ne prend **pas** la marque du **pluriel** :

*Les **Gandhi** et les **King** sont des apôtres de la non-violence.*
*Les **Richard** et les **Bernier** sont les fleurons du sport québécois.*

2 Les **noms propres** désignant des **marques** de commerce restent **invariables** :

*Les **Toyota**, les **Honda** et les **Ford** sont des voitures populaires.*
*Au rayon des baladeurs, Miguel a acheté deux **Hitachi**.*

3 Les **noms propres** désignant des **œuvres** sont **invariables** :

*Le musée a acheté trois **Picasso**.*
*Cécile a lu les deux derniers **Beauchemin**.*

4 Les **noms propres** prennent la marque du **pluriel** dans certains cas particuliers :

a) Les noms propres désignant de **grandes familles** très célèbres :

*Le roi Louis XIV était de la famille des **Bourbons**.*
*Les **Rothschilds** ont créé de vastes empires financiers.*

b) Les noms propres désignant les **habitants** d'une ville, d'une région, d'un pays, d'un continent :

*Les **Indiens** sont les habitants de l'Inde.*
*Les **Mohawks**, les **Cris** et les **Montagnais** sont des **Amérindiens** du Québec.*
(Le *s* du nom *Mohawks* se prononce seulement en anglais.)

c) Les **noms géographiques** désignant des **régions** du même nom :

*Les **Carolines** sont deux États du sud des États-Unis.*

d) Les noms propres employés comme **noms communs**, sans majuscule, prennent la marque du pluriel. Des noms de personnages d'œuvres littéraires sont employés comme noms communs et varient :

Un séraphin, des séraphins (un avare, d'après le personnage Séraphin Poudrier, créé par le romancier québécois Claude-Henri Grignon).

5 Le pluriel des **noms communs** d'origine **étrangère** ne suit pas toujours des règles rigoureuses :

a) Certains noms étrangers prennent la marque du **pluriel** en ajoutant un ***s*** au **singulier** :

Nom singulier	Nom pluriel
Un agenda	*Des agenda**s***
Un album	*Des album**s***
Un bifteck	*Des bifteck**s***
Un bravo	*Des bravo**s***
Un déficit	*Des déficit**s***
Un lord	*Des lord**s***
Un maximum	*Des maximum**s*** (ou *maxima*)
Une pizza	*Des pizza**s***
Un quatuor	*Des quatuor**s***

b) Pour le pluriel de certains mots d'origine italienne, l'usage n'est pas encore fixé. Les dictionnaires et les grammaires ne donnent pas toujours les deux formes :

*Des confetti**s*** (ou *confett**i***) ; *des graffiti**s*** (ou *graffit**i***) ; *des spaghetti**s*** (ou *spaghett**i***).

c) Certains noms d'origine **latine** sont **invariables** :

Nom singulier	Nom pluriel
Un nota bene	*Des nota bene*
Un post-scriptum	*Des post-scriptum*
Un veto	*Des veto*

d) Certains noms d'origine **anglaise** ont **deux formes** au **pluriel**, la forme française et la forme anglaise :

Nom singulier	Nom pluriel
Un barman	*Des barman**s*** (ou *barm**en***)
Un sandwich	*Des sandwich**s*** (ou *sandwich**es***)

JE RETIENS

Généralement, les noms propres ne prennent pas la marque du pluriel.
Les noms propres désignant des marques de commerce ou des œuvres sont invariables.
Les noms propres employés comme noms communs prennent la marque du pluriel.
Le pluriel des noms communs d'origine étrangère ne suit pas de règles rigoureuses.

16. LE PLURIEL DES NOMS COMPOSÉS

Raymond Dewar

Ontarien de naissance, Raymond Dewar passe presque toute sa vie au Québec. Devenu sourd à huit ans, à la suite d'un accident, il poursuit quand même ses études. À l'âge adulte, Raymond Dewar oriente sa vie vers la défense des droits des personnes sourdes dans une société d'entendants. Grâce à des porte-parole comme Raymond Dewar, les sourds prennent progressivement la place qui leur revient. Tour à tour enseignant, comédien, conférencier, écrivain, Raymond Dewar stimule, dérange, remet en question. À Montréal, l'Institut Raymond-Dewar, voué à la réadaptation des personnes sourdes, porte son nom.

Raymond Dewar

J'OBSERVE

Qu'ont de particulier les mots en couleur ?

Ce sont des noms formés de deux mots unis par un trait d'union.

JE REMARQUE

1 Le **nom composé** est un nom formé de **plusieurs mots**, le plus souvent unis par un **trait d'union** :

Raymond Dewar sera le ***porte-parole*** *des personnes sourdes.* (Avec trait d'union.)
Diane est allée en Ontario en ***chemin de fer****.* (Sans trait d'union.)

2 Dans un nom composé formé d'un **nom** et d'un **adjectif qualificatif**, les deux prennent la marque du pluriel :

Nom composé singulier	**Nom composé pluriel**
Un cerf-volant	*Des cerfs-volants*
Un coffre-fort	*Des coffres-forts*

3 Dans un nom composé formé d'un **adjectif qualificatif** employé comme **adverbe** et d'un autre **adjectif**, l'adjectif employé comme **adverbe** reste **invariable** :

Un tout-petit, des tout-petits ; un nouveau-né, des nouveau-nés... (*Tout* et *nouveau*, adj. employés comme adv., inv.)

Mais : *Un nouveau marié, des nouveaux mariés ; un nouveau venu, des nouveaux venus.*

4 Dans un nom composé formé de **deux noms**, seul le **premier** prend la marque du **pluriel** si le **deuxième** est **complément** du premier:

Un arc-en-ciel, des arcs-en-ciel (*ciel* est compl. du nom *arcs*) ; *une pomme de terre, des pommes de terre* (*terre* est compl. du nom *pommes*).

5 Dans un nom composé formé de **deux noms**, les **deux** prennent la marque du **pluriel**, si le **deuxième** est **apposé** au premier :

Un chou-fleur, des choux-fleurs (*fleurs* n'est pas compl. du nom *choux*) ; *un oiseau-mouche, des oiseaux-mouches* (*mouches* n'est pas compl. du nom *oiseaux*).

6 Dans un nom formé d'un **mot invariable** et d'un **nom**, seul le **nom** peut prendre la marque du **pluriel**, si le sens le permet :

Nom composé singulier	**Nom composé pluriel**
Un avant-goût	*Des avant-goûts*
Un haut-parleur	*Des haut-parleurs*
Mais :	
Un après-midi	*Des après-midi*
Un sans-abri	*Des sans-abri*

7 Dans un nom composé formé d'un **verbe** et d'un **nom complément**, seul le **nom** peut prendre la marque du **pluriel**, si le sens le permet :

Nom composé singulier	**Nom composé pluriel**
Un couvre-lit	*Des couvre-lits*
Un tire-bouchon	*Des tire-bouchons*
Mais :	
Un abat-jour	*Des abat-jour*
Un perce-neige	*Des perce-neige*

8 Un nom composé formé de **deux verbes** reste **invariable** :

Nom composé singulier	**Nom composé pluriel**
Un laissez-passer	*Des laissez-passer*
Un va-et-vient	*Des va-et-vient*

9 Les expressions ***aller-retour*** et ***aller et retour***, noms ou adjectifs qualificatifs, restent **invariables**. Elles s'emploient indifféremment l'une pour l'autre :

COMPARER :

Raymond a acheté un aller-retour pour Québec. (Nom sing.)
Raymond a acheté deux aller-retour pour Québec. (Nom plur., inv.)

Elle a fait un voyage aller et retour à Paris. (Adj. sing.)
Elle a fait deux voyages aller et retour à Paris. (Adj. plur., inv.)

10 Dans un nom composé formé du mot ***garde***, celui-ci ne prend la marque du **pluriel** que s'il désigne une **personne**. Il reste **invariable** s'il désigne une **chose** :

COMPARER :

Des gardes-pêche ; des gardes-chasse (personnes)
Des garde-pêche (navires) ; *des garde-manger* (choses)

11 Certains noms composés ont **une seule forme** au singulier et au pluriel :

Nom composé singulier	**Nom composé pluriel**
Un cache-pot	*Des cache-pot*
Un porte-bagages	*Des porte-bagages*
Un presse-fruits	*Des presse-fruits*

12 Dans un nom composé formé d'un **préfixe** et d'un **nom**, seul le **nom** prend la marque du **pluriel** :

Une Néo-Québécoise, des Néo-Québécoises (qui habitent le Nouveau-Québec)
Une néo-Québécoise, des néo-Québécoises (Québécoises de souche récente)

16. LE PLURIEL DES NOMS COMPOSÉS

JE RETIENS

Dans un nom composé formé d'un nom et d'un adjectif qualificatif, les deux prennent la marque du pluriel.
Dans un nom composé formé de deux noms, seul le premier nom prend la marque du pluriel si le deuxième est complément du premier.
Dans un nom composé formé de deux noms, les deux noms prennent la marque du pluriel si le deuxième est apposé au premier.
Dans un nom composé, le verbe est toujours invariable.

À force de chercher, je trouve l'expression juste, qui était la seule et qui est, en même temps, l'harmonieuse... Le mot ne manque jamais quand on possède l'idée.

Gustave Flaubert

17. LE PLURIEL DES ADJECTIFS COMPOSÉS

Jeanne Mance

Jeanne Mance

Jeanne Mance a joué un rôle de premier plan dans la fondation de Montréal. Femme dévote, c'est comme missionnaire auprès des Amérindiens qu'elle participe à cette noble entreprise. Partie de La Rochelle, Jeanne Mance arrive enfin en Nouvelle-France, après soixante jours d'une traversée aux dangers souvent sous-estimés. Sa tâche principale, à Ville-Marie, devenue Montréal, sera l'administration des biens de la jeune colonie, ainsi que la fondation d'un hôpital pour soigner les malades et les blessés. Ce sera l'Hôtel-Dieu. Les qualités humaines de Jeanne Mance, son dévouement sans bornes la font admirer de tous. Plus de quarante fois, elle sera marraine d'enfants nouveau-nés. Elle est morte en 1673, après s'être dépensée pendant plus de trente ans en Nouvelle-France.

J'OBSERVE

Qu'ont en commun les mots en couleur ?

Ce sont des adjectifs formés de plusieurs mots unis par un trait d'union.

JE REMARQUE

1 L'**adjectif qualificatif composé** est un adjectif qualificatif formé de **plusieurs mots**, le plus souvent unis par un **trait d'union** :

Jeanne Mance sera la marraine d'enfants ***nouveau-nés****.* (Avec trait d'union.)
Au baptême, elle portait une robe ***bleu foncé****.* (Sans trait d'union.)

2 Dans l'adjectif qualificatif composé formé de **deux adjectifs** qualifiant le même nom, les **deux adjectifs** s'accordent :

Adjectif composé singulier	Adjectif composé pluriel
Une sauce aigre-douce	*Des sauces aigres-douces*
Une personne sourde-aveugle	*Des personnes sourdes-aveugles*

3 Dans l'adjectif qualificatif composé formé d'un **mot invariable** et d'un **adjectif**, seul l'**adjectif** varie :

Adjectif composé singulier	Adjectif composé pluriel
L'avant-dernière patiente	*Les avant-dernières patientes*
Une personne sous-estimée	*Des personnes sous-estimées*

4 Dans l'adjectif qualificatif composé formé d'un **adjectif** employé comme **adverbe** et d'un autre **adjectif**, seul ce **dernier adjectif** varie :

Adjectif composé singulier	Adjectif composé pluriel
Une femme haut placée	*Des femmes haut placées*
Un enfant nouveau-né	*Des enfants nouveau-nés*

5 Dans un adjectif qualificatif composé dont le premier élément se termine par les voyelles ***i*** ou ***o***, seul l'**adjectif qualificatif** varie :

Adjectif composé singulier	Adjectif composé pluriel
Une situation tragi-comique	*Des situations tragi-comiques*
Une enquête médico-légale	*Des enquêtes médico-légales*

17. LE PLURIEL DES ADJECTIFS COMPOSÉS

6 L'**adjectif qualificatif simple** désignant la **couleur** suit la règle générale. Il s'accorde en **genre** et en **nombre** avec le **nom** comme un autre adjectif:

Adjectif simple singulier	**Adjectif simple pluriel**
Un mur vert	*Des murs verts*
Une robe verte	*Des robes vertes*

7 Un **adjectif qualificatif composé** désignant la **couleur** reste **invariable**:

a) L'adjectif qualificatif composé peut être formé de **deux adjectifs de couleur** désignant une **nuance** et souvent unis par un trait d'union:

*Elle s'achète des robes **gris-bleu**.* (Adj. composé avec trait d'union, inv.)

b) L'adjectif qualificatif composé peut être formé d'un **adjectif** désignant une **couleur** accompagné d'un autre **adjectif** ou d'un **nom** exprimant une **nuance** de cette couleur:

COMPARER:

*Ces enfants ont les yeux **bleu pâle**.* (Le mot *pâle* désigne une nuance du bleu, par rapport à *bleu foncé*. Donc, *bleu pâle*, adj. composé, inv.)

*Ces enfants ont les yeux **bleus** et **pâles**.* (Le mot *pâles* signifie «sans éclat». Il ne désigne pas une nuance du bleu. Donc, *bleus* et *pâles*, adj. simples, var.)

c) L'adjectif de couleur employé comme nom s'accorde comme tout autre nom. S'il est accompagné d'un adjectif ordinaire ou d'un adjectif de couleur, celui-ci suit les règles habituelles:

*J'aime les **verts** et les **rouges**.* (*Verts* et *rouges* sont des **noms**.)

*J'aime les **verts foncés**.* (*Verts* est un **nom** variable; *foncés* est un **adjectif** variable.)

*J'aime les **verts jaunâtres**.* (*Verts* est un **nom** variable; *jaunâtres* est un **adjectif de couleur variable**.)

*J'aime les **verts pomme**.* (*Verts* est un **nom** variable; *pomme* est un **nom** employé comme adjectif de couleur et est invariable.)

8 Un **nom** employé comme **adjectif de couleur** est habituellement **invariable**:

a) Certains **noms** sont devenus de vrais **adjectifs qualificatifs** et **varient**. Ce sont les mots suivants: ***écarlate***, ***fauve***, ***incarnat***, ***mauve***, ***pourpre*** et ***rose***:

COMPARER:

*Elle tresse des rubans **fuchsia**.* (Nom employé comme adj. de couleur, inv.)

*Elle tresse des rubans **roses**.* (Nom devenu adj. de couleur, var.)

b) Tous les autres **noms** désignant la **couleur** sont toujours **invariables**:

*Des souliers **argent*** (couleur de l'argent); des *couvertures **orange*** (couleur de l'orange); *des chemises **arc-en-ciel*** (aux couleurs de l'arc-en-ciel).

9 Deux **adjectifs de couleur** unis par ***et*** varient ou non selon le sens:

a) Les deux sont **invariables** s'ils n'indiquent **pas** des **couleurs distinctes** :

*Elle confectionne des robes **bleu et blanc**.* (Il y a du bleu et du blanc sur chaque robe.)

b) Les deux sont **variables** s'ils indiquent des **couleurs distinctes**:

*Elle confectionne des robes **bleues** et **blanches**.* (Il y a des robes complètement bleues et des robes complètement blanches.)

c) Lorsqu'il s'agit de **couleurs distinctes**, la **répétition** du **nom** permet d'éviter toute ambiguïté :

COMPARER :

Elle achète des robes bleues et blanches.

Elle achète des robes bleues et des robes blanches.

DES NOMS ET DES ADJECTIFS DE COULEUR					
Adjectif simple (variable)	alezan beige blanc bleu blond	brun châtain cramoisi écarlate fauve	glauque gris incarnat jaune mauve	noir pers pourpre rose rouge	roux ultraviolet vermeil vert violet
Nom simple (invariable)	abricot acier aluminium amande ambre azur brique bronze caramel carmin	carotte cerise chamois chocolat citron cuivre ébène émeraude épinard fraise	framboise fuchsia grenat havane indigo isabelle ivoire jade jonquille kaki	lilas magenta marine moutarde noisette ocre olive opale or orange	paille pastel pêche pervenche pomme prune rouille rubis turquoise vermillon
Adjectif composé (invariable)	blanc cassé bleu ciel bleu de Prusse bleu marine bleu nuit	bleu roi bleu turquoise châtain clair gris acier gris perle	gris souris jaune citron jaune de miel jaune paille jaune serin	noir de jais noir ébène rouge cerise rouge foncé rouge sang	vert amande vert bouteille vert olive vert pomme vieux rose
Nom composé (invariable)	arc-en-ciel café au lait	feuille-morte lie-de-vin	poivre et sel terre de Sienne	vert-de-gris vieil or	vieux cuivre

JE RETIENS

Dans l'adjectif qualificatif composé formé de deux adjectifs qualifiant le même nom, les deux adjectifs s'accordent.
Dans l'adjectif qualificatif composé formé d'un mot invariable et d'un adjectif, seul l'adjectif varie.
L'adjectif qualificatif simple désignant la couleur varie comme un autre adjectif.
Un adjectif qualificatif composé désignant la couleur est toujours invariable.
Un nom désignant la couleur est invariable.

18. LES ACCORDS PARTICULIERS DE DEMI, POSSIBLE ET NU

Honoré Mercier

Honoré Mercier

Honoré Mercier a été député à Ottawa et à Québec. En 1883, il a été élu chef du Parti libéral du Québec. Issu d'une famille très politisée, Honoré Mercier a affirmé très tôt son patriotisme québécois. À la suite de ses prises de position éloquentes en faveur de Louis Riel, il s'est fait élire premier ministre du Québec en 1887. Son action politique principale porte sur l'autonomie du Québec, sur son caractère français ainsi que sur la création du ministère de l'Agriculture et de la Colonisation. Mercier n'aime pas les demi-mesures. Il veut freiner le plus possible l'exode des Canadiens français vers les États-Unis. Le premier, il a brandi le flambeau de l'autonomie et de la fierté québécoises. Ses disputes avec John Alexander Macdonald sont restées légendaires.

J'OBSERVE

Qu'y a-t-il de particulier dans l'expression en couleur *les demi-mesures*?
Malgré le déterminant pluriel *les,* le mot *demi* est au singulier.

JE REMARQUE

1 L'accord de l'adjectif qualificatif ***demi*** dépend de la place qu'il occupe:

a) Placé **devant** le **nom**, l'adjectif ***demi*** s'unit à ce nom par un **trait d'union** et reste **invariable**:

Adjectif singulier	Adjectif pluriel
Une demi-finale	*Des demi-finales*
Une demi-mesure	*Des demi-mesures*

b) Placé **après** le **nom**, l'adjectif ***demi*** s'accorde en **genre** seulement avec ce **nom**. Il est relié au nom par la conjonction de coordination ***et***:

Adjectif singulier	Adjectif pluriel
Une heure et demie	*Deux heures et demie*
Un litre et demi	*Deux litres et demi*

2 ***Demi*** et ***demie*** peuvent s'employer comme **noms**. Ils prennent alors la marque du **pluriel**:

*Deux **demis** font un entier.*
*L'horloge sonne les **demies**.*

3 La locution adverbiale ***à demi*** est toujours **invariable** et signifie «à moitié». Elle ne s'unit pas à l'adjectif par un trait d'union:

*Les forêts sont **à demi** détruites par les pluies acides.*

4 Les adjectifs qualificatifs ***semi*** et ***mi*** s'unissent au nom ou à l'adjectif par un **trait d'union** et sont toujours **invariables**:

Adjectif singulier	Adjectif pluriel
Une semi-voyelle	*Des semi-voyelles*
Une pierre semi-précieuse	*Des pierres semi-précieuses*
Un boxeur mi-moyen	*Des boxeurs mi-moyens*
Une porte mi-close	*Des portes mi-closes*

5 L'adjectif qualificatif ***possible*** peut être variable ou invariable :

a) L'adjectif ***possible*** est **invariable** s'il est **précédé** d'un **superlatif** :

Mercier veut freiner ***le plus possible*** *l'exode des Canadiens français.*
Il cherche à faire ***le moins*** *d'erreurs* ***possible****.*

b) L'adjectif ***possible*** est **variable** s'il se rapporte à un **nom** :

Mercier a effectué toutes les démarches ***possibles****.*
Il a étudié toutes les lois ***possibles****.*

6 La locution adverbiale ***au possible*** est toujours **invariable** :

Ces enfants sont gentils ***au possible****.*

7 L'accord de l'adjectif qualificatif ***nu*** dépend de la place qu'il occupe :

a) Placé **devant** le **nom**, l'adjectif ***nu*** s'unit à ce nom par un **trait d'union** et reste **invariable** :

Elles se promènent nu-tête, nu-bras, nu-jambes et nu-pieds.

b) Placé **après** le **nom**, l'adjectif ***nu*** s'accorde en **genre** et en **nombre** avec ce **nom**. Il n'est pas relié au nom par un trait d'union :

Ils se promènent la tête ***nue****, les bras* ***nus****, les jambes* ***nues*** *et les pieds* ***nus****.*

JE RETIENS

L'adjectif qualificatif *demi* est invariable s'il est placé devant le nom et s'unit à ce nom par un trait d'union. Il s'accorde en genre s'il est placé après le nom et se relie à ce nom par *et*.
L'adjectif qualificatif *possible* est invariable seulement s'il est précédé d'un superlatif. Il est variable s'il se rapporte à un nom.
L'adjectif qualificatif *nu* est invariable s'il est placé devant le nom et s'unit à ce nom par un trait d'union. Il s'accorde en genre et en nombre s'il est placé après le nom.

19. L'ACCORD DU VERBE AVEC UN SEUL SUJET

Thérèse Casgrain

Thérèse Forget, mieux connue sous le nom de Thérèse Casgrain, est née à la fin du siècle dernier, à Montréal. On dit de son père, Rodolphe Forget, qu'il était un éminent financier et un homme politique influent. Femme d'action, Thérèse Casgrain a milité pour obtenir le droit de vote aux femmes du Québec. Une lutte de vingt ans qu'elle a menée avec d'autres militantes énergiques et déterminées, comme Idola Saint-Jean et Marie Gérin-Lajoie. Le 18 avril 1940, c'est la victoire des Québécoises. Elles obtiennent enfin le droit de vote. Par la suite, Thérèse Casgrain sera l'une des fondatrices de la Fédération des œuvres de charité canadiennes-françaises, appelée aujourd'hui Centraide. Thérèse Casgrain est décédée en 1981.

Thérèse Casgrain

J'OBSERVE

Quelle est la nature des mots en couleur ?

Il y a un groupe nominal, *Thérèse Casgrain*. Tous les autres, *il*, *elle* et *elles*, sont des pronoms personnels.

JE REMARQUE

1 Le **nom**, le **groupe nominal** ou le **pronom** qui donne au **verbe** sa **personne grammaticale** et son **nombre**, singulier ou pluriel, est le **sujet du verbe** :

__Thérèse Casgrain__ est née à la fin du siècle dernier. (Gr. nom. sujet, 3e pers. sing.)

__Elles__ obtiennent enfin le droit de vote. (Pron. pers. sujet, 3e pers. plur.)

2 Le **sujet** forme avec le **groupe verbal** la structure même de la **phrase simple** :

a) Le **sujet** désigne **de qui l'on parle** :

__Thérèse Casgrain__ demeure une militante tenace. (On parle de Thérèse Casgrain.)

b) Le **groupe verbal** indique **ce que l'on dit** du sujet :

Thérèse Casgrain __demeure une militante tenace__. (On dit de Thérèse Casgrain qu'elle **demeure une militante tenace**.)

3 On trouve le **sujet du verbe** en posant la question ***qui est-ce qui ?*** ou ***qu'est-ce qui ?*** **avant** le **verbe** :

__Elles__ obtiennent enfin le droit de vote. (**Qui est-ce qui** obtiennent le droit de vote ? **Elles.** *Elles,* sujet du v. *obtiennent.*)

__Le droit de vote__ a été chèrement acquis. (**Qu'est-ce qui** a été chèrement acquis ? **Le droit de vote.** *Le droit de vote,* sujet du v. *a été acquis.*)

4 Le **verbe** s'accorde en **nombre** et en **personne** avec son **sujet** :

__Je__ la reconnais sur cette photo. (**Qui est-ce qui** la reconnaît ? **Je.** *Je,* sujet, 1re pers. sing. Même personne et même nombre pour le verbe.)

__Les femmes__ obtiennent enfin le droit de vote. (**Qui est-ce qui** obtiennent le droit de vote ? **Les femmes.** *Les femmes,* sujet, 3e pers. plur. Même personne et même nombre pour le verbe.)

19. L'ACCORD DU VERBE AVEC UN SEUL SUJET

5 Il est très important de reconnaître le **pronom personnel sujet** :

a) Parmi les pronoms personnels, seuls ***je, tu, il, ils*** et ***on*** sont **toujours sujets** :

Tu as peut-être déjà vu Thérèse Casgrain dans un documentaire d'époque. (*Tu*, pron. pers. sujet, 2e pers. sing.)

b) Les autres pronoms personnels, ***elle, elles, nous*** et ***vous***, ne sont pas toujours sujets, ils peuvent aussi être **compléments** :

COMPARER :

Nous croyons qu'elle a joué un rôle très important. (*Nous*, pron. pers. sujet, 1re pers. plur.)

Elle nous a laissé un message de solidarité. (*Nous*, pron. pers. COI.)

Vous connaissez sûrement cette grande Québécoise. (*Vous*, pron. pers. sujet, 2e pers. plur.)

Je vous parlerai d'elle. (*Vous* et *elle*, pron. pers. COI.)

6 Parfois, ***il*** est un pronom neutre ; il ne remplace rien. Le **verbe** reste alors à la **troisième personne du singulier** :

***Il** fallait au moins deux cents femmes à cette conférence.* (*Il*, pron. neutre.)

7 Si le **sujet** est un **nom** ou un **groupe nominal**, le **verbe** se met à la **troisième personne**. Il est au **singulier** ou au **pluriel** selon le **nombre** du **sujet** :

COMPARER :

*Louise **a lu** la biographie de Thérèse Casgrain.* (*Louise*, nom sing., sujet du v. *a lu*, 3e pers. sing.)

Les Québécoises doivent beaucoup à des femmes comme Thérèse Casgrain. (*Les Québécoises*, gr. nom. plur., sujet du v. *doivent*, 3e pers. plur.)

8 Lorsque le **sujet** est un **nom collectif**, l'accord du **verbe** se fait selon le **sens** :

a) Si le nom collectif sujet n'a **pas de complément**, le verbe suit la règle générale. Le **verbe** se met au **singulier** ou au **pluriel** selon le **nombre** du **sujet** :

COMPARER :

Le groupe suivait Thérèse Casgrain. (*Le groupe*, gr. nom. sing., sujet du v. *suivait*, 3e pers. sing.)

Les groupes suivaient Thérèse Casgrain. (*Les groupes*, gr. nom. plur., sujet du v. *suivaient*, 3e pers. plur.)

b) Si le nom collectif sujet a un **complément**, on met le verbe au **singulier** lorsqu'on veut insister sur l'**ensemble**. On met le verbe au **pluriel** lorsqu'on veut insister sur les **éléments** :

COMPARER :

Le tiers des membres assiste à l'assemblée. (On insiste sur l'ensemble, *le tiers*. Donc, le verbe est au sing.)

Le tiers des membres assistent à l'assemblée. (On insiste sur les éléments, *les membres*. Donc, le verbe est au plur.)

JE RETIENS

Le verbe s'accorde en nombre et en personne avec son sujet.

20. L'ACCORD DU VERBE AVEC PLUSIEURS SUJETS

Charles Bruneau

Charles Bruneau

Charles Bruneau est décédé à l'âge de douze ans. Pendant plus de neuf ans, il a poursuivi une lutte héroïque contre la leucémie. Avant sa mort, Charles Bruneau a consacré plusieurs années de sa courte vie à l'organisme Leucan, qui vient en aide aux enfants atteints de leucémie. Il souhaite que la recherche et l'expérience permettent un jour la découverte du remède miraculeux. Porte-parole convaincu de Leucan, Charles Bruneau est devenu un symbole d'espoir par son message: «Quand je serai grand, je serai guéri!» Hélas! la terrible maladie a eu raison de son courage! Mais Charles Bruneau demeurera un modèle de ténacité et de détermination. Un jour, vous et moi récolterons peut-être les fruits de son action.

J'OBSERVE

Qu'ont en commun les groupes de mots en couleur?

Ils sont sujets d'un verbe. Le groupe *la recherche et l'expérience* est sujet du verbe *permettent*; le groupe *vous et moi* est sujet du verbe *récolterons.*

JE REMARQUE

1 Lorsque **plusieurs sujets singuliers** sont unis par la conjonction de coordination ***et*** ou **juxtaposés**, le **verbe** se met au **pluriel**:

__Charles et son père__ ont participé ensemble aux campagnes de Leucan. (Les deux sujets, *Charles* et *son père*, sont coordonnés par *et*.)

__Sa ténacité, son courage, sa détermination__ le soutiennent dans sa lutte. (Les trois gr. nom. sujets, *sa ténacité, son courage* et *sa détermination,* sont juxtaposés.)

2 Si le **verbe** a plusieurs **sujets** de **personnes différentes**, il se met au **pluriel** à la **personne** qui a la **priorité**:

a) La **première** personne a priorité sur la deuxième personne et la troisième personne:

__Toi__ et __moi__ participons à la campagne de Leucan. (*Toi,* 2e pers.; *moi,* 1re pers. Verbe à la 1re pers. plur.)

__Elle__ et __moi__ participons à la campagne de Leucan. (*Elle,* 3e pers.; *moi,* 1re pers. Verbe à la 1re pers. plur.)

b) La **deuxième** personne a priorité sur la troisième personne:

__Elle__ et __toi__ participez à la campagne de Leucan. (*Elle,* 3e pers.; *toi,* 2e pers. Verbe à la 2e pers. plur.)

3 Lorsqu'une énumération de **sujets** est résumée par un **pronom singulier**, le **verbe** se met au **singulier**:

Un encouragement, un sourire, une visite, __tout__ est prétexte à poursuivre son action. (*Tout* résume l'énumération. *Tout,* sujet du v. *est,* 3e pers. sing.)

4 Si le verbe a **plusieurs sujets** unis par ***ou*** ou par ***ni***, l'accord se fait selon le **sens** :

a) Le **verbe** se met au **pluriel** si **chacun** des **sujets** peut faire l'action du **verbe** :
Ni ***Charles*** *ni* ***son père*** *n'abandonnent la lutte.* (Chacun des deux pourrait abandonner.)

b) Le **verbe** se met au **singulier** si **un seul** des **sujets** peut faire l'action du **verbe** :
Charles *ou* ***son père*** *dira ce message.* (Un seul dira le message.)

c) Si les deux sujets sont des pronoms personnels de **personnes différentes**, le **verbe** se met au **pluriel** selon la **priorité** de la personne grammaticale :
Ni ***toi*** *ni* ***moi*** *ne souhaitons vivre l'expérience de Charles Bruneau.*

5 Si le verbe a **plusieurs sujets** unis par une conjonction ou une locution conjonctive de coordination comme ***ainsi que***, ***aussi bien que***, ***comme***, ***de même que***..., l'accord se fait selon le **sens** :

a) Le **verbe** se met au **pluriel** si les **deux sujets** font l'action du **verbe** ensemble. On peut alors remplacer la conjonction par ***et*** :
Charles *ainsi que* ***son père*** *poursuivent la lutte.* (Les deux poursuivent la lutte ensemble : *Charles et son père.*)

b) Le **verbe** se met au **singulier** si seul **le premier sujet** fait l'action du **verbe**. Le deuxième sujet est alors placé entre virgules et sert à marquer la comparaison :
COMPARER :
Charles, ainsi que son père, passera à la télé. (Avec virgules, sens de «seul Charles passera à la télé, comme le fait son père».)
Charles ainsi que son père passeront à la télé. (Sans virgules, sens de «Charles et son père passeront à la télé».)

6 Si le **sujet** est **précédé** d'un adverbe de quantité comme ***assez de***, ***beaucoup de***, ***bien des***, ***combien de***, ***nombre de***, ***peu de***, ***tant de***, ***trop de***..., le **verbe** se met au **pluriel** :
Trop *d'enfants sont atteints de leucémie.*
Beaucoup *d'entre eux en guérissent chaque année.*

7 Attention aux déterminants indéfinis ***plus d'un*** et ***moins de deux*** :

a) À la suite de ***plus d'un***, le **nom** et le **verbe** sont au **singulier** :
Plus d'un *enfant est mort de la leucémie.*
Mais : ***Plus de*** *trois cents enfants sont atteints de leucémie.*

b) À la suite de ***moins de deux***, le **nom** et le **verbe** sont au **pluriel** :
Moins de deux *ans se sont écoulés depuis la dernière campagne de Leucan.*

8 Les emplois de ***l'un... l'autre*** :

a) Après ***l'un et l'autre***, le **verbe** se met habituellement au **pluriel** :
L'une et l'autre *ont participé à la campagne de Leucan.*

b) Après ***l'un ou l'autre***, le **verbe** se met habituellement au **singulier** :
L'une ou l'autre *assistera à la conférence sur la leucémie.*

c) Après ***ni l'un ni l'autre***, on peut mettre le **verbe** au **singulier** ou au **pluriel** indifféremment :

__Ni l'un ni l'autre__ n'assistera à la conférence.
__Ni l'une ni l'autre__ n'assisteront à la conférence.

JE RETIENS

Lorsque plusieurs sujets sont coordonnés par *et* ou juxtaposés, le verbe se met au pluriel.
Si le verbe a plusieurs sujets de personnes différentes, il se met au pluriel à la personne qui a la priorité.
Lorsqu'une énumération de sujets est résumée par un pronom singulier, le verbe se met au singulier.
Lorsque le verbe a plusieurs sujets unis par *ou* ou par *ni*, ou d'autres conjonctions de coordination, l'accord se fait selon le sens.
Si le sujet est précédé d'un adverbe de quantité comme *assez de, beaucoup de...*, le verbe se met au pluriel.

Écrire est un métier[...] qui s'apprend en écrivant.
Simone de Beauvoir

21. L'ACCORD DU VERBE AVEC LE SUJET QUI

Rosanne Laflamme

Rosanne Laflamme

Quelle femme extraordinaire que cette Rosanne Laflamme! Elle devient handicapée à la suite d'un grave accident. Elle n'a que trois ans. Les médecins qui la soignent se voient obligés de lui amputer les deux jambes ainsi que le bras droit à la hauteur du coude. C'est le drame! À la surprise de tous, elle réussit à s'en sortir. Malgré ses handicaps, Rosanne, à quarante ans, décide de se lancer dans les sports. Natation, ski, tir à l'arc, volley-ball, badminton, patinage, athlétisme, rien ne l'arrête. En 1975, elle fait partie de la délégation québécoise qui participe aux Jeux olympiques d'été des personnes handicapées, à Saint-Étienne, en France. Rosanne y décroche à elle seule trois médailles. Jusqu'à sa mort, qui est survenue en 1991, Rosanne Laflamme aura été un modèle de persévérance et de fierté.

J'OBSERVE

Quel est l'antécédent des pronoms relatifs *qui* en couleur?

Le premier *qui* a pour antécédent *médecins,* le deuxième, *délégation* et le troisième, *mort.*

JE REMARQUE

1 Le **verbe** dont le **sujet** est le pronom relatif ***qui*** prend le **nombre** et la **personne** de l'**antécédent** du **pronom relatif**:

*Les médecins **qui** la soignent se voient obligés de lui amputer les deux jambes.* (Ant., *médecins,* 3e pers. plur. V. *soignent,* 3e pers. plur.)

*Rosanne, **qui** n'était pas particulièrement active, décide de se lancer dans les sports.* (Ant., *Rosanne,* 3e pers. sing. V. *était,* 3e pers. sing.)

2 Attention! Si l'**antécédent** est un **pronom personnel**, on suit la **même règle**:

*C'est moi, dit Rosanne, **qui** ai obtenu ces trois médailles.* (Ant., *moi,* 1re pers. sing. V. *ai obtenu,* 1re pers. sing.)

*Cette année, c'est nous **qui** participerons aux Jeux.* (Ant., *nous,* 1re pers. plur. V. *participerons,* 1re pers. plur.)

3 Si l'**antécédent** est un **mot** mis en **apostrophe**, le **verbe** est à la **deuxième personne**. Il se met au **singulier** ou au **pluriel** selon le nombre de l'**antécédent**:

*Mille fois bravo, Rosanne, **qui** as relevé un si grand défi.* (Ant., *Rosanne,* 2e pers. sing. V. *a relevé,* 2e pers. sing.)

*Mille fois bravo, les amies, **qui** avez relevé un si grand défi.* (Ant., *amies,* 2e pers. plur. V. *avez relevé,* 2e pers. plur.)

4 Parfois, le **sujet** est **séparé** de son **verbe** par un ou **plusieurs mots**. On dit que ces mots forment **écran**. Aussi est-il important de bien faire accorder le verbe:

a) L'écran peut être une **subordonnée relative**:

COMPARER:

Rosanne (sujet) *mérite* (v.) *des éloges.* (Sans écran.)

Rosanne, (sujet) *qui est parmi les championnes,* (écran) *mérite* (v.) *des éloges.* (Avec écran.)

b) L'écran peut être un **groupe nominal complément** ou **en apposition** :

COMPARER :

Les championnes entreront dans le stade. (Sans écran.)
sujet v.

Les championnes du badminton entreront dans le stade. (Avec écran.)
sujet écran v.

Rosanne revient avec la médaille d'or. (Sans écran.)
sujet v.

Rosanne, championne aux Jeux, revient avec la médaille d'or. (Avec écran.)
sujet écran v.

c) L'écran peut être un **pronom personnel complément.** Le **verbe** ne s'accorde **jamais** avec le **pronom complément** qui **précède** immédiatement le **verbe** :

COMPARER :

On les voit acclamer nos championnes. (*Les*, pron. COD.)
sujet v.

Je vous verrai aux prochains Jeux olympiques. (*Vous*, pron. COD.)
sujet v.

Elles nous parleront cette fois-ci. (*Nous*, pron. COI.)
sujet v.

JE RETIENS

Le verbe dont le sujet est le pronom relatif *qui* prend le nombre et la personne de l'antécédent du pronom relatif.
Le verbe s'accorde toujours avec son sujet, même si le sujet est séparé du verbe par un ou plusieurs mots qui forment écran.

Entre deux mots, il faut choisir le moindre.
Paul Valéry

Indira Gandhi

Indira Gandhi

Première femme à devenir première ministre de son pays, Indira Gandhi a vécu dans une atmosphère baignée de politique. Son père, Nehru, lui-même premier ministre de l'Inde, a marqué l'histoire de son pays. Indira Gandhi fait de brillantes études en Europe, puis milite pour la non-violence avec son père aux côtés du héros de l'indépendance indienne, le Mahatma Gandhi, sans lien de parenté avec elle. Elle dirigea son pays pendant près de quinze ans. En 1984, elle est assassinée par un extrémiste sikh. Son fils, Rajiv, lui succède. Il est tué à son tour par un autre extrémiste au cours de la campagne électorale de 1990.

J'OBSERVE

Tous les mots en couleur viennent de verbes. Quel est l'infinitif de chacun de ces verbes ?

Vécu vient du verbe *vivre* ; *baignée,* du verbe *baigner* ; *marqué,* du verbe *marquer* ; *assassinée,* du verbe *assassiner* ; *tué,* du verbe *tuer.*

JE REMARQUE

1 Le **participe** est une **forme** du **verbe**. Le participe est un **mode impersonnel**, car il ne se conjugue pas aux différentes personnes grammaticales :

*Elle a grandi dans une atmosphère **baignée** de politique.* (*Baignée,* part. du v. *baigner.*)

2 On distingue deux sortes de participes : le **participe présent** et le **participe passé** :

*Indira Gandhi, **suivant** l'exemple de son père, militait pour la non-violence.* (*Suivant,* part. prés. du v. *suivre.*)

*Rajiv Gandhi est **tué** à son tour.* (*Tué,* part. passé du v. *tuer.*)

3 Le **participe présent** est la forme du verbe qui se termine toujours par ***-ant***. Cette forme en *-ant* peut être tantôt **verbe**, tantôt **adjectif verbal** :

a) Comme **verbe**, le participe présent peut avoir un **complément**. Il est **toujours invariable** :

*Indira Gandhi, **suivant** l'exemple de son père, militait pour la non-violence.* (*Suivant,* part. prés. Il a un COD, *l'exemple de son père*. C'est un verbe.)

b) Comme **adjectif verbal**, le participe présent s'accorde en **genre** et en **nombre**, comme tout autre adjectif. On peut toujours remplacer l'adjectif verbal par un autre adjectif :

COMPARER :

Indira Gandhi a été militante. (*Militante,* adj. verbal, var. On peut le remplacer par l'adj. *heureuse.*)

Militant pour la non-violence, elle suivait l'exemple de son père. (*Militant,* v. au part. prés., inv. On ne peut pas le remplacer par l'adj. *heureuse.*)

4 Le **participe passé** joue deux rôles principaux :

a) Le participe passé **accompagne** les auxiliaires ***avoir*** et ***être*** pour conjuguer les verbes aux **temps composés** :

*Son père a **marqué** l'histoire de son pays.* (*Marqué,* part. passé avec l'aux. *avoir,* ind. passé comp. du v. *marquer.*)

*Elle est **allée** étudier en Europe.* (*Allée,* part. passé avec l'aux. *être,* ind. passé comp. du v. *aller.*)

b) Le participe passé s'emploie **seul**, sans auxiliaire, comme un **adjectif qualificatif** :

***Élue** à la tête de son pays, Indira Gandhi avait la main ferme.*

5 On confond souvent le **participe passé** et l'**infinitif** des verbes du premier groupe en ***-er***. Pour les distinguer, il suffit de remplacer le verbe par un autre verbe du troisième groupe, comme *mordre* :

a) Si l'on peut remplacer le verbe par ***mordre***, il s'agit de l'**infinitif**. Il s'écrit alors toujours en ***-er*** :

*Nehru voulait **marquer** l'histoire de son pays.* (*Voulait «mordre»,* donc inf. en *-er.*)

b) Si l'on peut remplacer le verbe par ***mordu***, il s'agit du **participe passé**. Il s'écrit alors en ***-é*** et suit les règles d'accord :

*Nehru a **marqué** l'histoire de son pays.* (*A «mordu»,* donc part. passé en *-é.*)

JE RETIENS

Le participe présent est la forme du verbe qui se termine en *-ant.*
Le participe passé s'emploie surtout avec les auxiliaires *être* et *avoir* pour conjuguer les verbes aux temps composés.

N'employez jamais un mot nouveau, à moins qu'il n'ait ces trois qualités : être nécessaire, intelligible et sonore.
Voltaire

23. LE PARTICIPE PASSÉ EMPLOYÉ SANS AUXILIAIRE

La Bolduc

La Bolduc

Mary Travers, gaspésienne de naissance, épouse Édouard Bolduc, le 17 août 1914. Ils se sont connus à Montréal où Mary travaillait comme bonne. Mary Travers devient célèbre par ses chansons écrites dans la langue populaire, qui racontent les misères et les déboires du «pauvre monde». On l'appelle Madame Bolduc et même, affectueusement, la Bolduc. Ses tournées l'entraînent partout au Québec et au Canada, quand ce n'est pas aux États-Unis. Ses disques se vendent par milliers. On a même porté à l'écran l'histoire de son étonnante carrière. Décédée en 1941, Madame Bolduc fait partie de notre folklore. Beaucoup la considèrent comme la pionnière de la chanson québécoise.

J'OBSERVE

Les participes passés en couleur accompagnent-ils un auxiliaire ?
Non. Les deux participes passés, *écrites* et *décédée,* sont employés seuls.

JE REMARQUE

1 Le **participe passé** employé **seul**, sans auxiliaire, joue le même rôle qu'un **adjectif qualificatif.** Il s'accorde comme un adjectif, en **genre** et en **nombre** avec le **nom** ou le **pronom** qui l'accompagne :

*La Bolduc semble surtout **intéressée** par les gens ordinaires.* (Le part. passé *intéressée* s'accorde avec le gr. nom. *la Bolduc,* fém. sing.)

2 Certains participes passés employés seuls, comme ***attendu, compris, entendu, excepté, passé, supposé, vu...,*** varient ou non selon la place qu'ils occupent :

a) Placés **devant** le **nom** ou le **pronom**, ils sont **invariables.**

*J'ai écouté ses meilleures chansons, y **compris** celles de son dernier disque.*

b) Placés **après** le **nom** ou le **pronom**, ils s'accordent en **genre** et en **nombre** avec ce **nom** ou ce **pronom** :

*Les chansons **entendues** ce soir sont de madame Bolduc.*

3 Les participes passés ***ci-joint***, ***ci-inclus*** et ***ci-annexé***, utilisés surtout dans la correspondance, suivent les règles d'accord suivantes : placés au **début** de la **phrase** ou **devant** un **nom sans déterminant**, ils sont **invariables** ; placés **après** un **nom**, ils s'accordent en **genre** et en **nombre** avec le **nom**.

COMPARER :

Vous trouverez ci-joint copie de cette lettre. (Devant le nom : inv.)
Vous comprendrez en lisant les lettres ci-jointes. (Après le nom : var.)

JE RETIENS

Le participe passé employé seul, sans auxiliaire, s'accorde en genre et en nombre avec le nom ou le pronom qui l'accompagne, comme un simple adjectif qualificatif.

24. LE PARTICIPE PASSÉ EMPLOYÉ AVEC L'AUXILIAIRE ÊTRE

Marie Gérin-Lajoie, mère et fille

Sœur Marie Gérin-Lajoie

Voilà deux femmes exceptionnelles, la mère et la fille, qui, par surcroît, portent le même prénom. La mère est une militante féministe énergique. Elle est connue pour son combat visant la défense des droits des femmes, dont le droit de vote. Jusqu'en 1940, les femmes étaient tenues à l'écart de la politique. Marie Gérin-Lajoie, la fille, a voué sa vie aux œuvres sociales. Consciente que les pauvres étaient abandonnés à eux-mêmes, elle a jeté les bases d'un véritable service social à Montréal, pour venir en aide aux plus démunis. Le 26 avril 1923, Marie Gérin-Lajoie fonde l'Institut Notre-Dame-du-Bon-Conseil de Montréal. Le service social sera la vocation première des membres de la nouvelle communauté religieuse.

J'OBSERVE

Avec quel auxiliaire les participes passés en couleur sont-ils employés ?

Ils sont tous employés avec l'auxiliaire *être*.

JE REMARQUE

1 Le **participe passé** employé avec l'auxiliaire ***être*** s'accorde en **genre** et en **nombre** avec le **sujet du verbe** :

Elle est ***connue*** *pour son combat visant la défense des droits des femmes.* (Le part. passé *connue* s'accorde avec le sujet *elle*, fém. sing.)

Jusqu'en 1940, les femmes étaient ***tenues*** *à l'écart de la politique.* (Le part. passé *tenues* s'accorde avec le sujet *les femmes*, fém. plur.)

2 Si le **sujet** est un **pronom personnel**, l'accord du participe passé se fait avec le **référent** du pronom :

Denise et Cécile, ***vous*** *êtes* ***devenues*** *militantes après les combats de Marie Gérin-Lajoie.* (Le part. passé *devenues* s'accorde avec le pron. sujet *vous*, mis pour *Denise et Cécile*, réf. fém. plur.)

Marie-Christine, ***vous*** *êtes* ***arrivée*** *un peu en retard à la conférence.* (Le part. passé *arrivée* s'accorde avec le pron. sujet *vous*, mis pour *Marie-Christine*, réf. fém. sing.)

3 Si le **verbe** a **plusieurs sujets** de **genres différents**, le participe passé se met au **masculin pluriel** :

La politique et le droit des femmes sont longuement ***traités*** *dans ce livre.* (Le part. passé *traités* s'accorde avec les deux sujets, *la politique* et *le droit des femmes*.)

4 Si le verbe a pour **sujet** le pronom personnel ***on***, le participe passé est habituellement invariable. Il s'accorde seulement lorsque le pronom *on* a un référent clairement identifié :

a) Le **participe passé** est habituellement **invariable** :

On *était* ***assuré*** *du succès de la conférence.*

On *est* ***allé*** *en grand nombre à la conférence.*

b) Le **participe passé** s'accorde en **genre** et en **nombre** avec le **référent** du pronom ***on***, si ce référent est clairement identifié :

On *est* ***allées*** *à la conférence, disent* ***Hélène et Cécile****.* (Le part. passé *allées* s'accorde avec le pron. sujet *on*, mis pour *Hélène et Cécile*, réf. fém. plur.)

On *est* ***allés*** *à la conférence, disent* ***Luc et André****.* (Le part. passé *allés* s'accorde avec le pron. sujet *on*, mis pour *Luc et André*, réf. masc. plur.)

JE RETIENS

Le participe passé employé avec l'auxiliaire *être* s'accorde en genre et en nombre avec le sujet du verbe.

Les grandes choses de la vie ont [...] un nom [...] : on dit l'océan, l'amour, l'art, l'œuvre — mais ces mots cachent peut-être encore plus qu'ils ne disent. Y a-t-il seulement deux personnes sur terre à ne pas différer quelque peu d'avis sur le sens de ces mots : amour, vie, œuvre ?

Gabrielle Roy

25. LE PARTICIPE PASSÉ EMPLOYÉ AVEC L'AUXILIAIRE AVOIR

Deux femmes de théâtre

Yvette Brind'Amour était une passionnée du théâtre. Elle a maîtrisé toutes les facettes de son métier pour les avoir pratiquées. Comédie, drame, tragédie, mise en scène, direction de théâtre n'avaient pour elle aucun secret. En 1949, elle a fondé, avec Mercedes Palomino, le Théâtre du Rideau Vert. C'était le premier théâtre permanent au Québec. En dépit des difficultés, elles ont persisté. En 1968, ce théâtre a ouvert ses portes à un jeune dramaturge, Michel Tremblay. On y a créé *Les Belles-Soeurs*. Tous les grands comédiens du Québec y ont joué un jour ou l'autre. Bon nombre ont connu le succès au Rideau Vert.

Yvette Brind'Amour

J'OBSERVE

Avec quel auxiliaire les participes passés en couleur sont-ils employés ?
Ils sont tous employés avec l'auxiliaire *avoir*.

JE REMARQUE

1 Le **participe passé** employé avec l'auxiliaire ***avoir*** reste **invariable** si le **verbe n'a pas de COD** :
*Tous nos grands comédiens ont **joué** au Rideau Vert.* (Ont joué **quoi** ? Pas de COD. Part. passé inv.)

2 Le participe passé employé avec l'auxiliaire ***avoir*** reste **invariable** si le **COD** est placé **après** le **participe** :
*Le Rideau Vert a **ouvert** ses portes à Michel Tremblay.* (A ouvert **quoi** ? **Ses portes.** *Ses portes,* COD placé après le participe. Part. passé inv.)

3 Le participe passé employé avec l'auxiliaire ***avoir*** s'accorde avec le **COD** si le COD est placé **avant** le **participe**. Il prend le **genre** et le **nombre** du **COD** :
*Quelles pièces de Tremblay a-t-elle **présentées** à son théâtre ?* (A présentées **quoi** ? **Quelles pièces de Tremblay**. *Quelles pièces de Tremblay,* COD placé avant le participe. Accord du part. passé avec le COD, fém. plur.)

4 Lorsque le **COD** est un **pronom personnel** placé **devant** le **participe passé**, l'accord se fait avec le **référent** du **pronom** :
*Ces pièces, elle les aura **présentées** au cours de la même saison.* (Aura présentées **quoi** ? **Les.** *Les,* pron. COD mis pour *pièces*, réf. fém. plur., COD placé avant le participe. Accord du part. passé avec le réf. *pièces*, fém. plur.)
*Jacques et moi, elle nous a beaucoup **impressionnés** par sa mise en scène.* (A impressionnés **qui** ? **Nous.** *Nous,* pron. COD mis pour *Jacques et moi*, réf. masc. plur., COD placé avant le participe. Accord du part. passé avec le réf. *Jacques et moi*, masc. plur.)

5 Si le **COD** est le pronom personnel neutre ***le*** ou ***l'*** qui remplace une **proposition** ou une idée déjà exprimée, le **participe passé** est **invariable** :

Ce spectacle a eu une meilleure critique qu'on ne ***le*** *croyait.* (On croyait **quoi** ? **Le.** *Le,* pron. COD mis pour la prop. *ce spectacle a eu une meilleure critique.* Part. passé inv.)

6 Si le **COD** est le pronom personnel ***en***, le **participe passé** est **invariable** :

COMPARER :

Des pièces québécoises, elle en a présenté souvent. (*En* est COD, part. passé inv.)
Cette pièce a été un succès. Les profits que la troupe en a tirés ont été intéressants. (A tirés **quoi** ? **Que**. *Que,* pron. COD mis pour *profits*, ant. masc. plur., COD placé avant le participe. Accord du part. passé avec l'ant. *profits,* masc. plur.)

7 Lorsque le **COD** est un **pronom relatif**, l'accord du participe se fait avec l'**antécédent** du **pronom** :

Les drames que le Rideau Vert a ***présentés*** *ont connu un vif succès.* (A présentés **quoi** ? **Que**. *Que,* pron. COD mis pour *drames*, ant. masc. plur., COD placé avant le participe. Accord du part. passé avec l'ant. *drames,* masc. plur.)

8 Le **participe passé** du **verbe impersonnel** est **toujours invariable** :

Les efforts qu'il a ***fallu*** *pour monter ce spectacle n'ont pas été inutiles.* (*A fallu,* v. impers. Part. passé inv.)

9 Le participe passé de certains verbes comme ***courir***, ***coûter***, ***dormir***, ***durer***, ***marcher***, ***mesurer***, ***peser***, ***régner***, ***valoir***, ***vivre***... s'accorde ou non selon le **sens** :

a) Employés au **sens propre**, ces verbes intransitifs n'ont pas de COD. Le **participe passé** est donc **invariable** :

Les quarante ans qu'elle a ***vécu*** *au Rideau Vert ont été extraordinaires.* (Employé au sens propre, part. passé inv.)

b) Employés au **sens figuré**, ces verbes ont un COD. Le **participe passé** s'accorde alors en **genre** et en **nombre** avec ce **COD** s'il est placé **avant** le **participe** :

Elle a vite oublié toutes les difficultés qu'elle a ***vécues***. (Employé au sens figuré, part. passé s'accorde avec *qu'*, pron. COD mis pour *difficultés,* ant. fém. plur.)

JE RETIENS

Le participe passé employé avec l'auxiliaire *avoir* reste invariable si le verbe n'a pas de COD.
Le participe passé employé avec l'auxiliaire *avoir* reste invariable si le COD est placé après le participe.
Le participe passé employé avec l'auxiliaire *avoir* s'accorde avec le COD s'il est placé avant le participe. Il prend le genre et le nombre du COD.
Le participe passé du verbe impersonnel est toujours invariable.

26. LE PARTICIPE PASSÉ SUIVI D'UN INFINITIF

Lucie Bruneau

Lucie Bruneau

Lucie Lamoureux-Bruneau, épouse d'un riche médecin montréalais, est née en 1877, dans une famille aisée du quartier Hochelaga. Elle s'est fait connaître sous le nom de Lucie Bruneau. Très jeune, cette femme généreuse veut aider les personnes handicapées, surtout les enfants. Elle fonde la première école pour «enfants infirmes», comme on disait à l'époque. Cette école s'appelle aujourd'hui École Victor-Doré. Lucie Bruneau devançait son temps en affirmant que la personne handicapée avait le droit d'être différente. Les enfants qu'elle a vus réussir à l'école lui ont prouvé qu'elle avait raison. À sa mort, survenue en 1951, elle avait 74 ans. Les autorités du Centre de réadaptation Lucie-Bruneau ont voulu célébrer son œuvre de pionnière.

J'OBSERVE

Qu'ont de particulier les verbes qui suivent immédiatement les participes passés en couleur ?

Dans les trois cas, il s'agit d'un verbe à l'infinitif : *connaître, réussir* et *célébrer.*

JE REMARQUE

1 Certains participes passés, comme ***cru***, ***dit***, ***dû***, ***pensé***, ***permis***, ***prévu***, ***pu***, ***su***, ***voulu***..., sont **invariables** s'ils sont suivis d'un **verbe** à l'**infinitif** ou si on peut les faire suivre d'un infinitif non exprimé :

*On a **voulu** célébrer son œuvre de pionnière.* (Suivi de l'inf. *célébrer.*)
*Elle a aidé le plus qu'elle a **pu**.* (On pourrait ajouter l'inf. *aider.*)

2 Le participe passé ***fait*** suivi d'un **infinitif** est **toujours invariable** :

*Les enfants qu'elle a **fait** instruire sont nombreux.*

3 Les autres participes passés suivis d'un **infinitif** s'accordent ou non selon le **sens** :

a) Si le **COD** est placé **avant** le participe passé et qu'il **fait l'action** de l'**infinitif**, le participe passé s'accorde avec le **COD** :

*Les enfants qu'elle a **vus** réussir sont nombreux.* (A vus **qui** ? *Qu'*, pron. COD mis pour *enfants,* ant. masc. plur. Ce sont les enfants qui font l'action de l'infinitif *réussir*. Accord du part. passé.)
*Il a **vu** réussir les enfants handicapés.* (Le COD, *les enfants handicapés,* est placé après le participe. Part. passé inv.)

b) Dans tous les autres cas, le **participe passé** suivi d'un **infinitif** est **invariable** :

*Cette école que les enfants ont **vu** construire pour eux a été bénéfique.* (*Cette école*, le COD, ne fait pas l'action de l'infinitif *construire.* Part. passé inv.)

JE RETIENS

Le participe passé suivi d'un infinitif s'accorde avec le COD s'il est placé avant le participe et que c'est le COD qui fait l'action de l'infinitif.
Dans tous les autres cas, le participe passé suivi d'un infinitif est invariable.

Jules Verne

Jules Verne

Il est banal, aujourd'hui, de parler de sous-marins ou de conquête de la Lune. Mais, c'était de la science-fiction quand Jules Verne commença à publier ses romans de la série des *Voyages extraordinaires*. Très versé dans le domaine de la recherche scientifique, il **s'est plu** à décrire avec une précision étonnante des inventions, comme le sous-marin, le vaisseau spatial ou la fusée, qui n'ont vu le jour que longtemps après sa mort. Innombrables sont les lecteurs qui **se sont réjouis** en suivant ses héros sur tous les continents et même dans l'espace. Contrairement à beaucoup de romanciers qui **se sont déplacés** sur les lieux où leurs intrigues **se sont déroulées**, Jules Verne n'aurait, dit-on, jamais voyagé !

J'OBSERVE

Qu'est-ce qui précède immédiatement les verbes en couleur ?
Le pronom personnel *se* ou *s'*.

JE REMARQUE

1 Le **verbe pronominal** est un verbe qui se conjugue avec un **pronom personnel complément** de la **même personne grammaticale** que le **sujet** :

*Les romanciers **se déplacent**.* (*Se déplacent,* v. pron. Le pron. *se* et le sujet *les romanciers* sont de la 3e pers. plur.)

*Tu **me déplaces** cette table ?* (*Me déplaces,* v. non pron. Le pron. *me* est à la 3e pers. sing. et le pron. sujet *tu,* à la 2e pers. sing.)

2 Aux **temps composés**, les verbes pronominaux se conjuguent toujours avec l'auxiliaire ***être*** :

*Il s'**est** plu à écrire.* (V. *se plaire,* ind. passé comp.)

*Ses intrigues se **sont** déroulées partout.* (V. *se dérouler,* ind. passé comp.)

3 Le participe passé des **verbes** qui sont **toujours pronominaux** s'accorde en **genre** et en **nombre** avec le **sujet du verbe** :

*Lucie s'est **moquée** de moi parce que je lisais* 20 000 lieues sous les mers *de Jules Verne.* (*Moquée,* part. passé fém. sing. comme le sujet *Lucie.*)

*Mes sœurs se sont **empressées** de lire un autre roman de Jules Verne.* (*Empressées,* part. passé fém. plur. comme le sujet *mes sœurs.*)

4 Le participe passé des **verbes** qui sont **parfois pronominaux** s'accorde en **genre** et en **nombre** avec le **COD** s'il est placé **avant** le **participe**. On pose la question ***qui*** ? ou ***quoi*** ? comme si l'on avait l'auxiliaire *avoir* :

a) Le participe passé s'accorde avec le **pronom** personnel **complément** s'il est **COD** :

*Les lecteurs se sont **réjouis** en suivant ses héros sur tous les continents.* (Ont réjouis **qui** ? **Se**. *Se,* pron. COD mis pour *lecteurs*, réf. masc. plur., COD placé avant le participe. Accord du part. passé.)

b) Si le **COD** est un **autre mot** que le **pronom personnel complément**, le participe passé s'accorde avec ce **COD** s'il est placé **avant** le **participe** :

*Les romans que mes sœurs se sont **offerts** étaient de Jules Verne.* (Ont offerts **quoi** ? **Que**. *Que,* pron. COD mis pour *romans,* réf. masc. plur., COD placé avant le participe. Accord du part. passé.)

c) Si l'on ne peut pas donner au **pronom personnel complément** une fonction claire comme **COD** ou **COI**, le participe passé s'accorde en **genre** et en **nombre** avec le **sujet du verbe** :

*Lucie et Isabelle s'y sont **prises** en deux fois pour lire ce roman.* (Ont prises **quoi** ? Pas de réponse. Ont prises **qui** ? Pas de réponse. Accord du part. passé avec le sujet *Lucie et Isabelle.*)

5 Les **participes passés** des verbes suivants sont **toujours invariables** : ***se complaire, se déplaire, se plaire, se nuire, se rire*** et ***se succéder*** :

*Elle **s'est plu** à lire ce roman.*
*Ils **se sont plu** à décrire des inventions.*

6 Lorsque le **participe passé** du **verbe pronominal** est suivi d'un **infinitif**, le participe passé s'accorde avec le **sujet** si celui-ci fait aussi l'**action** de l'**infinitif** :

*En rêve, elle s'est **vue** applaudir le héros de son roman.* (C'est *elle* qui applaudit. Accord du part. passé avec le pron. COD *s'* mis pour *elle.*)
*Elle s'est **vu** applaudir par les spectateurs.* (Ce n'est pas *elle* qui applaudit. Part. passé inv.)

JE RETIENS

Le participe passé des verbes qui sont toujours pronominaux s'accorde en genre et en nombre avec le sujet du verbe.
Le participe passé des verbes qui sont parfois pronominaux s'accorde en genre et en nombre avec le COD s'il est placé avant le participe.
Les participes passés des verbes suivants sont toujours invariables : *se complaire, se déplaire, se plaire, se nuire, se rire* et *se succéder*.

LES HOMOPHONES

1. LES HOMONYMES, LES HOMOGRAPHES ET LES HOMOPHONES

Tout un monde !

Le monde animal

De tout temps, le monde animal a fasciné l'être humain. La variété des espèces, de la bactérie au brontosaure, du moustique à l'autruche, du poisson rouge au béluga, a quelque chose de remarquable. Que dire alors des mœurs parfois étonnantes de certaines espèces ? Les chiens de prairie, par exemple, échangent un baiser à leur première rencontre pour lier amitié. L'étrange diversité des habitats émerveille : des hauts sommets aux profondeurs des mers, du désert saharien à la forêt amazonienne, du sous-sol terrestre aux grands espaces célestes, la vie animale s'adapte à tous les milieux. Le monde mystérieux de la faune a toujours suscité chez l'homme un profond sentiment de respect et d'admiration.

J'OBSERVE

Qu'ont de particulier les lettres en couleur ?

Il s'agit toujours de la lettre *a*, mais parfois avec un accent grave.

JE REMARQUE

1 Certains mots ou groupes de mots présentent une identité de prononciation ou d'écriture. On dit de ces mots qu'ils sont des **homonymes** :

Les mots ***a*** et ***à*** ont une **prononciation identique** : ce sont des **homonymes**.

Les mots ***fier*** (adj. qual. signifiant «digne») et ***fier*** (du v. *se fier*) ont une **orthographe identique** : ce sont des **homonymes**.

Les mots ***vague*** (adj. qual. signifiant «imprécis») et ***vague*** (nom signifiant «ondulation») ont une **prononciation identique** et une **orthographe identique** : ce sont des **homonymes**.

2 Les homonymes qui ont une **prononciation identique** sont appelés **homophones**. Les homophones sont très nombreux :

Les homonymes ***mais*** (conj.), ***mes*** (dét. poss.), ***met*** (du v. *mettre*) et ***mets*** (du v. *mettre*) ont une **prononciation identique** : ce sont des **homophones**.

Les homonymes ***père*** (nom signifiant «papa»), ***pair*** (adj. qual. signifiant «divisible par deux»), ***paire*** (nom signifiant «ensemble de deux choses»), ***pers*** (adj. de couleur signifiant «bleu vert») et ***perd*** (du v. *perdre*) ont une **prononciation identique** : ce sont des **homophones**.

3 Les homonymes qui ont une **orthographe identique** sont appelés **homographes** :

Les homonymes ***fils*** (nom signifiant «garçon») et ***fils*** (nom plur. signifiant «brins») ont une **orthographe identique** : ce sont des **homographes**.

Les homonymes ***reporter*** (v. signifiant «remettre») et ***reporter*** (nom signifiant «journaliste») ont une **orthographe identique** : ce sont des **homographes**.

1. LES HOMONYMES, LES HOMOGRAPHES ET LES HOMOPHONES

4 Les homonymes qui ont une **prononciation identique** et une **orthographe identique** sont à la fois **homophones et homographes** :

Les homonymes ***livre*** (nom désignant un volume imprimé), ***livre*** (nom désignant une unité de mesure), ***livre*** (nom désignant l'unité monétaire anglaise) et ***livre*** (du v. *livrer*) sont à la fois des **homophones** et des **homographes**.

Les homonymes ***mouche*** (nom désignant un insecte) et ***mouche*** (du v. *moucher*) sont à la fois des **homophones** et des **homographes**.

5 Les homographes ont souvent une entrée distincte dans les dictionnaires :

Le mot *livre* compte trois entrées dans *Le Petit Larousse illustré 1994* et dans *Le Robert méthodique*. Chaque entrée correspond à l'un des sens suivants :
Livre, nom masc. désignant le volume imprimé : *Lucie a écrit un* ***livre***.
Livre, nom fém. désignant l'unité de poids de un demi-kilogramme : *J'achète une* ***livre*** *de farine.*
Livre, nom fém. désignant l'unité monétaire anglaise : *Il a payé ce souvenir deux* ***livres***.

6 Pour la commodité de l'explication, on a retenu seulement le terme ***homophone*** dans le tableau. Le tableau des homophones comporte trois colonnes et se lit de la façon suivante :

- La colonne *Homophone* présente, dans l'ordre alphabétique, la liste d'un groupe donné d'homophones.

- La colonne *Nature* fournit l'explication grammaticale ou le sens permettant de distinguer les homophones et propose un moyen de reconnaître la forme correcte. Généralement, ce moyen consiste à remplacer le mot par un synonyme ou une forme équivalente :

  Mon : Dét. poss. devant un nom sing. Signifie «le mien», «la mienne». Se remplace par un autre dét.
  M'ont : Pron. pers. *me* élidé, suivi de l'aux. *avoir*, ind. prés., 3e pers. plur. Se remplace par *m'avaient*.

- La colonne *Exemple* illustre chaque emploi dans une phrase type :

  Mon (le) *hamster refuse de manger.*
  Mes amis ***m'ont*** (m'avaient) *offert un chaton.*

N.B. : Sont inclus dans *Le tableau des homophones* certains mots qui, sans être de véritables homophones, présentent des formes voisines qui peuvent prêter à confusion. Ils sont alors traités comme de véritables homophones : les déterminants *cet* et *cette* et les formes *a* et *as* du verbe *avoir*.

JE RETIENS

Le mot *homonyme* est le terme général qui désigne des mots différents ayant une prononciation identique ou une orthographe identique.
Les homophones ont la même prononciation.
Les homographes ont la même orthographe.

LES HOMOPHONES		
HOMOPHONE	**NATURE**	**EXEMPLE**
a et ***as***	Sans accent: v. ou aux. *avoir*, ind. prés., 3e (*a*) et 2e (*as*) pers. sing. Se remplace par *avait* ou *avais*.	*Elle* ***a*** (avait) *plusieurs animaux.* *Tu* ***as*** (avais) *vu plusieurs animaux.*
à	Avec accent: prép. introduisant un COI ou un CC. Ne se remplace pas par *avait*.	*La vétérinaire injecte un médicament* ***à*** *la girafe.*
aies et ***ait***	V. ou aux. *avoir*, subj. prés., 2e (*ais*) et 3e (*ait*) pers. sing. Donnerait *avais* ou *avait* à l'imparfait.	*Je crains que tu* ***aies*** *du mal à soigner ce lièvre.* *J'ai peur qu'il* ***ait*** *pris un lièvre au piège.*
es et ***est***	V. ou aux. *être*, ind. prés., 2e (*es*) et 3e (*est*) pers. sing. Donnerait *étais* ou *était* à l'imparfait.	*Il me dit que tu* ***es*** *responsable de ce zoo.* *Je sais qu'elle* ***est*** *devenue responsable de ce zoo.*
aussitôt	Écrit en un mot: adv. signifiant «au même instant», «immédiatement».	*Linda revint* ***aussitôt*** (immédiatement) *avec son chien.*
aussi tôt	Écrit en deux mots : loc. adv., contraire de *aussi tard.*	*Linda revint* ***aussi tôt*** (aussi tard) *que possible.*
autour de	Écrit en un mot: loc. prép., signifiant «alentour de».	*Le renard rôde* ***autour de*** (alentour de) *la maison.*
au tour de	Écrit en deux mots: dét. art. *au*, suivi du nom *tour* et de la prép. *de*. Signifie «à son tour».	*C'est* ***au tour de*** *la marmotte de sortir au soleil.*
autrefois	Écrit en un mot: adv. signifiant «anciennement».	***Autrefois*** (anciennement), *des dinosaures vivaient au Canada.*
autre fois ou *autres fois*	Écrit en deux mots: dét. ind. *autre* sing. ou plur., suivi du nom *fois* sing. ou plur. Le nom *fois* signifie «occasion».	*Une* ***autre fois****, je dessinerai un brontosaure.* *Les* ***autres fois*** *que j'ai visité ce zoo, j'étais avec ma sœur.*
bientôt	Écrit en un mot: adv. signifiant «prochainement».	*Le panda arrivera* ***bientôt*** (prochainement) *au zoo.*
bien tôt	Écrit en deux mots: loc. adv., contraire de *bien tard.*	*Il est* ***bien tôt*** (bien tard) *pour aller à la pêche.*
ça	Sans accent: pron. dém. devant un un verbe. Se remplace par *cela.*	***Ça*** (cela) *fait plaisir d'entendre tous ces chants d'oiseaux.*
çà	Avec accent: adv. S'emploie surtout dans la loc. adv. *çà et là*. Se remplace par *ici.*	***Çà*** (ici) *et là, les écureuils gambadent.*
sa	Dét. poss. devant un nom fém. sing. Signifie «la sienne». Se remplace par un autre dét.	*Ce kangourou mâle suit* ***sa*** (ta) *mère jusqu'au ruisseau.*

2. LE TABLEAU DES HOMOPHONES

LES HOMOPHONES		
HOMOPHONE	**NATURE**	**EXEMPLE**
ce	· Dét. dém. devant un nom masc. sing. Signifie «celui-ci». On peut aussi ajouter *-là* après le nom. · Pron. dém.: · Devant le v. *être*. Se remplace par *cela*. · Devant un pron. rel. comme *qui, que, dont.*	***Ce** lion* (celui-ci) *poursuit la gazelle.* ***Ce** lion-**là** poursuit la gazelle.* ***Ce*** (cela) *sera une bonne proie pour ce jeune lionceau.* *La gazelle ne comprend pas **ce** qui lui arrive.*
se	Pron. pers. devant un verbe. On peut alors ajouter un pron. pers. suivi de *-même* après le verbe.	*La lionne **se** promène* (elle-même) *avec ses petits.*
ces	Dét. dém. devant un nom plur. Signifie «ceux-ci» ou «celles-ci». On peut aussi ajouter *-là* après le nom.	***Ces** animaux* (ceux-ci) *semblent heureux.* ***Ces** animaux-**là** semblent heureux.*
c'est	Pron. dém. *ce* élidé, suivi du v. *être*, ind. prés., 3e pers. sing. Le pron. dém. *c'* se remplace par *cela*.	*Chez le manchot, **c'*** (cela) ***est** le mâle qui couve l'oeuf fécondé.*
sais et ***sait***	V. *savoir*, ind. prés., 1re (*sais*), 2e (*sais*) et 3e (*sait*) pers. sing. Se remplace par *savais* ou *savait.*	*Tu **sais*** (savais) *soigner les animaux.* *Elle **sait*** (savait) *soigner les animaux.*
ses	Dét. poss. devant un nom plur. Signifie «les siens», «les siennes».	*Le castor enseigne à **ses** petits* (les siens) *à construire un barrage.*
s'est	Pron. pers. *se* élidé, suivi de l'aux. *être*, ind. prés., 3e pers. sing. Se remplace par *s'était.*	*La louve **s'est*** (s'était) *mise à hurler à la lune.*
cet	Dét. dém. devant un nom masc. sing. commençant par une voyelle ou un *h* muet. Se remplace par le dét. art. *un*.	***Cet*** (un) *animal est en danger.*
cette	Dét. dém. devant un nom fém. sing. Se remplace par le dét. art. *une*.	***Cette*** (une) *espèce est en danger.*
cru*, crue* *crus* ou *crues*	Sans accent: · Adj. qual. masc. ou fém., sing. ou plur. Signifie «non cuit». Se remplace par un autre adj. qual. · Part. passé du v. *croire.*	 *Cette viande **crue*** (fraîche) *est un régal pour mon chien.* *Cette histoire, je ne l'ai pas **crue**.*
crus et ***crut***	Sans accent: v. *croire,* ind. passé simple, 1re (*crus*), 2e (*crus*) et 3e (*crut*) pers. sing. Se remplace par *croyais* ou *croyait.*	*Je **crus*** (croyais) *que l'éléphant allait attaquer.* *Simon **crut*** (croyait) *que l'éléphant allait attaquer.*
crû*, crûe,* *crûs* ou *crûes*	Avec accent: part. passé du v. *croître.*	*La population de cette espèce a **crû** au cours des dernières années.*

LES HOMOPHONES		
HOMOPHONE	**NATURE**	**EXEMPLE**
crûs et ***crût***	Avec accent: v. *croître*, ind. passé simple, 1re (*crûs*), 2e (*crûs*) et 3e (*crût*) pers. sing. Se remplace par *croissais* ou *croissait.*	*Cet animal* ***crût*** (croissait) *de six centimètres en un mois.*
dans	Prép. signifiant «à l'intérieur de», «dans l'espace de», «dans un état de».	*L'ours hiberne* ***dans*** *la grotte.* *Il sortira* ***dans*** *deux mois.* *L'ours est* ***dans*** *l'embarras.*
d'en	· Prép. *de* élidée, suivie du pron. pers. *en* qui signifie «de cela». · Prép. *de* élidée, suivie de l'adv. *en* qui signifie «de là».	*Nous refusons* ***d'en*** *parler.* *L'ours s'éloigne de la grotte. Il vient* ***d'en*** *sortir.*
davantage	Écrit en un mot: adv. signifiant «plus».	*Elle en sait* ***davantage*** (plus) *sur les dinosaures.*
d'avantage ou *d'avantages*	Écrit en deux mots avec apostrophe: dét. art. *d'*, suivi du nom *avantage,* sing. ou plur.	*Il n'y a pas* ***d'avantage*** *à chasser l'éléphant, mais sa protection présente beaucoup* ***d'avantages.***
des	Sans accent: dét. art. devant un nom plur. Se remplace par un autre dét.	*Nous avons suivi* ***des*** (ses) *traces et nous avons rencontré* ***des*** (les) *rhinocéros.*
dès	Avec accent: prép. signifiant «à partir de», «depuis».	***Dès*** (à partir de) *six heures, les mésanges étaient à ma fenêtre.*
d'on	Prép. *de* élidée, suivie du pron. pers. *on.* Le pron. pers. *on* se remplace par *il* ou *elle.*	*Le jaguar est sorti* ***d'on*** *ne sait où et s'est élancé vers nous.*
donc	Conj. de coord. signifiant «ainsi», «alors», «par conséquent».	*Si ce n'est la tortue, c'est* ***donc*** *le lièvre qui a gagné.*
dont	Pron. rel. signifiant «de qui», «duquel», «de laquelle».	*Le cerf* ***dont*** *nous parlons était très jeune.*
hors	Prép. signifiant «hormis», «sauf».	*Tous les chiens aboient,* ***hors*** (sauf) *deux ou trois.*
or	Conj. de coord. signifiant «cependant», «toutefois», «mais».	*Nous voulions chasser,* ***or*** (mais) *la chasse était interdite.*
la	Sans accent: · Dét. art. devant un nom fém. sing. Se remplace par un autre dét. · Pron. pers. devant un verbe ou après un verbe avec trait d'union. Le pron. pers. *la* remplace alors un nom COD du verbe.	***La*** (une) *louve nourrit ses petits.* *Sa mère, ce chevreau* ***la*** *suit jusqu'au ruisseau.* *Cette loutre, regarde-****la*** *comme elle s'amuse.*
là	Avec accent: adv. signifiant «à cet endroit», «à ce moment», «alors».	*L'oiseau n'est pas dans sa cage, il est* ***là*** (à cet endroit).

2. LE TABLEAU DES HOMOPHONES

LES HOMOPHONES		
HOMOPHONE	**NATURE**	**EXEMPLE**
l'a et ***l'as***	Sans accent : pron. pers. *le* ou *la* élidé, suivi de l'aux. *avoir*, ind. prés., 3e (*a*) et 2e (*as*) pers. sing. Se remplace par *l'avait* ou *l'avais*.	*Est-ce qu'il* ***l'a*** (l'avait) *vu, le lynx ?* *Est-ce que tu* ***l'as*** (l'avais) *vu, le lynx ?*
leur	Pron. pers. devant un verbe ou après un verbe avec trait d'union. Toujours invariable. Se remplace par un autre pron. pers.	*Il faut que tu* ***leur*** (lui) *donnes à manger tout de suite.* *Donne-**leur*** (lui) *à manger tout de suite.*
leur ou *leurs*	Dét. poss. devant un nom sing. ou plur. Signifie «le sien», «la sienne», «les siens», «les siennes». Se remplace par un autre dét.	*Le lion et la lionne jouent avec* ***leur*** (notre) *lionceau.* ***Leurs*** (vos) *petits les suivent.*
ma	Dét. poss. devant un nom fém. sing. Signifie «la mienne». Se remplace par un autre dét.	*J'ai acheté une nouvelle laisse pour* ***ma*** (la) *chienne.*
m'a et ***m'as***	Pron. pers. *me* élidé, suivi de l'aux. *avoir*, ind. prés., 3e (*a*) et 2e (*as*) pers. sing. Se remplace par *m'avait* ou *m'avais*.	*France* ***m'a*** (m'avait) *invitée à participer à un safari.* *Tu* ***m'as*** (m'avais) *invitée à participer à un safari.*
mais	Conj. de coord. signifiant «cependant», «toutefois», «or».	*Nous voulions observer les oiseaux,* ***mais*** (or) *ils n'étaient pas là.*
mes	Dét. poss. devant un nom plur. Signifie «les miens», «les miennes». Se remplace par un autre dét.	***Mes*** (les) *enfants aiment les animaux.*
m'es et ***m'est***	Pron. pers. *me* élidé, suivi du v. ou de l'aux. *être*, ind. prés., 2e (*es*) et 3e (*est*) pers. sing. Se remplace par *m'étais* ou *m'était*.	*Mon fils, tu* ***m'es*** (m'étais) *un guide précieux.* *Il ne* ***m'est*** (m'était) *rien arrivé de fâcheux dans la forêt.*
met et ***mets***	V. *mettre*, ind. prés., 3e (*met*), 1re et 2e (*mets*) pers. sing. Se remplace par *mettait* ou *mettais*.	*Louis-Frédéric* ***met*** (mettait) *le petit chiot dans sa niche.* *Tu* ***mets*** (mettais) *le petit chiot dans sa niche.*
mon	Dét. poss. devant un nom sing. Signifie «le mien», «la mienne». Se remplace par un autre dét.	***Mon*** (le) *hamster refuse de manger.*
m'ont	Pron. pers. *me* élidé, suivi de l'aux. *avoir*, ind. prés., 3e pers. plur. Se remplace par *m'avaient*.	*Mes amis* ***m'ont*** (m'avaient) *offert un chaton.*
mur ou *murs*	Sans accent : nom sing. ou plur., désignant un ouvrage de maçonnerie.	*Le lézard grimpe sur le* ***mur***.

LES HOMOPHONES		
HOMOPHONE	**NATURE**	**EXEMPLE**
mûr, *mûre*, *mûrs* ou *mûres*	Avec accent : adj. qual., masc. ou fém., sing. ou plur., contraire de *vert*. Se remplace par un autre adj. qual.	*Ce fruit est trop* ***mûr*** (vert). *Ces bananes sont trop* ***mûres*** (vertes).
mûre ou *mûres*	Avec accent : nom sing. ou plur., désignant le fruit du mûrier.	*Nous allons cueillir des* ***mûres***.
ni	Conj. de coord. négative. Souvent répétée.	*Je n'ai vu* ***ni*** *écureuils* ***ni*** *marmottes jusqu'à maintenant.*
nie, nies et ***nient***	V. *nier*, ind. ou subj. prés., 1re et 3e pers. sing. (*nie*), 2e pers. sing. (*nies*) et 3e pers. plur. (*nient*). Donnerait *niais, niait* ou *niaient* à l'imparfait.	*Je ne* ***nie*** *jamais la vérité.* *Je ne comprends pas que tu* ***nies*** *avoir entendu la louve.*
n'y	· Adv. de nég. *ne* élidé, suivi du pron. pers. *y*. Le pron. pers. *y* signifie alors «à cela». · Loc. adv. *Y* signifie alors «là».	*Aller chasser ? Tu* ***n'y*** *penses pas !* *Non, je* ***n'y*** *vais pas.*
non	Adv. de nég. contraire de *oui*.	*As-tu déjà vu un lama ?* ***Non.***
n'ont	Adv. de nég. *ne* élidé, suivi du v. ou de l'aux. *avoir*, ind. prés. 3e pers. plur. Se remplace par *n'avaient*.	*Ces animaux* ***n'ont*** (n'avaient) *pas d'abri.* *Ils* ***n'ont*** (n'avaient) *pas pu dormir.*
on	Pron. pers. devant un verbe ou après un verbe avec trait d'union. Se remplace par le pron. pers. *il* ou *elle*.	*Dans la forêt,* ***on*** (il) *voit plusieurs espèces.* *Dans la forêt, voit-****on*** (il) *plusieurs espèces ?*
ont	V. ou aux. *avoir*, ind. prés., 3e pers. plur. Se remplace par *avaient*.	*Elles* ***ont*** (avaient) *un chat noir.* *Elles* ***ont*** (avaient) *vu un chat noir.*
on a	Pron. pers. *on*, suivi du v. ou de l'aux. *avoir*, ind. prés., 3e pers. sing. Dans une phrase affirmative.	*Au safari-photo,* ***on a*** *rencontré un zèbre.*
on n'a	Pron. pers. *on*, suivi de la nég. *ne* élidée et du v. ou de l'aux. *avoir*, ind. prés., 3e pers. sing. Dans une phrase négative.	*Au safari-photo,* ***on n'a*** *rencontré aucun zèbre.*
ou	Sans accent : conj. de coord. Se remplace par *ou bien*.	*Est-ce un cerf* ***ou*** (ou bien) *un chevreuil ?*
où	Avec accent : · Adv. de lieu ou adv. int. N'a pas d'antécédent. · Pron. rel. lorsqu'il est précédé d'un antécédent.	*Le koala ira* ***où*** *sa mère le conduit.* ***Où*** *vas-tu ?* *Au zoo, le lion s'ennuie de la savane d'****où*** *il vient.*

2. LE TABLEAU DES HOMOPHONES

LES HOMOPHONES		
HOMOPHONE	**NATURE**	**EXEMPLE**
parce que	Écrit en deux mots : conj. de sub. Se remplace par *car, puisque.*	*Le panda s'acclimate difficilement* **parce que** (car) *sa nourriture de base est le bambou.*
par ce que	Écrit en trois mots : prép. *par,* suivie du pron. dém. *ce* et du pron. rel. *que.* Se remplace par *par la chose que.*	*Je suis étonné* **par ce que** (par la chose que) *j'ai appris sur les autruches.*
peu	Adv. de quantité signifiant «pas beaucoup».	*Il reste* **peu** (pas beaucoup) *de bélugas dans le Saint-Laurent.*
peut et ***peux***	V. *pouvoir,* ind. prés., 3e (*peut*), 1re et 2e (*peux*) pers. sing. Se remplace par *pouvait* ou *pouvais.*	*La vétérinaire* **peut** (pouvait) *soigner ce chat.* *Je* **peux** (pouvais) *soigner ce chat.*
peut-être	Avec trait d'union : adv. signifiant «probablement».	**Peut-être** (probablement) *verrons-nous un macareux moine, ce bel oiseau des îles Mingan.*
peut être	Sans trait d'union : v. *pouvoir,* ind. prés., 3e pers. sing., suivi du v. *être.* Le v. *peut* se remplace par *pouvait.*	*Le faucon* **peut** (pouvait) **être** *un chasseur redoutable.*
plutôt	Écrit en un mot : adv. signifiant, entre autres, «passablement», «assez».	*Le chacal est* **plutôt** (assez) *vorace.*
plus tôt	Écrit en deux mots : loc. adv. contraire de *plus tard.*	*Les hirondelles reviennent* **plus tôt** (plus tard) *cette année.*
près	Adv. de lieu signifiant «proche».	*La tanière du renard roux est tout* **près** (proche).
prêt, *prête, prêts* ou *prêtes*	Adj. qual. masc. ou fém., sing. ou plur. Signifie, entre autres, «disposé». Se remplace par un autre adj. qual.	*Nous pouvons partir, car nous sommes* **prêts** (heureux).
quand	· Conj. de sub. Se remplace par *lorsque.* · Adv. int. ou adv. de temps. Se remplace par *à quel moment.*	*Il sera là* **quand** (lorsque) *sa proie reviendra.* **Quand** (à quel moment) *le verrons-nous ? Il reviendra, mais je ne sais* **quand**.
quant à	Loc. prép. Se remplace par *en ce qui concerne.*	*Le lion est là.* **Quant à** (en ce qui concerne) *l'autruche, elle court encore.*
qu'en	· Adv. int. *que* élidé, suivi du pron. pers. *en* qui signifie «de cela». · Avec *ne* : adv. de nég. *que* élidé, suivi de la prép. *en.*	**Qu'en** *pensez-vous ?* *Le mouflon* **ne** *vit* **qu'en** *montagnes.*

2. LE TABLEAU DES HOMOPHONES

LES HOMOPHONES		
HOMOPHONE	**NATURE**	**EXEMPLE**
quel, *quelle, quels* ou *quelles*	Écrit en un mot: · Dét. excl. ou int., masc. ou fém., sing. ou plur., devant un nom. · Pron. int., masc. ou fém., sing. ou plur., devant le v. *être.*	 ***Quel*** *animal rusé!* ***Quelles*** *espèces as-tu vues?* ***Quel*** *était cet animal?* ***Quelles*** *étaient ces espèces?*
qu'elle ou *qu'elles*	Écrit en deux mots avec apostrophe: · Conj. de sub. *que* élidée, suivie du pron. pers. *elle,* sing. ou plur. Se remplace par *qu'il* ou *qu'ils.* · Pron. rel. *que* élidé, suivi du pron. pers. *elle,* sing. ou plur. Se remplace par *qu'il* ou *qu'ils.*	 *Il faudrait* ***qu'elle*** (qu'il) *mange davantage.* *Le lion* ***qu'elles*** (qu'ils) *ont soigné se porte bien.*
quel que, *quelle que, quels que* ou *quelles que*	Écrit en deux mots : dét. ind. *quel* masc. ou fém., sing. ou plur., suivi de la conj. de sub. *que.* S'emploie toujours devant le v. *être* au subj. prés.	***Quel que*** *soit l'animal, il défend son territoire.* ***Quelle que*** *soit l'espèce, elle défend son territoire.*
quelque	Écrit en un mot: · Adv. Se remplace par *environ.* Toujours invariable. · Adv. suivi d'un adj. qual. et de *que.* Se remplace par *si.* Toujours invariable. · Dét. ind. Se remplace par *quelconque.* Toujours invariable.	 *Nous avons vu* ***quelque*** (environ) *deux cents bisons.* ***Quelque*** (si) *redoutables que soient ces animaux, ils me fascinent.* *Ce hibou blessé a peut-être eu* ***quelque*** (quelconque) *accident.*
quelques	Dét. ind. Se remplace par *plusieurs.* S'écrit toujours avec un *s.*	*Il a pu photographier* ***quelques*** (plusieurs) *girafes.*
quelquefois	Écrit en un mot: adv. signifiant «parfois».	*Il m'arrive* ***quelquefois*** (parfois) *de participer à un safari-photo.*
quelques fois	Écrit en deux mots: dét. ind. *quelques,* plur., suivi du nom *fois,* plur. Le dét. ind. *quelques* se remplace par *plusieurs.*	*J'ai participé* ***quelques*** (plusieurs) ***fois*** *à un safari-photo.*
quoique	Écrit en un mot: conj. de sub. Se remplace par *bien que.* Le verbe qui suit est toujours au subj.	***Quoique*** (bien que) *l'autruche soit un oiseau, elle ne vole pas.*
quoi que	Écrit en deux mots: loc. conj. Se remplace par *peu importe ce que.* Le verbe qui suit est toujours au subj.	***Quoi que*** (peu importe ce que) *vous disiez, je crois que cet ours polaire survivra.*
sans	Prép. qui indique la privation, le manque ou l'absence.	***Sans*** *eau, le phoque ne peut pas survivre.*
s'en	Pron. pers. *se* élidé, suivi du pron. pers. *en* qui signifie «de cela».	*Elle* ***s'en*** *souviendra longtemps de ce perroquet.*

2. LE TABLEAU DES HOMOPHONES

LES HOMOPHONES		
HOMOPHONE	**NATURE**	**EXEMPLE**
sens et ***sent***	V. *sentir,* ind. prés., 1re (*sens*), 2e (*sens*) et 3e (*sent*) pers. sing. Se remplace par *sentais* ou *sentait.*	*Je me* **sens** (sentais) *bien dans cette forêt.* *Robert se* **sent** (sentait) *bien dans cette forêt.*
si	· Adv. d'affirmation signifiant «oui» ou adv. de quantité signifiant «aussi», «tellement». · Conj. de sub. signifiant «à la condition que».	*As-tu vu ce gros chat?* **Si** (oui), *je l'ai vu.* *Il n'est pas* **si** (aussi) *gros que ça.* *Je te donne ce chaton* **si** (à la condition que) *tu l'aimes.*
s'y	· Pron. pers. *se* élidé, suivi du pron. pers. *y* qui signifie «à lui», «à elle», «à eux», «à elles» ou «à cela». · Pron. pers. *se* élidé, suivi de l'adv. *y* qui signifie «à cet endroit-là».	*Ce chien est intelligent, il peut* ***s'y*** *fier.* *Notre recherche sur les chiens-guides, elle* ***s'y*** *intéresse.* *Si ce chien n'est pas au chenil, il devrait* ***s'y*** *rendre.*
sitôt	Écrit en un mot: adv. Se remplace par *aussitôt.*	**Sitôt** (aussitôt) *né, le chamelon réussit à se tenir debout.*
si tôt	Écrit en deux mots: loc. adv. contraire de *si tard.*	*La perruche a crié* **si tôt** (si tard) *qu'elle nous a tous réveillés.*
son	Dét. poss. devant un nom sing. Signifie «le sien», «la sienne». Se remplace par un autre dét.	**Son** (le) *perroquet a un plumage très coloré.*
sont	V. ou aux. *être,* ind. prés., 3e pers. plur. Se remplace par *étaient.*	*Ces autruches* **sont** (étaient) *belles.* *Elles* **sont** (étaient) *parties par là.*
sur	Sans accent: prép. introduisant un COI ou un CC.	*Le chacal se jette* **sur** *sa proie.*
sur*, sure, surs* ou *sures*	Sans accent: adj. qual. masc. ou fém., sing. ou plur. Signifie, entre autres, «aigre», «acide». Se remplace par un autre adj. qual.	*Mon chat aime la crème* **sure** (fraîche). *J'ai cueilli ces mûres, elles sont* **sures** (aigres).
sûr*, sûre, sûrs* ou *sûres*	Avec accent: adj. qual. masc. ou fém., sing. ou plur. Signifie, entre autres, «certain», «persuadé». Se remplace par un autre adj. qual.	*Ils sont* **sûrs** (certains) *d'aimer ce chat.* *Elles sont* **sûres** (persuadées) *que ce chat s'adaptera à nous.*
ta	Dét. poss. devant un nom fém. sing. Signifie «la tienne». Se remplace par un autre dét.	**Ta** (la) *nouvelle perruche est très belle.*
t'a	Pron. pers. *te* élidé, suivi de l'aux. *avoir,* ind. prés., 3e pers. sing. Se remplace par *t'avait.*	*C'est elle qui* ***t'a*** (t'avait) *offert cette nouvelle perruche?*

LES HOMOPHONES		
HOMOPHONE	**NATURE**	**EXEMPLE**
t'aie, t'ait et ***t'aient***	Pron. pers. *te* élidé, suivi de l'aux. *avoir,* subj. prés., 1re (*t'aie*) et 3e (*t'ait*) pers. sing., et 3e pers. plur. *(t'aient).*	*Avant que je* ***t'aie*** *averti, mon chien a sauté sur toi.* *Avant que les autruches* ***t'aient*** *aperçue, tu t'étais cachée.*
tais et ***tait***	V. *taire,* ind. prés., 1re et 2e pers. sing. (*tais*), et 3e pers. sing. (*tait*). Se remplace par *taisais* ou *taisait.*	*Quand tu te* ***tais*** (taisais), *le chien se* ***tait*** (taisait) *aussi.*
tes	Dét. poss. devant un nom plur. Signifie «les tiens», «les tiennes». Se remplace par un autre dét.	***Tes*** (les) *poissons rouges sont morts.*
t'es et ***t'est***	Pron. pers. *te* élidé, suivi de l'aux. *être,* ind. prés., 2e (*es*) et 3e (*est*) pers. sing. Se remplace par *t'étais* ou *t'était.*	*Tu* ***t'es*** (t'étais) *acheté un nouveau chat?* *Jamais il ne* ***t'est*** (t'était) *arrivé de perdre ton chat.*
ton	Dét. poss. devant un nom sing. Signifie «le tien», «la tienne». Se remplace par un autre dét.	***Ton*** (notre) *nouveau chat est très doux.*
t'ont	Pron. pers. *te* élidé, suivi de l'aux. *avoir,* ind. prés., 3e pers. plur. Se remplace par *t'avaient.*	*Les chiots de ton frère* ***t'ont*** (t'avaient) *donné beaucoup d'inquiétude.*

Je hais les haies
qui sont des murs.
Je hais les haies
et les mûriers [...]
Raymond Devos

LES FACILITATEURS

1. LES ABRÉVIATIONS LES PLUS COURANTES

adresse	adr.
algèbre	alg.
anglais	angl.
appartement	app.
arts plastiques	arts plast.
aux soins de	a/s de
avenue	av.
bibliographie	bibliogr.
bibliothèque	bibl.
biologie	biol.
boîte postale	B.P.
boulevard	bd, b^{d} ou boul.
bulletin	bull.
cafétéria	caf.
case postale	C.P.
c'est-à-dire	c.-à-d.
chapitre	chap.
chemin	ch.
chimie	chim.
colonne	col.
commission scolaire	c.s.
compagnie	Cie ou Cie
comté	cté ou c^{té}
confer	cf.
copie conforme	c.c.
curriculum vitae	c.v.
deuxième	2^{e}
docteur	Dr ou D^{r}
écologie	écol.
économie	écon.
édition	éd.
éducation physique	éd. phys.
enregistré	enr.
environ	env.
est	E.
et cetera (et le reste)	etc.
exemple	ex.
figure	fig.
français	fr.
géographie	géogr.
géométrie	géom.
grammaire	gramm.
habitants	h. ou hab.
histoire	hist.
idem (le même)	id.
illustration	ill.
incorporé	inc.
laboratoire	lab.
limitée	ltée
littérature	litt.
local	loc.
madame	Mme ou Mme
mathématique	math.
maximum	max.
mesdames	Mmes ou Mmes
messieurs	MM.
minimum	min.
monsieur	M.
montée	mtée ou mt^{ée}
musique	mus.
nord	N.
nota bene (notez bien)	N.B.
numéro, numéros	n^{o}, n^{os}
ouest	O.
page ou pages	p.
parce que	p.c.q.
par exemple	p. ex.
pastorale	past.
physique	phys.
pièce jointe	p.j.
post-scriptum	P.-S.
pour cent	p.c.
premier	1er
première	1re
province	prov.
quelque	qq.
quelque chose	qqch.
quelqu'un	qqn
référence	réf.
religion	rel.
répondez, s'il vous plaît	R.S.V.P. ou RSVP
route	rte ou r^{te}
route rurale	R.R.
science	sc.
siècle	s.
s'il vous plaît	S.V.P., s.v.p. ou SVP
sud	S.
téléphone	tél.
tome	t.
travaux pratiques	t.p.
voir	V. ou v.
volume	vol.

2. LES SYMBOLES LES PLUS COURANTS

ampère	A	kilopascal	kPa
année	a	kilowatt	kW
candela	cd	litre	l
centigramme	cg	mégajoule	MJ
centilitre	cl	mégawatt	MW
centimètre	cm	mètre	m
décigramme	dg	mètre par seconde	m/s
décilitre	dl	milligramme	mg
décimètre	dm	millilitre	ml
degré Celsius	°C	millimètre	mm
gramme	g	milliseconde	ms
heure	h	milliwatt	mW
joule	J	minute	min
jour	d	newton	N
kelvin	K	pascal	Pa
kilogramme	kg	seconde	s
kilojoule	kJ	tonne (1000 kg)	t
kilomètre	km	volt	V
kilomètre par heure	km/h	watt	W

Lorsqu'une unité de mesure sert à exprimer l'aire, on ajoute un exposant un peu au-dessus et à droite de cette unité.

Exemple : un centimètre carré $1\ cm^2$

Lorsqu'une unité de mesure sert à exprimer le volume, on ajoute un exposant un peu au-dessus et à droite de cette unité.

Exemple : un décimètre cube $1\ dm^3$

3. LES SIGLES ET LES ACRONYMES LES PLUS COURANTS

ACDI	Agence canadienne de développement international
ACEF	Associations coopératives d'économie familiale
AGE	Association générale des étudiants
ALENA	Accord de libre-échange nord-américain
API	Aide pédagogique individuelle
CECM	Commission des écoles catholiques de Montréal
CEE	Communauté économique européenne
CEI	Confédération des États indépendants
CEQ	Centrale de l'enseignement du Québec
CHU	Centre hospitalier universitaire
CLF	Conseil de la langue française
CLSC	Centre local de services communautaires
COFI	Centre d'orientation et de formation des immigrants
CPEJ	Centre de la protection de l'enfance et de la jeunesse
CROP	Centre de recherches sur l'opinion publique
CRTC	Conseil de la radiodiffusion et des télécommunications canadiennes
CSN	Confédération des syndicats nationaux
CSST	Commission de la santé et de la sécurité du travail
DEC	Diplôme d'études collégiales
DEP	Diplôme d'études professionnelles
DES	Diplôme d'études secondaires
FTQ	Fédération des travailleurs et travailleuses du Québec
GRC	Gendarmerie royale du Canada
HAE	Heure avancée de l'Est
HNO	Heure normale de l'Ouest
MTS	Maladie transmise sexuellement
NAS	Numéro d'assurance sociale
NASA	National Aeronautics and Space Administration
OLF	Office de la langue française
ONF	Office national du film
ONU	Organisation des Nations unies
OTAN	Organisation du traité de l'Atlantique Nord
OVNI	Objet volant non identifié
PME	Petite et moyenne entreprise
RAAQ	Régie de l'assurance automobile du Québec
RAMQ	Régie de l'assurance-maladie du Québec
REER	Régime enregistré d'épargne-retraite
RQ	Radio-Québec
RRQ	Régime des rentes du Québec
SI	Système international d'unités
SIDA	Syndrome immuno-déficitaire acquis
SQ	Sûreté du Québec
SRC	Société Radio-Canada
STCUM	Société des transports de la communauté urbaine de Montréal
TPS	Taxe sur les produits et services
TVQ	Taxe de vente du Québec

4. LES NOMBRES EN TOUTES LETTRES

1 un
2 deux
3 trois
4 quatre
5 cinq
6 six
7 sept
8 huit
9 neuf
10 dix
11 onze
12 douze
13 treize
14 quatorze
15 quinze
16 seize
17 dix-sept
18 dix-huit
19 dix-neuf
20 vingt
21 vingt et un
22 vingt-deux
23 vingt-trois
24 vingt-quatre
25 vingt-cinq
26 vingt-six
27 vingt-sept
28 vingt-huit
29 vingt-neuf
30 trente
31 trente et un
32 trente-deux
33 trente-trois
34 trente-quatre
...
40 quarante
41 quarante et un
42 quarante-deux
43 quarante-trois
...

50 cinquante
51 cinquante et un
52 cinquante-deux
...
60 soixante
61 soixante et un
62 soixante-deux
63 soixante-trois
64 soixante-quatre
65 soixante-cinq
66 soixante-six
67 soixante-sept
68 soixante-huit
69 soixante-neuf
70 soixante-dix
71 soixante et onze
72 soixante-douze
73 soixante-treize
74 soixante-quatorze
75 soixante-quinze
76 soixante-seize
77 soixante-dix-sept
78 soixante-dix-huit
79 soixante-dix-neuf
80 quatre-vingts
81 quatre-vingt-un
82 quatre-vingt-deux
83 quatre-vingt-trois
...
90 quatre-vingt-dix
91 quatre-vingt-onze
92 quatre-vingt-douze
...
99 quatre-vingt-dix-neuf
100 cent
101 cent un
102 cent deux
...
111 cent onze
...

162 cent soixante-deux
163 cent soixante-trois
...
180 cent quatre-vingts
181 cent quatre-vingt-un
...
200 deux cents
...
211 deux cent onze
...
280 deux cent quatre-vingts
281 deux cent quatre-vingt-un
...
300 trois cents
...
355 trois cent cinquante-cinq
...
900 neuf cents
...
980 neuf cent quatre-vingts
...
999 neuf cent quatre-vingt-dix-neuf
1 000 mille
1 001 mille un
...
1 100 mille cent
...
1 200 mille deux cents
1 201 mille deux cent un
...
2 000 deux mille
...
2 200 deux mille deux cents
...
2 260 deux mille deux cent soixante
...
10 000 dix mille
...
90 000 quatre-vingt-dix mille
...

VERBE AVOIR

MODE INDICATIF		MODE SUBJONCTIF	
Présent	**Passé composé**	**Présent**	**Passé**
j'ai	j'ai eu	que j'aie	que j'aie eu
tu as	tu as eu	que tu aies	que tu aies eu
il a	il a eu	qu'il ait	qu'il ait eu
elle a	elle a eu	qu'elle ait	qu'elle ait eu
nous avons	nous avons eu	que nous ayons	que nous ayons eu
vous avez	vous avez eu	que vous ayez	que vous ayez eu
ils ont	ils ont eu	qu'ils aient	qu'ils aient eu
elles ont	elles ont eu	qu'elles aient	qu'elles aient eu
		MODE CONDITIONNEL	
Imparfait	**Plus-que-parfait**	**Présent**	**Passé**
j'avais	j'avais eu	j'aurais	j'aurais eu
tu avais	tu avais eu	tu aurais	tu aurais eu
il avait	il avait eu	il aurait	il aurait eu
elle avait	elle avait eu	elle aurait	elle aurait eu
nous avions	nous avions eu	nous aurions	nous aurions eu
vous aviez	vous aviez eu	vous auriez	vous auriez eu
ils avaient	ils avaient eu	ils auraient	ils auraient eu
elles avaient	elles avaient eu	elles auraient	elles auraient eu
		MODE IMPÉRATIF	
Passé simple	**Passé antérieur**	**Présent**	**Passé**
j'eus	j'eus eu	aie	aie eu
tu eus	tu eus eu	ayons	ayons eu
il eut	il eut eu	ayez	ayez eu
elle eut	elle eut eu		
nous eûmes	nous eûmes eu	**MODE PARTICIPE**	
vous eûtes	vous eûtes eu	**Présent**	**Passé**
ils eurent	ils eurent eu	ayant	eu, eue
elles eurent	elles eurent eu		eus, eues
Futur simple	**Futur antérieur**	**MODE INFINITIF**	
j'aurai	j'aurai eu	**Présent**	**Passé**
tu auras	tu auras eu	avoir	avoir eu
il aura	il aura eu		
elle aura	elle aura eu		
nous aurons	nous aurons eu		
vous aurez	vous aurez eu		
ils auront	ils auront eu		
elles auront	elles auront eu		

VERBE ÊTRE

MODE INDICATIF		MODE SUBJONCTIF	
Présent	**Passé composé**	**Présent**	**Passé**
je suis	j'ai été	que je sois	que j'aie été
tu es	tu as été	que tu sois	que tu aies été
il est	il a été	qu'il soit	qu'il ait été
elle est	elle a été	qu'elle soit	qu'elle ait été
nous sommes	nous avons été	que nous soyons	que nous ayons été
vous êtes	vous avez été	que vous soyez	que vous ayez été
ils sont	ils ont été	qu'ils soient	qu'ils aient été
elles sont	elles ont été	qu'elles soient	qu'elles aient été

MODE INDICATIF		MODE CONDITIONNEL	
Imparfait	**Plus-que-parfait**	**Présent**	**Passé**
j'étais	j'avais été	je serais	j'aurais été
tu étais	tu avais été	tu serais	tu aurais été
il était	il avait été	il serait	il aurait été
elle était	elle avait été	elle serait	elle aurait été
nous étions	nous avions été	nous serions	nous aurions été
vous étiez	vous aviez été	vous seriez	vous auriez été
ils étaient	ils avaient été	ils seraient	ils auraient été
elles étaient	elles avaient été	elles seraient	elles auraient été

Passé simple	**Passé antérieur**
je fus	j'eus été
tu fus	tu eus été
il fut	il eut été
elle fut	elle eut été
nous fûmes	nous eûmes été
vous fûtes	vous eûtes été
ils furent	ils eurent été
elles furent	elles eurent été

Futur simple	**Futur antérieur**
je serai	j'aurai été
tu seras	tu auras été
il sera	il aura été
elle sera	elle aura été
nous serons	nous aurons été
vous serez	vous aurez été
ils seront	ils auront été
elles seront	elles auront été

MODE IMPÉRATIF	
Présent	**Passé**
sois	aie été
soyons	ayons été
soyez	ayez été

MODE PARTICIPE	
Présent	**Passé**
étant	été

MODE INFINITIF	
Présent	**Passé**
être	avoir été

VERBE AIMER (1ER GROUPE, VOIX ACTIVE)

MODE INDICATIF		MODE SUBJONCTIF	
Présent	**Passé composé**	**Présent**	**Passé**
j'aime	j'ai aimé	que j'aime	que j'aie aimé
tu aimes	tu as aimé	que tu aimes	que tu aies aimé
il aime	il a aimé	qu'il aime	qu'il ait aimé
elle aime	elle a aimé	qu'elle aime	qu'elle ait aimé
nous aimons	nous avons aimé	que nous aimions	que nous ayons aimé
vous aimez	vous avez aimé	que vous aimiez	que vous ayez aimé
ils aiment	ils ont aimé	qu'ils aiment	qu'ils aient aimé
elles aiment	elles ont aimé	qu'elles aiment	qu'elles aient aimé
		MODE CONDITIONNEL	
Imparfait	**Plus-que-parfait**	**Présent**	**Passé**
j'aimais	j'avais aimé	j'aimerais	j'aurais aimé
tu aimais	tu avais aimé	tu aimerais	tu aurais aimé
il aimait	il avait aimé	il aimerait	il aurait aimé
elle aimait	elle avait aimé	elle aimerait	elle aurait aimé
nous aimions	nous avions aimé	nous aimerions	nous aurions aimé
vous aimiez	vous aviez aimé	vous aimeriez	vous auriez aimé
ils aimaient	ils avaient aimé	ils aimeraient	ils auraient aimé
elles aimaient	elles avaient aimé	elles aimeraient	elles auraient aimé
		MODE IMPÉRATIF	
Passé simple	**Passé antérieur**	**Présent**	**Passé**
j'aimai	j'eus aimé	aime	aie aimé
tu aimas	tu eus aimé	aimons	ayons aimé
il aima	il eut aimé	aimez	ayez aimé
elle aima	elle eut aimé	**MODE PARTICIPE**	
nous aimâmes	nous eûmes aimé	**Présent**	**Passé**
vous aimâtes	vous eûtes aimé	aimant	aimé, aimée
ils aimèrent	ils eurent aimé		aimés, aimées
elles aimèrent	elles eurent aimé		
Futur simple	**Futur antérieur**	**MODE INFINITIF**	
j'aimerai	j'aurai aimé	**Présent**	**Passé**
tu aimeras	tu auras aimé	aimer	avoir aimé
il aimera	il aura aimé		
elle aimera	elle aura aimé		
nous aimerons	nous aurons aimé		
vous aimerez	vous aurez aimé		
ils aimeront	ils auront aimé		
elles aimeront	elles auront aimé		

VERBE AIMER (1ER GROUPE, VOIX PASSIVE)

MODE INDICATIF		MODE SUBJONCTIF	
Présent •	**Passé composé •**	**Présent •**	**Passé •**
je suis aimé	j'ai été aimé	que je sois aimé	que j'aie été aimé
tu es aimé	tu as été aimé	que tu sois aimé	que tu aies été aimé
il est aimé	il a été aimé	qu'il soit aimé	qu'il ait été aimé
elle est aimée	elle a été aimée	qu'elle soit aimée	qu'elle ait été aimée
nous sommes aimés	nous avons été aimés	que nous soyons aimés	que nous ayons été aimés
vous êtes aimés	vous avez été aimés	que vous soyez aimés	que vous ayez été aimés
ils sont aimés	ils ont été aimés	qu'ils soient aimés	qu'ils aient été aimés
elles sont aimées	elles ont été aimées	qu'elles soient aimées	qu'elles aient été aimées
		MODE CONDITIONNEL	
Imparfait •	**Plus-que-parfait •**	**Présent •**	**Passé •**
j'étais aimé	j'avais été aimé	je serais aimé	j'aurais été aimé
tu étais aimé	tu avais été aimé	tu serais aimé	tu aurais été aimé
il était aimé	il avait été aimé	il serait aimé	il aurait été aimé
elle était aimée	elle avait été aimée	elle serait aimée	elle aurait été aimée
nous étions aimés	nous avions été aimés	nous serions aimés	nous aurions été aimés
vous étiez aimés	vous aviez été aimés	vous seriez aimés	vous auriez été aimés
ils étaient aimés	ils avaient été aimés	ils seraient aimés	ils auraient été aimés
elles étaient aimées	elles avaient été aimées	elles seraient aimées	elles auraient été aimées
		MODE IMPÉRATIF	
Passé simple •	**Passé antérieur •**	**Présent •**	**Passé**
je fus aimé	j'eus été aimé	sois aimé	inusité
tu fus aimé	tu eus été aimé	soyons aimés	
il fut aimé	il eut été aimé	soyez aimés	
elle fut aimée	elle eut été aimée		
nous fûmes aimés	nous eûmes été aimés	**MODE PARTICIPE**	
vous fûtes aimés	vous eûtes été aimés	**Présent •**	**Passé**
ils furent aimés	ils eurent été aimés	étant aimé	aimé, aimée
elles furent aimées	elles eurent été aimées		aimés, aimées
Futur simple •	**Futur antérieur •**	**MODE INFINITIF**	
		Présent •	**Passé •**
je serai aimé	j'aurai été aimé	être aimé	avoir été aimé
tu seras aimé	tu auras été aimé		
il sera aimé	il aura été aimé		
elle sera aimée	elle aura été aimée	• Si le sujet est au féminin, le participe passé *aimé* se met aussi au féminin.	
nous serons aimés	nous aurons été aimés	Exemple : *Nous avons été **aimées** beaucoup.*	
vous serez aimés	vous aurez été aimés		
ils seront aimés	ils auront été aimés		
elles seront aimées	elles auront été aimées		

VERBE TOMBER (1ER GROUPE, VOIX ACTIVE)

MODE INDICATIF		MODE SUBJONCTIF	
Présent	**Passé composé •**	**Présent**	**Passé •**
je tombe	je suis tombé	que je tombe	que je sois tombé
tu tombes	tu es tombé	que tu tombes	que tu sois tombé
il tombe	il est tombé	qu'il tombe	qu'il soit tombé
elle tombe	elle est tombée	qu'elle tombe	qu'elle soit tombée
nous tombons	nous sommes tombés	que nous tombions	que nous soyons tombés
vous tombez	vous êtes tombés	que vous tombiez	que vous soyez tombés
ils tombent	ils sont tombés	qu'ils tombent	qu'ils soient tombés
elles tombent	elles sont tombées	qu'elles tombent	qu'elles soient tombées
		MODE CONDITIONNEL	
Imparfait	**Plus-que-parfait •**	**Présent**	**Passé •**
je tombais	j'étais tombé	je tomberais	je serais tombé
tu tombais	tu étais tombé	tu tomberais	tu serais tombé
il tombait	il était tombé	il tomberait	il serait tombé
elle tombait	elle était tombée	elle tomberait	elle serait tombée
nous tombions	nous étions tombés	nous tomberions	nous serions tombés
vous tombiez	vous étiez tombés	vous tomberiez	vous seriez tombés
ils tombaient	ils étaient tombés	ils tomberaient	ils seraient tombés
elles tombaient	elles étaient tombées	elles tomberaient	elles seraient tombées
		MODE IMPÉRATIF	
Passé simple	**Passé antérieur •**	**Présent**	**Passé •**
je tombai	je fus tombé	tombe	sois tombé
tu tombas	tu fus tombé	tombons	soyons tombés
il tomba	il fut tombé	tombez	soyez tombés
elle tomba	elle fut tombée	**MODE PARTICIPE**	
nous tombâmes	nous fûmes tombés	**Présent**	**Passé**
vous tombâtes	vous fûtes tombés	tombant	tombé, tombée
ils tombèrent	ils furent tombés		tombés, tombées
elles tombèrent	elles furent tombées		
Futur simple	**Futur antérieur •**	**MODE INFINITIF**	
		Présent	**Passé •**
je tomberai	je serai tombé	tomber	être tombé
tu tomberas	tu seras tombé		
il tombera	il sera tombé		
elle tombera	elle sera tombée	• Si le sujet est au féminin, le participe passé *tombé* se met aussi au féminin.	
nous tomberons	nous serons tombés	Exemple : *Jeanne, tu serais* ***tombée*** *si je ne t'avais pas prévenue.*	
vous tomberez	vous serez tombés		
ils tomberont	ils seront tombés		
elles tomberont	elles seront tombées		

VERBE NIER (1ER GROUPE, VOIX ACTIVE)

MODE INDICATIF		MODE SUBJONCTIF	
Présent	**Passé composé**	**Présent**	**Passé**
je nie	j'ai nié	que je nie	que j'aie nié
tu nies	tu as nié	que tu nies	que tu aies nié
il nie	il a nié	qu'il nie	qu'il ait nié
elle nie	elle a nié	qu'elle nie	qu'elle ait nié
nous nions	nous avons nié	que nous niions	que nous ayons nié
vous niez	vous avez nié	que vous niiez	que vous ayez nié
ils nient	ils ont nié	qu'ils nient	qu'ils aient nié
elles nient	elles ont nié	qu'elles nient	qu'elles aient nié

MODE INDICATIF		MODE CONDITIONNEL	
Imparfait	**Plus-que-parfait**	**Présent**	**Passé**
je niais	j'avais nié	je nierais	j'aurais nié
tu niais	tu avais nié	tu nierais	tu aurais nié
il niait	il avait nié	il nierait	il aurait nié
elle niait	elle avait nié	elle nierait	elle aurait nié
nous niions	nous avions nié	nous nierions	nous aurions nié
vous niiez	vous aviez nié	vous nieriez	vous auriez nié
ils niaient	ils avaient nié	ils nieraient	ils auraient nié
elles niaient	elles avaient nié	elles nieraient	elles auraient nié

MODE INDICATIF		MODE IMPÉRATIF	
Passé simple	**Passé antérieur**	**Présent**	**Passé**
je niai	j'eus nié	nie	aie nié
tu nias	tu eus nié	nions	ayons nié
il nia	il eut nié	niez	ayez nié
elle nia	elle eut nié		
nous niâmes	nous eûmes nié	**MODE PARTICIPE**	
vous niâtes	vous eûtes nié	**Présent**	**Passé**
ils nièrent	ils eurent nié	niant	nié, niée
elles nièrent	elles eurent nié		niés, niées

MODE INDICATIF		MODE INFINITIF	
Futur simple	**Futur antérieur**	**Présent**	**Passé**
je nierai	j'aurai nié	nier	avoir nié
tu nieras	tu auras nié		
il niera	il aura nié		
elle niera	elle aura nié		
nous nierons	nous aurons nié		
vous nierez	vous aurez nié		
ils nieront	ils auront nié		
elles nieront	elles auront nié		

VERBE ALLER (1ER GROUPE, VOIX ACTIVE)

MODE INDICATIF		MODE SUBJONCTIF	
Présent	**Passé composé •**	**Présent**	**Passé •**
je vais tu vas il va elle va nous allons vous allez ils vont elles vont	je suis allé tu es allé il est allé elle est allée nous sommes allés vous êtes allés ils sont allés elles sont allées	que j'aille que tu ailles qu'il aille qu'elle aille que nous allions que vous alliez qu'ils aillent qu'elles aillent	que je sois allé que tu sois allé qu'il soit allé qu'elle soit allée que nous soyons allés que vous soyez allés qu'ils soient allés qu'elles soient allées
		MODE CONDITIONNEL	
Imparfait	**Plus-que-parfait •**	**Présent**	**Passé •**
j'allais tu allais il allait elle allait nous allions vous alliez ils allaient elles allaient	j'étais allé tu étais allé il était allé elle était allée nous étions allés vous étiez allés ils étaient allés elles étaient allées	j'irais tu irais il irait elle irait nous irions vous iriez ils iraient elles iraient	je serais allé tu serais allé il serait allé elle serait allée nous serions allés vous seriez allés ils seraient allés elles seraient allées
		MODE IMPÉRATIF	
Passé simple	**Passé antérieur •**	**Présent**	**Passé •**
j'allai tu allas il alla elle alla nous allâmes vous allâtes ils allèrent elles allèrent	je fus allé tu fus allé il fut allé elle fut allée nous fûmes allés vous fûtes allés ils furent allés elles furent allées	va allons allez **MODE PARTICIPE** **Présent** allant	sois allé soyons allés soyez allés **Passé** allé, allée allés, allées
Futur simple	**Futur antérieur •**	**MODE INFINITIF**	
j'irai tu iras il ira elle ira nous irons vous irez ils iront elles iront	je serai allé tu seras allé il sera allé elle sera allée nous serons allés vous serez allés ils seront allés elles seront allées	**Présent** aller	**Passé •** être allé

• Si le sujet est au féminin, le participe passé *allé* se met aussi au féminin.
Exemple : *Mes amies m'ont dit : «Nous serions **allées** avec toi si tu l'avais voulu».*

VERBE FINIR (2E GROUPE, VOIX ACTIVE)

MODE INDICATIF		MODE SUBJONCTIF	
Présent	**Passé composé**	**Présent**	**Passé**
je finis	j'ai fini	que je finisse	que j'aie fini
tu finis	tu as fini	que tu finisses	que tu aies fini
il finit	il a fini	qu'il finisse	qu'il ait fini
elle finit	elle a fini	qu'elle finisse	qu'elle ait fini
nous finissons	nous avons fini	que nous finissions	que nous ayons fini
vous finissez	vous avez fini	que vous finissiez	que vous ayez fini
ils finissent	ils ont fini	qu'ils finissent	qu'ils aient fini
elles finissent	elles ont fini	qu'elles finissent	qu'elles aient fini
		MODE CONDITIONNEL	
Imparfait	**Plus-que-parfait**	**Présent**	**Passé**
je finissais	j'avais fini	je finirais	j'aurais fini
tu finissais	tu avais fini	tu finirais	tu aurais fini
il finissait	il avait fini	il finirait	il aurait fini
elle finissait	elle avait fini	elle finirait	elle aurait fini
nous finissions	nous avions fini	nous finirions	nous aurions fini
vous finissiez	vous aviez fini	vous finiriez	vous auriez fini
ils finissaient	ils avaient fini	ils finiraient	ils auraient fini
elles finissaient	elles avaient fini	elles finiraient	elles auraient fini
		MODE IMPÉRATIF	
Passé simple	**Passé antérieur**	**Présent**	**Passé**
je finis	j'eus fini	finis	aie fini
tu finis	tu eus fini	finissons	ayons fini
il finit	il eut fini	finissez	ayez fini
elle finit	elle eut fini	**MODE PARTICIPE**	
nous finîmes	nous eûmes fini	**Présent**	**Passé**
vous finîtes	vous eûtes fini	finissant	fini, finie
ils finirent	ils eurent fini		finis, finies
elles finirent	elles eurent fini		
Futur simple	**Futur antérieur**	**MODE INFINITIF**	
je finirai	j'aurai fini	**Présent**	**Passé**
tu finiras	tu auras fini	finir	avoir fini
il finira	il aura fini		
elle finira	elle aura fini		
nous finirons	nous aurons fini		
vous finirez	vous aurez fini		
ils finiront	ils auront fini		
elles finiront	elles auront fini		

VERBE RENDRE (3E GROUPE, VOIX ACTIVE)

MODE INDICATIF		MODE SUBJONCTIF	
Présent	**Passé composé**	**Présent**	**Passé**
je rends	j'ai rendu	que je rende	que j'aie rendu
tu rends	tu as rendu	que tu rendes	que tu aies rendu
il rend	il a rendu	qu'il rende	qu'il ait rendu
elle rend	elle a rendu	qu'elle rende	qu'elle ait rendu
nous rendons	nous avons rendu	que nous rendions	que nous ayons rendu
vous rendez	vous avez rendu	que vous rendiez	que vous ayez rendu
ils rendent	ils ont rendu	qu'ils rendent	qu'ils aient rendu
elles rendent	elles ont rendu	qu'elles rendent	qu'elles aient rendu
		MODE CONDITIONNEL	
Imparfait	**Plus-que-parfait**	**Présent**	**Passé**
je rendais	j'avais rendu	je rendrais	j'aurais rendu
tu rendais	tu avais rendu	tu rendrais	tu aurais rendu
il rendait	il avait rendu	il rendrait	il aurait rendu
elle rendait	elle avait rendu	elle rendrait	elle aurait rendu
nous rendions	nous avions rendu	nous rendrions	nous aurions rendu
vous rendiez	vous aviez rendu	vous rendriez	vous auriez rendu
ils rendaient	ils avaient rendu	ils rendraient	ils auraient rendu
elles rendaient	elles avaient rendu	elles rendraient	elles auraient rendu
		MODE IMPÉRATIF	
Passé simple	**Passé antérieur**	**Présent**	**Passé**
je rendis	j'eus rendu	rends	aie rendu
tu rendis	tu eus rendu	rendons	ayons rendu
il rendit	il eut rendu	rendez	ayez rendu
elle rendit	elle eut rendu		
nous rendîmes	nous eûmes rendu	**MODE PARTICIPE**	
vous rendîtes	vous eûtes rendu	**Présent**	**Passé**
ils rendirent	ils eurent rendu	rendant	rendu, rendue
elles rendirent	elles eurent rendu		rendus, rendues
Futur simple	**Futur antérieur**	**MODE INFINITIF**	
		Présent	**Passé**
je rendrai	j'aurai rendu	rendre	avoir rendu
tu rendras	tu auras rendu		
il rendra	il aura rendu		
elle rendra	elle aura rendu		
nous rendrons	nous aurons rendu		
vous rendrez	vous aurez rendu		
ils rendront	ils auront rendu		
elles rendront	elles auront rendu		

VERBE DEVOIR (3E GROUPE, VOIX ACTIVE)

MODE INDICATIF		MODE SUBJONCTIF	
Présent	**Passé composé**	**Présent**	**Passé**
je dois	j'ai dû	que je doive	que j'aie dû
tu dois	tu as dû	que tu doives	que tu aies dû
il doit	il a dû	qu'il doive	qu'il ait dû
elle doit	elle a dû	qu'elle doive	qu'elle ait dû
nous devons	nous avons dû	que nous devions	que nous ayons dû
vous devez	vous avez dû	que vous deviez	que vous ayez dû
ils doivent	ils ont dû	qu'ils doivent	qu'ils aient dû
elles doivent	elles ont dû	qu'elles doivent	qu'elles aient dû

MODE INDICATIF		MODE CONDITIONNEL	
Imparfait	**Plus-que-parfait**	**Présent**	**Passé**
je devais	j'avais dû	je devrais	j'aurais dû
tu devais	tu avais dû	tu devrais	tu aurais dû
il devait	il avait dû	il devrait	il aurait dû
elle devait	elle avait dû	elle devrait	elle aurait dû
nous devions	nous avions dû	nous devrions	nous aurions dû
vous deviez	vous aviez dû	vous devriez	vous auriez dû
ils devaient	ils avaient dû	ils devraient	ils auraient dû
elles devaient	elles avaient dû	elles devraient	elles auraient dû

MODE INDICATIF		MODE IMPÉRATIF	
Passé simple	**Passé antérieur**	**Présent**	**Passé**
je dus	j'eus dû	dois	aie dû
tu dus	tu eus dû	devons	ayons dû
il dut	il eut dû	devez	ayez dû
elle dut	elle eut dû		

MODE INDICATIF		MODE PARTICIPE	
Passé simple (suite)	**Passé antérieur** (suite)	**Présent**	**Passé**
nous dûmes	nous eûmes dû	devant	dû, due
vous dûtes	vous eûtes dû		dûs, dues
ils durent	ils eurent dû		
elles durent	elles eurent dû		

MODE INDICATIF		MODE INFINITIF	
Futur simple	**Futur antérieur**	**Présent**	**Passé**
je devrai	j'aurai dû	devoir	avoir dû
tu devras	tu auras dû		
il devra	il aura dû		
elle devra	elle aura dû		
nous devrons	nous aurons dû		
vous devrez	vous aurez dû		
ils devront	ils auront dû		
elles devront	elles auront dû		

VERBE TENIR (3E GROUPE, VOIX ACTIVE)

MODE INDICATIF		MODE SUBJONCTIF	
Présent	**Passé composé**	**Présent**	**Passé**
je tiens	j'ai tenu	que je tienne	que j'aie tenu
tu tiens	tu as tenu	que tu tiennes	que tu aies tenu
il tient	il a tenu	qu'il tienne	qu'il ait tenu
elle tient	elle a tenu	qu'elle tienne	qu'elle ait tenu
nous tenons	nous avons tenu	que nous tenions	que nous ayons tenu
vous tenez	vous avez tenu	que vous teniez	que vous ayez tenu
ils tiennent	ils ont tenu	qu'ils tiennent	qu'ils aient tenu
elles tiennent	elles ont tenu	qu'elles tiennent	qu'elles aient tenu
		MODE CONDITIONNEL	
Imparfait	**Plus-que-parfait**	**Présent**	**Passé**
je tenais	j'avais tenu	je tiendrais	j'aurais tenu
tu tenais	tu avais tenu	tu tiendrais	tu aurais tenu
il tenait	il avait tenu	il tiendrait	il aurait tenu
elle tenait	elle avait tenu	elle tiendrait	elle aurait tenu
nous tenions	nous avions tenu	nous tiendrions	nous aurions tenu
vous teniez	vous aviez tenu	vous tiendriez	vous auriez tenu
ils tenaient	ils avaient tenu	ils tiendraient	ils auraient tenu
elles tenaient	elles avaient tenu	elles tiendraient	elles auraient tenu
		MODE IMPÉRATIF	
Passé simple	**Passé antérieur**	**Présent**	**Passé**
je tins	j'eus tenu	tiens	aie tenu
tu tins	tu eus tenu	tenons	ayons tenu
il tint	il eut tenu	tenez	ayez tenu
elle tint	elle eut tenu		
nous tînmes	nous eûmes tenu	**MODE PARTICIPE**	
vous tîntes	vous eûtes tenu	**Présent**	**Passé**
ils tinrent	ils eurent tenu	tenant	tenu, tenue
elles tinrent	elles eurent tenu		tenus, tenues
Futur simple	**Futur antérieur**	**MODE INFINITIF**	
je tiendrai	j'aurai tenu	**Présent**	**Passé**
tu tiendras	tu auras tenu	tenir	avoir tenu
il tiendra	il aura tenu		
elle tiendra	elle aura tenu		
nous tiendrons	nous aurons tenu		
vous tiendrez	vous aurez tenu		
ils tiendront	ils auront tenu		
elles tiendront	elles auront tenu		

VERBE SAVOIR (3E GROUPE, VOIX ACTIVE)

MODE INDICATIF		MODE SUBJONCTIF	
Présent	**Passé composé**	**Présent**	**Passé**
je sais	j'ai su	que je sache	que j'aie su
tu sais	tu as su	que tu saches	que tu aies su
il sait	il a su	qu'il sache	qu'il ait su
elle sait	elle a su	qu'elle sache	qu'elle ait su
nous savons	nous avons su	que nous sachions	que nous ayons su
vous savez	vous avez su	que vous sachiez	que vous ayez su
ils savent	ils ont su	qu'ils sachent	qu'ils aient su
elles savent	elles ont su	qu'elles sachent	qu'elles aient su
		MODE CONDITIONNEL	
Imparfait	**Plus-que-parfait**	**Présent**	**Passé**
je savais	j'avais su	je saurais	j'aurais su
tu savais	tu avais su	tu saurais	tu aurais su
il savait	il avait su	il saurait	il aurait su
elle savait	elle avait su	elle saurait	elle aurait su
nous savions	nous avions su	nous saurions	nous aurions su
vous saviez	vous aviez su	vous sauriez	vous auriez su
ils savaient	ils avaient su	ils sauraient	ils auraient su
elles savaient	elles avaient su	elles sauraient	elles auraient su
		MODE IMPÉRATIF	
Passé simple	**Passé antérieur**	**Présent**	**Passé**
je sus	j'eus su	sache	aie su
tu sus	tu eus su	sachons	ayons su
il sut	il eut su	sachez	ayez su
elle sut	elle eut su		
nous sûmes	nous eûmes su	**MODE PARTICIPE**	
vous sûtes	vous eûtes su	**Présent**	**Passé**
ils surent	ils eurent su	sachant	su, sue
elles surent	elles eurent su		sus, sues
Futur simple	**Futur antérieur**	**MODE INFINITIF**	
je saurai	j'aurai su	**Présent**	**Passé**
tu sauras	tu auras su	savoir	avoir su
il saura	il aura su		
elle saura	elle aura su		
nous saurons	nous aurons su		
vous saurez	vous aurez su		
ils sauront	ils auront su		
elles sauront	elles auront su		

VERBE FAIRE (3^E GROUPE, VOIX ACTIVE)

MODE INDICATIF		MODE SUBJONCTIF	
Présent	**Passé composé**	**Présent**	**Passé**
je fais	j'ai fait	que je fasse	que j'aie fait
tu fais	tu as fait	que tu fasses	que tu aies fait
il fait	il a fait	qu'il fasse	qu'il ait fait
elle fait	elle a fait	qu'elle fasse	qu'elle ait fait
nous faisons	nous avons fait	que nous fassions	que nous ayons fait
vous faites	vous avez fait	que vous fassiez	que vous ayez fait
ils font	ils ont fait	qu'ils fassent	qu'ils aient fait
elles font	elles ont fait	qu'elles fassent	qu'elles aient fait
		MODE CONDITIONNEL	
Imparfait	**Plus-que-parfait**	**Présent**	**Passé**
je faisais	j'avais fait	je ferais	j'aurais fait
tu faisais	tu avais fait	tu ferais	tu aurais fait
il faisait	il avait fait	il ferait	il aurait fait
elle faisait	elle avait fait	elle ferait	elle aurait fait
nous faisions	nous avions fait	nous ferions	nous aurions fait
vous faisiez	vous aviez fait	vous feriez	vous auriez fait
ils faisaient	ils avaient fait	ils feraient	ils auraient fait
elles faisaient	elles avaient fait	elles feraient	elles auraient fait
		MODE IMPÉRATIF	
Passé simple	**Passé antérieur**	**Présent**	**Passé**
je fis	j'eus fait	fais	aie fait
tu fis	tu eus fait	faisons	ayons fait
il fit	il eut fait	faites	ayez fait
elle fit	elle eut fait		
nous fîmes	nous eûmes fait	**MODE PARTICIPE**	
vous fîtes	vous eûtes fait	**Présent**	**Passé**
ils firent	ils eurent fait	faisant	fait, faite
elles firent	elles eurent fait		faits, faites
Futur simple	**Futur antérieur**	**MODE INFINITIF**	
		Présent	**Passé**
je ferai	j'aurai fait	faire	avoir fait
tu feras	tu auras fait		
il fera	il aura fait		
elle fera	elle aura fait		
nous ferons	nous aurons fait		
vous ferez	vous aurez fait		
ils feront	ils auront fait		
elles feront	elles auront fait		

VERBE POUVOIR (3E GROUPE, VOIX ACTIVE)

MODE INDICATIF		MODE SUBJONCTIF	
Présent	**Passé composé**	**Présent**	**Passé**
je peux	j'ai pu	que je puisse	que j'aie pu
tu peux	tu as pu	que tu puisses	que tu aies pu
il peut	il a pu	qu'il puisse	qu'il ait pu
elle peut	elle a pu	qu'elle puisse	qu'elle ait pu
nous pouvons	nous avons pu	que nous puissions	que nous ayons pu
vous pouvez	vous avez pu	que vous puissiez	que vous ayez pu
ils peuvent	ils ont pu	qu'ils puissent	qu'ils aient pu
elles peuvent	elles ont pu	qu'elles puissent	qu'elles aient pu
		MODE CONDITIONNEL	
Imparfait	**Plus-que-parfait**	**Présent**	**Passé**
je pouvais	j'avais pu	je pourrais	j'aurais pu
tu pouvais	tu avais pu	tu pourrais	tu aurais pu
il pouvait	il avait pu	il pourrait	il aurait pu
elle pouvait	elle avait pu	elle pourrait	elle aurait pu
nous pouvions	nous avions pu	nous pourrions	nous aurions pu
vous pouviez	vous aviez pu	vous pourriez	vous auriez pu
ils pouvaient	ils avaient pu	ils pourraient	ils auraient pu
elles pouvaient	elles avaient pu	elles pourraient	elles auraient pu
		MODE IMPÉRATIF	
Passé simple	**Passé antérieur**	**Présent**	**Passé**
je pus	j'eus pu	ne s'emploie pas	
tu pus	tu eus pu		
il put	il eut pu		
elle put	elle eut pu		
nous pûmes	nous eûmes pu	**MODE PARTICIPE**	
vous pûtes	vous eûtes pu	**Présent**	**Passé**
ils purent	ils eurent pu	pouvant	pu
elles purent	elles eurent pu		
Futur simple	**Futur antérieur**	**MODE INFINITIF**	
je pourrai	j'aurai pu	**Présent**	**Passé**
tu pourras	tu auras pu	pouvoir	avoir pu
il pourra	il aura pu		
elle pourra	elle aura pu		
nous pourrons	nous aurons pu		
vous pourrez	vous aurez pu		
ils pourront	ils auront pu		
elles pourront	elles auront pu		

VERBE NUIRE (3E GROUPE, VOIX ACTIVE)

MODE INDICATIF		MODE SUBJONCTIF	
Présent	**Passé composé**	**Présent**	**Passé**
je nuis	j'ai nui	que je nuise	que j'aie nui
tu nuis	tu as nui	que tu nuises	que tu aies nui
il nuit	il a nui	qu'il nuise	qu'il ait nui
elle nuit	elle a nui	qu'elle nuise	qu'elle ait nui
nous nuisons	nous avons nui	que nous nuisions	que nous ayons nui
vous nuisez	vous avez nui	que vous nuisiez	que vous ayez nui
ils nuisent	ils ont nui	qu'ils nuisent	qu'ils aient nui
elles nuisent	elles ont nui	qu'elles nuisent	qu'elles aient nui
		MODE CONDITIONNEL	
Imparfait	**Plus-que-parfait**	**Présent**	**Passé**
je nuisais	j'avais nui	je nuirais	j'aurais nui
tu nuisais	tu avais nui	tu nuirais	tu aurais nui
il nuisait	il avait nui	il nuirait	il aurait nui
elle nuisait	elle avait nui	elle nuirait	elle aurait nui
nous nuisions	nous avions nui	nous nuirions	nous aurions nui
vous nuisiez	vous aviez nui	vous nuiriez	vous auriez nui
ils nuisaient	ils avaient nui	ils nuiraient	ils auraient nui
elles nuisaient	elles avaient nui	elles nuiraient	elles auraient nui
		MODE IMPÉRATIF	
Passé simple	**Passé antérieur**	**Présent**	**Passé**
je nuisis	j'eus nui	nuis	aie nui
tu nuisis	tu eus nui	nuisons	ayons nui
il nuisit	il eut nui	nuisez	ayez nui
elle nuisit	elle eut nui	**MODE PARTICIPE**	
nous nuisîmes	nous eûmes nui	**Présent**	**Passé**
vous nuisîtes	vous eûtes nui	nuisant	nui
ils nuisirent	ils eurent nui		
elles nuisirent	elles eurent nui		
Futur simple	**Futur antérieur**	**MODE INFINITIF**	
je nuirai	j'aurai nui	**Présent**	**Passé**
tu nuiras	tu auras nui	nuire	avoir nui
il nuira	il aura nui		
elle nuira	elle aura nui		
nous nuirons	nous aurons nui		
vous nuirez	vous aurez nui		
ils nuiront	ils auront nui		
elles nuiront	elles auront nui		

VERBE COURIR (3E GROUPE, VOIX ACTIVE)

MODE INDICATIF		MODE SUBJONCTIF	
Présent	**Passé composé**	**Présent**	**Passé**
je cours tu cours il court elle court nous courons vous courez ils courent elles courent	j'ai couru tu as couru il a couru elle a couru nous avons couru vous avez couru ils ont couru elles ont couru	que je coure que tu coures qu'il coure qu'elle coure que nous courions que vous couriez qu'ils courent qu'elles courent	que j'aie couru que tu aies couru qu'il ait couru qu'elle ait couru que nous ayons couru que vous ayez couru qu'ils aient couru qu'elles aient couru
		MODE CONDITIONNEL	
Imparfait	**Plus-que-parfait**	**Présent**	**Passé**
je courais tu courais il courait elle courait nous courions vous couriez ils couraient elles couraient	j'avais couru tu avais couru il avait couru elle avait couru nous avions couru vous aviez couru ils avaient couru elles avaient couru	je courrais tu courrais il courrait elle courrait nous courrions vous courriez ils courraient elles courraient	j'aurais couru tu aurais couru il aurait couru elle aurait couru nous aurions couru vous auriez couru ils auraient couru elles auraient couru
		MODE IMPÉRATIF	
Passé simple	**Passé antérieur**	**Présent**	**Passé**
je courus tu courus il courut elle courut nous courûmes vous courûtes ils coururent elles coururent	j'eus couru tu eus couru il eut couru elle eut couru nous eûmes couru vous eûtes couru ils eurent couru elles eurent couru	cours courons courez **MODE PARTICIPE** **Présent** courant	aie couru ayons couru ayez couru **Passé** couru, courue courus, courues
Futur simple	**Futur antérieur**	**MODE INFINITIF**	
je courrai tu courras il courra elle courra nous courrons vous courrez ils courront elles courront	j'aurai couru tu auras couru il aura couru elle aura couru nous aurons couru vous aurez couru ils auront couru elles auront couru	**Présent** courir	**Passé** avoir couru

VERBE MOURIR (3E GROUPE, VOIX ACTIVE)

MODE INDICATIF		MODE SUBJONCTIF	
Présent	**Passé composé •**	**Présent**	**Passé •**
je meurs tu meurs il meurt elle meurt nous mourons vous mourez ils meurent elles meurent	je suis mort tu es mort il est mort elle est morte nous sommes morts vous êtes morts ils sont morts elles sont mortes	que je meure que tu meures qu'il meure qu'elle meure que nous mourions que vous mouriez qu'ils meurent qu'elles meurent	que je sois mort que tu sois mort qu'il soit mort qu'elle soit morte que nous soyons morts que vous soyez morts qu'ils soient morts qu'elles soient mortes
		MODE CONDITIONNEL	
Imparfait	**Plus-que-parfait •**	**Présent**	**Passé •**
je mourais tu mourais il mourait elle mourait nous mourions vous mouriez ils mouraient elles mouraient	j'étais mort tu étais mort il était mort elle était morte nous étions morts vous étiez morts ils étaient morts elles étaient mortes	je mourrais tu mourrais il mourrait elle mourrait nous mourrions vous mourriez ils mourraient elles mourraient	je serais mort tu serais mort il serait mort elle serait morte nous serions morts vous seriez morts ils seraient morts elles seraient mortes
		MODE IMPÉRATIF	
Passé simple	**Passé antérieur •**	**Présent**	**Passé •**
je mourus tu mourus il mourut elle mourut nous mourûmes vous mourûtes ils moururent elles moururent	je fus mort tu fus mort il fut mort elle fut morte nous fûmes morts vous fûtes morts ils furent morts elles furent mortes	meurs mourons mourez **MODE PARTICIPE** **Présent** mourant	sois mort soyons morts soyez morts **Passé** mort, morte morts, mortes
Futur simple	**Futur antérieur •**	**MODE INFINITIF**	
je mourrai tu mourras il mourra elle mourra nous mourrons vous mourrez ils mourront elles mourront	je serai mort tu seras mort il sera mort elle sera morte nous serons morts vous serez morts ils seront morts elles seront mortes	**Présent** mourir	**Passé •** être mort

• Si le sujet est au féminin, le participe passé *mort* se met aussi au féminin.
Exemple : *Je serais* ***morte*** *de peur si tu ne m'avais pas rassurée.*

VERBE PARTIR (3E GROUPE, VOIX ACTIVE)

MODE INDICATIF		MODE SUBJONCTIF	
Présent	**Passé composé •**	**Présent**	**Passé •**
je pars tu pars il part elle part nous partons vous partez ils partent elles partent	je suis parti tu es parti il est parti elle est partie nous sommes partis vous êtes partis ils sont partis elles sont parties	que je parte que tu partes qu'il parte qu'elle parte que nous partions que vous partiez qu'ils partent qu'elles partent	que je sois parti que tu sois parti qu'il soit parti qu'elle soit partie que nous soyons partis que vous soyez partis qu'ils soient partis qu'elles soient parties
		MODE CONDITIONNEL	
Imparfait	**Plus-que-parfait •**	**Présent**	**Passé •**
je partais tu partais il partait elle partait nous partions vous partiez ils partaient elles partaient	j'étais parti tu étais parti il était parti elle était partie nous étions partis vous étiez partis ils étaient partis elles étaient parties	je partirais tu partirais il partirait elle partirait nous partirions vous partiriez ils partiraient elles partiraient	je serais parti tu serais parti il serait parti elle serait partie nous serions partis vous seriez partis ils seraient partis elles seraient parties
		MODE IMPÉRATIF	
Passé simple	**Passé antérieur •**	**Présent**	**Passé •**
je partis tu partis il partit elle partit nous partîmes vous partîtes ils partirent elles partirent	je fus parti tu fus parti il fut parti elle fut partie nous fûmes partis vous fûtes partis ils furent partis elles furent partis	pars partons partez	sois parti soyons partis soyez partis
		MODE PARTICIPE	
		Présent	**Passé**
		partant	parti, partie partis, parties
Futur simple	**Futur antérieur •**	**MODE INFINITIF**	
		Présent	**Passé •**
je partirai tu partiras il partira elle partira nous partirons vous partirez ils partiront elles partiront	je serai parti tu seras parti il sera parti elle sera partie nous serons partis vous serez partis ils seront partis elles seront parties	partir	être parti

• Si le sujet est au féminin, le participe passé *parti* se met aussi au féminin.
Exemple: «*Nous sommes* ***parties*** *plus tôt*», *disent Maude et Manon.*

VERBE BATTRE (3^E GROUPE, VOIX ACTIVE)

MODE INDICATIF		MODE SUBJONCTIF	
Présent	**Passé composé**	**Présent**	**Passé**
je bats	j'ai battu	que je batte	que j'aie battu
tu bats	tu as battu	que tu battes	que tu aies battu
il bat	il a battu	qu'il batte	qu'il ait battu
elle bat	elle a battu	qu'elle batte	qu'elle ait battu
nous battons	nous avons battu	que nous battions	que nous ayons battu
vous battez	vous avez battu	que vous battiez	que vous ayez battu
ils battent	ils ont battu	qu'ils battent	qu'ils aient battu
elles battent	elles ont battu	qu'elles battent	qu'elles aient battu
		MODE CONDITIONNEL	
Imparfait	**Plus-que-parfait**	**Présent**	**Passé**
je battais	j'avais battu	je battrais	j'aurais battu
tu battais	tu avais battu	tu battrais	tu aurais battu
il battait	il avait battu	il battrait	il aurait battu
elle battait	elle avait battu	elle battrait	elle aurait battu
nous battions	nous avions battu	nous battrions	nous aurions battu
vous battiez	vous aviez battu	vous battriez	vous auriez battu
ils battaient	ils avaient battu	ils battraient	ils auraient battu
elles battaient	elles avaient battu	elles battraient	elles auraient battu
		MODE IMPÉRATIF	
Passé simple	**Passé antérieur**	**Présent**	**Passé**
je battis	j'eus battu	bats	aie battu
tu battis	tu eus battu	battons	ayons battu
il battit	il eut battu	battez	ayez battu
elle battit	elle eut battu		
nous battîmes	nous eûmes battu	**MODE PARTICIPE**	
vous battîtes	vous eûtes battu	**Présent**	**Passé**
ils battirent	ils eurent battu	battant	battu, battue
elles battirent	elles eurent battu		battus, battues
Futur simple	**Futur antérieur**	**MODE INFINITIF**	
je battrai	j'aurai battu	**Présent**	**Passé**
tu battras	tu auras battu	battre	avoir battu
il battra	il aura battu		
elle battra	elle aura battu		
nous battrons	nous aurons battu		
vous battrez	vous aurez battu		
ils battront	ils auront battu		
elles battront	elles auront battu		

VERBE ROMPRE (3E GROUPE, VOIX ACTIVE)

MODE INDICATIF		MODE SUBJONCTIF	
Présent	**Passé composé**	**Présent**	**Passé**
je romps tu romps il rompt elle rompt nous rompons vous rompez ils rompent elles rompent	j'ai rompu tu as rompu il a rompu elle a rompu nous avons rompu vous avez rompu ils ont rompu elles ont rompu	que je rompe que tu rompes qu'il rompe qu'elle rompe que nous rompions que vous rompiez qu'ils rompent qu'elles rompent	que j'aie rompu que tu aies rompu qu'il ait rompu qu'elle ait rompu que nous ayons rompu que vous ayez rompu qu'ils aient rompu qu'elles aient rompu
		MODE CONDITIONNEL	
Imparfait	**Plus-que-parfait**	**Présent**	**Passé**
je rompais tu rompais il rompait elle rompait nous rompions vous rompiez ils rompaient elles rompaient	j'avais rompu tu avais rompu il avait rompu elle avait rompu nous avions rompu vous aviez rompu ils avaient rompu elles avaient rompu	je romprais tu romprais il romprait elle romprait nous romprions vous rompriez ils rompraient elles rompraient	j'aurais rompu tu aurais rompu il aurait rompu elle aurait rompu nous aurions rompu vous auriez rompu ils auraient rompu elles auraient rompu
		MODE IMPÉRATIF	
Passé simple	**Passé antérieur**	**Présent**	**Passé**
je rompis tu rompis il rompit elle rompit nous rompîmes vous rompîtes ils rompirent elles rompirent	j'eus rompu tu eus rompu il eut rompu elle eut rompu nous eûmes rompu vous eûtes rompu ils eurent rompu elles eurent rompu	romps rompons rompez **MODE PARTICIPE** **Présent** rompant	aie rompu ayons rompu ayez rompu **Passé** rompu, rompue rompus, rompues
Futur simple	**Futur antérieur**	**MODE INFINITIF**	
je romprai tu rompras il rompra elle rompra nous romprons vous romprez ils rompront elles rompront	j'aurai rompu tu auras rompu il aura rompu elle aura rompu nous aurons rompu vous aurez rompu ils auront rompu elles auront rompu	**Présent** rompre	**Passé** avoir rompu

SOURCES DES PHOTOS

L'éditeur et les auteurs désirent remercier toutes les personnes et tous les organismes qui ont collaboré à l'ouvrage. Leurs conseils nous ont permis d'offrir des textes dont l'information est juste, précise et actuelle et de les accompagner de photos et d'illustrations qui les soutiennent et les complètent.

Page

54 **Victor Hugo**, source et photo : archives du Groupe de la Cité international.
55 **Antonine Maillet**, source : Théâtre du Rideau Vert, photo : Guy Dubois.
56 **Germaine Guèvremont**, source : Louise Gentiletti, photo : Zarov.
57 **Arlette Cousture**, source : Libre Expression, photo : André Panneton.
60 **Félix Leclerc**, source : Gaétane Morin Leclerc, photo : Jacques Aubert-Philips.
61 **Yves Beauchemin**, source : Québec/Amérique, photo : Kéro.
62 **Anne, Emily et Charlotte Brontë**, source et photo : National Portrait Gallery.
63 **Anne Hébert**, source : Diffusion Dimédia, photo : Sophie Bassouls/ Sygma © Seuil.
65 **Alice Parizeau**, source : Québec/Amérique, photo : Kéro.
68 **Michel Tremblay**, source : Agence Goodwin, photo : Yves Renaud.
70 **Yves Thériault**, source et photo : Centre de recherche en littérature québécoise de l'Université Laval, Québec.
72 **Émile Nelligan**, source : collection Paul Wyczynski, photo : Laprés et Lavergne, Montréal. *Émile Nelligan, poèmes autographes,* présentation, classement et commentaires de Paul Wyczynski, Montréal, Fides, 1991.
74 **Judith Jasmin**, source et photo : Société Radio-Canada.
76 **Marcel Dubé**, source : Marcel Dubé, photo : Georges Dutil.
78 **Marie-Claire Blais**, source : Agence Goodwin, photo : N. Hellyn A.M.L.
80 **Gabrielle Roy**, source : Fonds Gabrielle-Roy, photo : Zarov.
82 **Laure Conan**, source et photo : Archives du Musée de Charlevoix.
84 **Gilles Vigneault**, source : Le Nordet, photo : Birgit.
86 **Jean de La Fontaine**, source et photo : archives du Groupe de la Cité international.
88 **Molière**, source et photo : archives du Groupe de la Cité international.
90 **Stephen King**, source : Ralph Vicinanza, photo : Tabitha King.
91 **Charles Perrault**, source et photo : archives du Groupe de la Cité international.
93 **Gratien Gélinas**, source : Michel Gélinas, photo : Ian Westbury.
94 **Jacques Ferron**, source : Groupe Ville-Marie Littérature, photo : Kéro.
98 **Anton Tchekhov**, source et photo : archives du Groupe de la Cité international.
100 **Jean-Paul Mousseau** (1927-1991).
Source : Katerine Mousseau, photo : Guy Borremans.
103 ***Vent d'Hiver***, Paul-Émile Borduas (1905-1960).
Vent d'Hiver, 1956, huile sur toile, 19 1/2 po sur 24 po.
Don de M. Joseph H. Hirshhorn, Galerie d'Art Beaverbrook, Fredericton (Nouveau-Brunswick), Canada.
106 ***Les totems***, Virginia Bordeleau (1951-).
Musée de la civilisation du Québec, photo : Louise Leblanc.
109 ***Mount Rundle***, Henri Masson (1907-).
Mount Rundle, 1954, aquarelle sur papier, 14 po sur 20 po (35,6 cm sur 50,8 cm).
Don de M. Joseph H. Hirshhorn, Galerie d'Art Beaverbrook, Fredericton (Nouveau-Brunswick), Canada.
112 ***Le péage***, Cornelius Krieghoff (1815-1872).
Le péage (*The Toll Gate*), 1863, huile sur canevas, 17 3/4 po sur 25 1/2 po.
Don de la Royal Securities Corp. Ltd., Galerie d'Art Beaverbrook, Fredericton (Nouveau-Brunswick), Canada.

Page
116 ***Indian Village, Alert Bay***, Emily Carr (1871-1945).
Indian Village, Alert Bay, 1912, huile sur toile, 25 5/8 po sur 32 po.
Don de Lord Beaverbrook, Galerie d'Art Beaverbrook, Fredericton (Nouveau-Brunswick), Canada.
118 ***Portrait de femme***, Pablo Picasso (1881-1973).
VIS*ART, droit d'auteur inc. Pablo Picasso, 1994, photo : Superstock.
122 ***Les muses***, Alfred Laliberté (1878-1953).
Les muses, 182,9 cm sur 243,9 cm, collection Musée du Québec, 80.46, photo : Patrick Altman.
124 **Vitrail, station Champ-de-Mars du métro de Montréal**, Marcelle Ferron (1924-).
Photo : Société de transport de la communauté urbaine de Montréal.
126 ***Femmes de Caughnawaga***, Marc-Aurèle de Foy Suzor-Côté (1869-1937).
Femmes de Caughnawaga, collection Musée du Québec, 87.193, photo : Patrick Altman.
128 ***Sans titre***, Jean-Paul Riopelle (1923-).
Sans titre, 1992, diptyque, mixte sur bois, 154,3 cm sur 203,2 cm.
Photo : Daniel Roussel, Éditions Image de l'Art, © Jean-Paul Riopelle, 1994.
130 ***Homme portant de la nourriture à ses chiens***, Leah Qumaluk (1934-).
Photo : Fédération des coopératives du Nord québécois.
132 **Miyuki Tanobe** (1937-).
Source : Maurice Savignac, photo : Jean Charpentier.
134 **Sans titre**, Pierre Auguste Renoir (1841-1919).
Source et photo : Superstock.
140 **Le mont Saint-Hilaire**, source et photo : Association touristique régionale de la Montérégie.
150 **Le Stade olympique**, source : Parc olympique de Montréal, photo : Régie des installations olympiques.
152 **Le Colisée de Rome**, source et photo : Consulat général d'Italie.
153 **Le Parthénon**, source : Office national du tourisme grec, photo : Nikoe Kontoe.
155 **LG Deux**, source et photo : Hydro-Québec.
157 **Le Musée de la civilisation**, source : Musée de la civilisation du Québec, photo : Pierre Soulard.
160 **La tour Eiffel**, source et photo : Julie Broadhead.
162 **Les grandes pyramides**, source et photo : Egyptian Tourist Authority.
164 **Le Biodôme de Montréal**, source : Société des musées de sciences naturelles de Montréal, photo : Julie D'Amour Léger.
168 **Sylvie Bernier**, source : Jandec, photo : Jacques Gratton.
170 **Jackrabbit**, source : Musée du ski des Laurentides Jackrabbit, photo : archives du Musée Jackrabbit.
172 **Nadia Comaneci**, source et photo : Denis Brodeur.
174 **Manon Rhéaume**, source : National, photo : Martin Roy.
176 **Sylvie Daigle, Angela Cutrone, Annie Perreault, Nathalie Lambert**, source : Louise Cutrone, photo : Association canadienne de patinage de vitesse.
178 **Gérard Côté**, source : DBC Communications, photo : Réal Brodeur.
180 **Gilles Villeneuve**, source : Musée Gilles-Villeneuve, photo : Gaétan Savignac.
182 **Sylvie Fréchette**, source : National, photo : Jean Vachon.
184 **Jocelyne Bourassa**, source et photo : Denis Brodeur.
186 **Alexis Lapointe**, source : Société historique du Saguenay, photo : Archives nationales du Québec, Chicoutimi.
188 **Maurice Richard**, source : Maurice Richard, photo : Denis Brodeur.
190 **Guy Lafleur**, source : Guy Lafleur, photo : Claude Bureau et Ass.

SOURCES DES PHOTOS

Page

192 **Gaétan Boucher**, source : Jandec, photo : Jacques Gratton.
194 **Frédéric Back**, source : Société Radio-Canada, photo : Jean-Pierre Karsenty.
207 **Rock Demers**, source : Les Productions de la Fête, photo : Monic Richard.
210 **Claude Jutra**, source : collection de la Cinémathèque québécoise, photo : Alain Gauthier.
213 **Paule Baillargeon**, source : Office national du film du Canada, photo : Claudel Huot.
218 **Alexander G. Bell**, source : Bell Canada, photo : Service de la Collection historique de Bell Canada, Montréal.
222 **Marie Curie et Irène Juliot-Curie**, source et photo : Association Curie et Juliot-Curie, Paris.
224 **Louis Braille**, source et photo : L'Association Valentin-Haüy, Paris.
226 **Joseph-Armand Bombardier**, source et photo : Musée Joseph-Armand Bombardier.
232 **Alfred Nobel**, source et photo : Consulat général de Suède.
234 **Charles H. Best et Frederick Banting**, source et photo : Association canadienne du diabète.
240 **En stéréo**, source : Roland Jacob, photo : Robert Poirier.
243 **Sandford Fleming**, source : Canadien National, photo : archives du Canadien National.
246 **Dunlop et son vélo**, source et photo : Pneus Dunlop Canada ltée.
260 **Johannes Gutenberg**, source et photo : archives du Groupe de la Cité international.
294 **Hubert Reeves**, source : Les Communications Jo Ann Champagne, photo : Ferrante Ferranti.
295 **La Grande Ourse de l'Antiquité**, source et photo : Planétarium de Montréal.
297 **Le télescope Hubble**, source et photo : Planétarium de Montréal.
302 **La Voie lactée**, source : Planétarium de Montréal, photo : NASA.
305 **La planète Jupiter**, source : Planétarium de Montréal, photo : NASA.
306 **Le Soleil**, source : Planétarium de Montréal, illustration : Sophie Des Rosiers, Planétarium de Montréal.
307 **La Terre vue de l'espace**, source : Planétarium de Montréal, photo : NASA.
309 **Le Grand Chaudron**, source : Planétarium de Montréal, photo : Pierre Lacombe, Planétarium de Montréal.
311 **Une éclipse totale**, source : Planétarium de Montréal, photo : Denis Bergeron.
318 **Jean Duceppe**, source et photo : archives de la Compagnie Jean-Duceppe.
321 **Florence Nightingale**, source et photo : archives de l'Association des infirmières et infirmiers du Canada.
325 **Mère Teresa**, source et photo : High Commission of India.
327 **Paul de Chomedey de Maisonneuve**, source et photo : Archives nationales du Québec, direction de Montréal, de Laval, de Lanaudière, des Laurentides et de la Montérégie ; fonds ou collection : Armour Landry, cote : P97 Paul de Chomedey.
330 **Sir Wilfrid Laurier**, source : Musée Laurier, photo : Archives nationales du Québec.
332 **Denise Pelletier**, source : Gilles Pelletier, photo : Zarov.
334 **Samuel de Champlain**, source et photo : Archives nationales du Québec, direction de Montréal, de Laval, de Lanaudière, des Laurentides et de la Montérégie ; fonds ou collection : Famille Bourassa, cote : P266-4,21.
336 **Claude Saint-Jean**, source : Association canadienne de l'Ataxie de Friedreich, photo : Gilles Lafrance.
338 **René Lévesque**, source et photo : Archives nationales du Québec, direction de Montréal, de Laval, de Lanaudière, des Laurentides et de la Montérégie ; fonds ou collection : René Lévesque, cote : P18.
339 **Alphonse Desjardins**, source : Caisse Desjardins, photo : Pittways, 1913.
342 **Justine Lacoste-Beaubien**, source et photo : Hôpital Sainte-Justine.
343 **Henri Dunant**, source et photo : Croix-Rouge internationale.

Page

345 **Helen Keller**, source et photo : Institut Nazareth et Louis-Braille.

347 **Le Mahatma Gandhi**, source et photo : High Commission of India.

349 **Raymond Dewar**, source et photo : Institut Raymond-Dewar.

352 **Jeanne Mance**, source et photo : archives des Religieuses Hospitalières de Saint-Joseph de Montréal.

355 **Honoré Mercier**, source et photo : Archives nationales du Québec, direction de Montréal, de Laval, de Lanaudière, des Laurentides et de la Montérégie ; fonds ou collection : Famille Bourassa, cote : P266-4,82.

357 **Thérèse Casgrain**, source : Archives nationales du Canada ; collection : Catherine L. Clerverdon, cote : C0068509, photo : La Rose.

359 **Charles Bruneau**, source : Fondation Charles-Bruneau, photo : SPEQ.

362 **Rosanne Laflamme**, source et photo : ville de Saint-Hubert.

364 **Indira Gandhi**, source et photo : High Commission of India.

366 **La Bolduc**, source : Société historique de la Gaspésie, photo : Centre d'archives de la Gaspésie ; collection : Fernande M.A. Bolduc. Titre : Mme Édouard Bolduc, date : 1930, cote : 84-21-157-137.

367 **Sœur Marie Gérin-Lajoie**, source : archives de l'Institut Notre-Dame du Bon-Conseil de Montréal, photo : Studio Allard.

369 **Yvette Brind'Amour**, source et photo : Théâtre du Rideau Vert.

371 **Lucie Bruneau**, source et photo : Centre de réadaptation Lucie-Bruneau.

372 **Jules Verne**, source et photo : archives du Groupe de la Cité international.

BIBLIOGRAPHIE

ARRIVÉ, Michel, GADET, Françoise et GALMICHE, Michel, *La Grammaire d'aujourd'hui : guide alphabétique de linguistique française*, Paris, Flammarion, 1986, 720 p.

BIRON, Monique, *Au féminin : guide de féminisation des titres de fonction et des textes*, «Guides de l'Office de la langue française», Québec, Éd. Les Publications du Québec, 1991, 34 p.

CHEVALIER, Jean-Claude, BLANCHE-BENVENISTE, Claire, ARRIVÉ, Michel et PEYTARD, Jean, *Grammaire du français contemporain*, Paris, Larousse, 1964, 495 p.

COLPRON, Gilles, *Dictionnaire des anglicismes*, Montréal, Beauchemin, 1982, 199 p.

DAUZAT, Albert, DUBOIS, Jean et MITTERAND, Henri, *Nouveau dictionnaire étymologique et historique*, Paris, Larousse, 1974, 805 p.

Dictionnaire féminin-masculin des professions : titres et fonctions électives, Genève, Suisse, Bureau de l'égalité des droits entre homme et femme, 1990, 224 p.

DUBOIS, Jean et LAGANE, René, *La Nouvelle Grammaire du français*, Paris, Larousse, 1989, 266 p.

GOBBE, Roger, *Pour appliquer la grammaire nouvelle : morphosyntaxe de la phrase de base*, «Langages nouveaux, pratiques nouvelles», Paris-Gembloux, Duculot, 296 p.

GOBBE, Roger et TORDOIR, Michel, *Grammaire française*, Bruxelles, Éd. Plantyn, et Saint-Laurent, Éd. du Trécarré, 1986, 440 p.

GREVISSE, Maurice et GOOSSE André, *Le Bon Usage : grammaire française*, 12e éd., Paris-Gembloux, Duculot, 1986, 1768 p.

GUIRAUD, Pierre, *Les mots étrangers*, «Que-sais-je ?», Paris, PUF, 1971, 128 p.

HAMON, Albert, *Grammaire pratique*, «Guide pour tous, Usuels Hachette», Paris, Hachette, 1983, 344 p.

LAURIN, Jacques, *L'Orthographe en un clin d'œil*, Montréal, Les Éditions de l'Homme, 1990, 288 p.

LAURIN, Jacques, *Les verbes : la conjugaison rendue facile*, Montréal, Les Éditions de l'Homme, 1971, 207 p.

Le Nouveau Bescherelle, 1. L'Art de conjuguer : dictionnaire de 12 000 verbes, LaSalle, Hurtubise HMH, 1980, 157 p.

Le Nouveau Bescherelle, 3. La grammaire pour tous, LaSalle, Hurtubise HMH, 1984, 319 p.

Le Petit Larousse illustré en couleurs 1994, Paris, Larousse, 1993, 1777 p.

MAREUIL, André et LANGLOIS-CHOQUETTE, Muriel, *La Grammaire par l'exemple*, Boucherville, Les éditions françaises inc., 1988, 238 p.

Mettre au féminin : guide de féminisation des noms de métier, fonction, grade ou titre, Communauté française de Belgique, Conseil supérieur de la langue française, Bruxelles, Belgique, Service de la langue française, 1994, 72 p.

REY, Alain, et *al.*, *Dictionnaire historique de la langue française*, t. 1 et t. 2, Paris, Éd. Dictionnaires Le Robert, 1992, 2383 p.

REY-DEBOVE, Josette et GAGNON, Gilberte, *Dictionnaire des anglicismes : les mots anglais et américains en français*, «Les usuels du Robert», Paris, Éd. Le Robert, 1980, 1152 p.

ROBERT, Paul, *Le Nouveau Petit Robert 1 : dictionnaire de la langue française*, Paris, Société du Nouveau Littré, 1993, 2467 p.

THÉORET, Michel et MAREUIL, André, *Grammaire du français actuel pour les niveaux collégial et universitaire*, Montréal, CEC, 1991, 557 p.

THERRIEN, Michel, *Aide-Mémoire grammatical*, Boucherville, Vézina Éditeur, 1987, 188 p.

THOMAS, Adolphe V., *Dictionnaire des difficultés de la langue française*, «Références Larousse, langue française», Paris, Larousse, 1971, 435 p.

VILLERS, Marie-Éva de, *La Grammaire en tableaux*, «Langue et culture», Montréal, Québec/Amérique, 1991, 209 p.

VILLERS, Marie-Éva de, *Multidictionnaire des difficultés de la langue française*, Montréal, Québec/Amérique, 1993, 1328 p.

WALTER, Henriette, *Dictionnaire des mots d'origine étrangère*, «Références Larousse, langue française», Paris, Larousse, 1991, 413 p.

L

M